Attraction interdite

Piégée par le mensonge

Trompeuses apparences

KARA LENNOX

Attraction interdite

BLACK *ROSE*

Collection : BLACK ROSE

Titre original : FOR JUST CAUSE

Traduction française de CHRISTINE BOYER

Photos de couverture

Couple : © GRAPHICOBSESSION/RADIUS IMAGES
Paysage : © GRAPHICOBSESSION/RADIUS IMAGES

Réalisation graphique couverture : T. SAUVAGE

83-85, boulevard Vincent-Auriol, 75646 PARIS CEDEX 13.

Service Lectrices — Tél. : 01 45 82 47 47
www.harlequin.fr

ISBN 978-2-2802-8049-5 — ISSN 1950-2753

1

Comme toutes celles du monde, la salle de gymnastique de Project Justice sentait la sueur et les produits d'entretien. Habillée d'un élégant tailleur jaune et de hauts talons — une tenue incongrue dans ce genre d'endroit —, Claudia observait sa proie depuis le seuil de la porte.

Il ne la voyait pas. Allongé par terre, Billy Cantu soulevait des haltères.

Claudia avait déjà eu l'occasion de le croiser auparavant, mais elle ne s'était jamais doutée que sous ses chemises bien repassées se dissimulait un corps si musclé. Fascinée, elle fixa un moment ses biceps en action.

Vêtu d'un simple short, il dévoilait un torse à la peau mate, révélatrice de ses origines hispaniques. Avec ses cheveux noirs et épais, ses yeux bruns et pénétrants, sa bouche sensuelle, il était très bel homme.

Elle s'interdit aussitôt de s'aventurer sur ce terrain. Sa tâche ne consistait pas à dresser la liste des charmes virils de Billy, mais à décoder le langage de son corps pour en déduire son état d'esprit. Serait-il réceptif à ce qu'elle était venue lui proposer ?

Il le fallait. Il représentait son dernier espoir.

Heureusement, les traits de Billy étaient détendus. Ses mouvements étaient lents et harmonieux. Il ne semblait pas pressé par le temps, vu le rythme tranquille auquel il effectuait ses exercices de musculation. Le moment était sans doute bien choisi pour retenir son attention.

Elle entra donc brusquement dans la salle, et contourna une machine à ramer et un vélo d'appartement, s'arrangeant pour faire un peu de bruit avec ses talons afin de ne pas le surprendre lorsqu'elle prendrait la parole.

Quand il leva les yeux vers elle, elle y vit passer une lueur d'approbation masculine. Mais il se reprit si vite que sans son habitude quasi automatique de décrypter les expressions des gens, elle n'aurait sans doute pas remarqué sa brève réaction.

— Dr Ellison, dit-il en posant ses haltères pour s'emparer d'une serviette avec laquelle il s'essuya le cou. Vous venez vous entraîner ?

Elle jeta un œil à son tailleur et à ses hauts talons, puis reporta son attention sur les traits rieurs de son interlocuteur, s'efforçant de lui rendre son sourire.

— Appelez-moi Claudia, répondit-elle en lui tendant la main. Je suis heureuse de vous revoir.

Lorsqu'ils se serrèrent la main, celle de Billy, grande et calleuse, couvrit totalement la sienne. Elle ne s'attendait pas à ce que ce simple contact soit si… intime, et elle dut faire un effort pour ne rien trahir de son émoi. Heureusement qu'elle savait afficher le masque correspondant aux situations auxquelles elle était confrontée !

— J'espère que vous n'êtes pas venue pour me soigner, reprit Billy.

— Non, pas du tout. Mais j'ai quelque chose à vous demander.

Il s'approcha d'une fontaine d'eau et remplit un gobelet de carton. Elle tenta de cerner son état d'esprit. Etait-il irrité qu'elle fasse irruption au milieu de son entraînement ? Ou, au contraire, content de cette interruption ?

Curieusement, elle avait un peu de mal à interpréter son attitude, sa gestuelle, ses mimiques.

Elle ne savait pas grand-chose de lui, mis à part le fait qu'il avait longtemps fait partie de la police judiciaire de Dallas et qu'il travaillait depuis trois ans comme inspecteur pour l'association Project Justice, essentiellement dans l'ombre. D'après Daniel, Billy n'avait jamais pris la responsabilité d'une affaire.

A présent, elle devait le convaincre de l'aider. La vie d'une femme innocente en dépendait.

Il lui sourit.

— Vous avez attisé ma curiosité. Qu'aimeriez-vous savoir ?

Elle le dévisagea un instant.

— En fait, j'ai besoin de votre aide, répondit-elle. Vous souvenez-vous du meurtre d'Eduardo Torres ?

— Bien sûr. Eduardo Torres jouait un rôle clé au sein de la mafia de Rio Grande. Il était soupçonné d'assassinat, d'avoir descendu un type impliqué dans la guerre que se livrent les trafiquants pour contrôler le marché de la drogue. Et puis sa femme l'a tué.

— Sauf qu'elle ne l'a pas fait, en réalité. L'avocat de Mary-Francis Torres m'a contactée pour effectuer une évaluation psychologique de sa cliente. J'ai alors découvert qu'elle mentait en répondant à certaines de mes questions. Mais pas sur le point le plus important. Lorsqu'elle déclare qu'elle n'a pas tué son mari, elle est sincère.

— Comment le savez-vous ?

Claudia le fixa de nouveau. Il semblait plus curieux que sceptique.

— Eh bien, c'est mon métier. Je suis chargée de décrypter le langage du corps et les expressions du visage. Et je suis ainsi capable de déterminer avec un bon niveau de précision si quelqu'un dit la vérité ou ment.

— Vous croyez donc en l'innocence de l'épouse ?

— Je suis certaine qu'elle n'a pas tué son mari et qu'elle n'a pas la moindre idée de ce qui lui est arrivé. J'ai d'ailleurs témoigné au procès dans ce sens.

— Mais, vu qu'elle a été condamnée à mort, j'en déduis que vous n'avez pas convaincu le jury…

— Malheureusement, au moment du contre-interrogatoire, le procureur s'est focalisé sur les mensonges de Mary-Francis. Par exemple, elle a affirmé que son mariage avec Eduardo était heureux et qu'ils ne se disputaient jamais. Il m'a obligée à répéter encore et encore qu'elle avait menti sur ces deux points. Et, finalement, j'ai plus nui à sa cause qu'autre chose. Je me suis retrouvée piégée.

Claudia ne put réprimer un soupir. Depuis le procès, elle était torturée par la culpabilité.

— Je suis désolé d'apprendre que vous avez été hachée menu par le procureur. Mais vous n'avez rien à vous reprocher. Si je me souviens bien de l'affaire, la sentence n'a été qu'une simple formalité. Les flics ont retrouvé des litres du sang d'Eduardo dans le lit conjugal.

— Mais pas son cadavre…

— D'après le légiste, aucun homme ne pourrait survivre à une telle hémorragie.

— Quelqu'un d'autre aurait pu le tuer.

— Sans doute. Mais si aucun autre élément ne vient étayer cette hypothèse…

— C'est exactement le problème. Mary-Francis sait que je collabore avec Project Justice. Aussi m'a-t-elle contactée. Je suis la seule personne à croire qu'elle n'est pour rien dans la disparition de son mari, même si cela ne lui a pas été très utile au procès. Et elle prétend avoir une nouvelle preuve de son innocence.

— Laquelle ?

— Elle n'a pas été très explicite dans son mail. Mais je lui ai dit que j'irais la voir et j'aimerais que quelqu'un m'accompagne pour me donner un point de vue juridique sur ce nouvel élément.

— Et vous avez pensé à moi ?

Elle lut de la surprise dans son regard. Mais elle ne décryptait rien d'autre. Billy Cantu était vraiment impénétrable.

— Pourquoi pas vous ? reprit-elle.

— Vous savez certainement comment fonctionne notre association. Les dossiers sont évalués puis présentés à Daniel qui décide de la suite à leur donner.

— Je le sais et j'ai discuté avec Daniel. Il pense que cette affaire mérite au moins une enquête préliminaire. Mais tous les enquêteurs de l'équipe sont déjà surchargés de travail. Il m'a dit que vous étiez la seule personne disponible.

— Si je comprends bien, je suis votre dernier recours.

De nouveau, elle tenta de le percer à jour. Plaisantait-il ? Elle n'arrivait pas à le savoir.

— Oui, vous êtes mon seul recours, Billy. Et surtout la seule chance pour cette malheureuse d'échapper à la mort. Je suis persuadée qu'elle est innocente, mais je suis la seule à le penser. Je dois absolument réussir à en convaincre la justice. Sinon, je ne sais pas comment je pourrai continuer à vivre avec ce poids sur la conscience.

Billy poussa un gros soupir.

— J'aimerais vous aider, Claudia. Mais je seconde les autres enquêteurs de Project Justice dans leurs missions. Je ne prends pas d'affaires sous ma responsabilité.

Il posa son gobelet en carton près de la fontaine et saisit des haltères. Le sujet était clos. Il n'avait aucune envie de discuter plus longtemps.

Mais Claudia s'approcha pour l'obliger à la regarder en face.

— Vous pourriez être en charge de certaines affaires, mais vous ne voulez pas. Daniel m'a dit qu'il vous l'avait proposé et que vous aviez refusé.

« Pourquoi, d'ailleurs ? » se demandait-elle. Tout homme normal rêvait d'obtenir une promotion et une augmentation de salaire. Mais elle ne lui posa pas la question. Elle n'avait pas envie de le mettre mal à l'aise.

— Les choses me plaisent telles qu'elles sont, déclara-t-il.

Claudia soupira.

— Très bien. J'expliquerai à Mary-Francis que vous êtes trop occupé à développer votre musculature pour pouvoir lui sauver la vie.

Billy laissa tomber ses haltères avec fracas.

— Cela suffit. Je ne suis pas en train de m'amuser. Je profite de ma pause-déjeuner pour m'entraîner. Garder la forme fait partie du travail d'un policier.

— Vous n'êtes pas policier. Et vous ne travaillez pas sur le terrain. Votre plus grand effort physique consiste à soulever un récepteur de téléphone…

— Je travaille sur le terrain !

— Alors venez avec moi interroger Mary-Francis ! Allez, Billy… Ne m'obligez pas à vous supplier. Cela ne vous engage à rien. Ce que je vous propose, c'est de mener l'interrogatoire, et puis c'est tout. S'il en sort quelque chose, Daniel désignera quelqu'un pour se charger de l'affaire. Vous n'aurez rien de plus à faire.

— Vous ne me laissez pas beaucoup de choix, répondit-il en reprenant ses exercices.

Elle détourna les yeux. Voir ses muscles en action la troublait plus qu'elle ne l'aurait voulu.

— Je n'en avais pas l'intention, Billy. La vie d'une femme est en jeu quand même !

— Très bien. Je l'interrogerai. Mais Mary-Francis a intérêt à m'impressionner. Et, pour info, sachez que je déteste être analysé.

— Par mes soins ou de façon générale ?

— Disons que j'ai des doutes sur la réalité de vos compétences. Mais n'en parlons plus…

Claudia accusa le coup. Elle se sentait blessée. Habituellement, ses interlocuteurs étaient plutôt admiratifs devant ses capacités. Billy était décidément insaisissable…

— D'accord, Billy. Je vous appellerai dès que j'aurai obtenu le droit de rendre visite à Mary-Francis.

En général, une petite balade en voiture avec une jolie blonde avait tout pour plaire à Billy Cantu. Mais, quand la blonde en question passait son temps à l'observer comme s'il faisait partie d'une espèce particulièrement fascinante, il avait du mal à apprécier la promenade.

— Je sais que je suis très séduisant, finit-il par lâcher. Mais ce n'est pas une raison pour me regarder comme une bête curieuse. Ça me gêne pour conduire !

— Excusez-moi, bredouilla Claudia.

Elle détourna la tête vers les champs de blé qui s'étendaient autour d'eux.

— C'est devenu un automatisme, ajouta-t-elle.

— Et on ne vous a pas appris que fixer les gens est grossier ? Quand les femmes me reluquent avec une telle insistance, je préfère imaginer qu'elles rêvent de coucher avec moi, pas de sonder mon cerveau.

— Je n'aspire ni à l'un ni à l'autre, merci.

Billy se mit à rire. D'un coup d'œil, il la vit rougir. Claudia ne mentait pas très bien… Mais il préféra changer de sujet.

— Pourquoi ne pas me donner quelques éléments sur la vie de la femme que nous allons rencontrer ? J'ai lu les conclusions du tribunal, mais j'imagine que vous devez avoir plus d'informations.

C'était pure politesse de sa part. Au fond, il s'en fichait complètement. Cet interrogatoire serait une perte de temps, il en était convaincu. Mais Daniel avait tellement insisté pour qu'il s'en charge qu'il avait bien dû accepter.

C'était Daniel qui avait fondé l'association Project Justice et c'était lui qui décidait quels dossiers il fallait défendre. Claudia estimait Mary-Francis innocente et, apparemment, Daniel lui faisait confiance. A moins que ce ne soit simplement pour ne pas la vexer. Claudia était psychologue affiliée à son association et reconnue comme experte en langage corporel. Foutaises ! pensa Billy. Elle n'était même pas capable de l'observer discrètement…

— Pour tout dire, Mary-Francis n'est pas la femme la plus aimable que j'ai eu l'occasion de rencontrer, reprit Claudia. Elle n'aurait jamais dû venir à la barre pour défendre sa propre cause.

— A ce que j'ai vu, le procureur l'a massacrée au moment du contre-interrogatoire, continua Billy poliment.

— Et, pourtant, je persiste à croire qu'elle dit la vérité. Peut-être pas sur toute la ligne. Mais, lorsqu'elle répète qu'elle n'a pas tué son mari, elle dit vrai. J'en suis sûre.

— Si vous n'en étiez pas persuadée, vous n'auriez pas sollicité l'aide de Project Justice !

— Chaque fois qu'on lui a demandé si elle savait où se trouvait son mari, si elle l'avait tué ou si elle savait si quelqu'un l'avait tué, ses gestes comme ses expressions faciales prouvaient sans l'ombre d'un doute que ses réponses étaient sincères. Si elle avait voulu mentir, son corps l'aurait trahie en montrant des signes de tension. Mais là, elle était détendue, les yeux bien ouverts et mobiles, la voix assurée. En revanche, elle a menti sur un certain nombre d'autres points.

— Lesquels ? demanda Billy, par automatisme.

— Son mariage. Elle a tenté de faire croire que sa vie conjugale était harmonieuse, que son mari et elle étaient profondément amoureux. Mais, chaque fois que la question était abordée, elle rentrait la tête dans les épaules et cachait ses mains sous ses genoux. Par ailleurs, lorsque quelqu'un élevait la voix ou essayait de l'intimider, elle réagissait également ainsi, elle adoptait le comportement classique de toutes les personnes victimes de maltraitance. C'est…

Claudia n'eut pas le temps d'achever sa phrase. Un écureuil traversa la route et Billy pila pour l'éviter.

Elle s'accrocha à la poignée de sa portière.

— Seigneur ! Que diable fabriquez-vous ? cria-t-elle.

— J'essaie de ne pas écraser un écureuil. Tout simplement !

— Vous me prouvez ainsi votre grande compassion. Mais je préfère qu'un écureuil soit tué et que nous ne nous retrouvions pas dans le fossé.

— Désolé. C'était un réflexe.

Billy tapota sur son volant. Que Claudia cherche une signification à chacun de ses actes l'agaçait au plus haut point. De la compassion ! Pour un écureuil ? N'importe quoi ! Mais ils allaient passer du temps ensemble et il ne voulait pas le consacrer à se disputer avec elle.

— Donc vous me disiez qu'elle se recroquevillait sur elle-même ? reprit-il.

Claudia lâcha la poignée et recouvra ses esprits.

— C'est un des nombreux signes qui prouvent qu'elle se sent menacée lorsque certains sujets sont abordés. Cela dit, chaque personne est différente. Je dois observer quelqu'un durant un petit moment pour comprendre sa façon d'exprimer diverses émotions puis être attentive aux changements qui s'opèrent parfois...

— D'accord, je vois.

— Vous ne me croyez pas ?

Billy haussa les épaules, préférant ne pas lui dire le fond de sa pensée. Cette pseudo-science était totalement bidon. Pour coincer quelqu'un en flagrant délit de mensonge, il valait mieux les bonnes vieilles méthodes qui consistaient à l'interroger encore et encore jusqu'à ce qu'il finisse par se contredire.

— Le langage du corps est une science reconnue, fondée sur des études statistiques approfondies, reprit Claudia.

— Inutile de chercher à m'en convaincre. Il n'est pas indispensable que je comprenne votre travail pour effectuer le mien, n'est-ce pas ?

— Euh, non...

— Vous me demandez seulement d'interroger Mary-Francis, de l'écouter nous donner ce qu'elle pense être une nouvelle preuve de son innocence pendant que vous l'observerez.

— Il ne s'agit pas de lui faire subir un interrogatoire en règle ni de lui mettre davantage de pression, précisa Claudia. Elle pourrait alors se fermer complètement ou refuser de répondre. Et tout serait fichu !

Billy haussa les sourcils. Il avait sa façon d'interroger un suspect, une façon plus traditionnelle, mais qui s'était en général révélée fructueuse.

— Claudia, avez-vous une idée de la nature de ce nouvel élément dont elle veut nous parler ?

— Pas vraiment. Mais, quoi que ce soit, j'aimerais que vous me donniez l'opinion d'un policier.

— Je ne serai donc pas obligé de la ménager en lui posant mes questions.

— Non, mais ne la heurtez pas. Sinon, le stress provoqué par l'interrogatoire annihilera le reste.

— Oui, oui, j'ai compris !

Il n'avait pas besoin qu'on lui dise les choses deux fois, mais se retint de le faire remarquer à Claudia. La discussion était déjà suffisamment tendue. Cette Claudia avait décidément un fichu tempérament… mais également des jambes magnifiques. Il avait bien du mal à rester concentré sur la route. Son regard était tout le temps attiré par ces jambes délicatement bronzées et joliment dessinées. Il aurait bien posé la main dessus. Mais Claudia n'aurait certainement pas apprécié…

— Vous n'accordez pas beaucoup de crédit à ce que je fais, reprit-elle.

Il se mit à rire.

— Cela vous ennuie ?

— Oui.

— Pourquoi ? Vous devez être habituée aux réactions sceptiques.

— En général, elles n'émanent pas des gens censés être de mon camp. J'ai demandé à Daniel de n'embaucher que des enquêteurs à l'esprit ouvert.

— Et vous me trouvez obtus ?

— Je pense que vous refusez de prendre en considération quelque chose qui va à l'encontre de vos croyances profondes. Dans mon métier, nous qualifions cette attitude de…

— Ne commencez pas, l'interrompit Billy. Je ne vous autorise pas à m'analyser. Cela ne fait pas partie du contrat.

— Pourtant, lorsque vous avez dû subir une batterie de tests pour être embauché par l'association, vous vous y êtes prêté sans protester.

— Si j'y avais opposé un veto, je n'aurais pas décroché le poste. Je suis sain de corps et d'esprit, merci. Mon cerveau n'a pas besoin d'être découpé en tranches ni catalogué.

— Très bien, répliqua-t-elle sèchement.

Après un moment de silence tendu, elle reprit la parole, de manière plus décontractée.

— Je vous présente mes excuses, Billy. Analyser toutes les personnes que je côtoie est devenu un automatisme pour moi. Je ne me rends même plus compte que je le fais…

— Pas de souci. Je vous comprends…

Billy s'était un peu forcé pour répondre si poliment. Mais, au fond, il pouvait parfaitement comprendre Claudia. Il n'effectuait plus d'opérations d'infiltration depuis des années, mais continuait à évaluer les gens qu'il rencontrait en termes de menace potentielle. Il n'avait toujours pas perdu l'habitude de s'asseoir dos au mur et de cacher une arme de secours dans sa botte.

Depuis qu'il travaillait au grand jour, il ne se sentait jamais totalement en sécurité, pas même derrière une porte verrouillée. Il avait ses raisons. Pénétrer les gangs de trafiquants avait fait de lui une cible. Sa tête était mise à prix quand Sheila avait été tuée. Ses supérieurs avaient d'ailleurs envisagé de le muter dans une ville où personne ne le connaîtrait. La police judiciaire de Houston l'aurait bien accueilli. Mais il avait préféré mettre un terme à ses fonctions de policier. Décrocher un emploi au sein de Project Justice lui avait alors paru une aubaine. Une issue de secours, même si la menace planait toujours au-dessus de lui…

— On ne perd pas facilement ses réflexes, reprit-il. Mais, si vous avez l'intention d'interpréter chacun de mes mots ou chacun de mes gestes, il vaut sans doute mieux que vous gardiez vos réflexions pour vous.

Claudia leva un sourcil surpris.

— Auriez-vous peur de ce que vous pourriez entendre ?

— Disons que je n'ai pas envie de discuter des « vérités » que vous ne manqueriez pas de m'asséner. Je me défends mieux dans un lit que sur un divan de psy.

Il sourit. Pourvu qu'elle ne prenne pas sa plaisanterie au sérieux ! Parce que, même s'il avait passé une bonne partie du trajet à fantasmer sur ses longues jambes, il n'avait aucune intention de devenir son amant.

Comme la plupart des femmes, elle exigerait alors de lui beaucoup plus que ce qu'il était prêt à offrir.

Quand Mary-Francis Torres fut introduite dans la salle d'interrogatoire, poignets et chevilles menottés, Claudia venait de finir d'installer une petite caméra dans un coin. Elle aurait peut-être besoin d'analyser la vidéo plus tard, de passer les images au ralenti pour détecter des expressions trop fugitives pour être repérées par l'œil humain.

Elle avait demandé à ce que Mary-Francis soit assise en face d'elle et de Billy, sans cloison de verre qui les séparerait, sans téléphone, sans même une table. Il avait fallu l'intervention de Daniel pour que le directeur de la prison accède à contrecœur à cette requête. L'administration pénitentiaire n'appréciait peut-être pas les efforts de Project Justice pour faire libérer des prisonniers qui ne devaient pas être en prison, mais le nom de Daniel avait indéniablement du poids.

— Retirez-lui ses menottes, s'il vous plaît, demanda Claudia au gardien.

— Je n'y suis pas autorisé, madame.

— Mais si, vous l'êtes, répliqua-t-elle avec douceur.

Il était essentiel qu'elle puisse étudier tout le corps de Mary-Francis. Les jambes et les pieds étaient souvent très révélateurs parce que les gens pensaient moins à les contrôler que le visage ou les mains.

En grommelant, l'homme finit par obtempérer et laissa les deux femmes et Billy seuls.

Claudia regarda son interlocutrice.

Mary-Francis avait quarante-trois ans, souffrait d'une légère surcharge pondérale et ses cheveux poivre et sel étaient noués en queue-de-cheval. Avant d'être incarcérée, elle les coiffait en chignon mais sans doute n'avait-elle plus le droit d'utiliser des épingles.

Elle avait l'air de tenir le coup. Les détenues du couloir de la mort, isolées du reste de la population carcérale, n'avaient pas à craindre les bagarres ni les vols éventuels. Elles pouvaient lire, avoir un poste de radio et faire une heure de promenade par jour.

C'était sans doute la manière la plus confortable de passer son temps dans un établissement pénitentiaire hautement sécurisé.

La prison n'avait donc pas encore brisé cette femme. Elle arborait toujours cette expression belliqueuse, teintée d'un certain dédain, qui n'avait pas fait bonne impression au jury, lors du procès. Mais on serait agressive pour moins que cela, songea Claudia, quand on est accusée à tort d'avoir tué son mari !

— Bonjour, Mary-Francis, dit-elle d'une voix douce. Comment allez-vous ?

— A votre avis ?

Mary-Francis avait gardé un léger accent, nota Claudia. Elle avait émigré aux Etats-Unis à l'âge de quinze ans. Elle était alors la très jeune épouse d'Eduardo Torres.

— Avez-vous besoin de quelque chose ? De lecture ? D'affaires de toilette ? s'enquit Claudia.

Refusant de répondre, Mary-Francis darda les yeux sur Billy.

— Qui est-ce ?

— Billy fait partie de l'équipe de Project Justice. Il va m'aider à évaluer la preuve que vous avez l'intention de m'apporter.

— Il n'arrête pas de me regarder. Dites-lui de cesser.

Claudia se tourna vers Billy, mais celui-ci continua de fixer Mary-Francis, sans un mot. Ne pouvait-il lui simplifier la tâche ? Une personne détendue était nettement plus facile à décrypter. Elle s'adressa de nouveau à Mary-Francis.

— Revenons-en à notre affaire, d'accord ? Vous m'avez écrit dans votre mail que vous aviez un nouvel élément pour prouver votre innocence.

Mary-Francis jeta un nouveau coup d'œil à Billy.

— Pas devant lui.

— Je suis désolée, mais sa présence est indispensable. Il est le seul à pouvoir décider Project Justice à se charger de votre défense.

Mary-Francis esquissa une moue désapprobatrice.

— Qui me dit qu'il n'ira pas raconter ce dont je vais vous parler ? Ce serait grave. Si certaines personnes apprenaient ce que je m'apprête à vous dire, elles me tueraient.

Claudia réprima un mouvement d'inquiétude. Mary-Francis présentait des symptômes de paranoïa. Ce n'était jamais bon signe.

— Billy est digne de confiance, je vous l'assure. Il ne divulguerait jamais des informations sensibles.

— Même contre une grosse somme d'argent ? Contre une fortune ? Il est peut-être bien habillé, mais il ressemble à un chef de gang, à ces petites frappes capables d'agresser une vieille dame pour lui arracher sa bague de fiançailles.

Claudia guetta la réaction de Billy. Mais les insultes de Mary-Francis glissèrent sur lui sans l'atteindre. D'ailleurs, c'est ce qui l'énervait chez lui et c'est pour ça qu'elle l'observait tant. Il ne montrait jamais rien de ses pensées, il n'arborait aucune émotion, pas même la plus infime. Chacune de ses expressions, chacun de ses gestes étaient étudiés pour correspondre à l'image qu'il voulait donner. Seuls des psychopathes parvenaient à masquer aussi complètement leurs sentiments et uniquement parce qu'ils n'en éprouvaient aucun de sincère ! Voilà pourquoi Billy la perturbait à ce point.

— Ecoutez, madame, dit Billy, brisant enfin le silence. Soit vous acceptez de parler en ma présence, soit cet interrogatoire est terminé.

Mary-Francis le fusilla du regard et se tourna vers Claudia.

— Très bien. Je vais donc le faire, souffla Mary-Francis.

Claudia l'observa attentivement. Elle semblait considérer qu'elle leur accordait un grand honneur en se livrant ainsi.

— L'autre jour, ma fille, Angie, m'a rendu visite. Elle ne vient *jamais* me voir. Je me suis donc tout de suite doutée qu'il se passait quelque chose.

— Vous n'êtes pas très proche d'elle ? demanda Billy avec douceur.

Mary-Francis soupira.

— Non, elle pense que j'ai tué son père. Elle ne voulait plus m'adresser la parole. Et, soudain, tout a changé. J'ai donc compris qu'Eduardo l'avait certainement contactée.

Claudia écarquilla les yeux. Eduardo ? Vivant ? Mary-Francis sombrait-elle dans le délire ou tentait-elle de se tirer d'affaire en racontant n'importe quoi, avec l'énergie du désespoir ?

— Vous croyez donc que votre mari est toujours vivant ? Parce que votre fille est venue vous rendre visite ?

— Je sais qu'il est en vie, insista Mary-Francis.

Claudia ne sut quoi répondre et se tourna vers Billy.

— Angie est peut-être simplement dans un autre état d'esprit, reprit-il avec un sourire charmeur — et totalement artificiel, nota Claudia. La date de votre exécution approche. Elle a peut-être pris conscience qu'elle allait bientôt être orpheline.

Claudia observait avec attention les gestes et expressions de Mary-Francis, cherchant des signes révélateurs de tension.

Mais elle n'en trouva aucun. Mary-Francis leur faisait face, les mains posées sur les genoux, l'air détendu.

— Angie m'a interrogée à propos d'un secret que nous avions, Eduardo et moi. Nous nous étions mis d'accord pour ne jamais en souffler mot à notre fille. Comme je n'en ai jamais parlé à Angie, il est évident que c'est son père qui l'a mise au courant.

— Mais peut-être lui a-t-il confié ce secret avant sa mort, suggéra Billy.

— S'il l'avait fait, reprit Mary-Francis, Angie serait venue me cuisiner il y a bien longtemps ! Je connais ma fille. Elle est camée et volerait n'importe quoi pour s'acheter une dose.

— Ce secret est donc susceptible de lui rapporter de l'argent ? poursuivit Billy.

— Il concerne quelque chose de grande valeur, oui…

Soudain, Claudia vit quelque chose. Mary-Francis ne mentait pas à proprement parler, non. Mais elle bottait en touche, elle feintait. Elle n'était pas à l'aise pour évoquer ce secret, quel qu'il soit. Quand elle l'évoquait, elle pinçait légèrement sa bouche…

— Et de quoi s'agit-il ? s'enquit Billy.

Claudia ne lâcha pas Mary-Francis du regard. Elle paraissait hésiter, soupeser les options qui s'offraient à elle.

— Des pièces d'or, répondit-elle finalement. Nous avions une collection de pièces d'or qui valent une fortune. Lorsque nous nous sommes aperçus qu'Angie nous volait, j'ai eu peur qu'elle ne découvre ces pièces et n'essaie de les mettre en gage. Alors je les ai données à ma sœur, Theresa, pour qu'elles soient en sécurité. Je n'en ai parlé à personne, pas même à Eduardo.

— Pourquoi ? voulut savoir Billy. N'aviez-vous pas confiance en lui ?

— Bien sûr que si ! Je lui faisais entièrement confiance ! Je pensais le lui dire, mais cela m'est sorti de l'esprit. Et puis il a disparu.

La main sur la nuque, le regard fuyant, les épaules affaissées, la voix plus pointue que d'habitude, tout prouvait que Mary-Francis mentait, Claudia en était certaine.

— Excusez-moi, madame, reprit Billy. Mais votre histoire est grotesque.

Claudia la fixait toujours. Pour la première fois depuis le début de l'entretien, Mary-Francis paraissait déstabilisée.

— Je vais mieux vous expliquer, alors, reprit-elle. Eduardo était soupçonné d'avoir tué un dealer et il avait très peur de finir en prison. Je pense qu'il avait l'intention de s'enfuir au Mexique en emportant les pièces d'or. Là-bas, il les aurait vendues pour prendre un nouveau départ. Mais il ne les a pas retrouvées parce que je les avais cachées ailleurs. Et il ne pouvait pas me demander où je les avais mises puisque j'étais censée le croire mort.

— Votre cher et tendre voulait donc que vous le croyiez mort ? demanda Billy.

— Il a dû estimer qu'il valait mieux ça que d'aller en prison, grommela Mary-Francis. Il se doutait que la police m'interrogerait et il s'est dit que je ne pourrais pas leur indiquer où il s'était enfui si je l'ignorais. Par la suite, il a dû reprendre contact avec Angie pour qu'elle l'aide à retrouver les pièces d'or. Peut-être lui en a-t-il promis une partie. Angie ferait n'importe quoi pour lui. Mais elle n'a pas découvert le trésor non plus. Alors elle est venue me voir en prison, pensant qu'elle parviendrait à me faire dire où je les avais cachées. Elle a prétendu qu'elle voulait les déposer dans un coffre à la banque, en sécurité. Tu parles ! Elle les aurait données à son père, oui ! Ou elle les aurait vendues pour le quart de leur valeur, sans doute. Ma fille n'a pas inventé le fil à couper le beurre…

— Et que valent-elles, en réalité ? l'interrompit Billy.

Claudia le laissait mener l'entretien. C'était bien mieux ainsi. Elle avait tout loisir d'observer Mary-Francis. Et, de nouveau, les gestes et expressions de celle-ci changèrent radicalement.

Lorsqu'elle leur racontait son histoire, elle était penchée en avant, le visage ouvert et animé, gesticulant. Maintenant, elle semblait se rétracter et tirait sur ses cheveux.

— Je ne sais pas ce qu'elles valent.

— Votre fille vous a donc demandé où vous aviez dissimulé ces pièces d'or, répéta Billy. Et vous en avez déduit que votre mari était toujours en vie.

Il s'adossa à sa chaise, les bras croisés, une posture masculine classique destinée à intimider un interlocuteur.

— Vous ne comprenez pas, répondit Mary-Francis. Ma fille ne savait rien, absolument rien, sur ces pièces avant la disparition d'Eduardo. Et, maintenant, elle vient me poser une avalanche de questions à ce sujet. Elle sait. Et elle n'a pu être mise au courant de l'existence de ce trésor que par son père.

— Alors qu'espérez-vous de nous ? poursuivit Billy. Que nous demandions à la police de vous libérer parce que votre fille a fait allusion à une collection de pièces d'or ? C'est ridicule.

— Je veux que vous retrouviez Eduardo. Je *sais* qu'il est vivant. A présent, il doit être à court d'argent et chercher ces pièces comme un fou. Peut-être pourriez-vous lui tendre un piège. Je vous donnerai le nom d'amis et de personnes de sa famille qu'il a ici et au Mexique. Mais, avant toute chose, j'aimerais que vous préveniez ma sœur. Tôt ou tard, Angie va deviner que j'avais confié ce trésor à Theresa. Dites-lui de le cacher le mieux possible.

— Pourquoi ne prenez-vous pas vous-même contact avec Theresa ? demanda Billy. Conseillez-lui de mettre ces pièces à la banque, dans un coffre.

— Je ne peux pas la joindre. Elle ne répond pas au téléphone.

Des larmes inondèrent ses joues.

— Je lui ai donné une… comment dit-on déjà ? Elle peut signer en mon nom.

— Une procuration ?

— Voilà. Une procuration. Et, maintenant, j'ai peur qu'elle se retourne contre moi comme l'a fait Angie.

— Mais si Eduardo est vivant, la coupa Claudia, comment expliquez-vous tout ce sang que la police a découvert dans votre lit ?

— Les preuves peuvent être trafiquées, répliqua-t-elle en haussant les épaules. Les flics sont si corrompus !

Billy l'interrompit.

— Mary-Francis, quelle est la valeur approximative de ces pièces d'or ? Vous devez bien en avoir une idée quand même !

Mary-Francis hésita.

— Je n'en suis pas sûre. Il s'agit de vieux escudos espagnols, découverts dans un bateau qui avait fait naufrage autrefois. Ils valent environ un million de dollars, peut-être davantage.

2

— De vieilles pièces espagnoles peuvent valoir un million de dollars ? demanda Billy quand ils revinrent à la voiture.

— Si elles sont en or, elles ont certainement beaucoup de valeur, lui répondit Claudia. D'autant qu'elles sont anciennes.

— Et puis, peu importe après tout : la valeur intrinsèque de ces pièces est un détail. La véritable question en ce qui nous concerne est : « Mary-Francis croit-elle vraiment qu'Eduardo est vivant ? » Et si c'est le cas, se leurre-t-elle ?

— Elle m'a paru sincère. Mais tout cela m'a un peu fatiguée et je meurs de faim. Ne pourrions-nous pas nous arrêter quelque part pour grignoter un morceau ?

— Bien sûr. Où voulez-vous aller ?

Billy ne se souvenait pas avoir vu beaucoup de restaurants chics à Gatesville, l'agglomération la plus proche de la prison. Même si ses habitants se gonflaient d'importance parce que leur ville abritait la plus grande collection d'éperons du monde, il ne s'agissait en fait que d'une petite bourgade de province.

— N'importe où, reprit Claudia. Oh ! Regardez, un McDonald's ! Allons-y.

— Un McDonald's ? Vous vous moquez de moi ?

Billy fronça les sourcils. Claudia Ellison avait-elle vraiment envie de déjeuner dans un fast-food ?

— J'y ai… de bons souvenirs d'enfance, bafouilla-t-elle. Mais… si vous préférez aller ailleurs…

— Non, non, ça ira.

Billy masquait difficilement son étonnement. Il aurait été prêt à parier que Claudia venait d'un milieu aisé. Son port de tête altier comme sa façon de parler trahissaient une jeune fille de bonne famille. Il avait du mal à imaginer que ses parents l'aient régulièrement emmenée manger des hamburgers et des frites.

— Je vous voyais plutôt vous arrêter dans un restaurant gastronomique français, dit-il lorsqu'ils furent installés devant une table en Formica.

Par habitude, Billy s'était assis le dos au mur pour pouvoir surveiller la porte d'entrée comme le parking.

— J'adore la cuisine française ! lui répondit Claudia. Mais les McDonald's servent les meilleurs banana split du monde.

Elle s'en régalait d'avance et ouvrit la carte qu'une serveuse leur avait apportée.

Après un instant, elle leva le nez.

— Qu'y a-t-il, Billy ? Pourquoi souriez-vous ?

— Je l'avoue, je ne m'attendais vraiment pas à ce que vous soyez enchantée à l'idée de prendre un repas dans un McDonald's.

Claudia se renfrogna sur sa banquette et il regretta aussitôt d'avoir ainsi plaisanté.

— Sans doute ai-je eu envie de me restaurer dans une ambiance gaie et sympathique après avoir passé la matinée dans cette prison sinistre, reprit-elle. Quel horrible endroit, non ?

— Parce qu'un McDonald's vous semble gai ?

Elle promena les yeux autour d'elle. La salle était à moitié remplie, pour l'essentiel par des types en bleu de travail et par des adolescents.

— Oui, déclara-t-elle. Ces hommes sont intensément soulagés de profiter de la fraîcheur prodiguée par l'air conditionné. Quant à cette bande de jeunes en train de dépenser allègrement leur argent de poche pour s'empiffrer de cheese burgers et de glaces, loin de leurs parents, ils ont l'air heureux aussi.

Billy la dévisagea un instant. Malgré ses belles paroles, son sourire était devenu légèrement amer.

La serveuse les interrompit.

— Avez-vous choisi ?

— J'aimerais un poulet et un Coca light, s'il vous plaît, lui répondit Claudia.

Billy commanda le burger du jour et des frites.

Quand la serveuse se fut éloignée, il s'étonna.

— Vous n'avez pas demandé de banana split.

— Il ne serait sans doute pas aussi bon que dans mes souvenirs. Maintenant, revenons-en à Mary-Francis.

— Je pense qu'elle ment comme une arracheuse de dents. Son mari ne peut être vivant, c'est tout simplement impossible.

— Désolée, Billy. Mais je crois qu'elle disait la vérité. Sur certains points, en tout cas. Ces pièces d'or existent. Elle croit qu'elles valent plus d'un million de dollars et que sa fille est venue la voir dans l'espoir de les récupérer. Elle est certaine que son mari a repris contact avec Angie. Tout était vrai. A l'exception notable d'un mensonge de taille.

— Et lequel ?

— Elle n'a pas « oublié » de dire à Eduardo qu'elle avait confié ce trésor à sa sœur. A mon avis, elle le lui a caché sciemment. Leur mariage partait à la dérive, mais elle n'avait pas la possibilité de divorcer. Son époux était violent. Elle a sans doute essayé de garder ces pièces pour avoir un jour la possibilité de s'enfuir et de prendre un nouveau départ.

— Excusez-moi de vous faire remarquer qu'un trésor d'un million de dollars me semble un bon mobile de meurtre.

— Elle est persuadée que son mari est toujours vivant.

— Alors, elle est dans l'illusion. Les litres de sang retrouvés dans le lit conjugal prouvent la mort de ce type sans l'ombre d'un doute. Peut-être souffre-t-elle d'absences et a-t-elle oublié qu'elle l'a assassiné.

— J'ai un peu d'expérience et j'aurais certainement détecté ce genre de maladie mentale chez elle si elle en était atteinte.

Leurs plats arrivèrent et Claudia cessa de parler pour mieux déguster son poulet. Billy l'observa : elle semblait vraiment se régaler et fermait les yeux pour mieux savourer chaque bouchée. Décidément, elle l'intriguait. Pourquoi ce restaurant lui était si particulier ?

Tout en finissant son burger, il essaya une nouvelle fois d'imaginer l'enfant qu'elle avait été. Une petite blonde avec des nattes, peut-être. Elle était si mince qu'elle avait dû être une fillette très maigre, tout en os. Avait-elle été un garçon manqué ou une petite princesse ? Il penchait pour cette dernière hypothèse.

— Vous souriez encore.

Elle l'avait surpris dans ses réflexions. Aussitôt, il reprit un visage impassible. Bon sang, il se relâchait ! Il n'avait pas l'habitude de laisser transparaître ses pensées. Certes, sa vie ne tenait plus à sa capacité à dissimuler sa véritable personnalité en permanence, mais il continuait à préférer ne pas trop se dévoiler, surtout face à une Claudia Ellison. Même s'il ne croyait pas à la réalité d'un prétendu langage du corps, elle ne manquait pas d'intuition. Il fallait bien le reconnaître.

Lorsqu'ils finirent leur repas et ressortirent dans la canicule, Claudia retira sa veste. Son corsage était plaqué sur sa peau et Billy ne put s'empêcher d'y jeter un œil.

— Alors allez-vous conseiller à Project Justice de se charger de cette affaire ? lui demanda Claudia.

— Elle me semble relever du délire.

— Oui, mais ne pensez-vous qu'il faudrait au moins vérifier quelques points ? Par exemple, demander à Mitch de chercher sur internet des traces d'Eduardo. C'est bien lui l'informaticien de Project Justice ?

— Oui, oui, il est même spécialisé dans la recherche des personnes disparues.

— Parfait, reprit Claudia. Si Eduardo est toujours en vie, il a sans doute laissé des preuves de sa présence quelque part. Mitch les trouvera. Et puis, Mary-Francis nous a confié une liste d'amis et de proches.

— Si Mitch a du temps à perdre, essayons, oui. De mon côté, je peux solliciter deux ou trois jours de réflexion avant de présenter mon avis à Daniel.

— Très bien. Ça nous laisserait le temps d' aller voir Theresa. J'aimerais entendre ce qu'elle a à dire à propos de cette collection de pièces d'or.

— Oui, c'est une bonne idée. Si cette Theresa a vraiment un trésor chez elle, nous lui conseillerons de le déposer au coffre, à la banque. Surtout si sa nièce cherche à mettre le grappin dessus.

Ils étaient arrivés à la voiture et Claudia s'installa sur le siège passager. Sa jupe remonta alors très légèrement, dévoilant un peu ses cuisses. Billy sentit son cœur s'accélérer dans sa poitrine. Il détourna vivement la tête et mit le contact. C'était plus prudent.

— En tout cas, elle cachait manifestement quelque chose, poursuivit Claudia. Elle s'est trahie de plusieurs façons.

— Plusieurs ? Allons !

— Ne vous moquez pas, Billy. Vous aussi, vous avez deviné qu'elle mentait. Comment êtes-vous parvenu à cette conclusion ?

— Mais parce que son histoire ne tient pas debout ! Des pièces d'or d'une valeur d'un million de dollars, un mari ressuscité… Il n'y a pas besoin d'être expert pour comprendre qu'elle ne savait plus quoi inventer.

— A mon avis, vous décryptez le langage du corps sans en être conscient. Vous avez remarqué l'inflexion de sa voix, la rapidité de son débit, la direction de son regard, ce qu'elle faisait avec ses mains…

— Il me faudrait un an pour dresser la liste de tous les signes auxquels il faut être attentif. N'est-il pas plus simple d'écouter ce que raconte le suspect ?

Tout en posant la question à Claudia, Billy se fit la remarque que la réponse n'était pas évidente. Se contenter d'écouter quelqu'un n'avait pas toujours suffi pour lui apprendre ce qu'il avait besoin de savoir. Au cours de sa dernière opération avec Sheila, en particulier, il était passé à côté d'éléments essentiels.

Le simple fait de songer à la jeune femme le remplit d'une profonde tristesse. Mais il se reprit.

— Claudia, êtes-vous capable de dire à quoi je pense, là ?

— Je décrypte le langage du corps, je ne lis pas dans la tête des gens.

— Et que vous dit mon corps ?

Elle prit sa question avec sérieux et se mit à l'étudier avec attention, de la tête aux pieds, avec une lenteur qui le troubla. Elle lui faisait penser à certaines femmes qui l'observaient ainsi dans les bars avant de lui faire comprendre qu'elles seraient d'accord pour aller plus loin. Mais il était très fort dans l'art de dissimuler ses sentiments et Claudia ne se douterait certainement pas qu'il mourait d'envie de caresser ses cuisses, de l'embrasser et de passer ses mains dans ses cheveux blonds.

— Vous vous ennuyez, répondit-elle enfin. Vous n'aimez pas cette mission, vous n'aimez pas Mary-Francis et vous préféreriez travailler à autre chose.

— Renversant ! s'exclama-t-il, intensément soulagé.

Il avait toujours la capacité de masquer ses véritables sentiments.

— Pour ma part, je ne me sens pas prête de me laver les mains de cette histoire, reprit Claudia, revenant brutalement au dossier. J'ai l'intention de m'entretenir avec Angie. Si elle est en contact avec son père prétendu mort…

— Attendez, Claudia. Vous ne devriez sans doute pas vous confronter à elle. Elle pourrait se révéler dangereuse.

— Je sais comment gérer des drogués, même les plus violents. J'ai déjà eu affaire à des patients qui m'ont menacée avec un couteau ou ont tenté de m'étrangler…

— Dans un contexte médical, c'est très différent. Et j'imagine que vous n'aviez qu'à presser un bouton pour que des gens dans la pièce à côté viennent à votre rescousse.

— J'en connais un peu sur les cas dangereux. Je ne commettrais jamais l'erreur de lui parler dans un environnement risqué.

— Je vous accompagnerai, déclara-t-il.

Il n'était pas mécontent de trouver un bon prétexte pour passer plus de temps avec Claudia.

Maintenant qu'il était certain qu'elle n'était pas capable de lire dans ses pensées, il s'agacerait moins de la surprendre en train de l'étudier. En réalité, peut-être même ne serait-il pas agacé du tout. Il pourrait la détailler à loisir.

— Je suis sûre que vous avez mieux à…

— Non, non, Claudia ! Une fois que Daniel a pris une décision sur un client potentiel, il met tout en œuvre pour aboutir. Je suis chargé d'interroger les gens liés à une affaire. Je suis payé pour ça.

— Je ne fais pas partie de l'association, lui rappela-t-elle.

— Alors nous irons voir Angie ensemble, conclut-il d'un ton sans réplique.

— Bonjour, Céleste, dit Claudia en entrant dans le hall de Project Justice, le lendemain matin. J'ai rendez-vous avec Billy Cantu.

Céleste Boggs, la réceptionniste — qui se considérait également comme responsable en chef de la sécurité —, leva le nez de la revue *Soldier of Fortune* dans laquelle elle était plongée et lui montra le registre.

— Inscrivez votre nom ici, s'il vous plaît.

— Mais je ne suis pas…

Céleste tapota le classeur d'un doigt impatient et regarda Claudia avec sévérité, la mettant au défi de discuter ses consignes.

Claudia signa. Même si Céleste avait plus de soixante-dix ans, elle était terrifiante. Cette ancienne policière prétendait connaître quinze façons de tuer quelqu'un à mains nues. Elle s'habillait toujours de tenues excentriques, mais elle prenait son travail très au sérieux et sans son feu vert personne n'entrait dans les bureaux de Project Justice.

— Billy, dit-elle dans l'Interphone. Votre flirt est là. Sur son trente et un.

Est-ce ainsi que Céleste la voyait ? se demanda Claudia avec inquiétude. Comme une collégienne pomponnée pour un rendez-vous galant avec un footballeur ? Elle avait choisi, ce matin-là, une robe d'été couleur pêche, assez courte, c'est vrai. Avait-elle inconsciemment voulu sortir le grand jeu pour séduire Billy ?

Cette éventualité la troubla.

Mais un bruit métallique et un grognement aux pieds de Céleste l'interrompirent dans ses pensées.

— Que se passe-t-il ?

— C'est Buster. Voulez-vous le voir ?

Céleste se pencha pour attraper une cage. Comme elle la hissait à sa hauteur, Claudia découvrit à l'intérieur un animal à l'air furieux. Un cochon ? D'instinct, elle recula d'un pas.

— Seigneur ! Qu'est-ce que c'est ?

— Un pécari.

— Que fait-il ici ?

— Il traînait dans ma cour et arrachait les légumes de mon potager. Je l'ai attrapé. Je compte l'offrir à mon petit-fils qui en fera la mascotte de sa classe. Je suis en train de l'apprivoiser. Regardez, il se laisse caresser, maintenant.

— Etes-vous sûre que ce soit une bonne idée ? demanda Claudia en s'écartant.

— Ne vous inquiétez pas, il est adorable, répondit-elle en tapotant la tête de l'animal.

Au moment où Céleste s'apprêtait à refermer la cage, Billy franchit les portes vitrées qui séparaient le hall d'entrée du reste du bâtiment.

— Bonjour, Claudia !

Le pécari jaillit hors de sa cage à la vitesse de la lumière, glissa sur la surface lisse du bureau de la réception, sauta à terre avant de se précipiter vers les bureaux.

Claudia poussa un hurlement de surprise et Billy se plaqua contre le mur, cherchant par automatisme son arme sous sa veste. Céleste fut la seule à rester imperturbable.

Calmement, elle pressa un bouton sur l'Interphone.

— Appel à tout le personnel. Sachez qu'un petit pécari inoffensif se promène dans les couloirs. Si vous l'apercevez, merci de me prévenir pour me permettre de le récupérer.

— Vous avez un pécari vivant au bureau ? s'enquit Billy, stupéfait.

— Il n'aurait posé aucun problème si vous ne l'aviez pas effrayé.

Billy se tourna vers Claudia.

— Je crois qu'il est temps d'y aller.

— Signez le registre ! Tous les deux !

Une fois dehors, ils éclatèrent de rire.

— Céleste n'en rate pas une, s'exclama Billy. Où a-t-elle ramassé son nouvel animal de compagnie ?

— Dans sa cour et elle compte l'offrir à l'école de son petit-fils parce qu'ils ont besoin d'une mascotte.

— Son petit-fils ? Céleste n'a pas d'enfant. Elle ne s'est jamais mariée.

Billy haussa les épaules.

Toute cette histoire ne semblait pas très claire.

En découvrant la berline de Claudia, il siffla d'un air appréciateur.

— Jolie voiture.

— Merci.

Elle insista pour conduire afin de se focaliser sur autre chose que Billy. Tandis qu'il attachait sa ceinture de sécurité, elle lui jeta un regard de biais. La plupart des hommes renâclaient à l'idée de laisser le volant à une femme. Mais Billy avait suffisamment confiance en lui pour ne pas se sentir menacé dans sa virilité par ce genre de détail. A moins qu'il en soit ennuyé, mais qu'elle ne le perçoive pas.

En tout cas, il était très séduisant avec sa chemise de coton, sa veste d'été qu'il portait pour dissimuler son holster à l'épaule et son Stetson blanc sur la tête…

Il le retira avant de poser des lunettes de soleil sur son nez.

Les flics avaient l'habitude de mettre des lunettes noires pour que leurs interlocuteurs ne devinent pas dans leurs regards leurs pensées ou leurs intentions. Billy se cachait-il derrière ces verres sombres pour l'empêcher de lire en lui ? Craignait-il qu'elle sache qui il était vraiment ?

Elle-même veillait à ne jamais dévoiler sa véritable nature, reconnut-elle *in petto* en démarrant.

Angie Torres vivait dans un immeuble délabré du boulevard Harrisburg, non loin de Magnolia Park, un des plus anciens quartiers de Houston en voie de réhabilitation.

Mary-Francis avait dit à Claudia que sa fille travaillait dans un cabinet médical et elle en avait déduit que, malgré son addiction à la drogue, Angie était capable d'occuper un emploi. Mais elle se rendit vite compte que l'immeuble où vivait Angie accueillait surtout des sans domicile fixe, des prostituées et des drogués.

Ils gravirent un escalier sombre qui sentait l'urine. En actionnant la sonnette, Billy se positionna devant Claudia pour la protéger de tout danger éventuel. Même s'il réagissait en macho, elle y fut sensible. Son côté protecteur la touchait. Peu de gens faisaient passer sa sécurité avant la leur.

Comme personne ne répondait, Billy posa son oreille sur le battant pour écouter.

— Je crois qu'il n'y a personne. Je n'entends ni voix ni poste de télévision. Allons dans la cour voir s'il y a un escalier de secours ou quelque chose du genre.

A la vue des ronces qui encombraient la courette, Claudia renonça à suivre Billy, préférant l'attendre dans la rue à l'ombre, près d'une petite boutique.

Elle continuait à s'interroger sur lui. Elle ne savait même pas si elle lui plaisait. En général, elle sentait au premier coup d'œil si un homme s'intéressait à elle, au moins sur un plan physique, à sa façon de la reluquer discrètement, de se pencher vers elle en lui parlant, à ses regards en douce sur ses jambes et ses seins, à sa manière de dissimuler un début d'érection.

De toute évidence, Billy flirtait avec elle mais, chez lui, il s'agissait d'un automatisme. Il se comportait ainsi avec toutes les femmes. Claudia était incapable de dire si autre chose se cachait derrière ce flirt bon enfant. Avec lui, elle ne savait pas du tout où elle mettait les pieds.

Tandis qu'elle patientait, un jeune Espagnol couvert de tatouages sortit de l'immeuble. Tout en se dirigeant vers son camion, il remarqua sa présence.

Claudia glissa la main dans la poche de sa veste où elle avait caché un petit appareil d'alarme. Il lui suffirait de presser un bouton pour déclencher une sirène. Elle ne se déplaçait jamais sans cette protection.

— *Que pasa, señora* ?

— *Hola, señor.* Parlez-vous anglais ? demanda-t-elle, ne connaissant que quelques rudiments d'espagnol.

— Bien sûr. Si vous préférez, va pour l'anglais.

— Mon coéquipier et moi cherchons Angie Torres.

Il sourit.

— Vous êtes de la police ? Non, aucune femme flic ne s'habille comme vous, ajouta-t-il, en secouant la tête.

— Connaissez-vous Angie ? insista-t-elle.

L'homme s'adossa au mur de l'immeuble et alluma une cigarette. Décryptant ses gestes et expressions, elle devina qu'il était en mode drague, mais qu'il n'était pas dangereux.

— Oui, je la connais.

Et, à en juger à sa moue méprisante, il ne la tenait pas en grande estime.

— Elle a déménagé, poursuivit-il. Elle a hérité d'une maison. Sa mère a tué son père et est en prison. Elle avait du cran, cette bonne femme !

— Pourquoi dites-vous ça ?

— Angie se plaignait toujours de ses parents qui, à l'entendre, étaient très riches mais ne lui filaient jamais un sou. Je les comprends ! Angie aurait fumé l'argent qu'ils lui auraient donné. Je me demande si ce n'est pas elle qui a buté le vieux en s'arrangeant pour faire porter le chapeau à sa mère dans l'espoir de toucher le pactole.

Claudia réfléchit un instant. Le casier judiciaire d'Angie se résumant à des condamnations pour détention de stupéfiants, cette éventualité n'avait pas été envisagée. C'était pourtant une hypothèse tout à fait crédible.

— Quelles drogues consomme Angie ? reprit-elle.

Le jeune homme tira une longue bouffée de sa cigarette avant de l'exhaler lentement, un geste typique de quelqu'un cherchant à gagner du temps pour réfléchir à sa réponse.

— Tout ce qui tombe entre ses mains. Elle a été virée de son travail pour avoir volé des médocs.

— Merci du renseignement.

— Pas de problème. Vous êtes libre pour prendre un verre ?

Elle espérait que non. Elle jeta un œil vers l'immeuble.

— Mon coéquipier est du genre jaloux. Mieux vaut qu'il ne nous voie pas discuter ensemble.

Avec un regard teinté de regret, il s'éloigna.

Billy réapparut un instant plus tard.

— Il n'y a pas d'issue de secours. Avec qui discutiez-vous ?

— Un habitant de l'immeuble. Il pense que nous trouverons Angie dans la maison de ses parents qu'elle considère à présent comme la sienne.

— C'est sans doute le cas. Y a-t-il un testament ?

— Je ne sais pas.

— Allons-y, lança-t-il. Mais il n'est pas utile que vous m'y accompagniez. Je suis capable d'interroger les gens tout seul.

— Je tiens à rencontrer Angie, répliqua-t-elle fermement en ouvrant la portière. Je veux voir par moi-même sa réaction quand nous parlerons des pièces d'or… et de son père.

Billy leva un sourcil étonné.

— Vous ne me faites pas confiance ? Vous pensez que je ne suis pas capable de gérer l'entretien ?

— Non, ce n'est pas du tout le problème. Mais, voyez-vous, je me sens responsable. Mary-Francis s'est retrouvée dans le couloir de la mort parce que le procureur s'est appuyé sur certains éléments de mon évaluation pour l'accabler. Je tiens à tout faire pour réparer mon erreur, voilà.

— Vous avez fait ce que vous avez pu, Claudia. Vous nous avez parlé de cette affaire. A présent, nous nous chargeons de…

— J'ai envie d'être avec vous pour interroger Angie.

— Pour l'analyser, pour décrypter ses gestes et en déduire si elle est sincère ?

— Oui. Pourquoi ne pas accepter mon aide ?

— Je travaille mieux seul.

— Si je n'avais pas été là, si je n'avais pas bavardé avec le voisin, vous n'auriez pas su où la trouver.

— J'aurais mené ma petite enquête.

— Nous n'avons pas beaucoup de temps devant nous. Si Angie découvre les pièces d'or…

— En admettant qu'elles existent…

— Elles existent. Mary-Francis disait la vérité en en parlant.

Il leva les yeux au ciel.

— Très bien, vous pouvez m'accompagner. Mais je ne veux pas avoir à veiller en permanence sur vous, d'accord ? En vous voyant discuter avec cette racaille, j'ai compris que j'avais eu tort de vous laisser seule.

— Je ne risquais rien. Il n'était pas dangereux. Ce n'est pas parce qu'il était pauvre et couvert de tatouages qu'il…

— Epargnez-moi vos sermons sur les stéréotypes. Je suis un ancien flic et je connais les voyous. Angie aussi pourrait se révéler dangereuse lorsqu'elle va comprendre que nous essayons de la spolier de son héritage. Les drogués sont capables du pire pour défendre leurs doses.

Claudia ne pouvait le nier.

— Tout ira bien, assura-t-elle.

— Si je perçois un danger, nous partirons. Vous ferez ce que je vous dirai de faire. Nous sommes bien d'accord ?

— Quel macho vous faites !

Mais elle devait admettre qu'il jouait merveilleusement bien son rôle de mâle protecteur. Adossé à la voiture, les mâchoires serrées, les muscles tendus, il faisait impression.

Elle sentit son cœur s'accélérer dans sa poitrine.

— Vous voulez que j'appelle Daniel ? poursuivit Billy.

— Très bien, très bien, c'est compris. En ce qui concerne notre sécurité, je vous laisserai décider. Il s'agit de votre affaire. Je ne suis là que pour vous assister. Cela vous va-t-il ?

La brève expression triomphale qui passa sur les traits de Billy la fit sourire. Mais, au moins, lui avait-il montré quelque chose…

3

Eduardo et Mary-Francis Torres avaient vécu dans un quartier bourgeois de la ville de Conroe, en banlieue de Houston. Les maisons, qui dataient des années quatre-vingt-dix, semblaient toutes trop grandes pour les terrains sur lesquels elles avaient été bâties mais étaient bien entretenues.

Par habitude, Billy enregistra mentalement l'enchevêtrement des rues afin de repérer le moyen le plus rapide de s'enfuir.

Claudia le considérait peut-être comme un macho, mais il prenait toujours au sérieux les dangers potentiels. Angie était une droguée, une femme dans une situation familiale pour le moins compliquée et elle était susceptible de se livrer à une violence incontrôlée à tout moment. Il se serait senti plus à l'aise s'il n'avait pas eu à veiller sur la sécurité de Claudia.

En même temps, il ne pouvait nier qu'il était content de revenir travailler sur le terrain.

Lorsqu'il avait été embauché dans l'équipe de Project Justice, il avait expliqué à Daniel qu'il en avait assez d'être confronté quotidiennement au danger. Daniel lui avait assuré qu'il ne l'y obligerait pas. Mais, après l'avoir vu trois ans à l'œuvre, il lui avait proposé la responsabilité d'une affaire et Billy avait accepté.

Comme ses voisines, la maison des Torres était en brique, mais la pelouse était jaunie et les haies mal taillées. Un panneau « A vendre », planté devant la barrière, précisait que le pavillon comptait quatre chambres et une piscine.

Alors que Claudia se garait le long du trottoir, une femme apparut à la porte, un téléphone portable coincé entre son épaule et son oreille. Elle fronça les sourcils en voyant Billy sortir de l'habitacle.

— Si vous venez pour la voiture, elle est déjà vendue ! cria-t-elle.

D'une maigreur maladive, elle était vêtue d'un short qui soulignait ses jambes de sauterelle. Ses cheveux étaient mal coiffés, sa peau livide. Même s'il n'avait pas su avant de la rencontrer qu'elle était droguée, Billy l'aurait compris au premier coup d'œil.

Elle reporta son attention sur sa conversation téléphonique.

— Excuse, je parlais à quelqu'un.

Elle ouvrit la boîte aux lettres et en sortit un paquet d'enveloppes Elle les parcourut rapidement puis, tournant le dos à Billy et à Claudia, se dirigea vers la porte d'entrée.

— Mademoiselle Torres ?

Angie fit volte-face.

— Je te rappelle, dit-elle à son correspondant avant de raccrocher. Oui, c'est moi. Que me voulez-vous ?

— Je suis Billy Cantu de Project Justice et voici mon associée, Claudia Ellison. Nous aimerions vous dire un mot à propos de votre mère.

— S'agit-il de cette association qui libère les criminels ?

— Nous libérons les innocents injustement condamnés, rectifia-t-il.

— Ne me dites pas que vous croyez ma mère innocente.

— Nous avons quelques questions à vous poser, c'est tout. Pourrions-nous entrer pour discuter un instant ?

— Je suis un peu occupée, là.

— Occupée à vendre les biens de vos parents ? attaqua Billy. Je suis à peu près sûr que vous n'avez pas le droit d'en disposer et il ne me faudra pas cinq minutes pour demander à un juge de faire mettre les scellés et de changer la serrure.

Angie croisa les bras avant d'afficher une moue effrontée.

— Comment suis-je censée payer les factures sans argent ?

— Vous vous êtes bien débrouillée, poursuivit Billy. Vous vivez à l'œil dans une maison luxueuse et vous pouvez vous acheter vos doses en vendant sur internet tout ce qu'elle contient. Je parie que votre mère avait de jolis bijoux. Vous les avez sans doute bradés en premier. Je me trompe ?

Angie entra dans le pavillon, sans répondre. Billy lui emboîta le pas.

— Hey ! cria Angie

Claudia jeta aussitôt un regard inquiet à Billy. Dans quoi se lançait-il ? N'était-ce pas dangereux ?

Mais Billy était sûr de sa méthode. Angie refuserait de répondre gentiment à leurs questions. Il fallait lui montrer qu'elle n'avait pas le choix. Il jeta un œil autour de lui. L'intérieur de la maison donnait l'impression d'avoir été passé au Kärcher. Il n'y avait plus un meuble, plus un tableau aux murs. Dans la cuisine, les assiettes sales et les boîtes de pizza vides s'entassaient. La poubelle débordait de détritus.

Traversé par un désagréable pressentiment, Billy se rendit soudain compte qu'il avait commis une grossière erreur. Il n'avait pas vérifié qu'il n'y avait personne d'autre qu'Angie dans le pavillon.

— Vous vivez seule ?

— Cela ne vous regarde pas. Sortez avant que j'appelle les flics.

— Inutile, dit-il en sortant son téléphone portable de sa poche. J'ai la ligne directe du juge Thomas Wikes. Un simple coup de fil et vous comme les autres squatters seront expulsés *manu militari* de cette maison. La question peut être réglée en une heure ou deux, maximum.

C'est alors qu'un type sortit de la pièce voisine. Il était aussi maigre et blafard qu'Angie. Il tenait un revolver à la main.

— Qui êtes-vous ?

Billy se positionna devant Claudia, s'insultant *in petto*. Sa négligence risquait de lui coûter très cher.

Il devait absolument retourner très vite la situation.

— Posez cette arme, d'accord ? Nous ne sommes pas flics, nous sommes des amis de la mère d'Angie.

— Pour l'amour de Dieu, Jimmy, remballe ce revolver, s'écria Angie. Je gère. Va donc… laver la piscine ou autre chose.

Docilement, le dénommé Jimmy glissa son arme dans la poche de son short et s'en alla.

Billy poussa un soupir de soulagement. Il fit un pas de côté pour pouvoir regarder Claudia en face.

— Aucun risque, aucun danger ? murmura-t-il d'une voix tendue. C'est bien ce que vous disiez ?

— C'est vous qui avez provoqué le danger en entrant dans cette maison sans y être invité, chuchota-t-elle en lui faisant les gros yeux. Nous devrions partir.

— Allez m'attendre dans la voiture. J'en ai pour un instant.

Billy lui lança un regard sévère, mais pour toute réponse Claudia croisa les bras. Elle n'avait manifestement pas l'intention de céder et le mouvement de ses bras fit pointer ses seins, distrayant Billy au moment où il avait besoin de concentrer toute son attention sur Angie.

— Que voulez-vous ? demanda Angie. J'ai des visites, cet après-midi. Je dois nettoyer cette baraque.

Cela semblait en effet indispensable, songea Billy.

— Qui est cet homme ? s'enquit-il.

— Mon petit ami.

— Vous êtes allée rendre visite à votre mère en prison dernièrement. Vous l'avez interrogée à propos de pièces d'or. De quoi s'agit-il exactement ?

— De la collection de pièces anciennes de mon père. Ma mère vous en a-t-elle parlé ? Vous a-t-elle dit où elle les avait mises ? Il est très important que je les retrouve.

Ses yeux brillaient. Billy n'avait aucun mal à lire en elle.

— Votre mère les a cachées pour les protéger, continua-t-il.

— Elles n'ont plus cours légal, répliqua trop vite Angie. Ce sont juste de vieux escudos qui sont dans la famille depuis longtemps.

— Désolé, Angie, mais vous ne donnez pas l'impression d'être très sentimentale. Pourquoi souhaitez-vous les récupérer ? Et comment avez-vous appris leur existence ?

Elle le toisa d'un air supérieur.

— Je n'ai pas à vous répondre. Ces pièces me reviennent de droit. Mon père voulait me les léguer. Maman n'avait pas le droit de les prendre.

— Comment savez-vous que votre père souhaitait vous les léguer ?

— Il me l'avait dit.

— Et quand cela ?

— Juste avant d'être assassiné. Il m'avait expliqué qu'il allait se séparer de ma mère et qu'il désirait me les donner. Mais il n'a jamais eu la possibilité de le faire.

— Alors pourquoi avez-vous attendu si longtemps pour interroger votre mère à ce sujet ?

— Je… euh… je n'y pensais plus. Comme je vous l'ai dit, elles n'ont plus cours légal.

Claudia échangea un regard entendu avec Billy. Il était évident pour elle qu'Angie mentait.

— Voulez-vous savoir ce que je crois ? lança Billy. C'est vous qui avez tué votre père en vous arrangeant pour faire porter le chapeau à votre mère. Parce qu'ils ont de l'argent mais refusaient de le partager avec vous.

Billy la fixa du regard. L'accusation ne parut pas la déstabiliser.

— Pensez ce que vous voulez. Un tribunal a jugé que ma mère était coupable. Et, si vous savez où sont ces pièces d'or, vous feriez mieux de me le dire. Moi aussi, je connais des gens influents et j'ai un bon avocat.

— Tant mieux, vous en aurez besoin. En tout cas, si vous n'avez pas tué votre père, il n'est sans doute pas mort. Peut-être vous a-t-il parlé dernièrement de ces pièces d'or. D'où votre intérêt soudain pour ce trésor.

Angie se mit à rire. Mais son rire sonnait faux, nota Claudia.

— Si mon père est vivant, comment expliquez-vous les litres de sang retrouvés sur la scène du crime ?

— Il y a plusieurs façons de l'expliquer, répliqua Billy. J'ai des biologistes qui travaillent sur la question à l'heure où nous parlons.

En tout cas, ils le feraient dès qu'il le leur demanderait, soupira-t-il intérieurement. Et ce ne serait pas dans longtemps, car il n'avait plus aucun doute sur cette affaire : elle méritait d'être défendue par Project Justice. Il y avait anguille sous roche. Angie mentait, l'histoire n'était pas claire. Il ne pouvait plus se laver les mains du sort de Mary-Francis. L'association allait se charger officiellement de sa défense et demander aux autorités d'examiner les échantillons de sang en question.

— Il s'agissait bien du sang de mon père, répéta Angie d'un air têtu. Les analyses d'ADN l'ont prouvé.

— Nous verrons. Dans l'intervalle, attendez-vous à tout moment à recevoir la visite de la police. Tant que vous n'avez pas hérité officiellement de votre père, rien de ce qui appartient à vos parents n'est à vous. La collection de pièces anciennes non plus. A moins que vous n'utilisiez l'argent que vous en tirez pour financer la défense de votre mère…

— C'est ce que je fais ! répliqua-t-elle, se saisissant de la perche qu'il lui tendait.

— Et que pense votre tante Theresa de toute cette histoire ? Votre mère a donné procuration à sa sœur. Pas à vous.

A l'évocation de sa tante, une vague de panique passa sur le visage d'Angie. Claudia la remarqua immédiatement.

— Elle est d'accord pour que je vende leurs affaires. Jimmy, reviens par ici ! hurla-t-elle.

Claudia tira Billy par la manche.

— Pour l'amour de Dieu, allons-y.

— Je ne mens pas, lança Angie. Je fais ce que je peux pour payer les factures et les avocats.

— Bien sûr ! répondit Billy avec un sourire. Je vous souhaite bon courage en tout cas…

Puis, il entraîna Claudia vers la voiture. Il n'avait aucune envie de se confronter à Jimmy et à son arme.

Une fois dans l'habitacle, Claudia se mit à trembler. Elle avait eu extrêmement peur à la vue du revolver.

Billy posa la main sur son épaule d'un geste rassurant.

— Ça va, nous sommes en sécurité maintenant.

— Il ne nous aurait pas tiré dessus, dit-elle. Je l'ai vu sur son visage. Il frimait, mais il n'aurait jamais eu le cran d'appuyer sur la détente.

Billy n'en était pas aussi certain.

— Il aurait pu invoquer la légitime défense, vous savez. Nous nous sommes introduits dans cette maison sans y avoir été invités. Il est légal de protéger son domicile.

Elle se tourna vers lui, le regard soudain enflammé par la colère.

— Ne refaites jamais ça. Surtout quand je suis avec vous.

— Maintenant, vous comprenez pourquoi je préférais que vous ne m'accompagniez pas ?

— Vous êtes dangereux, Billy.

Elle prit une profonde inspiration, démarra la voiture et déboîta.

— Angie mentait, reprit-elle pour changer de sujet.

— Sans blague ! Pas besoin d'être expert en langage du corps pour le comprendre. Peut-être a-t-elle tué son père avant de rendre sa mère responsable du meurtre. Elle a tout d'une psychopathe.

— Non. Les psychopathes savent très bien mentir.

Elle l'affirma avec une telle assurance que Billy se demanda si elle se basait uniquement sur des statistiques.

— Elle a de qui tenir, soupira-t-il.

— Je partage votre avis. Et elle n'a rien d'aimable.

Claudia se tut un instant pour donner plus de poids à ses paroles.

— Elle n'a pas tué son père, elle disait la vérité sur ce point précis. Mais elle cachait quelque chose, c'est certain. Peut-être s'agit-il de son addiction, peut-être d'autre chose…

— Si je pouvais la convoquer dans une salle d'interrogatoire, je lui ferais cracher le morceau. Vos histoires de langage du corps ne nous mènent pas très loin. Des aveux seraient plus utiles.

— Pouvons-nous la faire arrêter ?

Billy réfléchit à cette éventualité avant de secouer la tête.

— J'en doute. Si nous avions vu des éléments laissant penser à un trafic de drogue, nous aurions eu la possibilité d'appeler les Stups. Mais je n'ai rien remarqué de tel.

— Elle vole les biens de ses parents.

— Sauf si sa tante l'a autorisée à le faire. Si Theresa est furieuse contre sa sœur, elle accepte peut-être qu'Angie brade ses biens.

— Elle ne reproche rien à Mary-Francis, j'en mettrais ma tête à couper.

— Je n'en suis pas certain, Claudia.

— Nous verrons bien… En attendant, allons trouver cette Theresa pour voir ce qu'elle sait sur cette affaire, la collection de pièces et tout le reste.

Billy lui jeta un regard de biais. Elle avait repris des couleurs et ses yeux brillaient de nouveau. Elle était excitée par la chasse qui s'annonçait.

Il consulta sa montre.

— Je dois retourner au bureau.

Déçue, elle fixa la route d'un air absent.

— Bon. Comme vous voulez, Billy.

— Je plaisantais, dit-il en riant. Je meurs d'envie de découvrir ce que sont devenues ces pièces, à présent.

— Bon sang, Billy !

— Quoi ? Qu'est-ce que j'ai fait ?

— Vous, rien. Mais moi… Moi, je n'ai pas remarqué que vous plaisantiez. Je suis nulle ou quoi ? Cela aurait dû être un jeu d'enfant pour moi.

— Cela vous agace de ne pouvoir me décrypter, n'est-ce pas ?

— Franchement ? Oui.

— Vous a-t-il traversé l'esprit que certaines personnes n'aiment pas être analysées ?

— Seulement celles qui ont quelque chose à cacher.

Peut-être avait-il en effet quelque chose à cacher. Ou, en tout cas, n'avait-il pas envie de dévoiler certaines choses à une quasi-inconnue. Avait-il tort ?

— Personne n'a le droit d'avoir des secrets ? contra-t-il. Vous estimez que tout le monde doit être totalement transparent sur son passé, sur la moindre de ses pensées ?

— Je crois en la sincérité, oui !

— Vous n'avez donc pas de secrets ? Vous n'avez rien dans votre passé que vous préférez garder pour vous ?

Elle hésita.

— Non, je n'ai honte de rien de ce que j'ai fait.

— Avec combien d'hommes avez-vous couché ?

— Enfin, Billy ! Ça ne vous regarde pas.

— Waouh, il y a dû en avoir beaucoup.

— Comment pouvez-vous…

Elle freina brutalement devant un panneau « Stop » qu'elle avait failli ne pas voir.

— J'essaie juste de vous démontrer la justesse de mon point de vue, reprit Billy. Tout le monde a droit à son intimité.

— Et, moi, je prétends que si les gestes ou les expressions de quelqu'un révèlent le fond de ses pensées, j'ai le droit de m'en servir, lui répondit-elle en se tournant vers lui. Tout le monde décrypte plus ou moins consciemment le langage du corps. Je suis plus douée que les autres dans ce domaine, voilà tout.

— Et, moi, je suis plus doué que les autres pour ne pas être décodé. Cela signifie-t-il que je ne suis pas honnête ? N'avez-vous pas de limites ? Où vous arrêtez-vous ?

— Tiens, c'est la première fois que je perçois une émotion

sincère chez vous. Le torse en avant, les bras ouverts, vous adoptez la pose classique du mâle défendant son territoire.

— Cessez de lire en moi !

— Et là, vous venez de passer du stade agacé au stade énervé.

— Oui ? Et pourtant vous continuez.

— Je ne peux pas m'en empêcher.

Ses yeux se remplirent de larmes inexpliquées.

— Bon, alors, interprétez ce geste, dit-il en se penchant vers elle pour l'embrasser.

Billy se croyait peut-être impénétrable, mais Claudia avait senti venir ce baiser un instant avant qu'il ne la prenne dans ses bras.

Et elle y avait répondu avec avidité.

C'était de la folie. Une multitude d'émotions contradictoires la parcouraient. Billy l'énervait au plus au point, mais elle éprouvait ce besoin presque malsain d'entrer en contact étroit avec lui. Elle culpabilisait et en même temps elle avait envie de cette étreinte.

Peut-être parce qu'il venait de lui montrer une infime partie de sa véritable personnalité, celle qu'il voulait protéger de son regard perçant. Elle était certaine que très peu de gens avaient vu ce qu'elle venait de voir, le vrai Billy Cantu. Il passa les doigts dans ses cheveux avant de prendre son visage entre ses mains comme pour la retenir prisonnière.

Quand leurs langues entamèrent de nouveau une danse sensuelle, elle prit une profonde inspiration.

Que savait-elle de lui ? Il était un mystère qu'elle tentait à toutes forces de percer. Comment pouvait-elle se sentir attirée à ce point par quelqu'un dont elle ne savait rien ?

Elle aurait aimé passer la matinée dans la voiture et peut-être plus encore… Mais Billy finit par se détacher doucement d'elle.

Elle planta alors ses yeux dans les siens, s'efforçant de deviner pourquoi il l'avait embrassée. Ses pupilles étaient dilatées. Elle crut y voir du désir, mais peut-être prenait-elle les siens pour la réalité.

— Pouvez-vous lire en moi, maintenant ? demanda-t-il.

— Non, répondit-elle dans un murmure.

Il s'écarta et elle faillit pleurer tant elle souffrait déjà de s'éloigner de lui.

— Tant mieux. Sinon, vous m'auriez sans doute giflé.

— Pouvez-vous me dire ce que signifiait ce baiser ?

— Non, vous avez besoin d'être un peu désorientée. Pour votre bien.

Claudia préféra ne pas répondre à sa provocation. Billy ne savait pas ce qu'il disait. Elle avait passé la moitié de sa vie à être désorientée, ballottée d'une famille d'accueil à l'autre, sans jamais savoir si elle avait affaire à des gentils ou à des monstres. Elle n'avait aucune envie d'ignorer de nouveau sur quel pied danser.

Et, pourtant, l'incertitude avait indéniablement un côté excitant.

Elle se ressaisit, arrangea ses cheveux et se remaquilla. Enfin, elle redémarra, en branchant son GPS qui les guida jusque chez Theresa.

Theresa Esteve ne s'était manifestement pas enrichie autant que sa sœur. Elle vivait dans un lotissement misérable.

Surtout, sa maison semblait à l'abandon. La fenêtre de devant était fermée par des planches de bois.

Claudia vérifia l'adresse sur son répertoire.

— Nous sommes bien au 1642, Baxter Avenue. Quc s'est-il passé chez Theresa ?

— Restez dans la voiture, dit Billy en ouvrant sa portière. Je vais jeter un œil.

Claudia ignora la consigne.

— La maison est vide, je serais surprise de tomber sur un homme armé.

Comme ils approchaient, Billy lui montra un ruban jaune tendu entre le jardin de Theresa et celui de ses voisins.

— Un cordon de sécurité. Il s'agit d'une scène de crime.

— Mon Dieu ! Voilà sans doute pourquoi Theresa ne répondait pas quand sa sœur l'appelait.

— Je vais téléphoner à un de mes copains qui travaille pour la police judiciaire du comté de Montgomery. Peut-être pourra-t-il nous renseigner.

Claudia hocha la tête et s'assit sur un tronc d'arbre, non loin d'un parterre d'azalées. Que s'était-il passé ici ?

Ce qui avait démarré comme une simple enquête pour tenter

d'aider une femme condamnée à mort devenait une chasse complètement folle avec une droguée, son petit ami armé, une collection de pièces anciennes. Et peut-être maintenant une autre victime.

Dans l'immédiat, elle n'enviait pas le travail de Billy.

Peut-être était-il temps pour elle de se laver les mains de cette histoire. Elle avait transmis le dossier à Project Justice. Elle pourrait rédiger son dernier compte rendu le lendemain, en y ajoutant ses évaluations. Une fois qu'elle aurait transmis le tout à Project Justice, la balle serait dans leur camp.

Sauf, sauf… qu'elle restait la seule personne à être convaincue de l'innocence de Mary-Francis. La seule à être certaine que cette femme n'avait pas tué son mari et ne savait pas non plus où il se trouvait. La malheureuse n'avait personne d'autre pour la défendre. Sûrement pas sa fille. Et sa sœur ne pouvait manifestement plus rien faire pour elle non plus.

Avec un soupir, Claudia se releva et contourna la maison. Une barrière protégeait l'accès à la cour arrière, mais elle était cassée et elle s'approcha pour jeter un œil.

Une quinquagénaire en survêtement rose creusait le sol du jardin. S'agissait-il de Theresa ? Cela expliquerait pourquoi elle n'avait pas répondu quand ils avaient frappé.

— Hello ! cria Claudia.

La femme se pétrifia un instant puis s'éloigna prestement pour disparaître de l'autre côté de la palissade.

Claudia rejoignit donc Billy. Il raccrocha au même moment.

— J'ai de mauvaises nouvelles, Claudia.

— Quoi ?

— Nous arrivons trop tard. Theresa a été victime d'un cambriolage. Quelqu'un est entré chez elle par effraction, l'a tabassée avant de mettre la maison sens dessus dessous. Mais personne ne sait s'ils ont pris quelque chose et quoi, parce que la seule à pouvoir le dire — Theresa — est dans le coma.

4

— Les intrus n'ont laissé aucune empreinte, aucun indice, rien, poursuivit Billy. Les flics sont dans le brouillard.

Claudia sentit son ventre se serrer.

— Quand est-ce arrivé ?

— Il y a quelques jours.

Claudia soupira. Ce crime était forcément lié au reste de l'histoire, non ? Et cette voisine de Theresa qui creusait un trou dans le jardin ? Elle n'avait pas l'air de jouer un rôle capital dans cette affaire, mais personne n'était censé traîner sur une scène de crime.

— J'ai vu une femme dans la cour à l'arrière, dit-elle. Je l'ai appelée, mais elle a eu peur et s'est enfuie.

Billy leva un sourcil intéressé.

Il s'approcha de l'endroit où la fenêtre était cassée et fermée par des planches pour regarder à l'intérieur. Il les poussa.

— Billy, nous n'avons pas le droit d'entrer dans cette maison.

— Tout le monde s'en fiche. La police a mené les investigations nécessaires. Nous ne faisons que jeter un œil.

D'un bref regard, il s'assura que personne ne le voyait et il donna un coup d'épaule dans la construction branlante.

Les clous cédèrent rapidement.

Billy retira les planches et se glissa à l'intérieur.

— Je vais vous ouvrir la porte d'entrée, cria-t-il à Claudia.

Celle-ci hésita. Etre arrêtée pour s'être introduite par effraction sur une scène de crime pouvait remettre en cause sa carrière et mettre Project Justice dans l'embarras. Mais elle ne parvenait pas à maîtriser sa curiosité. Aussi, quand Billy lui ouvrit, passa-t-elle sous le ruban jaune.

Billy alluma les lumières et se mit à fouiller l'endroit.

La maison avait été mise à sac. Les meubles étaient retournés ou grands ouverts, les tiroirs renversés, les placards vidés. Ici et là, de la poudre noire prouvait que la police avait recherché des empreintes.

Theresa était manifestement une femme très pieuse. Des images de Jésus, de la Sainte Vierge et de plusieurs saints ornaient les murs. Une immense reproduction du célèbre tableau de Leonard de Vinci, *La Cène*, surplombait le canapé. Et sur le manteau de la cheminée se trouvaient de grandes statues représentant le Christ, un ange et deux ou trois saints que Claudia ne put identifier.

— L'auteur de ce carnage voulait donner l'impression d'un banal cambriolage, dit Billy. Mais j'ai travaillé un moment pour la police judiciaire de Dallas et je sais que les cambrioleurs ne cassent pas tout pour le plaisir. Ils prennent ce qui a de la valeur pour eux et s'en vont. Cette fois-ci, ils y ont mis trop de zèle.

— Peut-être l'intrus en voulait-il personnellement à la victime ?

— C'est possible.

Billy et Claudia inspectèrent rapidement le reste de la maison. Toutes les pièces avaient été vandalisées.

— Retournons dans la cour, proposa Claudia. J'aimerais savoir pourquoi la voisine creusait le sol.

— Peut-être cherchait-elle un trésor enfoui ? Peut-être a-t-elle entendu parler des pièces d'or disparues ? lança Billy avec un sourire.

Des fleurs et un petit potager prouvaient que la maîtresse des lieux entretenait son jardin. Mais, au cœur de l'été, les plantes non arrosées dépérissaient vite. Tout était mort ou en train de mourir.

— Si Theresa revient un jour chez elle, elle sera horrifiée, dit Claudia.

Elle s'approcha de l'endroit où la mystérieuse voisine avait retourné la terre. Plusieurs trous avaient été creusés ici et là.

— Je me demande ce que cherchait cette femme.

Billy s'approcha des plantations.

— Il y a des pommes de terre, des oignons.

— Comment le savez-vous ?

Il la regarda d'un air apitoyé.

— J'en déduis que vous ne possédez pas de jardin.

— Pourquoi ? Vous en avez un ?

— Bien sûr. J'y fais pousser toutes sortes de légumes qui sont bien plus savoureux que ceux du commerce. Quand j'étais gosse, si ma mère n'avait pas cultivé un potager, nous n'aurions pas mangé à notre faim.

Claudia écarquilla les yeux. Elle ne l'aurait jamais imaginé avec la main verte. Mais elle était plus surprise encore qu'il lui confie quelque chose d'aussi personnel.

— Hé, vous !

Claudia sursauta et se retourna. La femme en rose, coiffée d'un grand chapeau de paille, les observait de derrière la barrière. Visiblement, elle était juchée sur une échelle.

— Vous êtes sur une propriété privée ! Je vous déconseille de prendre quoi que ce soit.

— Ne vous inquiétez pas, madame. Nous sommes envoyés par le département du shérif pour enquêter sur le crime perpétré ici. Quelqu'un vous a-t-il interrogée à ce sujet ?

Claudia était estomaquée par son bagout. Il mentait avec un toupet qui forçait l'admiration. Si elle avait été chargée de détecter s'il mentait ou non, elle aurait échoué lamentablement.

Heureusement la voisine ne demanda pas à voir leurs badges.

— Bien sûr, répondit-elle d'un air indigné. Je vis à côté et je suis au courant de tout ce qui se passe dans le quartier.

— Avez-vous vu ce qui s'est passé cette nuit-là ?

— Il était tard, je dormais, répondit-elle en bougonnant.

— Nous vous avons vu chiper les légumes de Theresa, reprit Billy.

— Theresa n'aurait pas voulu qu'ils soient perdus. Nous partagions le fruit de nos récoltes. Je lui donnais des pêches. Je m'appelle Patty Dorsey. Et vous ? Comment m'avez-vous dit que vous vous appeliez ?

— Sergent Billy Cantu. Par hasard, vous ne creusiez pas son jardin parce qu'un trésor y est enterré, non ?

Elle passa de la colère à la curiosité.

— Quel genre de trésor ?

— Des pièces d'or, peut-être.

Ses yeux s'éclairèrent de surprise et de ravissement.

— Les pièces de son beau-frère ? Theresa m'a raconté qu'il avait volé le trésor d'un pirate. Mais, à l'époque, je n'en ai pas cru un mot.

Claudia la dévisagea pour savoir si elle disait la vérité ou non. Manifestement, Patty Dorsey se disait qu'il y avait mieux à prendre que des oignons dans ce jardin ! Peut-être bien de l'oseille…

— Cessez de creuser, dit Billy. Cela m'ennuierait de vous verbaliser pour violation de propriété privée. Par ailleurs, si vous découvrez un trésor, la loi vous oblige à le remettre à la police. Bonne journée, Patty.

Il souleva un chapeau imaginaire et tourna les talons.

Claudia le suivit, le cœur battant, jusqu'à ce qu'ils soient à l'abri, à l'intérieur de la maison.

— Se faire passer pour un membre de la police est un grave délit.

— Elle ne s'est doutée de rien. Et, même si elle s'est posé des questions, elle était trop préoccupée du trésor enfoui pour songer à me dénoncer. Avec un peu de chance, elle trouvera les pièces pour nous.

— Vous aimez jouer avec les gens, les manipuler, lui lança t-elle avec un brin de défi dans la voix.

Mais une autre idée lui traversa aussitôt l'esprit.

— Vous êtes manifestement un enquêteur compétent, vous savez comment tirer les vers du nez à quelqu'un. Comment se fait-il que vous n'aimiez pas travailler sur le terrain ?

Il se pétrifia.

— Qui vous l'a dit ?

— Vous, Billy. Au cours de votre évaluation au moment de votre embauche.

— Nous avons failli nous faire tuer et vous vous demandez pourquoi je n'ai plus envie de travailler sur le terrain ?

Claudia préféra ne pas répondre et inspecta le salon. Elle repéra une tache de sang sur le tapis, celui de Theresa sans doute. L'estomac retourné, elle se remémora le petit ami d'Angie les menaçant de son arme. Mieux valait qu'elle pense à autre chose. Elle regarda de nouveau autour d'elle et remarqua alors quelque chose qu'elle n'avait pas vu auparavant. Posé près de l'âtre, se trouvait un morceau de céramique d'un bleu clair brillant. Elle le prit pour l'examiner.

— Qu'avez-vous trouvé ? lui demanda Billy.

— Un fragment de quelque chose. Il ne vient de rien visible alentour.

Billy promena les yeux autour de lui.

— Regardez ! Sur la cheminée, il y a un endroit qui tranche avec le reste. Il n'est pas poussiéreux comme tout autour.

— Vous croyez qu'une autre statue était posée là ?

— C'est possible.

Il s'empara de la statue d'un des saints et en examina le fond. Puis, il fit de même avec l'ange.

— Ces statues sont creuses à l'intérieur.

— Un bon endroit pour cacher des pièces d'or ?

Billy hocha la tête.

— Les trafiquants de drogue dissimulent souvent leur came dans des statues. Mais je ne comprends pas pourquoi Mary-Francis ne nous l'a pas dit.

— Peut-être ne savait-elle pas exactement où sa sœur avait mis les pièces. Ou elle ne nous faisait pas confiance ! Elle espère toujours récupérer ce trésor si elle sort de prison.

— Et les voleurs ont frappé Theresa jusqu'à ce qu'elle leur dise où étaient cachées ces pièces.

Claudia frissonna en imaginant ce que la malheureuse avait dû endurer, sa terreur, sa douleur…

— Sortons d'ici, d'accord ?

— Non, Claudia. La vie d'une femme est en jeu. Nous lui devons de faire notre travail consciencieusement et de prendre notre temps. Pourquoi êtes-vous si nerveuse ? Vous m'avez dit que vous aviez souvent été confrontée à la violence au cours de votre carrière.

Il inspecta les tiroirs d'une commode.

— C'est tout différent, répondit-elle. Je maîtrisais la situation, j'avais la loi de mon côté. Là, nous sommes entrés par effraction et je ne vois pas comment je pourrais le justifier auprès de Daniel si nous nous faisions arrêter.

Billy ne semblait pas se soucier d'être dans l'illégalité.

— Regardez, Claudia, dit-il en lui tendant ce qui ressemblait à un petit coffret de cigarettes.

Claudia se tourna vers la porte.

— Billy, je vous en prie. Partons.

Sa voix tremblait presque. Billy lui lança un regard bienveillant.

— D'accord, dit-il en empochant le coffret.

Claudia retint son souffle jusqu'à ce qu'ils atteignent la voiture. Elle démarra aussitôt.

— Ça va ? lui demanda-t-il.

— Pour quelqu'un qui vient de commettre son premier délit, ça pourrait être pire !

— Une violation de propriété est un crime très grave…, articula-t-il avec un sourire.

— Merci de me réconforter. Qu'avez-vous découvert dans ce tiroir ?

— Sans doute rien d'important. Une petite caméra vidéo. On va déjeuner ?

Claudia fronça les sourcils. Comment pouvait-il se comporter avec tant de décontraction après tout ce qu'ils venaient de faire ? Après avoir vu les traces d'un crime odieux ? Certes, il avait été policier. Les inspecteurs affectés aux homicides étaient capables d'avaler un sandwich à côté d'un cadavre. Mais elle, non.

— Je ne suis pas sûre de pouvoir ingurgiter quelque chose, murmura-t-elle.

Et puis, elle n'avait pas franchement prévu de partager un autre repas avec Billy. Quand ils avaient déjeuné dans un McDonald's quelques jours plus tôt, elle était devenue sentimentale, lui dévoilant sans doute plus sur elle qu'elle n'en avait l'intention. Mais ce restaurant lui rappelait tellement de bons souvenirs : une des époques les plus heureuses de sa vie.

A l'âge de treize ans, elle avait été placée dans une famille d'accueil avec une autre fille de son âge et toutes deux étaient rapidement devenues inséparables. Un de leurs repaires avait été le McDonald's de la ville. Marlene qui était jolie et appréciée de tous lui avait prêté du maquillage et des vêtements pour s'assurer que Claudia serait acceptée dans sa petite bande d'amis.

Pour la première fois de sa vie, Claudia avait eu le sentiment d'appartenir à un groupe et d'exister aux yeux des adolescents de son âge.

Malheureusement, au bout de six mois, la mère biologique de

Marlene avait réclamé sa fille et leur amitié avait pris fin. Quant à la bande, elle lui avait alors tourné le dos.

La voix de Billy la tira de ses pensées mélancoliques.

— Vous aimez la cuisine mexicaine ?

— Oui, assez, bafouilla-t-elle.

Billy la guida et, vingt minutes plus tard, ils s'attablèrent dans un restaurant mexicain.

Mais Claudia n'avait vraiment pas faim. Elle préféra ne pas commander un véritable repas et se contenter d'un thé glacé. Billy fronça les sourcils d'un air désapprobateur et demanda une assiette de chili con carne. Puis il sortit le coffret qu'ils avaient trouvé chez Theresa et mit en route la petite caméra.

— Theresa semble avoir filmé à plusieurs occasions. A-t-elle des enfants ? Des petits-enfants ? Oh ! qu'il est mignon, ce bébé, ajouta-t-il en riant.

— J'ai vu des photos de famille chez elle. Oui, elle a des enfants. Mary-Francis m'a dit que sa sœur était veuve.

— Regardez, Claudia. Là, elle a immortalisé des gamins en train de jouer au base-ball. Et, sur cette séquence, de vieilles dames fêtent l'anniversaire de l'une d'entre elles… et là, elle a filmé quelqu'un au volant d'une voiture neuve.

— Eh oui, soupira Claudia, plein d'heureux événements…

— Encore le même bébé, continua Billy. Mais, maintenant, il marche.

En voyant le sourire attendri de Billy devant ces images, elle se sentit fondre. Il la surprenait en permanence. Bien sûr, elle pouvait classer leur baiser dans la catégorie des événements sans conséquence qui ne se reproduiraient jamais. Mais elle éprouvait toujours du désir pour lui.

Et il en serait probablement ainsi jusqu'à ce qu'elle l'ait cerné. Après, le désir s'envolerait. Comme toujours…

Elle avait l'habitude de conseiller ses clients dans le domaine sentimental, mais elle-même n'avait jamais connu de relation amoureuse satisfaisante. Au contraire. Elle multipliait les échecs retentissants. Comme son aventure avec Raymond Bass.

Il avait été exécuté l'année précédente.

Sa vie amoureuse était incontestablement lamentable et elle en était seule responsable. Elle ne pouvait en blâmer personne.

Pour se sentir en sécurité, elle observait longuement un petit ami potentiel pour sonder sa personnalité. Une fois qu'elle l'avait percé à jour, il perdait tout intérêt pour elle.

Ce serait la même chose avec Billy.

Elle avait été incapable de deviner pourquoi il l'avait embrassée. C'était un homme à la fois mystérieux, séduisant et dangereux. Elle aurait dû s'enfuir à toutes jambes. Au lieu de quoi, il l'intriguait. Elle voulait comprendre son fonctionnement.

— Oh ! voilà quelque chose d'intéressant.

Billy fixa intensément le petit écran un moment.

— Claudia, je pense qu'une cérémonie religieuse avait été célébrée en hommage à Eduardo.

— Montrez-moi.

Il orienta l'appareil de manière à ce qu'ils puissent tous deux regarder les images mais, pour mieux voir, Claudia quitta sa banquette sans réfléchir pour s'installer sur celle de Billy.

— Repassez-moi la vidéo depuis le début, s'il vous plaît.

Elle s'efforça de s'exprimer d'un ton neutre. Mais être si près de lui la jeta dans un indicible trouble. Elle tremblait de tous ses membres, son cœur battait la chamade. Pourvu qu'il ne s'en rende pas compte, songea-t-elle.

Apparemment non. Billy augmenta le volume de la caméra et la tourna un peu plus vers elle, les yeux rivés sur l'écran.

Un vieux prêtre se tenait devant une petite assemblée assise sur des chaises.

— C'est la maison de Theresa, dit Claudia. Je reconnais le canapé et la reproduction de *La Cène*. Je me demande pourquoi cette célébration religieuse a eu lieu là.

— Je vous rappelle que le pavillon des Torres était une scène de crime. Ils pouvaient difficilement y célébrer une messe.

— En tout cas, nous avons maintenant une idée de ce qu'était la maison avant l'effraction.

Le prêtre évoquait les qualités humaines d'Eduardo, les dons généreux qu'il octroyait à l'église et la façon dont il aidait les habitants de son village natal au Mexique qui vivaient dans la misère.

— Il y a quelque chose d'amusant avec ce prêtre, remarqua Claudia.

— Comment cela ?

— Il n'arrête pas de jeter des coups d'œil vers la cheminée. Visiblement, quelque chose à cet endroit-là le perturbe. Vous voyez comme il se tortille pour mieux l'apercevoir ?

— Oui, on dirait un gosse qui a envie de faire pipi.

— Il semble nerveux, en tout cas.

— Peut-être se demande-t-il si Eduardo l'a couché sur son testament, plaisanta Billy.

— Je parle sérieusement.

— Allons, Claudia, il promène juste les yeux autour de lui. Rien de plus.

Elle secoua la tête et reporta son attention sur la vidéo.

— C'est Theresa, là, au premier rang, vêtue de noir. Elle était au procès de bout en bout.

— Et où est Mary-Francis ?

— En prison…, répondit Claudia en haussant les épaules. A ce moment-là, elle avait déjà été arrêtée.

— La vieille dame assise à côté de Theresa était sur le film de l'anniversaire. S'agit-il de leur mère ?

— Non, c'est la mère d'Eduardo. Les parents de Mary-Francis sont restés au Mexique.

— Les familles des deux sœurs devaient être très proches.

Claudia fixait chaque détail du film. Après le prêtre, le film montrait le salon, capturant les visages de toutes les personnes présentes à la cérémonie.

Lorsque la caméra passa sur la cheminée, Claudia aperçut quelque chose qui lui parut intéressant.

— Pouvez-vous faire un arrêt sur image ?

Billy s'exécuta.

— Regardez, sur la cheminée.

— Eh bien ?

Là où ils avaient remarqué plus tôt un espace vide se tenait une statue de la Sainte Vierge. Elle était assez haute et la Vierge portait un vêtement bleu clair.

— Je ne me souviens pas avoir vu cette statue chez Theresa et vous ?

— Non, mais elle correspond au fragment de porcelaine que vous avez trouvé.

Claudia sentit sa poitrine se soulever. Etait-ce dû à cette

découverte ou à sa proximité avec Billy ? A moins que ce ne soit les deux. Elle vivait tant d'émotions depuis quelques jours... En tout cas, elle devait s'écarter de lui avant qu'il ne devine dans quel état il la mettait.

La serveuse arriva avec le plat de Billy et son thé glacé. Elle leur adressa un sourire complice comme on le fait à deux amoureux qui ne peuvent se détacher l'un de l'autre. Il était vraiment temps de revenir s'asseoir sur sa banquette, en conclut Claudia.

— Avez-vous besoin d'autre chose ? demanda la serveuse.

— Oui, lui répondit Billy, pourriez-vous nous apporter une assiette supplémentaire, *por favor* ?

Claudia lui lança un regard interloqué. Il lui fallut un moment pour comprendre qu'il avait l'intention de partager son plat avec elle.

— Ce n'était vraiment pas nécessaire, Billy.

Elle n'aimait pas partager un plat. Cela lui rappelait certaines familles d'accueil chez qui elle avait vécu et où il n'y avait jamais assez à manger. Lorsqu'il fallait « partager », Claudia était toujours lésée parce qu'elle était la plus jeune.

— Mais si, Claudia. Vous devez vous nourrir correctement. Daniel accorde beaucoup d'importance à ce genre de choses. La nourriture est un carburant indispensable à la réflexion.

La serveuse apporta alors une assiette vide et il y fit glisser une partie de son chili, en s'arrangeant pour que les deux assiettes soient aussi pleines.

Claudia réprima un léger sourire. C'était très généreux de sa part de faire ainsi : il était tout de même deux fois plus grand et plus gros qu'elle ! Son cœur fondit une nouvelle fois pour lui.

— Merci, Billy.

Elle ne s'était pas rendu compte qu'elle avait si faim. Il avait eu raison de la forcer un peu.

— Je vous en prie, Claudia. Ce n'est pas aussi bon qu'un chili préparé par ma mère, mais, de toute façon, personne ne sait cuisiner comme elle. Et nous avions bien besoin de reprendre des forces, non ?

Oui, ils en avaient bien besoin, songea-t-elle. Tout allait si vite ces derniers temps. Elle lui adressa un sourire de remerciement.

A la fin du repas, Billy rappela son ami inspecteur de police, Hudson Vale, chargé d'enquêter sur l'agression dont Theresa avait été victime. Il brancha le haut-parleur pour que Claudia puisse écouter la conversation.

— Avec mon associée, nous sommes allés jeter un coup d'œil sur la scène de crime, ce matin. Nous pensons avoir découvert ce que les cambrioleurs ont emporté.

Claudia appréhendait la réaction du policier, mais le sergent Vale ne trouva rien à redire.

— Toutes les idées et observations sont bienvenues, dit-il. Nous sommes dans le brouillard sur cette affaire.

— Il y avait une grande statue de la Vierge Marie sur la cheminée dans le salon. Elle a disparu, à présent.

— Une statue ? Il y avait beaucoup d'objets de culte dans cette maison, je m'en souviens. Avait-elle de la valeur ?

— Je ne l'ai vue que sur une vidéo. Elle ressemble à celles qui sont vendues dans les lieux de pèlerinage. Ma mère en a une aussi. Mais, en fait, nous pensons qu'elle était remplie de pièces d'or, de vieux escudos espagnols, récupérés sur un bateau qui avait fait naufrage au large des côtes mexicaines, sans doute.

— Je vais jeter un œil dans le coin pour voir si une statue de ce genre a changé de mains ou si quelqu'un essaie d'écouler de l'or espagnol.

— Merci, Hudson. Penses-tu que nous pourrions jeter un œil aux photos de la scène de crime ?

— Bien sûr, passe quand tu veux.

Après avoir raccroché, Billy demanda l'addition et paya.

De son côté, Claudia s'interrogeait sur la disparition de cette statue. Si Eduardo avait organisé le cambriolage chez sa belle-sœur et que les voleurs avaient mis la main sur les pièces d'or, ils ne reverraient plus jamais Eduardo.

— Que faisons-nous, à présent ? demanda-t-elle tandis qu'ils regagnaient la voiture.

— Nous devons discuter avec Daniel. J'ai pris rendez-vous avec lui pour demain matin si vous pouvez venir.

— Je vais m'arranger.

En réalité, elle n'avait plus de raison de s'impliquer dans cette affaire. En tant que psychologue, elle n'était pas censée se mêler personnellement des affaires de ses clients. Elle avait fait son devoir, parlé de ses doutes à Daniel et convaincu Billy qu'il fallait se charger de l'enquête. Elle aurait pu s'en tenir là.

Mais elle se sentait tellement investie dans cette affaire qu'elle n'imaginait plus s'en désintéresser. Elle s'y impliquerait corps et âme.

Elle tenait à retrouver ces pièces d'or. Elle voulait arrêter ces cambrioleurs et les remettre à la justice. Elle souhaitait empêcher Angie de continuer à brader les biens de ses parents. Et, surtout, elle voulait retrouver Eduardo Torres en vie et sauver celle de Mary-Francis.

Peut-être parce qu'elle se sentait en partie responsable de sa condamnation. Peut-être aussi à cause de Billy… Elle était si contente qu'il ait pensé à lui proposer de l'accompagner au rendez-vous avec Daniel.

5

— Bonjour Billy, dit Daniel à travers l'écran géant qui lui permettait d'être à la fois chez lui, dans sa somptueuse propriété, et dans la salle de conférences de Project Justice. Nous sommes tous là. Je vous laisse la parole.

« Daniel semble impatient, pensa Claudia en remarquant la façon dont il ne cessait de pencher la tête vers la droite. Il a hâte d'en finir, sans doute a-t-il rendez-vous avec sa masseuse… »

Tout ce qu'elle ferait pour abréger cette réunion serait bien perçu par son patron.

Billy s'était bien préparé pour cet exposé. Vêtu d'un jean neuf et d'une chemise sombre, les cheveux bien peignés, il donna un résumé de l'affaire, des confidences de Mary-Francis en prison et du résultat de ses investigations.

Il ne précisa pas qu'il était entré chez Theresa par effraction ni qu'il s'était imposé chez les Torres sans y avoir été invité par Angie. Il ne parla pas non plus des menaces de Jimmy ni de l'arme de ce dernier. Il devait se douter que Daniel n'apprécierait pas qu'il ait pris tant de risques et de libertés avec la loi.

Raleigh Benedict, l'avocate de l'association, s'installa autour de la table avec eux. Sa manière de se pencher légèrement en avant prouvait sa curiosité.

Puis Beth McClelland, responsable du laboratoire et des analyses sur les éléments matériels, de Project Justice, s'éclaircit la gorge.

— J'ai lu le dossier. Pour le corps médical, Eduardo n'aurait pu survivre à une telle hémorragie.

« Elle est sceptique », se dit Claudia en voyant qu'elle levait un sourcil d'un seul côté et en pestant contre elle-même. Elle n'était plus capable de participer normalement à une discussion entre collègues. Elle ne pouvait s'empêcher de décrypter leurs expressions et leurs gestes. Et c'était comme ça avec tout le monde ! Elle avait pris l'habitude d'analyser le langage du corps de toutes les personnes qui l'approchaient et cette habitude était tellement ancrée qu'elle ne pouvait s'en défaire.

Pourtant, dans le cas présent, cette analyse n'avait aucun intérêt. Elle n'avait rien à craindre de ses collègues. Elle travaillait avec eux depuis des années, les connaissait bien. Mais elle continuait de décoder les signaux qu'ils envoyaient inconsciemment.

Par exemple, Mitch Delacroix, l'expert en technologies de pointe de la fondation et l'informaticien. Il était assis près de Beth et chacun de ses gestes trahissait l'amour et le désir qu'il éprouvait pour elle. Claudia avait vu naître et se développer leur relation amoureuse avant tout le monde. Elle n'avait pas été étonnée d'apprendre qu'ils allaient se marier.

Et puis, il y avait Billy, impénétrable comme toujours. Lorsqu'elle étudiait sa communication non verbale, elle n'obtenait que des réponses partielles ou contradictoires, ce qui la frustrait. Il n'appréciait pas qu'elle se serve de ses talents pour analyser les gens contre leur gré. Cherchait-il à l'induire en erreur ou était-il vraiment impossible à déchiffrer ?

En tout cas, sur ce plan, il était très différent de Raymond, son ex. Raymond s'efforçait de donner une image fausse de lui-même. Billy, lui, veillait à dévoiler le moins possible sa personnalité.

Heureusement, personne dans la salle n'était capable de décoder le langage du corps comme elle. Sinon, ils auraient tous compris quelque chose qu'elle préférait garder secret. Le simple fait de regarder ou d'écouter Billy éveillait en elle un désir intense. Elle imaginait alors des draps froissés, une nuit d'été torride, des peaux nues…

Elle s'efforça de repousser ces visions et de reporter son attention sur le dossier qui les occupait.

— Beth, dit Daniel. Y a-t-il un moyen d'expliquer la présence de tant de sang dans l'hypothèse où la victime serait encore en vie ?

Beth réfléchit un instant.

— Les biologistes ont peut-être été négligents et n'ont analysé qu'une partie du sang retrouvé pour déduire ensuite que les résultats obtenus sur cet échantillon étaient généralisables à tout le sang retrouvé.

— Il y a donc une possibilité, même infime, que tout le sang retrouvé ne soit pas celui d'Eduardo ? demanda Claudia.

Beth hocha la tête.

— Je le pense, oui.

Claudia glissa un œil vers Billy. Elle surprit alors un bref signe de satisfaction. Cela signifiait-il qu'il avait autant envie qu'elle de se charger de cette affaire ? En ce cas, il avait donc changé d'avis parce que, au départ, il était très dubitatif.

— Eduardo Torres n'était-il pas un chef de la mafia ou quelque chose de ce goût-là ? s'enquit Mitch.

— En effet, il était un gros bonnet de la mafia de Rio Grande, répondit Claudia. Beaucoup de gens gravitant dans l'univers des stupéfiants souhaitaient l'éliminer. Quelqu'un aurait pu le tuer dans son lit puis enterrer son corps quelque part, où personne ne le retrouvera jamais. Si Mary-Francis est innocente, c'est le scénario le plus probable.

— Croyez-vous que les choses se soient déroulées ainsi ? demanda Daniel.

— Ma seule certitude, reprit Claudia, est que Mary-Francis n'a pas tué son mari. J'en ai la conviction depuis le départ, mais maintenant que je l'ai de nouveau interrogée et que l'histoire s'est compliquée avec l'existence des pièces d'or et l'agression dont Theresa a été victime…

— Elle prétend que sa fille n'a appris que dernièrement l'existence de ce trésor, intervint Beth. Mais nous n'en avons pas la preuve.

— Peut-être. Mais cette affaire comporte de nombreuses zones d'ombre.

Tout le monde se tourna vers l'écran géant qui permettait à Daniel d'être au milieu d'eux.

Il prit rapidement sa décision.

— Raleigh, Mary-Francis vous a déjà demandé officiellement de vous charger de sa défense, n'est-ce pas ?

— Oui, tout est en règle.

— Parfait. Demandez à avoir accès à tous les éléments de preuve matériels. Beth, essayez de vous renseigner pour savoir comment les échantillons de sang ont été analysés.

— D'accord. J'ai une amie qui travaille au laboratoire médico-légal du comté. Elle me renseignera sur ce point.

— Bien. Mitch, efforcez-vous de retrouver la trace d'Eduardo ou, si vous n'y parvenez pas, de ses associés.

— J'ai la liste d'un certain nombre de ses amis, proches et employés, dit Claudia en la sortant d'une pochette.

— Très bien, conclut Daniel. Chacun sait ce qu'il a à faire. La réunion est finie.

Tout le monde se mit à ramasser ses affaires, pressé de se mettre au travail. Claudia aurait dû être aux anges ou au moins contente. Elle avait fait avancer la cause de Mary-Francis. Au lieu de quoi, elle se sentait un peu abattue.

Elle se tourna vers Billy, espérant qu'il lui redonnerait de l'énergie et surtout qu'il serait d'accord pour qu'elle continue d'enquêter avec lui. Elle pouvait l'aider avec sa capacité à deviner les véritables pensées des gens, à savoir quand ils étaient sincères et quand ils mentaient.

Mais, comme Billy ne croyait pas à la réalité de cette science qu'il assimilait à une sorte de vaudou, cet atout n'en était pas forcément un à ses yeux.

— Claudia, j'aimerais vous dire un mot en privé.

Claudia reporta son attention sur l'écran. Apparemment, Daniel n'en avait pas encore terminé avec elle. Mais de quoi voulait-il lui parler ? Avait-il remarqué quelque chose dans sa façon de se comporter avec Billy qui ne lui plaisait pas ? Daniel était un homme très observateur. Avoir passé six ans dans le couloir de la mort pour un crime qu'il n'avait pas commis l'avait rendu expert de la nature humaine.

Mais il n'était pas opposé à ce que ses employés nouent des liens amoureux. Donc même s'il avait deviné pour elle et Billy, il s'en moquerait sans doute.

Elle le saurait assez tôt.

Une fois la salle désertée, Claudia sourit à Daniel.

— Que vouliez-vous me dire ?

— Je voulais vous demander si Billy vous semblait l'homme de la situation ? Vous paraît-il à l'aise sur le terrain ? Prend-il les bonnes décisions ?

Si elle avait été entièrement sincère, elle aurait répondu par la négative. Deux fois dans la même journée, Billy avait enfreint la loi dans l'espoir d'obtenir la vérité. Mais Daniel n'était pas non plus un enfant de chœur. Aussi, lorsqu'il parlait d'homme de la situation, il avait peut-être une image différente de la sienne.

— Cela m'ennuie de discuter de Billy derrière son dos, répondit-elle.

— C'est important. Si je le pousse sur le terrain alors qu'il n'y est pas prêt, je porterai la responsabilité de ses erreurs. Vous paraît-il stressé par la situation ?

Le raisonnement de Daniel était juste, aussi répondit-elle avec honnêteté

— Non, pas du tout. Il a l'air d'apprécier, au contraire.

— Tant mieux. Pouvez-vous garder un œil sur lui, le surveiller sans en avoir l'air ?

Claudia se mit à rire avant de comprendre qu'il parlait sérieusement.

— Vous voulez que je joue les baby-sitters ?

— Vous faites déjà partie de l'enquête. Et, sauf erreur de ma part, vous avez envie de continuer.

— Je ne suis pas certaine que Billy soit très content de m'avoir dans les jambes.

— Je lui dirai que j'en ai décidé ainsi. Il me semble important d'avoir quelqu'un pour le seconder, pour lui dire quand une personne ment. Il y a beaucoup de zones troubles dans cette affaire. Mais vous le savez déjà, ajouta-t-il en riant.

— Je verrai ce que je peux faire. Pourquoi est-il si réticent à l'idée de travailler sur le terrain ? Quand il m'a expliqué qu'il en avait assez de risquer d'être tué en poursuivant des bandits, je l'ai cru. Mais, maintenant, je commence à douter que ce soit la seule explication.

— Je ne suis pas autorisé à vous en parler.

Et Daniel coupa l'image comme s'il craignait de se trahir en restant plus longtemps à visage découvert.

— J'espère que cela ne vous ennuie pas que je continue à vous suivre comme une ombre, dit Claudia en grimpant dans la voiture de Billy.

Elle avait passé la matinée à déplacer ses rendez-vous avec ses patients, ne gardant que ceux qui avaient réellement besoin d'elle, pour se libérer au maximum.

— Je commence à m'habituer à avoir un acolyte. De toute façon, Daniel a l'air de tenir à ce que vous veniez avec moi. Pourquoi, à votre avis ?

Elle ne répondit pas tout de suite et, tout en attachant sa ceinture, maudit *in petto* sa position. Elle n'avait pas à « rapporter » à Daniel les illégalités dont Billy s'était rendu coupable. Billy lui faisait confiance. Et elle ne pouvait pas non plus parler à Billy de sa conversation avec Daniel parce que Daniel était un de ses clients et qu'elle était tenue par un devoir de réserve.

— Daniel pense que mes analyses peuvent vous être utiles. Beaucoup de gens mentent dans cette histoire.

— Les gens mentent toujours dans ce genre d'affaires, dit-il en sortant du parking. Savez-vous ce que je crois ?

— Dites-moi.

— Je suis persuadé que Daniel a envie de vous prendre à plein-temps. En vous donnant un aperçu de notre travail au quotidien, il espère que vous voudrez faire partie de l'équipe.

Claudia soupira discrètement. Billy n'avait pas deviné la véritable raison de sa présence. Mais s'il avait raison ? Et si Daniel lui avait parlé de ses inquiétudes à propos de Billy uniquement pour lui cacher sa véritable motivation ?

— Je ne suis pas certaine de désirer renoncer à mes consultations privées. J'aime venir en aide aux gens. Quand quelqu'un qui va mal vient vous voir et que vous le voyez évoluer, progresser, aller mieux, c'est très satisfaisant.

— Sortir des innocents de prison est également très satisfaisant, Claudia. Leur sauver la vie quand ils sont injustement condamnés à mort l'est encore plus.

— Est-ce ce qui vous plaît dans votre travail ? Le résultat final ?

La conversation s'orientant sur lui, elle se sentait plus à l'aise.

— Cessez de m'interroger sur ce que je pense. Nous parlions de vous.

Il avait remarqué son manège.

— Ma situation actuelle me convient très bien, reprit-elle. Je préfère rester en retrait et aussi être indépendante.

— Daniel traite très bien ses employés.

— J'en suis certaine. Il attire et sait garder des gens compétents, brillants.

— Je suis l'exception qui confirme la règle, répliqua-t-il en riant. C'est ce que vous avez dit l'autre jour. Vous me prenez pour un imbécile parce que je n'adhère pas à vos thèses sur le langage du corps…

— Ne qualifiez plus mon travail de vaudou.

— Reconnaissez que vos théories ont un caractère magique.

— Absolument pas.

Elle vit une lueur dans ses yeux. Il faisait exprès de la provoquer…

— Vous savez que se moquer de quelqu'un est un signe d'affection. Chez les collégiens, en particulier.

— Vous me traitez d'adolescent attardé ?

— Non, je dis que vous m'appréciez secrètement. Si ce n'était pas le cas, vous ne me chercheriez pas en permanence.

Il n'essaya pas de le nier, ce qui fit très plaisir à Claudia. Elle ne parvenait pas à se remémorer quand un homme l'avait cherchée à ce point. Même Raymond n'allait pas si loin. Il lui disait ce qu'elle avait envie d'entendre, il jouait à la perfection le rôle du petit ami idéal à une époque particulièrement stressante de sa vie.

Billy avait remonté les manches de sa chemise et elle eut soudain très envie de tâter ses biceps, de le toucher. A ses yeux, il n'était ni stupide, ni un adolescent attardé. Il était même très malin, puisqu'il savait obtenir d'elle le meilleur.

Ils se dirigeaient vers le siège de la police de Conroe au nord de Houston. Le sergent Hudson Vale avait demandé à les voir. Les différentes pistes que la police avait suivies pour tenter de retrouver les agresseurs de Theresa Esteve n'avaient rien donné et il espérait que Project Justice leur permettrait de faire progresser l'enquête.

L'allusion à des pièces d'or avait piqué son intérêt.

Il descendit les accueillir à la réception. Si Claudia l'avait croisé ailleurs, elle l'aurait pris pour un surfeur et non pour un policier. Il avait les cheveux longs, une chemise haïtienne. Et il était plutôt pas mal.

— Excusez ma tenue, dit-il. Je sors d'une opération d'infiltration.

Contrairement à ses habitudes, Billy ne put dissimuler son intérêt.

— Tu infiltres le milieu de la drogue ?

— Non, répondit Hudson en secouant la tête. Le milieu de la prostitution. Personnellement, je déteste travailler pour la Mondaine, mais les filles commencent à pulluler en ville et elles sont surtout de plus en plus jeunes... Alors je joue le rôle de l'étudiant qui cherche à prendre un peu de bon temps.

Il devait avoir beaucoup de succès, pensa Claudia.

— En tout cas, pour en revenir à cette affaire, je suis heureux de vous montrer ce que j'ai et j'espère que vous aurez des idées parce que nous sommes dans le brouillard.

Il les invita à le suivre dans son bureau et leur proposa des boissons fraîches.

Puis il ouvrit une mince chemise cartonnée.

— Voici le dossier de l'affaire Esteve. Nous n'avons pas grand-chose mais, je vous en prie, jetez-y un œil.

— Merci.

Billy commença à lire le rapport, mais Claudia s'empara des photos de la scène du crime. La maison de Theresa était beaucoup plus en désordre sur ces clichés que lorsqu'ils y étaient entrés, la veille. Les meubles étaient défoncés, les étagères à terre, les tableaux arrachés des murs. Visiblement, quelqu'un avait mis un semblant d'ordre après le passage de la police.

— Où sont les enfants de Theresa ? s'enquit Claudia.

— Elle n'a qu'un fils. Il est divorcé et vit en Arizona. Il est venu passer deux jours en apprenant ce qui était arrivé à sa mère, mais il a dû retourner chez lui. Il a un gosse, un métier...

— Aurait-il pu vouloir tuer sa mère pour toucher l'héritage ?

— Je ne pense pas. Theresa n'est pas riche, contrairement à son fils qui a une bonne situation. Par ailleurs, il n'a pas chargé des cambrioleurs de s'occuper du travail. Les intrus n'étaient pas des professionnels...

— Vous pensez qu'ils étaient donc plusieurs ?

— Nous n'avons pas trouvé d'empreinte ni de trace d'ADN, mais il y avait deux marques de semelles de tailles différentes près de la fenêtre. Malheureusement, nous n'avons pas pu déterminer de quelles chaussures il s'agissait. Vu leurs tailles, elles appartenaient à des hommes.

— Ce qui écarte Angie de la liste des suspects. Cela dit, son petit ami aurait pu venir avec un copain. Angie et Jimmy sont en train de vendre tout ce qui se trouvait chez les Torres. Theresa a peut-être tenté de les en empêcher.

Hudson ne parut pas surpris par ces informations.

— Parce que sa tante avait une procuration pour gérer les affaires de Mary-Francis ? J'ai interrogé Angie et le petit ami. Ils ont tous deux des alibis et je n'ai pas eu le sentiment qu'ils mentaient. En plus, ils n'ont pas les moyens de payer quelqu'un pour faire le boulot à leur place.

— Angie leur a peut-être promis de l'argent après le cambriolage. Et elle a vendu la voiture de sa mère.

— Oui, j'ai vu. Elle a déposé le chèque à la banque, mais n'a pas effectué de retraits importants.

— Elle renâcle peut-être à payer la somme due puisque sa tante n'est finalement pas morte, suggéra Billy. Le boulot n'a pas été effectué correctement.

— Je ne vois pas Angie s'impliquer dans un plan pareil. Elle a paru bouleversée quand je lui ai appris le cambriolage.

— D'autres suspects ? reprit Billy.

— Aucun.

— Et la voisine ? Patty Dorsey ?

Hudson leva les yeux au ciel.

— Toute la rue nous a dit du mal d'elle. Elle passe son temps à espionner ses voisins. C'est elle qui a prévenu la police. Elle a vu que la fenêtre avait été forcée, elle est entrée et a découvert Theresa inanimée. Elle lui a sans doute sauvé la vie. Je ne pense pas qu'elle ait le profil.

— Sauf si elles se sont disputées, poursuivit Billy. Elle a frappé Theresa, l'a blessée plus grièvement que prévu et elle a appelé la police, paniquée, en prétendant qu'il s'agissait d'un cambriolage.

— La scène de crime ne correspond pas à ce genre de situation, dit Claudia qui continuait de regarder les photos.

— Et Patty n'a pas laissé d'empreintes de chaussures, ajouta Hudson. Les intrus sont passés par la fenêtre, je vous rappelle.

Billy reconnut que son hypothèse ne tenait pas.

— Parlez-moi de ces pièces d'or, poursuivit Hudson.

Pendant que Billy lui rapportait les confidences de Mary-Francis et leur conversation avec Angie ainsi que leur thèse sur la statue de la Vierge, Claudia continua d'étudier les clichés dans l'espoir de remarquer quelque chose qui aurait échappé à la police.

Quand elle le vit enfin, elle faillit éclater de rire. Pourquoi ne l'avait-elle pas repéré au premier coup d'œil ?

Elle tendit une des photos à Billy.

— Vous voyez ce que je vois ?

— Seigneur !

— Quoi ? demanda Hudson d'un air inquiet.

— La statue de la Vierge. Elle est là, sur les clichés pris juste après le crime. Les intrus ne l'avaient pas embarquée.

6

Hudson examina le cliché.

— Oui, je me souviens maintenant de cette statue. Je n'y avais pas prêté beaucoup d'attention, une fois que j'avais compris qu'il ne s'agissait pas de l'arme du crime.

— Vos hommes ne l'ont donc pas considérée comme une pièce à conviction ?

— Nous nous sommes intéressés à différents objets pour y chercher des empreintes, mais pas à la statue, non.

— Alors où est-elle passée ? Qui a pu s'introduire chez Theresa quand vous avez eu fini de travailler sur la scène du crime ?

Hudson y réfléchit un moment.

— Le fils. Il n'a pas le profil de l'agresseur de sa mère, mais il a pu s'emparer de la statue. Il y a aussi la voisine, Patty. Elle a une clé de la maison. Je suppose d'ailleurs que c'est elle qui vous a permis de pénétrer à l'intérieur.

Billy tripota le col de sa chemise.

— Nous… euh… sommes entrés par nos propres moyens.

Hudson se mit à rire.

— Vous avez de la chance que Patty n'ait pas appelé la police.

— Nous l'avons nous-mêmes menacée de la dénoncer auprès des autorités, répliqua Claudia. Lorsque nous sommes arrivés, elle creusait des trous dans la cour et elle s'est sauvée comme quelqu'un qui n'a pas la conscience tranquille.

Les yeux de Hudson s'écarquillèrent, témoignant de son intérêt.

— Je vais peut-être l'interroger de nouveau.

— Dans ce cas, elle croit que nous sommes policiers.

Hudson éclata de nouveau de rire.

— Vous êtes des flics plus vrais que nature !

Puis il consulta sa montre.

— C'est bientôt l'heure du déjeuner. Voulez-vous aller manger un morceau ?

Claudia s'apprêtait à accepter avec enthousiasme, mais Billy se leva brusquement.

— Merci, mais nous ferions mieux de partir. Une autre fois, avec plaisir. On s'appelle ?

Claudia lui jeta un regard étonné. Billy n'avait visiblement aucune envie de revoir son ami.

Mais Hudson ne parut pas l'interpréter de la même façon.

— Le 4 juillet, pour l'*Independence Day*, nous organisons une fête sur le lac Conroe. Vous aimez le ski nautique ?

— Bien sûr, dit Claudia.

Elle n'en avait jamais fait mais, comme les gens importants, influents, le pratiquaient, elle préférait laisser penser qu'elle aussi. C'était une habitude chez elle même si elle était consciente qu'elle devait cesser. A présent, sa réputation professionnelle lui donnait du poids, elle n'avait plus besoin de mentir pour faire croire qu'elle ne sortait pas du ruisseau.

Quelques minutes plus tard, Claudia et Billy étaient de nouveau en voiture. Elle avait tort d'insister, elle le savait pertinemment, mais elle ne put s'en empêcher.

— Billy, pourquoi étiez-vous si pressé de partir ? C'est l'heure du déjeuner et je meurs de faim.

— Je préfère continuer à avancer sur cette affaire. Et puis pourquoi êtes-vous obsédée par la nourriture ? Pour une femme aussi mince, je trouve que vous mangez beaucoup.

— Excusez-moi, mais vous m'avez vous-même fait remarquer qu'il était important de se nourrir convenablement. Dites plutôt que vous n'appréciez pas beaucoup Hudson ?

— Si, si, ça va. Et *vous* ?

— Je ne le connais pas assez pour me forger une opinion.

— Arrêtez ! En tant que psychologue, vous vous faites une opinion à l'instant même où vous rencontrez quelqu'un.

— Alors, du peu que j'ai vu de lui, il m'a fait une impression plutôt positive. Il est amical, il a le sens de l'humour, il semblait vouloir sincèrement nous renseigner, contrairement à la plupart des flics qui font de la rétention d'informations en permanence. Il paraît se soucier de la victime et être déterminé à coffrer les coupables.

— Et il est plutôt beau gosse, non ?

— Très. Mais un peu jeune pour moi. Pourquoi ces questions, Billy ? Vous savez : j'essaie de ne pas me laisser influencer par l'apparence de quelqu'un quand j'évalue sa personnalité.

— Hudson vous draguait.

Elle le regarda, totalement interloquée.

— Il me draguait ?

Billy haussa les épaules comme s'il s'en moquait.

— Cela m'a semblé évident.

— Et admettons même que c'était le cas. J'avais peut-être envie de déjeuner avec lui et vous. Or, vous m'avez poussée dehors comme s'il y avait le feu.

Billy freina brutalement.

— Je peux vous y reconduire si vous voulez. Je suis sûr qu'il se fera un plaisir de vous ramener ensuite au bureau. Si vous préférez flirter plutôt que de m'aider à prouver l'innocence de Mary-Francis…

— Ne soyez pas stupide, Billy, je vous en prie. Et avancez ! Nous provoquons un embouteillage.

Lorsqu'il obtempéra, il serra si fort le volant que les jointures de ses doigts en blanchirent.

— Vous vous comportez de manière bien étrange, remarqua Claudia.

Billy se détendit un peu et poussa un gros soupir.

— Vous avez raison. Revoir Hudson Vale m'a replongé dans des souvenirs douloureux.

— Comment le connaissez-vous ?

— Nous avons collaboré sur une vaste opération, il y a quelques années, pour démanteler un réseau de trafiquants.

— Apparemment, vous n'aimiez pas beaucoup travailler pour la brigade des stupéfiants si vous en souvenir vous met dans un état pareil.

Il secoua la tête.

— Laissez tomber, d'accord ?

— En parler pourrait pourtant vous aider à…

— Vous vous êtes engagée à ne pas m'analyser, je vous le rappelle.

— Avez-vous déjà entrepris une thérapie ?

— Oui et tout va mieux depuis. Et sachez que, si l'envie me prenait d'y retourner, je ne ferais pas appel à vous.

Blessée, Claudia rentra la tête dans ses épaules. Elle était surprise de la violence du coup qu'il venait de lui asséner.

— Je sais que vous n'accordez pas beaucoup de crédit à la science du langage du corps, mais je n'avais pas compris que vous me jugiez incompétente sur toute la ligne.

— Non, Claudia, vous n'y êtes pas du tout. Je ne suis pas en train de vous dénigrer, mais de dire que je ne veux pas de ce genre de relation avec vous.

Elle mourait d'envie de lui demander quelles relations il préférerait avoir elle, mais elle n'osa pas.

— Je peux vous arranger le coup avec Vale, s'il vous intéresse.

Il n'allait pas remettre le sujet sur le tapis !

— Non, merci. Je n'ai pas besoin d'entremetteur lorsque j'ai envie de sortir avec quelqu'un.

— Et le faites-vous ? Je veux dire : sortez-vous avec des hommes ?

— Cela m'arrive.

Elle détourna la tête. Deviner la vie des gens et leurs pensées secrètes la passionnait, mais elle détestait que quelqu'un fasse la même chose à son sujet.

— Avez-vous quelqu'un dans votre vie actuellement ? insista-t-il.

— Non. Et vous ?

Certainement pas. Elle en était quasi certaine. Rien n'indiquait qu'il avait une femme ou une petite amie. Il ne s'isolait jamais pour téléphoner, rien ne le pressait de rentrer en fin de journée. A moins qu'il fasse partie de ces hommes qui compartimentaient leurs vies de façon étanche.

— Non plus, reprit-il. Mais nous parlions de vous. Pourquoi pas Vale ? Nous pourrions aller tous les trois assister à un match de base-ball et…

— Il ne m'intéresse pas. Il n'est pas mon type, ajouta-t-elle d'un ton sec.

— Vous ne fréquentez pas les flics ?

— Je n'ai rien contre eux.

— Quel est votre type d'hommes alors ?

Elle n'en avait aucune idée. Mais, après tout, peut-être qu'un ex-policier d'origine hispanique qui savait dissimuler ses sentiments comme personne pourrait lui convenir.

— Je n'ai pas de type, Billy.

— Alors pourquoi pas…

— Je n'ai aucune envie de sortir avec Hudson, même si je l'intéressais. Ce qui n'est pas le cas.

— Qu'en savez-vous ?

— Je sais toujours quand un homme s'intéresse à moi. Avec mon expérience, c'est un jeu d'enfant.

Il répliqua par un simple mot.

— Toujours ?

— Peut-être pas toujours, reconnut-elle.

— Donc Vale est hors jeu ?

Elle poussa un soupir exaspéré.

— Il est très mignon et je viens de faire sa connaissance. Peut-être devrais-je tenter le coup, vous avez raison. Quand a lieu le prochain match de base-ball ? Après, nous pourrions l'inviter à boire un verre…

— Nous avons du travail, l'interrompit-il.

Il semblait de nouveau énervé et soudain l'évidence la frappa.

— Seigneur ! J'ai compris. Vous êtes jaloux.

— C'est ridicule. Pourquoi jalouserais-je Hudson ? J'ai un poste plus important et deux fois plus payé que lui et je suis plus séduisant…, dit-il en rigolant.

Elle refusa de le laisser détourner la conversation par ce trait d'humour.

— Vous êtes jaloux parce qu'il s'est intéressé à moi. Vous estimez que, comme nous nous sommes embrassés, vous avez des droits sur moi, que je vous appartiens…

— Waouh !

Il entra brusquement dans une aire de stationnement et se gara.

— Que les choses soient bien claires, Claudia. Primo, je ne nourris aucune illusion sur de prétendus droits que me donnerait le fait de vous avoir embrassée. Deuxio…, oui, je suis peut-être jaloux. Il a dragué de la même façon ma coéquipière à Dallas et… cela ne m'a pas plu, voilà tout.

— Désolée, Billy, cela a dû vous être très pénible.

— Ne jouez pas les thérapeutes avec moi, d'accord ? Il n'en est rien sorti parce que Vale n'était pas sérieusement mordu. Mais je me suis dit qu'il correspondait peut-être à votre type et que dans ce cas…

— Quoi ? Mon *type* ? Quel est mon type ?

— Vous le savez bien… Il est riche, instruit, bien élevé, sophistiqué…

Elle éclata de rire. Quelle ironie du sort ! Toute sa vie, elle s'était efforcée de donner cette image et voilà que ce portrait imaginaire creusait un fossé entre elle et l'homme qui l'intéressait.

— Vous délirez complètement à mon sujet, Billy.

— Vraiment ?

— Instruite, je vous le concède. J'ai fait de bonnes études. Mais je n'ai rien de riche, je n'ai pas fini de rembourser mon prêt étudiant. Mon studio et ma voiture ont été achetés à crédit. Quant à mon côté sophistiqué, ce n'est qu'une façade. J'achète mes vêtements dans des friperies, je suis incapable de reconnaître un vin et je ne suis jamais sortie des Etats-Unis. Même mon accent est faux.

Un instant, elle sourit pour elle-même. A l'université, elle avait vite compris que son accent texan la desservirait et elle s'était efforcée d'adopter celui de Boston.

— Et je me suis fait teindre les cheveux en blond. Je crois que mon père était portoricain. Je l'ai compris au peu que ma mère m'a dit de lui quand elle était ivre, mais je ne l'ai jamais vu. Donc je n'en sais rien.

Elle s'arrêta net et fixa Billy. Il l'observait comme si elle était une bête curieuse. Manifestement, il était surpris, et même un peu déstabilisé.

Elle haussa les épaules et reprit l'accent qu'elle avait enfant pour qu'il comprenne bien qu'elle n'inventait rien.

— Bon, maintenant, vous êtes au courant. Vous savez tout… ou presque ! Alors cessez de délirer à mon sujet, d'accord ?

*
* *

Billy eut l'impression de recevoir un coup de massue sur la tête. Il démarra, remonta sa vitre et activa l'air conditionné avant de reprendre la route.

Il ne pouvait plus prononcer un mot. Claudia n'était donc rien de ce qu'il avait imaginé. La blonde distinguée n'était qu'un masque fabriqué de toutes pièces.

Le savoir aurait pu le couper dans ses élans mais, curieusement, ses aveux la lui rendaient encore plus attirante. Elle n'avait pas connu son père, sa mère buvait et elle n'était pas riche puisqu'elle croulait sous les dettes.

Autant de choses qu'il n'aurait jamais soupçonnées.

Il avait envie d'en savoir plus, de l'interroger. Où avait-elle grandi ? Où était sa mère, à présent ? Comment réussissait-elle à paraître si classe alors qu'elle était pauvre ? Pourquoi s'efforçait-elle de dissimuler ce qu'elle était réellement ? Et peut-être aussi quelle était la couleur naturelle de ses cheveux ?

Un instant, il sourit. Bien sûr, ce n'était pas seulement son apparence extérieure qui la lui rendait si désirable. Son intelligence, son grand cœur, son éthique lui plaisaient plus que tout. Même s'il avait tout de suite été sensible à la blondeur de ses cheveux, à la longueur de ses jambes, elle l'attirait parce qu'il avait deviné une personnalité profonde, riche, complexe.

Quant à leur baiser…

Elle ne souhaitait pas en parler, il l'avait bien senti. Peut-être était-elle gênée d'avoir embrassé un homme comme lui. Comme elle s'efforçait à tout prix de cacher ses origines modestes, elle préférait sans doute ne pas s'afficher au bras d'un garçon aussi pauvre qu'elle.

Il fallait qu'il relance la conversation. Il voulait en savoir plus sur elle.

— Je suis désolé, Claudia. Désolé d'avoir déliré à propos de Hudson, d'avoir extrapolé à votre sujet.

« Peut-être même de vous avoir embrassée », songea-t-il.

— Vous n'avez pas à vous excuser, Billy. Je dupe sciemment les gens. S'ils m'imaginent ensuite comme une femme que je ne suis pas en réalité, eh bien, je ne peux m'en prendre qu'à moi-même.

— Pourquoi faites-vous ça ? Avez-vous peur que les gens

n'aiment pas la véritable Claudia ? Claudia est votre vrai prénom, n'est-ce pas ?

Elle lui sourit.

— Qui joue les thérapeutes, maintenant ? Je crois que nous avons eu notre dose d'aveux pour la journée. J'ai besoin d'une pause, d'accord ?

Il acquiesça. Plus elle se dévoilait, plus elle s'attendait à ce qu'il fasse la même chose. Elle désirait toujours l'analyser. Or, il n'avait aucune envie de la laisser faire.

Il n'était pas prêt à lui révéler ce qu'il avait dans le ventre. Il lui avait déjà parlé de Sheila et de Hudson. Or, il ne parlait jamais de Sheila, et rarement de Hudson.

— Avez-vous toujours faim ? demanda-t-il.

— Je pensais que nous n'avions pas le temps de nous restaurer.

— Vous savez bien que j'ai dit ça parce que je ne voulais pas que vous déjeuniez avec Hudson…

Il s'interrompit un instant.

— Oui, je suis peut-être jaloux finalement.

Elle sourit.

— Je meurs de faim, Billy. J'ai envie de côtelettes d'agneau.

— Un restaurant près du bureau en sert. Le connaissez-vous ?

— Non, c'est le moment de le découvrir.

Ils s'assirent face à face et se firent aussitôt apporter deux plats de côtelettes. Claudia se sentait plus sereine, moins tendue que les jours précédents. Avouer la vérité à Billy lui donnait l'impression de retirer des escarpins trop petits. Pour la première fois depuis des années, elle pouvait être elle-même. Elle n'avait plus à dissimuler son accent texan, à prendre des intonations légèrement snobs ni à jouer les femmes distinguées.

Elle pouvait dévorer ses côtelettes avec les doigts, ce qu'habituellement elle s'interdisait en public. Elle n'avait plus à picorer son assiette alors qu'elle mourait de faim.

Elle était libre comme elle ne l'avait jamais été auparavant.

Au lieu d'être horrifié par son appétit, Billy éclata de rire et demanda à la serveuse de leur apporter une ration supplémentaire.

Elle s'empiffra de ces délicieuses côtelettes et s'offrit même le luxe de sucer ses doigts ensuite, en sachant très bien que Billy la regardait. Mais cela n'avait absolument pas l'air de le dégoûter. Elle en fut ravie et surprit même un éclair d'envie dans son regard.

— Je ne me doutais pas que vous aimiez les côtelettes d'agneau à ce point.

— Cela vous déçoit ?

— Au contraire. Je suis touché que vous ayez suffisamment confiance en moi pour être vous-même.

— Vous n'en parlerez à personne, d'accord ? Je compte sur votre discrétion.

— Bien entendu. Mais il y a une contrepartie à mon silence, dit-il avec un clin d'œil coquin.

Un frisson de désir la traversa et elle aurait bien voulu en savoir plus. Mais Beth, leur collègue de Project Justice, fit son apparition à ce moment précis.

— Bonjour, Billy. J'étais sûre de te trouver ici. Bonjour, Claudia, dit-elle, en suivant du regard la frite qu'elle venait de piquer dans l'assiette de Billy. Je suis contente de vous revoir.

— Moi aussi, Beth, répondit-elle, la bouche presque pleine. Comment allez-vous ?

Elle aimait beaucoup Beth. Celle-ci était portée par un optimisme à toute épreuve comme en témoignait sa façon de s'habiller de couleurs vives et de sourire chaleureusement. Elle était également très facile à décrypter, incapable de dissimuler ses sentiments ou de mentir.

— Tu me cherchais, Beth ? demanda Billy.

— Oui, répondit-elle en s'emparant de la carte sur une table voisine. Mais, comme j'ai faim, je vais peut-être en profiter pour manger un morceau. J'ai de bonnes nouvelles. En tout cas, des nouvelles intéressantes. Mais… je vous dérange peut-être ? ajouta-t-elle soudain en les regardant tour à tour.

— Non, pas du tout, assura Billy.

Claudia préféra ne pas répondre. Elle aurait bien aimé prolonger ce moment en tête à tête avec lui. Mais ce n'était sans doute pas une bonne idée.

Beth fit signe à la serveuse et lui demanda un steak-salade, avant de s'asseoir.

— Alors ? Qu'as-tu à nous dire ? s'enquit Billy.

— Ma copine qui travaille pour le laboratoire médico-légal du comté m'a envoyé des pièces à conviction concernant l'affaire Torres. Je m'y suis attelée sans attendre. J'ai commencé à analyser le sang retrouvé dans le lit conjugal, j'ai établi le profil ADN partout et j'ai cherché tout ce que je pouvais chercher.

Claudia repoussa son assiette.

— Je n'ai plus faim, soupira-t-elle.

Elle ne parvenait pas à s'habituer aux discussions concernant les scènes de crime, surtout à table. Le sujet ne coupait l'appétit de personne dans l'équipe mais, elle, elle était incapable d'aborder ce domaine devant une assiette de frites, même excellentes.

— Tu as été rapide, dit Billy. Et… ?

— Il s'agit bien du sang d'Eduardo. Mais j'ai découvert un détail intéressant. Le sang contient du citrate de sodium, un puissant anticoagulant.

— Il prenait un traitement pour le cœur ou quelque chose comme ça ? s'enquit Claudia.

— Le citrate de sodium est utilisé pour conserver le sang dans des éprouvettes ou ailleurs. Le sang à l'état naturel, dans le corps de quelqu'un, n'en contient pas…

Elle s'interrompit, pour leur donner le temps de bien mesurer les implications de sa découverte.

Claudia porta la main à sa bouche pour étouffer un cri et Billy s'exclama.

— Mon Dieu ! Eduardo a simulé sa propre mort !

7

La voix de Billy était presque teintée d'amusement.

— Il aurait stocké des litres de son propre sang pendant des mois pour convaincre la police et les médecins légistes qu'il n'aurait pu survivre à une telle hémorragie ?

— Je te rappelle que sa fille travaillait dans un cabinet médical, l'interrompit Claudia. Elle a très bien pu lui prendre son sang et le conserver. Dans ce cas, les anticoagulants étaient indispensables pour qu'il ne s'abîme pas avec le temps.

Billy hocha la tête.

— Puis il a renversé le tout dans le lit conjugal…

— Pourquoi le laboratoire criminel n'a-t-il pas remarqué la présence de ce citrate de sodium ? demanda Claudia à Beth.

— Ils ne l'ont pas cherché, voilà tout. Ils se sont uniquement intéressés à l'ADN.

— Eduardo est vraiment un salaud de la pire espèce.

Claudia était sidérée. La perversité de ce type s'avérait hors norme et pourtant elle avait rencontré bon nombre de criminels au cours de sa carrière.

Billy hocha la tête.

— Il avait besoin de disparaître de la circulation parce qu'il était soupçonné de meurtre. Mais il n'était pas question pour lui de laisser Mary-Francis profiter du trésor alors qu'ils s'apprêtaient à divorcer. Il a donc imaginé le moyen de l'empêcher de bénéficier de sa supposée disparition.

— Pourquoi n'a-t-il pas simplement empoché l'argent avant de s'enfuir dans un pays d'où il n'aurait pu être extradé ?

Billy haussa les épaules.

— Envoyer sa femme dans le couloir de la mort était sa

revanche ultime, j'imagine. Nous ne saurons sans doute jamais ses véritables mobiles, mais cela n'a pas d'importance. Tout cela accrédite la thèse selon laquelle Eduardo est bien en vie. Un réexamen du dossier par la justice s'impose. Je vais prendre rendez-vous avec le procureur pour l'en convaincre.

— Quand ? demanda Claudia. M'autorisez-vous à vous accompagner ?

Billy la regarda avec étonnement.

— Je le verrai dès que possible. Mais je pensais plutôt demander à Beth de venir avec moi parce qu'elle saura mieux que quiconque expliquer l'importance de sa découverte. Et je ne veux pas irriter le procureur en débarquant dans son bureau à plusieurs.

— Bien sûr, soupira Claudia. Je crois que j'angoisse beaucoup. Pour moi, il s'agit d'une première. Je ne me suis jamais autant investie dans une affaire et je suis emballée. Je commence à comprendre votre passion à tous pour votre travail.

— C'est vrai, c'est passionnant, acquiesça Beth. Aimeriez-vous travailler à temps plein pour Project Justice ?

Claudia fut un instant déconcertée. Voilà la deuxième fois que la question lui était posée.

— Daniel vous a-t-il demandé de m'interroger à ce sujet ?

— Pas du tout, répliqua Beth d'un air surpris. Mais je pense qu'avoir une psychologue dans l'équipe serait un « plus », surtout si c'est vous.

— Merci, je suis flattée. Peut-être devrais-je en parler à Daniel, répondit-elle en souriant.

Beth ne lui mentait pas, elle en était certaine. Daniel ne tentait donc pas de la manipuler. Pourquoi fallait-il toujours qu'elle se méfie des gens, même quand elle les connaissait depuis des années ? s'agaça-t-elle. Le monde n'était pas rempli de menteurs et de criminels.

Elle prétexta un besoin d'aller aux lavabos pour s'absenter quelques instants et s'aérer un peu.

Quand elle revint, Mitch Delacroix les avait rejoints autour de la table. Beth et lui étaient si amoureux qu'ils se collaient l'un à l'autre sans en être conscients.

Elle se glissa donc sur la banquette de Billy, en veillant bien à rester à une distance respectable de lui.

— Bonjour, Mitch.

— Bonjour, Claudia. Je parlais à Billy de mes recherches sur Eduardo. Malheureusement, je n'ai pas découvert grand-chose. S'il est vraiment encore en vie, il est très fort. Il n'a pas cherché à retirer de l'argent ni utilisé ses cartes de crédit. Ni son téléphone portable. Ça lui est sans doute pénible. Pour un homme habitué à un certain train de vie, il doit être frustrant de ne pas toucher à son argent.

— Ses comptes sont gelés, remarqua Billy. Jusqu'à ce que la situation soit clarifiée et que quelqu'un hérite de lui. Il ne peut sans doute pas toucher à son argent.

— En tout cas, il n'a pas essayé de le faire. J'ai également jeté un œil sur les activités de ses associés. J'ai même discuté avec certains d'entre eux. Ils sont tous persuadés qu'il est mort. Et, sans son chef, la mafia de Rio Grande périclite.

— A mon avis, il vit grâce à l'argent qu'il a gagné de façon illégale et conservé en liquide, dit Claudia. Mais, comme ses réserves s'épuisent, il a hâte de remettre la main sur les pièces d'or, d'où l'intérêt soudain de sa fille Angie pour ce trésor.

— Des pièces d'or ? demandèrent Beth et Mitch en même temps.

Billy leur parla de la collection d'escudos disparue.

— Pourquoi ne pas me laisser interroger les copains d'Eduardo ? proposa Claudia. Je verrai tout de suite s'ils cachent quelque chose ou pas.

— Ce n'est pas nécessaire, répondit Billy. Les analyses de sang suffisent à prouver qu'Eduardo est toujours en vie. Ou, en tout cas, qu'il n'est pas mort comme tout le monde le croit.

Mitch qui s'apprêtait à mordre dans le sandwich de Beth s'interrompit.

— Billy, je n'ignore pas que tu n'es pas très porté sur… enfin, disons… que tu es assez sceptique en ce qui concerne…

Claudia lui lança un clin d'œil complice et Beth probablement un coup de pied sous la table parce qu'il s'interrompit.

— Pas de problème, reprit Claudia. Je sais que Billy est très dubitatif sur la réalité de mes capacités.

— Ce n'est pas la question, rétorqua Billy. Je ne veux pas que Claudia perde son temps, c'est tout. Elle a déjà annulé beaucoup de rendez-vous avec ses patients pour nous aider.

Claudia s'apprêtait à répondre que ce n'était pas un souci, mais l'expression de Billy l'arrêta net. Il s'agissait de son affaire, comprit-elle. Il n'avait pas envie qu'elle parle aux associés d'Eduardo. A quoi bon insister ?

Contrairement à ce qu'elle avait cru, il ne reconnaissait toujours pas la valeur de son travail. Il n'y avait pas d'espoir. Elle s'était trompée.

— Je ferais mieux d'y aller, dit-elle en se levant. J'ai des malades qui m'attendent. Billy, vous me tiendrez au courant de la réaction du procureur.

— Bien sûr.

Malgré les protestations de Billy, elle laissa un billet sur la table. Puis elle se força à saluer Beth et Mitch avec chaleur avant de partir et de les laisser entre collègues.

Dehors, elle se sentit au bord des larmes.

Au moment précis où elle croyait avoir une chance avec Billy, celui-ci venait de la rembarrer devant tout le monde, sans aucun égard. Il était vraiment temps de passer à autre chose. Pour de bon, cette fois

— Y a-t-il quelque chose entre vous ? demanda Beth dès que Claudia fut sortie du restaurant.

— Beth ! intervint Mitch. Ce n'est pas nos affaires.

— Non, il n'y a rien, assura Billy en les regardant tour à tour.

Ils avaient l'air convaincu et il se félicita de savoir aussi bien mentir. Mais d'ailleurs était-ce vraiment un mensonge ? Leur baiser mis à part, il n'y avait rien eu entre eux.

Beth hocha la tête.

— J'ai eu le sentiment qu'elle était un peu troublée ou énervée, quelque chose du genre, quand elle est partie.

— Oui, elle est contrariée que tu aies rappelé que je n'adhérais pas à ses théories sur le langage du corps.

Il avait pris un air indifférent pour répondre.

— Tu crois vraiment que c'est du pipeau ? insista Beth.

— Je reconnais qu'elle est douée pour analyser les propos des gens et en déduire leurs véritables mobiles. Et peut-être est-elle capable de repérer les mensonges. Parfois. Mais, quand elle prétend que se gratter la tête ou croiser les bras signifie quelque chose, cela me fait doucement rigoler. Je suis même surpris que la justice prenne en compte ce genre de considérations.

Il exagérait sciemment son scepticisme. En réalité, il commençait à nourrir un profond respect pour les qualités de Claudia. Elle savait interroger les gens avec subtilité, alors que lui les attaquait de front, et elle analysait avec plus de finesse que lui leurs réponses.

Mais il ne voulait pas que Mitch et Beth se doutent de l'évolution de son état d'esprit.

— Et toi, Beth ? Une scientifique comme toi ne prend certainement pas au sérieux ce baratin sur un prétendu langage du corps. Pour toi aussi, c'est de la foutaise, non ?

— Non, pas du tout. J'ai lu des articles sur le sujet et j'ai été convaincue.

— Mais l'ADN est quand même plus fiable, non ?

— Rien n'égale les analyses d'ADN, reconnut Beth. C'est l'étalon-or.

— Tu vois. Et puis Claudia n'a pas réussi à me décrypter.

— Vraiment ? dit Mitch. Pourtant, ce n'est pas difficile. Tout le monde voit bien que tu en pinces pour elle.

— Tu dis ça parce que tu ne penses qu'au sexe, répliqua-t-il en riant.

— Mitch a raison, rétorqua Beth. J'ai vu comment tu l'as regardée lorsqu'elle est allée aux lavabos. Comme si tu avais à la fois envie de la manger toute crue et de la protéger.

Seigneur, pensa Billy ! Si Beth parvenait si bien à deviner ses pensées, il était dans de sales draps. A force d'infiltrer les réseaux de trafiquants, il avait développé des qualités de dissimulation qui lui avaient permis de rester en vie. Il n'était pas question de les perdre à cause d'une jolie blonde.

Alors que son réveil venait de sonner, Billy reçut un coup de fil de Beth.

— Billy, c'est moi. Je suis désolée, mais je suis malade et je crois que c'est contagieux. Je ne vais pas pouvoir t'accompagner chez le procureur.

Il se leva d'un bond.

— Tu es malade ?

— Horriblement. Pouvons-nous déplacer cet entretien ?

Non, ce n'était vraiment pas possible. Le procureur s'en allait le lendemain pour une croisière de deux semaines avec sa femme. Il s'était arrangé pour recevoir Billy et Beth entre deux rendez-vous. C'était aujourd'hui ou jamais.

Il allait devoir trouver une solution.

— Ecoute, Beth. Soigne-toi bien, c'est le plus important. Je vais me débrouiller.

Tout en se glissant sous la douche, il songea à son dilemme. Bien sûr, il pouvait aller à ce rendez-vous seul. Mais il n'était pas certain d'être capable d'exposer la découverte de Beth de manière convaincante.

La science n'avait jamais été son fort, même s'il avait compris les explications de Beth et ses conséquences.

Il pouvait solliciter l'assistante de Beth, Cassie, mais elle était extrêmement jeune. Le procureur risquait de ne pas la prendre au sérieux.

Il ne lui restait donc qu'une option.

— Claudia ? J'espère que je ne vous réveille pas.

— Non, bien sûr que non.

Elle mentait. Sa voix endormie prouvait qu'il la tirait des bras de Morphée. Il l'imagina en déshabillée de soie à moins qu'elle ne dorme nue, ses cheveux étalés sur l'oreiller…

— Que puis-je pour vous ? demanda-t-elle.

— Beth est malade et j'ai besoin de quelqu'un pour m'accompagner chez le procureur, quelqu'un capable d'expliquer avec intelligence l'histoire de l'anticoagulant.

— Billy, je suis loin d'être spécialiste en la matière.

— Vous êtes médecin, vous venez en permanence à la barre lors de procès pour donner votre avis d'experte.

— Dans le domaine psychologique uniquement.

— Warren Fitz ne le sait pas.

— Billy, vous voulez que je *mente* à un procureur ?

— Non, bien sûr que non. Mais il ne va pas vous demander vos diplômes. C'est un homme très occupé. Présentez-vous en tant que Dr Claudia Ellison, parlez-lui du sang, utilisez un vocabulaire scientifique et il sera convaincu.

— Je serais très heureuse de vous aider, Billy, répondit-elle après un moment. Mais je lui dirai qui je suis vraiment.

— D'accord, si vous y tenez. Mais ce serait vraiment bien que vous veniez avec moi. Vous suivez le dossier depuis le début et vous pourrez défendre cette affaire mieux que quiconque.

— Merci. C'est gentil.

Elle s'exprimait avec chaleur, sur un ton presque intime, et il ferma les yeux pour savourer ce moment.

— Dites-moi où et quand vous souhaitez me retrouver et j'y serai, Billy.

Warren Fitz, le procureur du comté de Montgomery, était du genre impressionnant. Très grand et large d'épaules, il ressemblait plus à un rugbyman qu'à un homme de loi.

Claudia avait entendu dire qu'il était de la vieille école et qu'il détestait perdre son temps.

Elle avait tout de suite accepté d'aider Billy à le convaincre que le dossier avait besoin d'être rouvert et que Mary-Francis n'aurait jamais dû être condamnée. Mais, maintenant qu'elle l'avait en face de lui, elle se sentait toute petite. Avait-elle pris la bonne décision ?

Les procureurs détestaient que les affaires qu'ils avaient jugées soient remises en cause. Il leur fallait alors reconnaître qu'ils avaient fait une erreur, que le système judiciaire avait eu des ratés. En plus, dans ce cas particulier, qui avait été et serait très médiatisé, il perdrait la face en admettant qu'il avait envoyé une innocente dans le couloir de la mort.

Mais les preuves étaient là.

Si Mary-Francis avait tiré sur son mari ou l'avait poignardé dans leur lit et qu'il s'était vidé de son sang, ce sang n'aurait pas contenu d'anticoagulant. Il n'y avait pas à ergoter sur ce point. Si Mary-Francis avait tué Eduardo, elle l'avait forcément tué autrement.

Depuis le début, elle pensait que l'affaire était plus compliquée qu'il n'y paraissait et elle avait eu raison d'insister. Mais, assis derrière son bureau, les bras croisés, les lèvres serrées, le procureur ne semblait pas disposé à la suivre dans son raisonnement.

Billy la présenta, puis lui demanda de résumer le rapport que l'assistante de Beth, Cassie, leur avait envoyé par mail. Le document était rempli de mots scientifiques et ce jargon pouvait impressionner leur interlocuteur ou l'ennuyer. Aussi s'efforça-t-elle de trouver le juste équilibre entre le ton professoral et le ton passionné. Elle avait souvent eu l'occasion de témoigner devant un tribunal et elle s'imagina être à la barre, se préparant au contre-interrogatoire.

Mais Fitz ne l'interrogea pas. D'ailleurs, il ne lui avait même pas posé de questions sur ses compétences, même si elle avait déclaré être psychologue. Il semblait simplement attendre qu'elle finisse.

S'inspirant du rapport, elle présenta l'affaire en quelques mots, martelant qu'il était évident qu'il fallait reconsidérer l'affaire parce qu'il n'y avait sans doute pas eu de meurtre.

— Tout cela est très intéressant, déclara finalement le procureur. Mais ne nous dit rien des traitements que ce sang a subis depuis qu'il a été prélevé sur la scène du crime. Il est probable que les personnes qui l'ont analysé ont dû ajouter des produits chimiques dans ce but, des produits dont vous avez retrouvé la trace.

— Mme McClelland a utilisé un échantillon qui n'avait pas été préalablement analysé, intervint Billy.

— Qu'en savez-vous ? Etiez-vous dans le laboratoire ? Si je comprends bien, ces échantillons vous sont parvenus empaquetés ?

— Et toute la chaîne de transports est connue, insista Billy.

Claudia scrutait Warren Fitz. Il ne se laisserait pas convaincre. Ils perdaient leur temps.

— Mme Torres a peut-être ajouté elle-même cet anticoagulant ou des produits nettoyants, reprit le procureur. Ces produits sont remplis de composés chimiques et certains sont peut-être similaires à ceux des anticoagulants. De plus, si M. Torres est en vie, où est-il ? Rien n'indique qu'il soit vivant.

— Nous pensons qu'il se cache au Mexique. Il y a de la famille, lui répondit Billy.

— Alors, trouvez-le ! Il faudra que je le voie de mes propres yeux pour être convaincu que sa femme ne l'a pas tué.

Billy s'apprêtait à protester une nouvelle fois, mais Claudia lui fit signe qu'il était inutile de discuter.

— Bien, dit-il finalement, nous le retrouverons donc. Merci

de nous avoir consacré du temps, monsieur le procureur, ajouta-t-il en se levant.

Claudia le suivit.

Ils n'échangèrent pas un mot avant d'être sorti du tribunal. A l'extérieur, la chaleur était écrasante et Claudia vit s'évanouir le peu d'énergie qui lui restait. Elle s'accrocha à la rampe.

— Claudia ? Ça ne va pas ?

— Je suis désolée, Billy. J'ai échoué. Je n'ai pas réussi à le convaincre.

— Ne soyez pas désolée, vous avez été formidable.

— Non, j'ai été trop technique, je l'ai ennuyé. J'ai tout raté !

Elle se sentit de nouveau défaillir et Billy la prit par le bras, l'entraînant vers un banc à l'ombre. Elle n'avait même plus la force de se porter et se laissa tomber lourdement sur la pierre.

Billy s'assit près d'elle, sans la lâcher.

— Vous n'avez rien à vous reprocher, Claudia. Il avait décidé de ne rien entendre avant même que nous n'entrions dans son bureau. C'est un procureur. Ne l'oubliez pas…

Elle soupira, retenant ses larmes. Pourquoi donc réagissait-elle si fort à cette affaire ? Pourquoi s'y investissait-elle tant que ça ? Si au moins Mary-Francis était un peu plus aimable ou sympathique ! Mais même pas ! A moins que ce ne soit justement son agressivité permanente qui la rende touchante ? Que cachait cette femme ? Qui cherchait-elle à protéger ? Avait-elle aimé son mari ? Sa fille ? Il y avait tant de questions…

— Mary-Francis doit se sentir tellement seule… trahie… et nous ne pouvons rien pour elle.

— Mais pas du tout ! Nous n'avons pas encore perdu la partie, Claudia.

— Je ne sais plus… Je pensais que nous l'emporterions. C'est ma faute si elle a été condamnée.

— Enfin ! C'est n'importe quoi ! Vous n'avez pas renversé ce sang dans leur lit, quand même !

— Non, mais mon évaluation l'a perdue. J'ai affirmé à la barre qu'elle était sincère en disant qu'elle n'avait pas tué son mari mais qu'elle mentait sur d'autres sujets. Du coup, elle a été cataloguée comme menteuse, le jury l'avait dans le nez.

— Vous étiez tenue de dire la vérité, vous aviez prêté serment. Vous avez bien fait, Claudia.

— Je sais, mais je n'aurais pas dû demander à témoigner.

— L'avocat de Mary-Francis a pris cette décision, c'était à lui de mesurer les risques.

— Oh ! Billy... Intellectuellement, je partage votre raisonnement. Mais cela ne change rien au fait que mon témoignage a fait plus de mal à cette femme qu'autre chose. Elle est innocente et j'ai aidé à l'envoyer dans le couloir de la mort.

— Je comprends, murmura-t-il.

Il lui caressait le bras, avec douceur. Elle le regarda, perplexe. Comment pouvait-elle éprouver tant de désir pour lui et en même temps se sentir si abattue ?

— Vraiment ? insista-t-elle. Avez-vous déjà pris une mauvaise décision qui a coûté la vie à quelqu'un ?

Il ne lui répondit pas tout de suite. C'est donc que ça lui était déjà arrivé, conclut-elle. Il s'estimait responsable de la mort de quelqu'un.

Mais il prit une brève inspiration et nia.

— Non, jamais. Voilà pourquoi je ne comprends peut-être pas très bien ce que vous éprouvez. Mais je peux l'imaginer et je suis désolé que vous vous sentiez responsable.

Claudia se pinça les lèvres. Billy ne lui faisait pas assez confiance pour lui raconter ce qu'il avait vécu. Décidément, elle ne parvenait jamais à rentrer dans son intimité. Chaque fois, il fuyait toute confidence, quitte à lui mentir. Mieux valait qu'elle n'insiste pas.

— C'est une des raisons qui m'ont poussée à m'impliquer davantage dans cette affaire. Je voulais corriger le tir après le procès. Même si mon témoignage l'a desservie, Mary-Francis m'a gardé sa confiance. J'étais la seule personne à croire en son innocence. Elle a mis sa vie entre mes mains et c'est une lourde responsabilité.

— Mais si vous ne parvenez pas à rétablir la situation, à faire triompher la vérité, la justice ? Que ferez-vous si vous n'avez aucune possibilité de rattraper votre bévue, d'en changer les conséquences ?

Elle le regarda intensément. Il ne parlait plus d'elle mais de lui.

— Alors il me faudrait apprendre à me pardonner, répondit-elle.

— Et si je n'y arrive pas ?

Il s'interrompit, conscient qu'il venait de se trahir. Elle le laissa poursuivre.

— Vous n'avez rien à vous pardonner, Claudia. Vous n'avez rien fait de mal. De plus, Mary-Francis est toujours en vie et il nous reste beaucoup de moyens pour prouver son innocence.

— Vous vous apprêtiez à dire autre chose, il y a un instant, dit-elle, incapable de s'en empêcher. Que ne pouvez-vous vous pardonner ?

Il se ferma aussitôt.

— Avez-vous oublié nos règles ? Vous ne devez pas m'analyser, je ne veux pas que vous soyez ma thérapeute.

Claudia se leva du banc, mortifiée. Il la rattrapa et se mit à rire.

— Je préférerais que vous soyez ma maîtresse.

8

L'avait-il vraiment dit à voix haute ?

A en juger l'expression de Claudia, oui, et il fut un instant déconcerté. Allait-elle le gifler ou l'embrasser ?

— Vous pouvez m'envoyer au diable, ajouta-t-il. Je ne le prendrais pas mal.

— C'est en effet ce que je *devrais* faire, Billy. Votre proposition est fort peu professionnelle. A la limite, elle pourrait être considérée comme du harcèlement sexuel.

— Alors envoyez-moi au diable.

Elle poussa un soupir.

— Ce ne serait pas juste.

— Qu'est-ce que la justice a à voir dans cette histoire ?

— Ce ne serait pas juste de vous envoyer au diable puisque vous m'avez fait une proposition que j'attends depuis le début de la journée.

Il écarquilla les yeux. Il avait lancé cette idée dans une tentative désespérée pour changer de sujet. Enfin… pas tout à fait… Mais bon, il n'avait jamais pensé qu'elle prendrait sa proposition au sérieux. Là, il ne savait plus quoi dire.

Claudia se leva brusquement.

— Retrouvez-moi dans mon bureau dans une demi-heure.

— Dans une demi… quoi ?

— Sauf si vous ne parliez pas sérieusement. A propos d'être mon amant.

— Vous ne pensez pas qu'il s'agissait de paroles en l'air ?

— Mais, j'espère bien que non ! Alors, à tout à l'heure, Billy.

— Euh… Pourquoi à votre bureau ? bafouilla-t-il.

— Il est plus proche que le vôtre. Et puis, il y a un grand canapé.

Elle lui décocha un sourire dévastateur et s'éloigna, le laissant stupéfait.

Avait-il bien entendu ? Elle l'attendait dans son bureau… parce qu'il y avait un grand canapé ?

Mais croyait-elle vraiment qu'il allait décliner une telle offre ?

Ce serait bien mal le connaître. Bon, il s'était piégé lui-même. En voulant éviter qu'elle ne l'analyse, il lui avait fait cette proposition bien peu conventionnelle. Et c'est vrai qu'il n'aurait jamais imaginé qu'elle le prenne au mot ! Certes ! Elle avait été plus forte que lui sur ce coup-là.

Cela dit, il n'allait certainement pas reculer. Quand elle avait reconnu qu'elle avait eu envie de coucher avec lui toute la journée, il en avait été extrêmement troublé. Il s'était aussitôt imaginé allongé sur le canapé et pas pour lui raconter ses rêves ou chercher à dénouer les nœuds de sa vie, mais pour s'emparer de ce corps qui éveillait tant de désirs en lui depuis plusieurs jours. Ses cheveux blonds, ses longues jambes si bien dessinées, sa bouche sensuelle… Tout cela, dans une demi-heure…

Soudain, il se rendit compte qu'il ne savait absolument pas où se trouvait son bureau ! Il n'y était jamais allé.

Il fonça vers son 4x4, sauta dedans pour suivre Claudia qui s'éloignait déjà à bord de son véhicule.

Elle conduisait vite, slalomant adroitement entre les files de voitures. Il dut passer à l'orange, puis refuser une priorité pour ne pas la perdre de vue.

Il la suivit jusqu'à un quartier huppé non loin de l'université de la ville. Elle entra dans le parking souterrain réservé aux résidents et lui se gara dans la rue. Il glissa quelques pièces dans le parcmètre — deux heures suffiraient-elles ? allez, trois ! — puis se dirigea vers l'immeuble.

Le Dr Claudia Ellison recevait ses patients au cinquième étage. Tout en entrant dans l'ascenseur, Billy fut pris d'un fou rire. Etait-il devenu fou ? Allait-il vraiment faire l'amour à Claudia ? Elle espérait certainement autre chose. Proposer une partie de jambes en l'air à un homme sur le canapé de son cabinet ne lui ressemblait pas. Mais il voulait savoir à quoi elle jouait.

Arrivé au cinquième étage, il entra dans le cabinet médical. Les murs étaient peints de vert et de beige, des couleurs sans doute destinées à apaiser les personnes avant leur rendez-vous. Les fauteuils étaient apparemment de qualité. Des Thermos de café étaient posés dans un coin. Mais la pièce était vide. Aucun patient n'attendait.

Tant mieux, pensa-t-il. Il n'aurait pas à attendre…

Il s'approcha de la réception où une rousse, pendue au téléphone, feuilletait un grand registre. Il attendit qu'elle raccroche et lève le nez vers lui.

— Je suis venu voir Claudia. Enfin, le Dr Ellison, corrigea-t-il.

— Vous êtes sans doute monsieur Cantu…

— Oui, bafouilla-t-il, un peu surpris que son arrivée soit déjà prévue.

— Je m'appelle Kimmy, reprit la jeune femme. Allez vous asseoir. Tout va bien se passer, je vous le promets. Le Dr Ellison est quelqu'un de remarquable. Je vais la prévenir de votre arrivée.

Comme elle pressait un bouton sur l'Interphone, il repartit vers la salle d'attente. Ainsi la réceptionniste de Claudia la trouvait remarquable. En quoi ? Et que lui avait dit Claudia à son sujet ? Pourquoi l'avait-elle prévenue de son passage ?

Il se sentait trop nerveux pour s'asseoir. Aussi se mit-il à arpenter la pièce, les mains dans ses poches. Avant de sortir de son véhicule, il y avait glissé quelques préservatifs qu'il avait pris dans sa boîte à gants. Juste au cas où…

— Billy ?

En reconnaissant sa voix, son cœur cessa presque de battre. Elle avait pris le temps de se rafraîchir un peu. Elle s'était recoiffée et remaquillée. Elle était splendide.

— Rebonjour, Claudia.

— Venez avec moi.

Il la suivit dans son sanctuaire. Son bureau contrastait totalement avec la salle d'attente. Si des professionnels avaient sans doute décoré cette dernière, Claudia s'était assurément chargée d'aménager son domaine. Tout y était plus chaleureux, plus féminin. Les fauteuils étaient tapissés d'un tissu rouge, le plancher recouvert d'un épais tapis et des lampes basses diffuaient une douce lumière.

Comme elle le lui avait dit, il y avait bien un canapé, assorti aux fauteuils et recouvert de coussins.

Incapable de s'en empêcher, il le fixa un moment avant de reporter son attention sur elle.

— Pourquoi m'avez-vous fait venir ici ? demanda-t-il. En réalité ?

Ici, sur son terrain, il n'allait pas être facile de la déstabiliser.

Elle retira ses escarpins et s'assit sur le sofa.

— Dans cette pièce, je me sens en sécurité — même si j'ai été physiquement agressée deux fois par des patients dans ce bureau. C'est le seul endroit où j'arrive à m'abandonner, où je peux être vulnérable.

— Vous avez donc prévu d'être vulnérable ?

— Quand une femme permet à un homme de coucher avec elle, elle est plus vulnérable que jamais.

Billy sentit un frisson le parcourir.

— Votre proposition était donc sérieuse ?

— Vous m'avez dit que vous aviez envie d'être mon amant. Parliez-*vous* sérieusement ?

— Oui… Je n'ai pas changé d'avis. Bien sûr que non ! Mais j'ai sorti ça… comme ça ! Dans le feu de l'action, sans réfléchir…

— Vous savez que l'impulsion joue un rôle majeur dans les relations intimes, susurra-t-elle avec un léger sourire. Votre spontanéité a eu l'effet escompté et, si j'avais pu tomber dans vos bras à ce moment-là, je l'aurais fait.

Il éclata de rire. Elle décortiquait tout, analysait tout et l'affaire se réduisait à des réactions rationnelles, presque calculées, qui pouvaient être étudiées, étiquetées. C'était surréaliste !

— Pourquoi riez-vous ? Vous reconnaissez qu'il n'était pas possible de coucher ensemble dans ce parc, non ?

— Vous êtes incroyable, Claudia !

Il retira à son tour sa veste et s'assit à côté d'elle, toujours un peu circonspect. Circonspect, mais en émoi. Le simple fait de regarder ses pieds nus, aux ongles vernis, le mettait dans tous ses états. Elle n'était qu'à quelques centimètres de lui.

— Billy, peu de gens me connaissent vraiment, savent ce que je vous ai raconté de mon enfance. Je m'efforce à tout prix de donner une certaine image de moi. Je suis devenue experte en la matière. Pour que mes patients me confient leurs vies, je dois paraître compétente, professionnelle. Je leur cache mes failles. Mais il est épuisant d'être Claudia Ellison en permanence. Pour faire carrière, j'ai appris à soigner mon apparence, à vernir mes ongles. Mais, parfois, j'ai besoin d'être moi. Carol Sue Calhoun, de Homer au Texas. J'ai le sentiment que je peux l'être avec vous, que vous ne me rejetterez pas.

— Carol Sue est donc votre véritable nom ?

Ce nom ne lui allait pas. Pourtant, il lui disait quelque chose, mais il fut incapable de se rappeler quoi.

— J'ai changé d'identité parce que j'avais besoin de rompre avec mon passé. Mais Carol Sue fait partie de moi.

Il s'adossa plus confortablement sur le canapé.

— J'aimerais savoir ce que vous espérez de moi, *Cielito.*

Ce surnom lui échappa. Son père affublait souvent sa mère de ce petit nom.

— Dans l'immédiat, j'espère du sexe bestial avec le premier homme à m'attirer depuis des années. Pour la suite, je ne sais pas.

La gorge de Billy devint sèche.

— D'accord, Claudia.

Il la dévisagea un instant. Quel qu'ait été son passé, elle n'était pas le genre de femme avec qui un homme avait du « sexe bestial ». Elle était trop délicate, trop féminine. Même son petit visage, son petit nez en trompette semblaient fragiles.

Il se mit à lui caresser doucement les joues.

Mais, très vite, elle saisit ses mains pour les plaquer sur ses seins.

Il prit une brève inspiration. Il fit appel à toute sa volonté pour ne pas la prendre dans ses bras, l'allonger sur le canapé, lui arracher ses vêtements et promener ses doigts, sa bouche, sur sa peau.

— Vous croyez encore que je ne parlais pas sérieusement ? demanda-t-elle d'une voix rauque. Il n'y a pas de piège, Billy. Vous n'avez rien à craindre. J'ai juste besoin de tout oublier. Mais si vous n'en avez pas envie, vous…

— *Querida*, je meurs d'envie de te faire l'amour et même si un pécari entrait dans la pièce, il ne m'arrêterait pas.

— Alors…

Il prit son visage entre ses mains.

— Mais je ne veux rien précipiter. Le sexe est quelque chose que j'aime savourer, dit-il en capturant ses lèvres.

L'embrasser, c'était comme plonger dans une eau claire. Alors qu'en public, elle semblait réservée et maîtrisée, là, elle s'abandonnait totalement. Elle était même plutôt douée : elle parvint à déboutonner son corsage d'une main et sa chemise de l'autre.

Mais il retira lui-même son holster et le posa sur le tapis. Même avec une femme, il gardait toujours son arme à portée de main. Les portes verrouillées ne suffisaient pas à le…

Non. Les souvenirs ne devaient pas venir perturber son esprit et lui gâcher un si beau moment.

Mais, soudain, un doute l'assaillit.

— Et si ton employée décide d'entrer ?

— Elle pense que tu as des tendances suicidaires. Il faudrait qu'un incendie se déclare ou que le président m'appelle pour qu'elle vienne frapper à la porte. Ou que je me mette à hurler. J'essaierai de ne pas le faire.

Elle se redressa pour retirer son corsage. Elle portait un soutien-gorge pêche en dentelle, très coquin mais avec un petit côté victorien.

Le mélange des deux le fit frissonner de désir.

— T'ai-je déjà dit que tu étais la femme la plus sexy de la planète ?

Elle sourit.

— C'est gentil, mais les compliments ne sont pas indispensables.

— Je ne l'ai pas dit pour te complimenter.

Il l'étendit sur le canapé et l'embrassa de nouveau, d'un baiser plus exigeant, cette fois, caressant ses seins. Il avait envie d'ôter la barrière de soie qui l'empêchait de les prendre à pleines mains.

A une époque, il pouvait dégrafer un soutien-gorge d'une main. Les femmes avec qui il sortait alors — et elles avaient été nombreuses — adoraient qu'il les déshabille ainsi. Avec Claudia, il n'en était pas si sûr.

Il ouvrit son soutien-gorge avec délicatesse.

Alors, elle se cambra, s'abandonnant entre les coussins rouges du canapé.

Lentement, il baissa la fermeture Eclair de sa jupe. Le léger bruit troubla un instant le silence qui régnait dans la pièce.

Pour la première fois de sa vie, il prenait vraiment conscience de l'érotisme qu'il y avait à déshabiller une femme. Claudia n'était pas comme toutes les autres.

Il l'aida à retirer sa jupe et contempla ses longues jambes fuselées. Il s'écarta d'elle un instant pour admirer ses dessous sexy. Puis glissa ses mains sous sa culotte pour la lui retirer. Les poils qui cachaient son sexe étaient noirs, contrastant avec la blondeur de ses cheveux.

Il se mit à la caresser et elle gémit, tendant la main vers son ceinturon.

— Viens, Billy, murmura-t-elle dans une prière.

Elle ne le lui demanderait pas deux fois et il déboutonna son jean. Mais il lui fallait retirer ses bottes et il s'assit sur le bord de la couche. Elle bondit pour l'aider. Quand elle tira dessus d'un coup sec, le petit revolver qu'il y avait dissimulé tomba par terre.

Elle se rapprocha de lui. Manifestement, elle appréciait la vue de son corps nu. Il en fut flatté.

— Le meilleur est à venir, dit-il avec un clin d'œil, même s'il était loin d'être sûr de lui.

Elle le poussa en arrière et s'allongea sur lui. Sa peau était douce comme la soie. Même s'il ne voulait rien précipiter, rien brusquer, il la désirait si fort qu'il avait peur d'exploser.

Ils roulèrent ensemble et elle le caressa, s'emparant avec confiance de son sexe, étreignant ses testicules.

La façon dont elle s'occupait de lui l'excitait terriblement. Il regarda ses mains manucurées sur son sexe en érection.

— Je ne vais pas tenir longtemps si tu continues, *Cielito*.

Il repoussa sa main avec douceur et se pencha pour attraper son jean et récupérer un préservatif.

— Je suis protégée, dit-elle en devinant son intention.

— Il n'y a pas qu'une grossesse non désirée à craindre et tu as tort de ne pas insister pour une véritable protection, dit-il. Avec moi comme avec n'importe qui.

Il ne représentait pas un risque pour elle. Il se protégeait toujours. Mais elle n'en savait rien, elle.

— Tu as évidemment raison, dit-elle en s'emparant du petit sachet. Et, après tout, nous pouvons en faire un jeu.

Elle en fit en jeu, lui posant le caoutchouc doucement, soigneusement comme si c'était la tâche la plus importante au monde.

— *Querida*, es-tu prête ?

Elle se mit à rire.

— Avec toi, je suis prête à tout, dit-elle en l'attirant contre elle.

Même s'il mourait d'envie de se fondre en elle, il avait encore peur de lui faire mal.

Il se souleva à moitié pour la caresser, mais elle murmura :

— Je suis prête, tu sais. Tu n'as pas besoin de…

— Je sais que je n'ai besoin de rien. J'en ai envie.

— Je croyais que tu étais pressé.

— Je maîtrise.

Quand il toucha son sexe déjà chaud et humide, elle ferma les yeux avec un soupir de plaisir. Alors qu'il la caressait longuement, l'excitant, l'entraînant vers le ciel, elle se mit soudain à rire et il s'interrompit, surpris. Il ne l'avait jamais entendue rire.

— Billy, je t'interdis de t'arrêter. Continue, prends-moi. Je t'en prie, je n'en peux plus.

Il adorait l'entendre le supplier de la prendre.

Ecartant ses cuisses, il se glissa en elle d'un coup de reins.

Claudia s'empara de ses fesses pour le plaquer plus étroitement contre elle. Mais, refusant de la laisser prendre le contrôle, il imposa un rythme lent pour aller et venir en elle. Il aimait prendre son temps, savourer ce moment et voulait lui faire toucher le ciel. Si cette étreinte était la seule qu'ils connaîtraient, il tenait à ce qu'elle s'en souvienne.

Leurs corps s'emboîtaient à la perfection.

Lorsqu'il planta les yeux dans les siens, il y vit luire un mélange de détermination et de vulnérabilité.

Ils restèrent un long moment ainsi, scellés l'un à l'autre sans bouger, à se regarder avec intensité.

La dernière fois qu'il avait fait l'amour, la pièce était plongée dans le noir et il lui aurait été impossible de voir les yeux de sa partenaire.

Claudia noua ses longues jambes autour de lui.

Avec un gémissement, il s'enfonça plus profondément en elle et reprit son va-et-vient entre ses cuisses. Il n'avait jamais ressenti un plaisir aussi fort. C'était de la folie.

Il avait toujours été attiré par les blondes un peu froides, distantes, Dieu sait pourquoi. Mais Claudia n'avait rien de froid. Il la sentait brûler sous ses mains.

Il avait envie de l'embrasser encore. Il prit sa bouche et leurs langues entamèrent une danse sensuelle. Elle lui rendit son baiser avec fièvre tout en l'étreignant étroitement contre elle.

L'orgasme le foudroya soudain et il enfouit sa tête dans son cou pour étouffer le cri qui franchit ses lèvres. Des vagues de plaisir déferlèrent sur lui et il s'affala sur elle, le cœur battant à tout rompre.

Certains hommes n'auraient pas résisté à un tremblement de terre de cette amplitude mais, heureusement, il avait une forte constitution.

Soudain, il se rendit compte qu'il ne savait pas si elle avait joui, elle. Il hésita à lui poser la question et préféra s'abstenir.

Puis, il s'écarta légèrement pour la regarder en face.

— Je ne t'ai pas fait mal ?

Elle éclata de rire.

— Tu plaisantes ?

Il lui sourit.

— Bien.

— Exactement.

Il ne voulait pas jouer à ce petit jeu avec elle. Il décida de lui dire sincèrement ce qu'il pensait.

— C'était fantastique.

— Je suis d'accord.

— Tu es incroyable.

— Merci.

Ils commençaient à recouvrer leurs souffles.

Peu à peu, Billy reprenait conscience de l'environnement, du ronronnement de la climatisation, des Klaxon dans la rue, d'une sirène au loin.

C'était le moment le plus délicat avec le sexe — comment y mettre fin. En général, les femmes exprimaient alors leurs émotions, essayaient de déterminer la nature exacte de leurs relations, le degré de son engagement qui, il le reconnaissait, était souvent nul.

D'habitude, il était très doué pour échapper au champ de mines qu'étaient les conversations postcoïtales. Il inventait un prétexte pour s'en aller au plus vite.

Claudia connaissait son emploi du temps. Elle savait qu'il voulait réunir l'équipe de Project Justice afin de mettre au point un nouvel angle d'attaque pour réussir à prouver l'innocence de Mary-Francis. Il serait donc tout à fait naturel pour lui de consulter sa montre, de sauter sur ses pieds et de déclarer qu'il devait s'en aller sur-le-champ parce que la vie d'une femme était en jeu.

Mais il ne bougea pas. Il n'en revenait pas d'être allongé avec Claudia dans ses bras, détendue et ouverte comme il ne l'avait jamais vue.

— Ta secrétaire ne va-t-elle pas venir bientôt s'enquérir de nous ?

— Nous avons encore quelques instants.

— Tant mieux.

Curieusement, c'était lui qui avait envie de parler.

— Euh… Claudia, j'imagine que tu n'as pas l'habitude de convier des hommes dans ton bureau à l'heure du déjeuner.

— Non, seuls les cas de patients suicidaires le justifient et ils sont assez rares pour n'inquiéter personne.

— Tu pourrais lui dire la vérité.

— Si cela devenait une habitude, je le ferais sans doute. Mais je n'ai pas encore ressenti le besoin de le faire.

Elle ne semblait pas lui mettre la pression pour qu'il s'engage dans une véritable relation avec elle. Il aurait dû en être soulagé et très heureux mais, bizarrement, ce n'était pas le cas. Peut-être était-il déçu qu'elle n'ait pas l'air non plus d'avoir envie de recommencer un jour prochain.

— Je n'ai pas fréquenté régulièrement un homme depuis un certain temps, dit-elle. Depuis la fac.

Il ne parvenait pas à le croire. Une femme comme Claudia n'avait qu'à claquer des doigts pour avoir n'importe quel type à ses pieds.

— Pourquoi ?

— Je te l'ai expliqué. Je devine au premier regard ce que la plupart des hommes ont dans la tête et, en général, cela ne me donne pas envie d'aller plus loin. Pourtant, l'un d'eux a réussi un jour à me duper.

Avec moi, cela fait au moins deux, songea-t-il. Probablement attendait-elle qu'il l'encourage à parler de ce type, à se confier. Mais, si elle lui dévoilait ses secrets, elle espérerait qu'il ferait la même chose en retour. Et c'était bien le problème. Il n'en avait pas du tout envie.

Au lieu de cela, à sa grande surprise, elle poursuivit spontanément.

— En apparence, il avait tout de l'homme idéal, il semblait fait pour moi, celui que j'attendais.

— Et je parie qu'il multipliait les conquêtes, dit-il. Il était du genre caméléon, capable de devenir ce qu'une femme voulait qu'il soit, non ?

— Exactement. Mais toutes ses conquêtes étaient mortes, ce qui aggravait son cas.

— Quoi ?

Soudain la conversation prenait une tournure inhabituelle pour un bavardage postcoïtal.

— Eh oui, Billy, mon dernier petit ami était tueur en série. Il enfermait ses victimes dans un manoir et les poursuivait avec un arc. J'étais la prochaine sur sa liste et il m'aurait certainement transpercée d'une flèche si l'une de ses proies n'avait pas réussi à s'échapper et à appeler à l'aide.

— Ton dernier petit ami était Raymond Bass ?

Tout le monde connaissait cette histoire qui avait défrayé la chronique.

— Seigneur ! Je sais maintenant pourquoi ton nom me disait quelque chose. C'est toi qui l'as formellement identifié. Tu as témoigné à son procès.

— Oui, c'est drôle qu'une psychologue ne soit pas parvenue à repérer un psychopathe avec qui elle sortait, avec qui elle couchait.

Il n'avait pas envie de l'imaginer coucher avec qui que ce soit d'autre que lui. Il ferma les paupières pour chasser cette image.

— Certains hommes sont simplement très doués pour endosser une double personnalité.

— C'est clair.

Soudain, ce fut une évidence. Elle ne lui faisait pas confiance. Voilà pourquoi elle tenait tant à sonder son entourage, à deviner ses pensées. Comme elle ne parvenait pas à le deviner, elle avait peur qu'il soit, lui aussi, un tueur en série.

— J'ai besoin de savoir, Billy, dit-elle. Tu me caches quelque chose, quelque chose qui appartient à ton passé et, tant que j'ignorerai de quoi il s'agit, je ne me sentirai pas en sécurité avec toi. C'est impossible.

Il avait tout compris. Elle voulait qu'il la rassure, qu'il lui jure qu'il n'avait rien d'un tueur en série, qu'elle pouvait lui faire confiance et qu'il lui dirait tout ce qu'elle désirait apprendre à son sujet.

Cela ne risquait pas de se produire.

Il ne pourrait jamais la rendre heureuse comme elle l'espérait. Même si elle brûlait d'envie de lire dans ses pensées et même si ce n'était pas une simple curiosité de sa part, il était incapable de l'accepter.

— Je ne suis pas un tueur en série. Daniel a mené une enquête approfondie sur moi avant de m'embaucher, si cela peut te rassurer.

Elle le dévisagea. Ce n'était pas tout à fait cela qu'elle voulait entendre et il n'en était pas surpris.

— Je n'ai pas besoin d'un thérapeute, Claudia. Je ne vais pas me confesser. Si j'en éprouve un jour le besoin, j'irai voir un prêtre.

Elle hocha la tête, acceptant sa décision.

— Si tu changes d'avis, n'hésite pas à venir me trouver. Je ne te jugerai pas.

Oh ! si, elle le jugerait ! Il en était certain. Parce qu'il s'était comporté comme un flic borné, déterminé à coincer à tout prix un bandit, il avait pris une décision stupide qui avait coûté la vie d'une innocente jeune femme.

Elle ne serait pas humaine si elle ne le condamnait pas, ne le rejetait pas. Ce qu'il avait fait été criminel, abominable.

Il était temps pour lui de partir. Il lui caressa le visage et chercha ses vêtements.

— Il y a une salle de bains privée derrière cette porte, dit-elle en la désignant du doigt.

— Merci, mais je dois faire un saut chez moi et j'en profiterai pour prendre une douche.

Elle se pétrifia. Son départ précipité la prenait par surprise. Il le voyait bien. Mais elle se ressaisit très vite.

— D'accord, dit-elle en enfilant un peignoir. Tiens-moi au

courant pour la suite et préviens-moi si tu as besoin de moi dans cette enquête.

— Promis.

Il se leva et se mit à ramasser ses affaires. Quand elle disparut derrière une porte sur laquelle était écrit « Privé », il poussa un gros soupir. Il se sentait vraiment minable.

Mais n’avait-il pas toujours su que Claudia lui demanderait quelque chose qu’il n’était pas prêt à donner ?

9

Claudia se glissa sous le jet de la douche et se frotta vigoureusement le corps. Elle se lava également les cheveux, pour être certaine qu'aucune trace de l'odeur de Billy ne resterait sur elle.

Il allait être difficile d'expliquer à Kimmy, qui était toujours trop curieuse, cette douche en pleine journée. Mais c'était malgré tout mieux que garder sur elle le parfum de Billy.

Après, il n'y aurait plus qu'à oublier la bêtise qu'elle venait de faire.

Certes, elle reverrait Billy dans un cadre professionnel, mais elle refuserait désormais de déjeuner en tête à tête avec lui, de se confier à lui et encore plus de coucher avec lui.

Elle avait été beaucoup trop loin avec lui. Elle lui avait raconté des choses que personne ne savait à son sujet, pas même ses amies. Des choses qu'elle s'était juré de ne jamais révéler. Si un de ses patients apprenait qu'elle avait eu une relation amoureuse avec un tueur en série, cela pourrait lui faire perdre toute crédibilité. Remettre en cause sa carrière.

Lorsque Raymond avait été arrêté, son nom était sorti dans les journaux. C'était elle qui l'avait dénoncé à la police après avoir vu le portrait-robot du tueur. Les médias l'avaient su. Elle avait témoigné au procès.

Quand tout avait été fini, elle avait demandé et obtenu le droit de changer de nom, elle avait repassé ses diplômes dans un autre Etat et avait radicalement modifié son apparence.

Daniel était au courant de tout cela, car Mitch avait découvert son passé en faisant des recherches sur elle. Elle avait dû lui expliquer les raisons de son changement d'identité. Mais ni Daniel ni Mitch ne trahiraient son secret, elle en était sûre.

Avec un amant, ou plutôt un ex-amant, elle en était moins sûre. Elle avait pris de gros risques. De très gros risques !

Pourquoi avait-elle été assez bête pour se mettre dans une situation aussi dangereuse ? Parce qu'elle espérait qu'en se confiant à lui, il se sentirait plus à l'aise pour s'ouvrir à elle ? C'était complètement stupide. Il s'était encore plus renfermé !

Elle ne le connaissait pas, du moins pas vraiment. Il avait au moins un secret et peut-être des milliers d'autres. Certaines personnes savaient très bien compartimenter leurs vies. Un homme était capable de se rendre à la messe tous les dimanches, d'aimer sa femme et ses enfants, et de draguer dans les bars.

Mais à quoi bon imaginer des choses horribles à propos de Billy ? S'il était un dangereux psychopathe, comment le devinerait-elle ? Habituellement, elle était très forte pour sentir que quelqu'un était déséquilibré. Ce genre de personne se trahissait souvent en étant trop parfaite ou à cause de tics étranges.

Mais elle ne pouvait pas toujours démasquer la vérité. Personne ne le pouvait. Surtout avec des gens qui avaient la faculté de dissimuler leurs véritables sentiments, faculté que Billy et Raymond avaient tous les deux.

Billy avait provoqué la mort de quelqu'un. Elle le savait. Si elle ne connaissait pas toute l'histoire, elle ne pourrait pas nouer une véritable relation avec lui.

Voilà pourquoi elle devait en rester là. Le laisser parler de ses secrets uniquement à son prêtre s'il en avait…

Oh ! mon Dieu !

Elle coupa l'eau et se sécha à la hâte avant de se rhabiller en vitesse. Sa jupe et sa veste étaient un peu froissées, mais ça irait. Pieds nus, elle traversa son bureau et s'empara du téléphone. Elle composa le numéro de Billy.

— Vas-y ! Décroche, décroche !

Mais elle tomba sur sa messagerie. Avait-il refusé volontairement de prendre l'appel parce qu'il avait peur qu'elle lui en demande davantage ? Peut-être était-il simplement encore au volant ou sous sa douche. Elle devait cesser de se faire des films.

— Billy, c'est Claudia. J'ai pensé à quelque chose, une autre piste à explorer. Rappelle-moi dès que possible et je t'expliquerai.

Après avoir raccroché, elle réfléchit un instant. Elle aurait très bien pu lui dire à quoi elle avait pensé sous sa douche. Mais non ! Elle était restée évasive. Comme ça, il serait obligé de la rappeler.

Avait-elle inconsciemment gardé pour elle son idée pour l'*obliger* à la recontacter ? Parce qu'il le ferait. Même s'il avait envie de la tenir à distance, il n'hésiterait pas à la rappeler s'il pensait qu'elle pouvait lui donner une information utile à son enquête. Même si leur étreinte sensuelle avait mal fini.

Claudia avait des rendez-vous tout l'après-midi, des gens dont elle avait repoussé les rendez-vous pour pouvoir s'impliquer dans l'enquête visant à innocenter Mary-Francis. Elle s'efforça de se concentrer sur les problèmes de ses patients, de leur donner le meilleur d'elle-même. Mais ce lui fut difficile. Se focaliser sur la rupture d'une adolescente avec son petit ami du moment alors que Mary-Francis était dans le couloir de la mort et que l'homme qu'elle avait soi-disant assassiné était dans la nature, c'était presque au-dessus de ses forces. Elle n'arrivait pas à se détacher de l'enquête.

Entre deux rendez-vous, elle consultait sa messagerie, puis demandait à Kimmy si Billy n'avait pas rappelé. Mais non. Aucune nouvelle de lui.

Ce n'est qu'à la fin de sa journée de travail qu'elle comprit pourquoi. En faisant du rangement, elle découvrit le téléphone portable de Billy entre deux coussins ! Il avait dû le mettre en silencieux parce qu'elle ne l'avait pas entendu sonner en l'appelant.

Elle ne connaissait pas son numéro chez lui et, à cette heure-ci, les bureaux de Project Justice étaient fermés. Mais elle savait où il vivait. Il n'y avait pas à hésiter.

Elle glissa son téléphone dans sa poche et gagna le parking. Elle aurait dû être paniquée à l'idée de revoir Billy. Leurs retrouvailles seraient forcément gênantes. Mais elle volait presque en s'approchant de son véhicule.

Elle se sentait aussi excitée qu'une adolescente se rendant à son premier rendez-vous. Quelle tête allait-il faire en la voyant débarquer chez elle ? Que lui dirait-elle ?

Plongée dans ses pensées et presque amusée à la perspective

de revoir Billy si rapidement, elle ne s'aperçut pas que quelqu'un la suivait.

Une main gantée se plaqua brusquement sur sa bouche avant qu'elle ne puisse pousser un cri. L'inconnu lui tordit le bras dans le dos. Tous ses instincts la poussèrent à se défendre, à donner des coups de pied, à se débattre.

Mais l'homme était extrêmement fort et ses tentatives pour l'écarter se révélèrent inefficaces et pathétiques. Il la souleva de terre pour la jeter sur le capot de sa voiture, lui plaquant violemment la tête sur la carrosserie.

Elle sentit la peur l'envahir.

Allait-il la violer ? La tuer ?

Il se pencha vers elle, évitant ses coups avec une facilité humiliante.

— Cessez de vous intéresser à la famille Torres, grommela-t-il. Cette salope de Mary-Francis n'a eu que ce qu'elle méritait.

Claudia essaya de presser le bouton du petit appareil qu'elle avait toujours sur elle pour déclencher une sirène d'alarme. Mais son agresseur l'immobilisait complètement.

Elle était à sa merci et il la balança à terre aussi facilement que si elle avait été une poupée de chiffon.

La chute lui coupa le souffle. Elle tenta de recouvrer sa respiration, mais une vive douleur traversa son poignet. Elle essaya quand même de distinguer les traits de son assaillant. Il était déjà loin. Tout juste entendit-elle des bruits de bottes — de deux paires de bottes — frapper le macadam et s'éloigner.

Il ne lui restait que l'odeur de son haleine chargée de tabac.

Elle se redressa avec peine et inspira profondément. Son poignet la faisait terriblement souffrir. Il était sans doute cassé. Elle avait mal aux cuisses aussi, au visage, à l'épaule. Et elle saignait du nez. Elle ne s'en était même pas rendu compte dans la bagarre.

Elle finit par ramasser son sac qui était tombé lorsque son agresseur l'avait attaquée. Elle en sortit son téléphone et composa le 911 pour les urgences, expliqua la situation du mieux qu'elle put et raccrocha.

Puis elle appela Daniel.

— Daniel. Claudia Ellison à l'appareil. J'aimerais que vous tentiez de joindre Billy. Il n'a pas son téléphone portable sur lui et...

Elle parlait lentement, encore sous le choc.

— Ne quittez pas, Claudia. Il est en face de moi, je vous le passe.

Son cœur s'accéléra. Un instant, elle oublia presque l'agression dont elle venait d'être victime. Elle tremblait à l'idée de lui parler. Tout était si gênant depuis qu'ils avaient fait l'amour.

— Oui, Claudia. Quoi de neuf ?

— Billy, balbutia-t-elle. Il s'est passé quelque chose… j'ai été attaquée.

— Bon sang ! Où êtes-vous ?

Elle entendit des sirènes approcher. Des haut-le-cœur soulevaient son estomac, la tête lui tournait.

— Je vais devoir aller à l'hôpital, Billy, aux urgences.

Billy n'avait jamais traversé la ville à cette vitesse.

— Ralentissez, vous allez nous tuer, cria Jamie, la femme de Daniel.

C'est son mari qui lui avait demandé d'accompagner Billy à l'hôpital. Ils ne connaissaient pas la gravité des blessures de Claudia et personne n'avait prononcé le mot « viol ». Mais ils y pensaient tous. Daniel avait donc jugé bon qu'une femme soit présente avec Billy. Jamie n'était pas très proche de Claudia, mais au moins se connaissaient-elles.

— L'entrée est au prochain carrefour, dit Jamie. J'y suis allée deux fois l'année dernière, c'est pourquoi je connais les lieux.

Elle avait alors été prise pour cible par une folle, la mère du chef cuisinier de Daniel, impliqué dans une affaire que Project Justice tentait de résoudre.

— J'aurais dû me douter qu'elle courait un danger, se lamenta Billy.

Ne trouvant aucune place libre sur le parking réservé aux visiteurs, il monta sur le trottoir.

— Vous allez prendre une amende, dit Jamie.

— Vous êtes procureur ? Vous me la ferez sauter, non ?

— Calmez-vous, Billy ! lui lança Jamie. Ce n'est peut-être pas si grave qu'on le craint !

— Elle a perdu conscience alors qu'elle me parlait au téléphone, répliqua-t-il en se précipitant vers l'entrée de l'hôpital. Alors, si, c'est grave !

Il ne s'arrêta de courir que devant le bureau de la réception et prit énormément sur lui pour parler calmement.

— J'aimerais voir Claudia Ellison. Où se trouve-t-elle ?

Un policier en uniforme, qui faisait les cent pas devant les salles d'examens, s'approcha au nom de Claudia.

— Vos papiers, s'il vous plaît.

— Billy, présentez-lui vos papiers, dit Jamie.

— Billy ? Vous êtes le Billy qu'elle réclame ? reprit le policier.

— Elle a demandé à me voir ?

Curieux comme cette information le plongea soudain dans l'allégresse. Qu'une femme exsangue aux urgences demande à le voir n'était pas rien.

— Montrez-moi vos papiers et vous pourrez… Mme McNair ? s'interrompit le policier en dévisageant Jamie.

— Exactement, dit Billy, se félicitant d'être accompagné du procureur de Houston.

Le policier hocha la tête.

— Ça ira, vous pouvez y aller. Chambre 4.

— Le pouvoir donne des privilèges, murmura Jamie en lui emboîtant le pas.

Il s'engouffra dans la chambre avant de s'immobiliser, au bord du malaise.

— Claudia, mon Dieu !

Il avait craint le pire mais, devant son visage tuméfié et son œil au beurre noir, il se sentit mal.

— Billy. Excuse-moi de t'avoir fait venir. J'étais paniquée et je…

— Ne t'excuse pas, dit-il en s'approchant de son chevet.

Elle avait la main gauche bandée. Il prit son autre main et la pressa tendrement dans la sienne.

— Tu as dû vivre un enfer. As-tu très mal ?

— Je me suis foulé le poignet, mais je n'ai rien de cassé.

— Tu as dû recevoir un coup sur la tête, tu as perdu connaissance tout à l'heure.

Elle lui sourit d'un air embarrassé.

— Je me suis évanouie parce que j'avais eu très peur et que… Oh ! bonjour, Jamie.

Jamie se tenait dans l'encadrement de la porte, hésitant à entrer.

— Daniel m'a demandé de venir, dit-elle. Pour être sûre que vous étiez bien installée et vous apporter ce dont vous pourriez avoir besoin.

— C'est vraiment très gentil. Je suis traitée comme une princesse. Mais venez, asseyez-vous.

Billy adressa un sourire reconnaissant à Jamie. Certes, il aurait bien aimé rester seul avec Claudia, la prendre dans ses bras et la serrer contre lui. Mais mieux valait que personne ne se doute que Claudia et lui étaient plus que de simples collègues, d'autant qu'il ne savait pas très bien comment allait évoluer leur histoire. Quelques heures plus tôt, en quittant le bureau de Claudia, il avait pensé y mettre un terme. Il était d'accord pour coucher avec elle, pas pour une véritable relation amoureuse comme elle l'espérait.

Mais, à présent, il ne savait plus très bien ce qu'il voulait. Lorsqu'il avait compris qu'elle avait été victime d'une agression, il avait cru devenir fou. Cette femme représentait quelque chose pour lui et il ne pouvait pas la quitter ainsi.

Jamie approcha une chaise et s'assit, le regard teinté de compassion.

— Souhaitez-vous nous raconter ce qui s'est passé, Claudia ?

— Je me dirigeais vers ma voiture dans mon parking. Je ne faisais pas assez attention à ce qui m'entourait, comme je l'aurais dû…

— Ne te fais aucun reproche, l'interrompit Billy.

— Non, c'est vrai. En général, je suis très vigilante, très prudente. Certains de mes patients sont dérangés et je ne sais jamais comment ils peuvent réagir.

— C'est donc un patient qui t'a agressée ?

— Elle secoua la tête.

— Non, il ne s'agissait pas d'un patient. Il m'a attrapée par-derrière et m'a jetée sur le capot.

Billy sentit la colère s'emparer de lui. Il eut envie de frapper le mur. Ou, mieux, la figure de l'agresseur.

Claudia perçut sa rage et lui serra plus fort la main.

— Il n'a pas essayé de me violer. Il voulait juste me faire peur. Il m'a dit de rester à l'écart de la famille Torres.

— Bon sang !

Billy la lâcha pour se lever. La pièce était minuscule, il ne pouvait l'arpenter comme il en aurait eu besoin pour se calmer.

— J'espérais que cette agression n'était pas liée à notre enquête. Comment n'ai-je pas mesuré le danger ? Nous avons délogé un nid de guêpes. Elles passent à l'attaque.

— Quelqu'un ne voudrait pas que Mary-Francis soit innocentée ? demanda Jamie.

— Il est plus que probable qu'Eduardo Torres n'a pas envie qu'on découvre qu'il est vivant. Il est déjà accusé de meurtre. Si on y ajoute le crime de se faire passer pour mort et sans doute l'agression de Theresa, il est mal parti.

— Sans parler des pièces d'or, renchérit Claudia. Et si Angie avait prévenu son père que nous les cherchions ?

— C'est ainsi que nous retrouverons Torres. Nous allons surveiller Angie, la faire suivre, la mettre sur écoute.

— Excellente idée, dit Claudia. Comme les policiers n'ont pas l'air intéressés par l'enquête, peut-être pourrions-nous demander au FBI…

— Oh là, il n'y a pas de « nous », la coupa Billy. Tu ne fais plus partie de l'équipe. Je vais demander à Daniel de t'allouer un garde du corps à temps plein.

Claudia soupira.

— Ne sois pas ridicule. Nous devons être tout près de la vérité, sinon Eduardo n'aurait pas si peur. Je ne vais pas battre en retraite à cause de ce minable.

— Il n'est pas question que tu t'exposes davantage.

— Tu n'as pas d'ordres à me donner…

D'un geste de la main, Jamie interrompit leur dispute. Même si elle était mince et fluette, elle avait une autorité naturelle qui commandait le respect.

— Concentrons-nous sur cette agression pour le moment. C'est notre meilleure piste. Claudia, avez-vous vu les traits de l'homme qui s'en est pris à vous ?

— Malheureusement, non. Il était derrière moi tout le temps. Mais je peux vous dire certaines choses. Il était grand, plus grand que toi, Billy, musclé et fort. Il n'avait pas de ventre, ne souffrait pas d'embonpoint. Il était d'origine hispanique, son accent m'en a donné la certitude. Et il est fumeur. Il avait une haleine épouvantable.

Billy sentit son ventre se nouer à l'idée que cet animal ait pu se rapprocher à ce point de Claudia.

— Rien d'autre ? demanda Jamie.

— Ils étaient deux. J'ai entendu deux paires de bottes marteler le macadam lorsqu'ils se sont enfuis.

— *Hijos de puta*, gronda Billy.

— Je suis désolée, je ne me rappelle rien d'autre.

Jamie lui tapota la main.

— La plupart des victimes d'agressions ne sont pas capables de remarquer ce genre de détails.

— Ils portaient tous les deux des bottes ou, en tout cas, des chaussures avec des semelles dures.

Jamie nota ces renseignements.

— Avez-vous raconté tout cela à la police ?

— Oui, en grande partie. Je ne leur ai pas parlé des menaces. Je les ai laissés penser que l'agresseur était un voyou qui s'en est pris à moi par hasard et s'est enfui quand j'ai crié. Je n'avais pas envie d'impliquer les flics de Houston dans cette affaire, mais sans doute devons-nous prévenir Hudson Vale.

— Vale est l'inspecteur de police du comté de Montgomery chargé d'enquêter sur l'agression dont Theresa Esteve a été victime, expliqua Billy à Jamie. Il est également au courant du meurtre supposé d'Eduardo.

— Plus de policiers sont impliqués, mieux cela vaudra, dit Jamie.

— Si nous impliquons la police, ils vont nous compliquer la tâche, objecta Billy. Ils n'apprécient pas que nous tentions de sortir des gens de prison, des gens qui ont été condamnés sur la base de leurs enquêtes. Ils vont nous interdire de nous mêler de cette affaire. Puis ils bousilleront le dossier.

Jamie sourit.

— Pour un ancien inspecteur, vous avez une très mauvaise opinion de la police. C'est curieux.

— Certains flics font du bon boulot, mais je préfère choisir ceux avec qui je travaille.

— C'est votre enquête, répondit Jamie. Comme je ne suis

pas ici pour raisons officielles, je vous laisse carte blanche. Mais tenez-moi au courant, d'accord ?

— Bien sûr, Jamie.

Jamie se leva.

— J'ai besoin de prendre l'air, je vais faire un tour.

Puis, avec un regard entendu, elle quitta la chambre.

— Se doute-t-elle de quelque chose ? demanda Claudia. A propos de nous ?

— Je te promets que je n'en ai soufflé mot à personne. Mais elle est fine et intuitive.

Claudia soupira.

— Pourquoi ne m'as-tu pas appelé ? demanda-t-il. Pourquoi avoir d'abord contacté Daniel ?

Elle leva les yeux au ciel.

— Parce que tu as perdu ton téléphone, idiot.

Il fouilla ses poches et reconnut qu'elle avait raison.

— Je l'ai trouvé sous les coussins de mon canapé, poursuivit-elle. Il est dans mon sac.

Plutôt que de regarder dedans, il lui apporta le sac. Elle en sortit l'appareil et le lui tendit.

— Je ne comprenais pas pourquoi personne n'avait essayé de me joindre cet après-midi.

Il consulta rapidement ses appels en absence.

— Rien d'urgent sauf... toi. Tu as essayé de me joindre. Bien avant d'avoir été attaquée.

— Oui, c'est d'ailleurs la raison pour laquelle j'étais distraite en regagnant ma voiture. Sous ma douche, une idée m'a traversée.

Immédiatement, il l'imagina nue sous le jet, le corps recouvert de savon.

« Ne t'aventure pas par-là », s'ordonna-t-il.

— Tout à l'heure, tu as parlé de confession, continua Claudia. Et cela m'a fait penser à quelque chose. Mary-Francis ne fait confiance à personne. Si elle a caché des pièces d'or dans une statue, comme assurance au cas où Eduardo divorcerait, elle n'en a soufflé mot à quiconque, pas même à sa propre sœur, j'en suis certaine. Elle a pu planquer les pièces dans la statue sans que

Theresa ne le remarque. Et elle n'avait pas assez confiance en nous pour nous révéler son secret. Mais, si elle l'a dit à quelqu'un, c'est forcément à…

— Son prêtre.

10

— Exactement, dit Claudia, soulagée que Billy l'ait tout de suite compris.

— Elle envisageait de divorcer et elle avait caché un trésor pour en priver son mari. Voilà deux graves péchés…

— Elle s'est peut-être confessée ou elle est allée trouver le prêtre pour lui demander conseil.

— C'est très probable, oui. Mais en quoi cela peut-il nous être utile ? Nous avons déjà la quasi-certitude qu'elle a caché les pièces d'or dans la statue et nous savons que cette statue a disparu *après* l'agression de Theresa. Et après l'incarcération de Mary-Francis. Donc si elle a avoué quoi que ce soit au prêtre, c'est déjà de l'histoire ancienne. De plus, il n'a pas le droit de divulguer les secrets qui lui sont confiés en confession. Nous ne pourrons jamais obtenir de lui…

— Mais il savait ! Il savait que les pièces étaient cachées dans la statue de la Vierge. Et, souviens-toi, dans le film qu'on a visionné : lorsqu'il est venu faire une petite célébration à la mémoire d'Eduardo chez Theresa, il regardait cette statue. Voilà pourquoi il semblait obnubilé par la cheminée.

— Tu penses qu'il a volé cette statue ? Non, c'est un prêtre, il n'aurait jamais fait ça !

— Les prêtres sont-ils immunisés contre la tentation ? Il a remarqué la statue pendant sa messe et…

— Et il aurait attendu des mois pour la prendre ? Souviens-toi que cette statue n'a disparu que depuis quelques jours. Non, Claudia, tu délires.

— Pas du tout. Je me souviens de ce que j'ai vu sur la vidéo. Le prêtre ne se comportait pas comme il aurait dû le faire eu égard au lieu et à la situation.

— Que proposes-tu ?

— Pourquoi n'irions-nous pas lui rendre une petite visite ?

— Tu m'as entendu tout à l'heure. Tu ne fais plus partie de l'équipe. Je veux que ton agresseur soit persuadé que tu as pris ses menaces au sérieux, qu'il t'a fait peur. Quand je pense qu'il n'a même pas eu le cran de s'en prendre à moi.

— C'est logique. S'il t'avait menacé, tu lui aurais ri au nez.

— C'est sûr. Mais il n'est pas question de t'exposer davantage au danger, ce serait stupide. Personne n'est en sécurité tant que nous n'avons pas retrouvé Eduardo.

— Tu sais, je m'interroge à propos d'Angie. Elle sait certainement que son père est en vie. Quelqu'un lui a parlé du trésor et ce n'était pas sa mère.

— Mary-Francis n'est pas toujours sincère.

— C'est normal. Elle a peur. Imagine-toi marié avec un salopard pareil. Elle a dû mentir pour se protéger et, maintenant, elle en a pris l'habitude.

— Je ne sais pas comment tu parviens à lui trouver des excuses, des qualités.

Il avait envie de l'embrasser. Même avec son visage tuméfié, elle était superbe. Une lumière intérieure irradiait dans ses yeux, dans son sourire. Mais il n'avait plus le droit de la désirer. Il avait tout bousillé entre eux en refusant de se confier à elle.

Un médecin entra dans la chambre, un grand sourire aux lèvres.

— Comment allez-vous, madame ?

Il aurait pu l'appeler « docteur », mais Claudia ne releva pas.

— Beaucoup mieux.

— Je vais vous faire une ordonnance d'antalgiques. Evitez de remuer votre poignet quelques semaines et tout devrait vite rentrer dans l'ordre.

— Je peux rentrer chez moi ?

— Je n'ai aucune raison de vous garder ici.

— Inutile de me prescrire des antalgiques, dit-elle. Cela ira.

— Vous changerez sans doute d'avis demain, répliqua-t-il. Avez-vous besoin d'aide pour vous habiller ? ajouta-t-il avec un regard gêné vers Billy.

— Je vais me débrouiller, merci.

*
* *

Billy sortit et rejoignit Jamie dans le couloir pendant que Claudia s'habillait. Il lui avait proposé son aide, mais elle avait refusé. Puis ils durent patienter encore, le temps que Claudia signe les papiers pour sortir de l'hôpital.

— Claudia ne devrait pas retourner chez elle toute seule, remarqua Jamie en regardant Billy.

Se doutait-elle de quelque chose ? Il savait très bien dissimuler ses sentiments mais, dès lors qu'il s'agissait de Claudia, il était moins performant. Elle lui avait fait tellement peur avec cette agression.

— Je suis d'accord. Son agresseur est toujours en liberté.

— Daniel et moi serions très heureux de l'accueillir.

Billy lui sourit. Claudia serait en sécurité chez Daniel. La propriété du milliardaire était mieux sécurisé que la Maison-Blanche avec de grands murs autour de la maison, des caméras de surveillance, des gardes.

Mais alors il s'inquiéterait toujours pour elle. S'il ne pouvait veiller en personne sur elle, il ne serait pas tranquille.

Au fond, il culpabilisait. Il avait pris des risques inutiles avec elle. Même si elle considérait cette affaire comme la sienne parce qu'elle l'avait proposée à Project Justice, il était responsable du dossier. Il l'avait laissée y travailler et il en voyait à présent les conséquences.

Si Claudia était en sécurité chez Daniel, il pourrait courir après ceux qui l'avaient agressée sans s'inquiéter pour elle. Mais combien de temps accepterait-elle de rester là-bas ? Une nuit, tout au plus. Et, après, elle voudrait le rejoindre et continuer les investigations avec lui. Elle était déterminée à innocenter Mary-Francis et rien ne l'arrêterait.

Elle aussi culpabilisait.

— Qu'en pensez-vous ? reprit Jamie.

— Pardon ?

— Que pensez-vous de l'éventualité que Claudia vienne chez nous ?

— Je pensais la reconduire chez moi. Mon appartement est un des mieux sécurisés de la ville.

Daniel tenait à ce que ses employés vivent dans un immeuble avec des gardiens et des vitres blindées. Les hommes chargés de la sécurité avaient suivi un entraînement paramilitaire.

Jamie lui lança un regard entendu.

— J'étais certaine que vous répondriez cela. J'ai demandé au chauffeur de Daniel de passer me prendre et il doit être là. Je vous laisse tranquilles.

— Jamie, ce n'est pas ce que vous croyez. Claudia et moi ne sommes pas… ensemble.

— Peut-être pas, mais, quand vous êtes tous les deux dans la même pièce, le courant est si fort que cela fait presque peur.

Billy ne pouvait le nier.

Jamie tenta une nouvelle approche.

— Si vous avez besoin d'en parler…

— Non, merci. Ça va.

Pourquoi les femmes avaient-elles toutes envie de le faire parler ? Un homme n'avait-il pas le droit de garder ses sentiments pour lui ?

— Très bien, dit-elle d'un air vexée.

— Merci beaucoup de m'avoir accompagné, Jamie.

— De rien, Billy. Daniel serait venu aussi si vous l'aviez demandé.

— Je sais qu'il déteste les hôpitaux.

De toute façon, Daniel détestait sortir de sa propriété.

Lorsque Claudia le rejoignit, elle semblait plus vulnérable qu'à l'accoutumée et, quand elle s'efforça de lui sourire, il eut envie de la prendre dans ses bras et de l'emmener très loin, là où personne ne pourrait lui faire de mal.

— Merci de m'avoir attendue.

— Comme si j'allais te laisser seule ici ! Aurais-tu pris un taxi pour rentrer chez toi ?

— Sans doute.

Il leva les yeux au ciel.

— Je sais que tu aimes être indépendante mais, pour une

fois, peux-tu reconnaître que tu es blessée et me laisser jouer les machos protecteurs ? dit-il en lui ouvrant les bras.

Elle se rapprocha d'un pas hésitant et le laissa l'enlacer.

— Je suis furieuse que quelqu'un m'ait agressée. Je suis plus prudente, en général.

— Moi aussi, je suis furieux.

Mais pas pour les mêmes raisons. Il était furieux que quelqu'un se serve de Claudia pour l'atteindre, lui.

— Allons-y, je prends le volant.

— Tu ne vas pas renoncer à l'enquête à cause de cette agression, n'est-ce pas ? demanda Claudia tandis qu'ils regagnaient la voiture.

— Certainement pas, répondit-il. Project Justice prend toujours très au sérieux les chantages et les menaces. Daniel fait tout ce qu'il peut pour protéger ses employés, y compris les personnes qui ne travaillent que ponctuellement pour lui.

— Comme moi…

— Oui. Si tu t'y sens plus en sécurité, tu peux aller vivre dans sa propriété. Même un tank ne parviendrait pas à en franchir les grilles.

Elle se mit à rire.

— Ne sois pas ridicule, je n'ai pas besoin de protection. Eduardo a réussi à me faire peur. Je serais étonnée qu'il s'en reprenne à moi.

Il n'en était pas aussi sûr.

— Notre politique est de ne jamais céder aux menaces. Personne n'a à nous dicter notre travail. Mais, comme nous n'allons pas respecter leurs consignes, ceux qui s'en sont pris à toi risquent de frapper plus fort la prochaine fois.

— Je n'y ai pas pensé.

— Voilà pourquoi il vaut mieux que tu restes avec moi. Ou que tu ailles chez Daniel. Il l'a proposé. A toi de choisir. Mais tu ne retournes pas vivre seule chez toi.

Comme il l'avait pressenti, elle se raidit. Elle détestait les ordres et les ultimatums. Mais elle finirait par accepter.

— Je suppose que, si j'insiste pour rentrer chez moi, Daniel demandera à une armée de surveiller ma porte.

— Cela ne me surprendrait pas.

— Et ce serait une perte de moyens. D'accord, allons chez toi. Cette nuit. Demain, nous referons le point.

— Très bien.

Ils étaient arrivés devant sa voiture. Mais Claudia ne parvint pas à ouvrir la portière et à se hisser dans l'habitacle, son corps la faisait trop souffrir. Sans hésiter, il la souleva de terre pour l'installer dans le fauteuil.

Son imagination lui jouait-elle des tours ou noua-t-elle ses bras à son cou plus longtemps que nécessaire ? Il sentit le désir s'emparer de nouveau de lui. Cela avait été si extraordinaire quelques heures plus tôt, sur le canapé de son bureau. Si puissant…

Il fallait qu'il pense à autre chose ! Sinon, il n'arriverait pas à conduire…

— Tu sais quoi ? dit-il en s'installant au volant. Nous formons une bonne équipe, tous les deux.

— Tu trouves ? Pourquoi le penses-tu ?

— Nous travaillons bien ensemble, nous nous donnons mutuellement des idées, des pistes, et nous pouvons passer du temps ensemble sans s'énerver.

— Billy, nous passons notre temps à nous disputer !

— Mais il y a manière et manière de se disputer. J'aime réfléchir avec toi et j'aime être avec toi.

— Moi aussi, Billy, répondit-elle doucement.

— Cela suffit, non ?

— Je ne comprends pas. C'est suffisant pour quoi ?

— Pour nous, répondit-il.

— Et le sexe ?

Il faillit foncer dans le décor. Claudia savait se montrer directe.

— Eh bien quoi ? Le sexe ? reprit-il. Oui, c'est formidable de coucher avec toi. Mais c'est tellement évident que je ne vois pas l'utilité de le préciser.

— Tu es donc en train de dire que… nous travaillons bien ensemble, que nous apprécions la compagnie de l'autre, même quand nous nous disputons, et que nous aimons coucher ensemble.

— Es-tu obligée de t'exprimer en permanence en scientifique ?

— Tu aimerais donc que nous soyons amis ?

Il y réfléchit un instant. Oui, être ami avec elle et coucher avec elle serait formidable. Vraiment formidable !

— Est-ce horrible comme idée ? lui demanda-t-il.

Il s'attendait à ce qu'elle réponde « oui ». Sans hésiter. Tout aurait été alors plus facile.

— Non, non, Billy. Ça peut être une bonne idée et cela marche pour certaines personnes. Tant que les deux partenaires sont d'accord sur le programme, c'est un arrangement qui peut se révéler satisfaisant.

— Là, c'est la psychologue qui parle. Mais qu'en pense Claudia, la femme ?

— Me proposes-tu vraiment d'être ta sex-friend ? Ou la discussion est-elle purement théorique ?

Elle avait posé la question d'un ton un peu sec. Il avait commis un impair.

— Désolé, Claudia. Je n'aurais pas dû évoquer le sujet. La manière dont tu décris les choses… n'est pas ce que je veux. Tout ce que je sais, c'est que je n'ai pas aimé la façon dont tout s'est terminé entre nous, tout à l'heure.

— Si je me souviens bien, c'est toi qui es parti.

— Peut-être, mais cela ne m'a pas rendu heureux.

— Moi non plus.

Tant mieux, songea-t-il.

Ils s'arrêtèrent à un drugstore pour acheter les antalgiques pour Claudia et d'autres choses dont elle aurait besoin pour la nuit.

Quand ils parvinrent devant son immeuble, il ouvrit le parking avec son passe et salua le gardien.

— Cet immeuble est vraiment sécurisé, remarqua Claudia. Je l'avais entendu dire, mais je ne l'avais jamais vu. Combien de salariés de Project Justice vivent-ils ici ?

— Raleigh et Griffith… Ford Hyatt est parti quand il s'est marié. Sa compagne avait un fils et voulait un jardin, un chien et un portique.

— Qui d'autre habite là, à part eux ?

— Tous ceux qui ont le besoin d'être protégés. Des gens connus, des politiciens et aussi, mais garde-le pour toi, certains témoins protégés.

— Bon, alors je crois que je n'ai rien à craindre ici.

*
* *

Dès qu'elle entra dans l'appartement de Billy, Claudia ne put s'empêcher de le décrypter. Certes, elle était épuisée et elle souffrait, mais pas au point d'oublier ses réflexes. Un appartement en révèle toujours beaucoup sur celui qui y vit. Et le fait même que Billy lui ouvre sa maison prouvait qu'il était en confiance avec elle, même s'il ne se livrait pas beaucoup par ailleurs.

L'appartement n'avait rien d'une garçonnière de célibataire, mais n'était pas non plus un modèle de rangement. Le salon était meublé d'un canapé et de fauteuils de cuir, d'une table basse. Un écran géant ornait un des murs. Une épaisse moquette crème couvrait le sol et des tapis navajo y avaient été jetés. Dans la bibliothèque, les livres étaient un peu dans tous les sens. Manifestement, il lisait beaucoup.

Les murs peints en beige complétaient l'ensemble. Et l'ambiance de la déco avait un côté western.

— Tu es un cow-boy dans le cœur, dit-elle en souriant.

— Ma mère et une de mes sœurs se sont chargées de décorer l'appartement, je m'en moquais.

Son cœur fondit à l'idée qu'il ait une famille aussi aimante.

— Ta famille habite au Texas ?

— Ils vivent tous à des milliers de kilomètres, ce qui est à la fois une chance et un malheur. Au départ, j'étais content d'être muté à Dallas. Je pensais que j'avais besoin de prendre mes distances avec eux. Mais… ils me manquent.

Il hésita un instant, avant de reprendre.

— Claudia, je n'ai pas de chambre d'amis ou plutôt j'y ai entassé beaucoup trop d'affaires. Donc, je te propose de prendre ma chambre. Ne t'inquiète pas, je ne tenterai rien.

— Merci, mais… tu vas passer la nuit sur le canapé ?

— Cela vaut mieux. Tu dois être fatiguée et tu dormiras mieux seule. Assieds-toi, détends-toi, regarde la télévision pendant que je vais changer les draps.

— Tu n'as pas à…

Mais il avait déjà disparu dans la pièce voisine.

Elle décida de suivre son conseil. Elle s'assit sur le canapé et alluma la télévision.

Elle la regardait rarement. Mais, vu les circonstances, un programme stupide lui ferait peut-être oublier ses angoisses.

L'esprit vide, elle suivit un moment un jeu, pelotonnée contre les coussins, et s'endormit sans s'en rendre compte.

Quand elle reprit conscience, le poste diffusait le journal télévisé et elle n'était plus seule sur le canapé. Elle était blottie contre Billy comme un chaton. Il lui enlaçait les épaules et notait quelque chose.

Elle s'étira et il se tourna vers elle.

— Tu es réveillée ? Tu veux un antalgique ?

— Non, ça va.

Elle souffrait, mais la douleur était supportable et elle n'aimait pas se bourrer de médicaments.

Visiblement, pendant qu'elle dormait, il avait eu le temps de se doucher et de se changer.

Elle n'en revenait pas d'avoir réussi à s'assoupir dans un endroit inconnu avec un homme qu'elle connaissait si peu. Ils lui avaient certainement donné quelque chose à l'hôpital.

— Je devrais aller me coucher.

— D'accord. J'ai mis des serviettes propres dans la salle de bains, une brosse à dents neuve et un de mes vieux T-shirts.

Dormir nue dans un vêtement de Billy lui plaisait. Mais elle aurait préféré dormir avec lui.

Elle fit un effort pour s'interdire d'y songer. Ce n'était pas le moment.

Elle se leva, un peu déséquilibrée.

— Tu es sûre que ça va ?

— Oui, oui. Merci encore pour tout.

— *Mi casa es tu casa.*

— C'est très généreux de ta part.

Il se mit à rire.

— Il ne s'agit pas de générosité, dit-il en l'embrassant rapidement mais tendrement. Je suis heureux que tu ailles bien, tu m'as fait très peur.

— J'ai eu très peur moi aussi. Bonne nuit.

Elle entra dans la chambre. Le lit géant, les meubles de bois, tout était beau. Une croix surplombait le lit.

Elle se déshabilla et enfila le T-shirt de Billy. Elle avait l'impression d'être une petite fille jouant à se déguiser. Mais une petite fille battue, soupira-t-elle.

Elle se dirigea vers la salle de bains. Après s'être lavé les dents, elle considéra une nouvelle fois le lit. Et, soudain, elle ne put supporter l'idée d'y dormir seule. Sans réfléchir, elle retourna dans le salon.

Billy y avait défait le canapé et s'y était étendu, vêtu d'un boxer. Il dut sentir sa présence, car il leva les yeux vers elle. Il prit une expression soucieuse.

— Tout va bien ?

— Voudrais-tu dormir avec moi ? J'ai peur toute seule.

Il se leva aussitôt.

— Tu n'as pas besoin de te justifier. La journée a été particulièrement éprouvante.

Il était adorable avec elle. Très certainement était-il sincère. Mais Raymond aussi savait se montrer charmant, songea-t-elle d'un coup avec effroi. Un vrai caméléon, un bon acteur, qui s'arrangeait pour devenir l'homme idéal de sa proie.

Et elle n'avait rien vu.

Elle chassa ses souvenirs de Raymond avec colère. Elle devait se croire en sécurité avec Billy, sinon elle ne dormirait jamais.

Tous deux se dirigèrent vers la chambre à coucher.

Elle grimpa la première dans le lit et Billy la rejoignit.

— Ce côté te va ou tu préfères changer avec moi ?

— Non, c'est très bien.

Il éteignit la lampe, mais les lumières de la ville se devinaient à travers les rideaux. Au début, Billy ne la toucha pas puis il posa doucement la main sur son bras indemne, la faisant frissonner.

— Peux-tu me serrer contre toi jusqu'à ce que je m'endorme ?

— Je n'osais pas te le demander.

Veillant à ne pas heurter ses bleus, il l'installa confortablement contre lui.

— Tu es bien ?

Elle s'endormait déjà quand une pensée subite la traversa.

— Billy ?

— Mmm ?

— Le prêtre. J'aimerais le voir demain.

Il soupira.

— Claudia, même s'il sait quelque chose, il n'aura pas le droit de le dire. As-tu entendu parler du secret de la confession ?

— Il n'a pas le droit de nous raconter les péchés de Mary-Francis. Mais ce qui m'intéresse, ce sont *ses* péchés à lui.

11

Dans le noir de la nuit, Billy s'agaça intérieurement. Claudia se focalisait sur ce prêtre, alors que, franchement, il avait l'air inoffensif. Ce vieil homme ne pouvait être considéré comme un suspect.

En tout cas, il refusait d'y croire. Il avait été élevé dans la religion catholique et, même s'il n'était plus pratiquant, son éducation religieuse l'avait marqué. Sans le père Miguel et le père Pat, il serait certainement tombé dans la délinquance.

Mais il n'avait pas envie de se disputer avec Claudia alors qu'elle était dans ses bras. Elle l'avait surpris et profondément touché ces dernières heures. Dans l'après-midi, elle lui avait fait comprendre qu'elle ne pouvait aller plus loin avec lui s'il ne lui racontait pas les détails sordides de son passé. Mais, après son agression, elle lui avait montré toute sa confiance en lui. Elle s'était endormie près de lui à un moment où elle se sentait particulièrement vulnérable, alors que le contact d'un homme aurait pourtant dû la terrifier. Du coup, il reprenait espoir sur l'avenir de leur relation.

— Nous en discuterons demain, d'accord ?

— D'accord, mais rappelle-le-moi. Je suis si fatiguée que je suis capable de l'oublier.

— Tu subis le contrecoup de cette agression. Dors, maintenant.

Elle avait forcément remarqué qu'il réagissait à sa présence comme le feraient beaucoup d'hommes. Mais, manifestement, elle n'en fut pas trop troublée et sombra très vite dans le sommeil.

Ce ne fut pas son cas. De nombreuses questions concernant l'enquête le tourmentaient. Pourquoi Mary-Francis ne leur avait-elle pas dit où elle avait caché les pièces d'or ? Etait-ce parce qu'Eduardo les avait volées et qu'elle ne voulait pas que la police les retrouve et les confisque ?

Eduardo était-il encore en vie ? Tout semblait l'attester. Il était le suspect le plus probable dans l'agression dont Claudia avait été victime, mais aussi dans celle de Theresa. Peut-être avait-il demandé à des hommes de main d'effectuer le travail, mais il était également possible qu'il se soit lui-même impliqué. Son organisation s'effondrait. Comme il perdait de son autorité, qu'il était à court d'argent, peut-être avait-il été obligé de sortir du bois.

Et quel rôle jouait Andie dans cette histoire ? Etait-elle complice du crime ou son père l'utilisait-il comme un pion ?

Il finit par s'endormir, mais après plusieurs heures de rumination.

Lorsqu'il se réveilla, Claudia et lui avaient changé de position. Il était étendu sur le dos et elle était allongée sur lui. Il sentait ses cheveux chatouiller son cou, ses seins sur son torse, ses cuisses non loin de son sexe. Il n'aurait qu'à bouger légèrement pour…

Mais il aimait l'avoir blottie contre lui. En fait, il pourrait rapidement y prendre goût. Il s'était toujours arrangé pour ne jamais passer une nuit complète avec une femme. Il se débrouillait pour coucher avec la fille chez elle afin de pouvoir facilement quitter les lieux. Se réveiller avec une femme dans ses bras était une nouveauté un peu perturbante.

Lorsqu'elle reprendrait conscience, elle serait sans doute gênée d'être dans cette position, même s'ils avaient fait l'amour, la veille. Elle avait des côtés puritains, malgré tout.

Il était encore tôt. Mais il avait un programme chargé pour la journée et devrait rapidement se lever. Quand Claudia l'avait appelé la veille après son agression, il discutait avec Daniel des différentes façons de relancer l'affaire. Celui-ci lui avait donné d'excellentes idées.

Claudia bougea et murmura quelque chose dans son sommeil. Il lui caressa les cheveux.

— As-tu bien dormi ?

— Comme un bébé.

Elle réalisa soudain qu'elle était sur lui et recula dans le lit.

Il planta ses yeux dans les siens.

— J'ai été heureux de dormir avec toi.

— J'espère que je ne t'ai pas gêné. On m'a déjà dit que je gigotais beaucoup dans mon sommeil.

— Pas du tout.

— Quelle heure est-il ?

— Presque 8 heures.

Elle se redressa mais poussa un gémissement.

— Ils avaient raison à l'hôpital en me disant que j'aurais plus mal ce matin.

Incapable de s'en empêcher, il l'embrassa sur le front, puis se dirigea vers la salle de bains pour lui trouver un antalgique.

Elle le regarda avec perplexité et il regretta de ne pas savoir décrypter les expressions des gens aussi bien qu'elle.

Quelques jours plus tôt, il pensait encore que la science dont elle se prétendait experte était du charlatanisme. Mais il s'était très certainement trompé.

Tous les flics qui infiltraient les milieux de la drogue pouvaient bénéficier d'une formation sur le langage du corps pour parvenir à deviner les intentions de leurs interlocuteurs. Il se promit de suggérer aux membres de Project Justice de suivre des cours avec Claudia et d'en faire autant ! Cela lui permettrait de continuer à la voir. Après tout, il ne savait pas ce que deviendrait leur relation une fois l'enquête résolue.

S'ils parvenaient à la résoudre ! Les pistes étaient minces et la date de l'exécution de Mary-Francis approchait.

Il prit les antalgiques dans la salle de bains, puis revint dans la chambre. Claudia était debout.

— J'aimerais prendre une douche, dit-elle.

— As-tu besoin d'aide ? demanda-t-il, plein d'espoir.

Elle leva les yeux au ciel.

— Quand donc ta libido se calmera-t-elle ?

Il s'en voulut d'avoir été un peu lourd.

Mais elle lui sourit avant de s'éloigner vers la salle de bains.

*
**

Quand elle le rejoignit dans la cuisine une heure plus tard, il fut surpris de sa métamorphose. Elle avait réussi à nettoyer sa jupe et avait changé de coiffure afin que ses cheveux dissimulent en grande partie les marques sur son visage. Celui-ci semblait d'ailleurs moins meurtri. Elle s'était maquillée avec soin. A présent, elle avait tout d'un mannequin.

— Tu es superbe ! s'exclama-t-il.

S'il avait pu, il lui aurait fait l'amour, là, sur la table de la cuisine...

— Quelque chose brûle, non ?

Il se précipita sur la poêle où il avait mis des tranches de bacon à cuire.

— J'espère que tu l'aimes grillé !

— Tu n'avais pas à me préparer mon petit déjeuner, mais c'est très gentil de ta part de l'avoir fait.

— Je ne l'ai pas fait par gentillesse. Tu as besoin de te nourrir et de te reposer pour te rétablir.

Elle écarta ses inquiétudes d'un geste de la main.

— Ça va. Ne t'inquiète pas. Bon, alors comment allons-nous retrouver le nom du prêtre ?

Elle n'avait pas oublié, soupira-t-il intérieurement.

— Assieds-toi, restaurons-nous et nous en discuterons.

Il avait fait assez d'œufs brouillés, de bacon et de toasts pour nourrir une famille. Heureusement, Claudia mourait de faim.

Mais, une fois rassasiée, elle remit le sujet sur le tapis.

— Comment allons-nous découvrir le nom de la paroisse de Mary-Francis ?

Il sortit son téléphone.

— Le prêtre s'est présenté avant de célébrer la messe à la mémoire d'Eduardo. Il s'appelle père Benito,.

Il effectua une rapide recherche sur internet et en quelques clics il obtint les coordonnées d'une église.

— Il officie à l'église Notre-Dame. Elle est si près d'ici que nous pourrions y aller à pied.

Il avala son café, espérant que la caféine lui donnerait un regain d'énergie. Le manque de sommeil se faisait sentir.

— Je ne suis pas certain qu'il puisse nous aider à quelque chose, dit-il. Les prêtres prennent très au sérieux le secret de la confession. Ils sont tenus légalement de ne rien dire.

— Oui, mais supposons que le prêtre ait fait quelque chose d'illégal après avoir appris un secret dans son confessionnal. Ses actes n'entrent pas dans le champ de la confession, si ?

Il y réfléchit tout en tartinant un toast de beurre, puis remarqua soudain les mains de Claudia. Elle avait les ongles parfaitement manucurés, mais deux d'entre eux étaient cassés.

— As-tu griffé ton agresseur ? demanda-t-il brusquement. Un inspecteur t'a-t-il pris de quoi analyser ce qu'il y a sous tes ongles ?

— Non, je n'en ai aucun souvenir. Et je les ai nettoyés soigneusement, ce matin. Il n'y a donc plus rien à y trouver.

— Mais tu t'es cassé deux ongles. La police a-t-elle considéré ton parking comme une scène de crime ? Ont-ils sécurisé l'endroit et mené des investigations sur place ?

— Non, je ne crois pas.

Il s'empara de son téléphone et composa le numéro de Project Justice.

— Bonjour, Céleste, c'est moi, Billy. Beth est-elle là ?

— Un instant, je vous la passe.

Un moment plus tard, Beth prit l'appel.

— Billy, quoi de neuf ?

— Peux-tu me retrouver devant le parking de l'immeuble de Claudia ? J'aimerais que nous y cherchions des indices.

— Comment va-t-elle ? Daniel nous a parlé de l'agression dont elle a été victime.

Intéressant, songea-t-il. Beth savait donc que Claudia avait passé la nuit chez lui.

— Elle va bien, merci.

— Qu'y a-t-il à découvrir dans ce parking ? Dois-je apporter un matériel spécial ?

— Nous cherchons des ongles. J'ai besoin d'une bonne lampe de poche et de bons yeux. Et mets-toi en tenue de combat. Il te faudra sans doute t'allonger par terre pour inspecter le dessous de la voiture.

— Tu me charges du sale boulot, c'est ça ?

— Deux paires d'yeux valent mieux qu'une. On s'y retrouve vers 10 heures ?

— Bien sûr. Je suis contente de quitter le bureau. J'ai peur de marcher dans les couloirs.

— Pourquoi ? Qui menace les bureaux ?

— Le pécari. Il traîne toujours dans l'immeuble et personne ne sait où il est.

Billy ne put s'empêcher de rire.

— Céleste ne l'a pas récupéré ?

— Non, personne n'a été capable de dénicher la retraite de cet animal. Ce matin, j'ai vu que ma réserve de bonbons avait été dévorée. Il s'est également attaqué aux feuilles de mon ficus. Mais n'en dis rien à Daniel. Il n'est pas au courant et Céleste craint d'être virée s'il l'apprend.

Il haussa les épaules. Daniel le savait très certainement déjà. Il savait toujours tout.

— Tu crois que nous allons pouvoir retrouver de l'ADN sous mes ongles ? demanda Claudia quand il eut raccroché.

— Oui, dit-il en s'emparant des assiettes pour les porter dans l'évier. Si Eduardo n'est pas ton agresseur, il s'agissait probablement d'un de ses hommes de main qui est sans doute dans les fichiers de la police. Si nous parvenons à l'identifier, il nous mènera peut-être à Eduardo.

Et il avait bien l'intention de faire regretter à ce type d'avoir terrifié sa femme et de…

Sa femme ? D'où cela sortait-il ? Claudia n'était pas à lui.

Mais ça ne tenait peut-être qu'à lui… S'il lui ouvrait son cœur et lui racontait ses sombres secrets, peut-être croirait-elle alors qu'il n'avait rien d'un tueur en série. Peut-être serait-elle un peu plus en confiance.

Il secoua la tête en la voyant porter les verres.

— Laisse-moi m'en occuper, dit-il en les lui prenant des mains.

— Ne faut-il pas faire la vaisselle ?

— La femme de ménage vient tout à l'heure. A ce propos, je dois l'appeler pour la prévenir que tu es là.

— Je ne serai pas là, je viens avec toi.

— Claudia, sois raisonnable. Quelqu'un a essayé de te tuer.

— Il n'a pas tenté de me tuer. S'il avait voulu me tuer, il aurait pu le faire très facilement.

— De toute façon, tu as besoin de te reposer.

— Je ne vais pas vivre enfermée. De plus, si je ne t'accompagne pas, comment sauras-tu où ce type m'a agressée ? Le parking est grand.

— Tu peux me le dire.

— Non, je viens avec toi. Tu me protégeras, voilà tout.

— Bien sûr, joue sur mon orgueil de mâle.

Il lui sourit avec bienveillance. D'instinct, il avait envie de la protéger et s'en sentait capable. Mais les meilleurs gardes du corps pouvaient être dupés par un homme intelligent et déterminé à frapper.

— Et le père Benito ? demanda-t-elle dans l'ascenseur.

— Cela m'ennuie d'interroger un prêtre. De plus, je n'imagine pas un vieil homme comme lui être mêlé à un vol de pièces d'or, à une fausse mort, à des agressions…

— Il n'est pas question de le traîner dans une salle d'interrogatoire et de le cuisiner pendant des heures. Nous pouvons lui demander amicalement de nous aider. S'il veut le faire, tant mieux. Si non, qu'avons-nous à perdre ?

— Claudia, si nous retrouvons les pièces d'or, en quoi cela innocentera-t-il Mary-Francis ?

— Nous savons qu'Eduardo tient à récupérer ce trésor. S'il le découvre, nous ne remettrons jamais la main sur lui. Il se sauvera au Mexique ou ailleurs, vendra les pièces, se forgera une nouvelle identité… et Mary-Francis mourra. Mais, si nous les retrouvons en premier, Eduardo ne pourra pas quitter le pays. Il continuera à chercher le trésor et nous aurons une chance de le rattraper.

Elle avait raison.

— Très bien, nous parlerons au père Benito. Mais tu me laisseras mener l'entretien. J'ai été élevé avec des prêtres, je sais comment ils fonctionnent.

— Mais nous conviendrons d'un signe pour que je puisse te dire quand il ment, s'il ment.

Il se mit à rire.

— Il n'est pas nécessaire de convenir d'un signe. Quand quelqu'un ment, tu penches légèrement la tête.

— Vraiment ? dit-elle, surprise.

— Je l'ai remarqué le jour où nous sommes allés interroger Mary-Francis. Et ensuite, avec Angie. Alors, qui est l'expert en langage du corps ?

— Mince alors ! Si je le fais, je dois absolument arrêter. J'y veillerai. Je toucherai mon oreille, d'accord ?

— Le geste te paraît-il plus subtil ?

— Cela n'a pas d'importance, lui répondit-elle en haussant les épaules.

Lorsqu'ils arrivèrent devant le parking de Claudia, Beth les attendait, habillée d'une combinaison qui lui couvrait le corps. Un homme qui sortait de sa voiture la regarda avec étonnement.

— Il est temps d'y aller, dit-elle. J'ai peur que l'un des habitants de l'immeuble finisse par prévenir la police. Claudia, comment allez-vous ? Mon Dieu ! Vous vous êtes cassé le bras et vous avez un œil au beurre noir !

— Ça va, je n'ai rien de cassé en fait : juste une entorse, répondit Claudia, touchée par son inquiétude. Je m'en suis bien tirée.

Billy les abandonna un instant et fit le tour du parking pour s'assurer que personne n'était tapi dans l'ombre, prêt à passer à l'attaque.

— Donc nous cherchons des ongles ? reprit Beth.

Elle avait une mallette à ses pieds dans laquelle elle rangeait son matériel.

— Exactement, lui répondit Billy. Claudia, où a eu lieu l'agression ?

— Ma voiture est garée par là.

Elle les conduisit jusqu'à son véhicule. Mais, à la vue de sa berline, elle ferma les paupières, soulevée par un haut-le-cœur.

— Claudia ?

Billy se précipita vers elle et lui enlaça la taille pour la soutenir.

— Je suis désolée, j'ai juste besoin d'…

Elle se remémorait les événements. La terreur et la colère qu'elle avait éprouvées contre son assaillant remontaient à la surface. S'agissait-il d'un stress post-traumatique ? Elle en avait lu des témoignages, mais n'avait jamais imaginé qu'elle le vivrait un jour.

— J'ai une bouteille d'eau, dit Beth, inquiète.

— Merci, ça va aller. Donnez-moi un instant.

La main de Billy sur sa taille la rassurait, la réconfortait. Elle inspira plusieurs fois, se rappelant qu'elle était en sécurité, avec des amis. Billy la protégerait.

Elle se détendit, respira profondément et rouvrit les yeux. Billy et Beth la dévisageaient comme s'ils s'attendaient à ce qu'elle se mette à hurler ou à s'évanouir.

Elle parvint à leur sourire.

— Ça va, désolée. C'est étrange. Je pense que je n'avais pas encore évacué…

Elle s'interrompit. Ils n'avaient certainement pas envie d'entendre des explications psychologiques. Ils voulaient seulement qu'elle aille bien.

Elle s'écarta de Billy. Il devait comprendre qu'elle se sentait mieux. Puis, elle s'approcha de la voiture, s'efforçant de se remémorer la scène.

— Je crois que tout est arrivé ici. Il m'a attrapée à cet endroit.

— Il se cachait sans doute derrière un véhicule garé près du tien, dit Billy.

— Commençons par examiner la zone autour de la voiture de Claudia, dit Beth. Si nous ne trouvons rien, nous élargirons nos recherches. Dans une lutte, des indices peuvent voler plus loin qu'on ne le pense.

Elle les regarda faire, se sentant en trop. Billy et Beth effectuaient tout le travail. Elle n'était pas en état de s'allonger par terre. Elle s'appuya sur le capot, là où son agresseur lui avait frappé la tête et les regarda examiner le sol.

Une demi-heure plus tard, ils avaient ramassé quatre pièces de monnaie, une boucle d'oreille, quelques gouttes de sang séché — celui de Claudia sans doute — et un mégot de cigarette.

Mais pas d'ongles.

— Ils ont dû atterrir sur la chaussure de quelqu'un, dit Claudia. Ou sur un pneu de voiture.

Le visage de Beth s'éclaira.

— Les pneus ! Nous ne les avons pas examinés.

Ils reprirent leur travail. Et, soudain, Billy s'écria :

— Je crois que j'en ai un !

Beth se précipita vers lui. Claudia le suivit d'un pas plus mesuré, mais elle était toute contente. Si jamais ils retrouvaient l'ADN d'Eduardo sous ses ongles, le procureur ne pourrait pas continuer à prétendre qu'il était mort. Il devrait annuler la condamnation à mort de Mary-Francis.

Beth examina avec une loupe ce que Billy avait trouvé et photographia l'endroit. Seulement après, elle s'empara d'une pince à épiler pour s'en saisir et le regarder de plus près.

— C'est incontestablement un ongle, dit-elle. Claudia, montrez-moi votre main.

Claudia tendit sa main et Beth approcha le bout d'ongle.

— Je pense que c'est bien ça, dit-elle.

12

— Formidable ! cria Claudia.

Puis elle se tourna vers Billy.

— Tiens-moi au courant de la suite, d'accord ?

Elle baissa la voix, en jetant un œil à Beth qui semblait très occupée à ranger son matériel avec soin.

— J'ai vraiment apprécié que tu prennes soin de moi cette nuit. Tu me diras quand tu iras voir le prêtre, d'accord ? J'aimerais beaucoup assister à votre entretien.

Il était inutile d'insister. Elle ne le savait que trop. C'était l'enquête de Billy et il ferait ce qui lui semblerait bon de faire.

Tôt ou tard, il parviendrait à la même conclusion qu'elle, elle en était sûre. Il était évident que le prêtre savait quelque chose. Il ne restait plus à espérer que personne d'autre ne se douterait qu'il était mêlé à cette histoire.

Elle se hissa sur la pointe des pieds pour l'embrasser chastement sur la joue — même si elle avait très envie de l'embrasser autrement — et s'apprêta à quitter le parking.

— Attends ! Où vas-tu ? lui lança-t-il.

— J'ai du travail, des patients à voir.

— Claudia…

— Quoi ? Mon bureau est sécurisé. Tous les gens qui entrent dans l'immeuble doivent montrer patte blanche et je peux demander à un des gardiens de me reconduire jusqu'à ma voiture quand je voudrai rentrer chez moi.

Pour tout dire, la pensée de s'aventurer de nouveau seule dans le parking la mettait très mal à l'aise. Mais, si elle n'affrontait pas ses peurs tout de suite, elle risquait de développer une véritable phobie à l'idée de descendre dans un parking souterrain ou de circuler seule en ville. Elle avait traité assez de personnes phobiques pour savoir que des angoisses irrationnelles avaient souvent pour origine un traumatisme, même mineur.

Billy croisa les bras.

— Quelqu'un a essayé de te tuer, lui rappela-t-il en articulant chaque syllabe.

— Quelqu'un a essayé de me faire peur, rectifia-t-elle. S'il avait voulu me tuer, il ne se serait pas donné la peine de m'ordonner de me tenir éloignée des Torres.

— Posons les choses autrement. Si tu as l'intention de vaquer à tes occupations comme si de rien n'était, je reste avec toi. Et, si je reste avec toi, je n'avancerai pas dans l'enquête.

L'imitant, elle croisa à son tour les bras.

— Et que comptes-tu faire pour progresser dans l'enquête ?

— D'abord, j'aimerais savoir ce que fabriquent Angie et Jimmy. Nous n'avons pas le droit de les mettre sur écoute ou de placer des micros chez eux. Mais Aaron Ziglar, un des techniciens de Project Justice, a un appareil qui permet d'entendre les conversations à travers les murs. Et je pense demander à un de leurs voisins l'autorisation de surveiller Angie de chez eux.

— Très intelligent. Mais est-ce légal ?

Billy haussa les épaules.

— Si ça nous permet de retrouver Eduardo, le moyen utilisé n'aura plus d'importance. Quand nous aurons la preuve qu'il est vivant, le procureur sera obligé de faire marche arrière.

— Bonne chance, alors.

Elle tourna les talons pour s'éloigner. Elle avait besoin d'être un peu seule pour réfléchir à leur relation. Le fait d'avoir passé la nuit dans son lit, même s'ils avaient dormi l'essentiel du temps, altérait son jugement.

— Claudia, attends !

Elle s'efforça de dissimuler son impatience.

— Oui ?

— Je veux que tu retournes chez moi et que tu y restes. Que tu te reposes, que tu récupères. Tu as été blessée, traumatisée.

— Je vais bien. Et je serai vigilante.

La sonnerie du téléphone de Billy interrompit leur conversation.

— Cantu, dit-il en décrochant.

Un instant, elle eut envie de profiter de cette occasion pour lui échapper. Il n'avait pas le droit de la forcer à se cacher chez lui, de lui imposer quoi que ce soit. Mais elle était curieuse de cet appel. Billy écoutait plus qu'il ne parlait. Et, à en juger par son expression, son correspondant lui donnait des informations importantes. Qui pouvait bien être au bout du fil ?

Lorsqu'il mit fin à la communication, elle lui lança :

— Alors ?

— Si je te disais que c'était ma mère, me croirais-tu ?

— Arrête, Billy. Je ne suis pas d'humeur.

— D'accord. J'ai enfin une bonne nouvelle. C'était Hudson. Theresa est sortie du coma.

Beth, qui les rejoignait après avoir terminé son travail, entendit la dernière phrase.

— C'est formidable ! Comment va-t-elle ? A-t-elle recouvré l'usage de la parole ? A-t-elle gardé des séquelles ?

— Apparemment, elle a prononcé quelques mots qui n'ont pas beaucoup de sens. Mais les médecins sont confiants et estiment qu'elle devrait aller de mieux en mieux. Hudson a pensé que nous serions contents de l'apprendre.

— Il faut absolument lui parler avant que quelqu'un n'altère ses souvenirs ou ne les modifie par mégarde en l'interrogeant, soutint Claudia. Les gens qui ont subi un traumatisme crânien sont fragiles et il est important de les traiter avec ménagement.

— Ravi de l'apprendre, dit Billy qui lui sembla soudain mal à l'aise.

— Billy, tu dois me laisser la voir.

Il détourna la tête avec un soupir frustré.

— De toute façon, je n'ai pas le choix cette fois. Hudson a exigé que ce soit toi qui interroges Theresa. Il te fait confiance.

Il lui en coûtait de le dire. Elle le comprit à sa voix. Au moins avait-il été honnête. Il aurait pu faire croire à Hudson qu'elle n'était pas disponible et se passer d'elle pour aller voir Theresa. Mais il avait opté pour la vérité, même s'il aurait certainement préféré qu'elle reste en dehors de la suite de cette histoire.

— Allons-y, lança-t-il. Mon magnétophone est dans ma voiture.

*
* *

L'hôpital de Sainte-Cecilia était le plus grand centre hospitalier catholique de la ville, le plus ancien et le plus connu. Situé au sud de South West Freeway, il n'était pas loin des bureaux de Claudia.

Hudson Vale les retrouva à l'entrée, vêtu d'une autre chemise haïtienne que la première fois qu'elle l'avait vu et d'un jean délavé. Peut-être avait-il l'habitude de s'habiller ainsi. En tout cas, cette tenue de jeune surfeur lui allait bien.

— Merci d'être venus si vite, leur dit-il avec chaleur. Je suis tellement content qu'elle soit sortie du coma et en même temps j'ai si peur qu'elle retombe dans l'inconscience. Son médecin estime qu'elle n'est pas complètement tirée d'affaire et réserve son pronostic pour quelques jours encore.

Claudia lui adressa un sourire amical. Elle appréciait sa compassion, même si celle-ci était essentiellement dictée par son désir de résoudre l'enquête. Il se souciait sincèrement de l'état de santé de la victime. Il n'était pas encore blasé comme la plupart des policiers qui s'étaient blindés face à la souffrance et à la mort.

Son côté passionné la touchait. Mais Billy n'avait aucune raison d'en être jaloux…

D'ailleurs, il semblait plus calme avec Vale que lors de leur précédente entrevue. Peut-être la conversation qu'ils avaient eue tous les deux à son sujet l'avait-elle rassuré. Certains hommes étaient d'une jalousie maladive, mais pas Billy.

Raymond Bass, lui, avait été un jaloux pathologique. En apparence, il semblait accepter les aspirations professionnelles de Claudia et le fait qu'elle ait des amis hommes. Il passait son temps à répéter qu'hommes et femmes étaient égaux. Parce qu'il savait qu'elle attendait de lui ce discours. Mais, en réalité, il considérait les femmes comme des proies. Il les chassait avec son arc et les tuaient sans état d'âme.

Avec un frisson, elle s'obligea à refouler ses souvenirs douloureux. Billy n'était ni un tueur ni un manipulateur. Mais son expérience au sein de la brigade des stupéfiants lui avait appris à se comporter comme s'y attendaient ses interlocuteurs et il utilisait parfois cette capacité pour obtenir ce qu'il désirait dans son travail. Elle l'avait vu à l'œuvre avec Patty, la voisine de Theresa.

Il paraissait sincère avec elle, mais pouvait-elle prendre tout ce qu'il disait pour argent comptant ?

— Theresa est toujours en soins intensifs, expliqua Hudson. Les visites ne sont autorisées que dix minutes par heure.

— A-t-elle de la famille ou des amis qui aimeraient la voir ? demanda Claudia.

Elle se reprochait un peu de voler le temps imparti à des visites que Theresa aurait certainement préféré consacrer à ses proches.

— Son fils doit venir, mais il n'est pas encore là. Je n'ai pas dit grand-chose à Theresa, uniquement qu'elle avait été victime d'une agression sur laquelle nous enquêtions.

— Tant mieux, vous n'avez donc pas pu influencer ses souvenirs.

— Claudia, poursuivit Hudson, je veux que vous l'interrogiez en premier. Elle semble terrifiée et j'ai peur que, si elle voit Billy, elle ne dise rien.

— Hé, protesta Billy. Je ne suis peut-être pas un beau gosse comme toi, mais je ne fais pas peur aux enfants.

— Ce n'est pas ce qu'il voulait dire, assura Claudia. Mais tu peux être très intimidant quand tu interroges quelqu'un.

— Moi ?

Il n'était pas content, elle s'en serait doutée. Cette affaire était la sienne, son bébé. Il prenait les décisions, engageait les ressources, mettait en œuvre les moyens, surveillance, équipement, temps. C'était son travail.

Mais Hudson avait raison. Theresa se sentirait plus à l'aise avec une femme qu'avec un homme inconnu.

— D'accord, tu commences, déclara Billy. Mais, si après dix minutes tu n'as rien obtenu, tu me laisseras faire. Ses médecins ont donné leur accord ?

— Le Dr Kim souhaite que le salopard qui l'a agressée soit arrêté. Tant que nous respectons ses consignes et ne la mettons pas dans tous ses états, il est d'accord. Il m'a dit qu'elle parlait peu mais comprenait parfaitement ses interlocuteurs.

Ils durent encore patienter un moment dans le couloir. Quelques internes examinaient Theresa.

Claudia en profita pour se préparer à l'entretien. Tout dépendrait de l'état de Theresa. Puis elle réfléchit aux questions qu'elle poserait au père Benito. Que Billy soit d'accord ou non, elle avait bien l'intention de lui parler.

Après un moment, une infirmière vint leur annoncer qu'elle pouvait entrer dans la chambre. Claudia sourit à Billy et à Hudson.

L'état de Theresa Esteve l'impressionna. De nombreux tuyaux la reliaient à des machines qui s'assuraient que son cœur battait correctement, qu'elle respirait bien. Elle disparaissait littéralement sous le matériel médical.

Il n'y avait qu'un tabouret pour s'asseoir. Elle s'y installa et prit la main de Theresa.

Le visage tuméfié de la malheureuse, ses yeux creusés, sa respiration sifflante lui firent prendre conscience qu'elle avait eu de la chance, elle, de s'en tirer avec une foulure au poignet et un œil au beurre noir, après son agression dans son parking.

— Theresa ? Je m'appelle Claudia, commença-t-elle. Je sais que vous êtes très fatiguée mais, si vous comprenez ce que je vous dis, pouvez-vous serrer ma main ?

Elle n'obtint d'abord aucune réponse et elle craignit que la pauvre femme ne soit retombée dans l'inconscience. Mais, après un moment, Theresa étreignit faiblement sa main.

— Bien, bien. Merci d'avoir pressé ma main. Cela vous ennuie-t-il que j'enregistre notre conversation ? Serrez-moi la main si vous êtes d'accord.

Theresa serra.

— Merci.

Elle sortit son magnétophone et le posa sur le lit. Il était très sensible et enregistrait même les voix les plus basses.

— Vous êtes à l'hôpital, reprit-elle. Vous êtes blessée mais vous allez mieux et les médecins pensent que vous allez vous rétablir totalement. Comprenez-vous ce que je vous dis ?

De nouveau, elle lui pressa la main.

— Encore un « oui ». Bien. Des hommes se sont introduits chez vous et vous ont agressée. Vous souvenez-vous de ce qui s'est passé ?

Un autre signe.

— Encore un « oui ». Je travaille avec la police qui cherche à attraper ces bandits. Les connaissiez-vous ? Serrez ma main si vous les connaissiez.

Theresa ouvrit brièvement les yeux. Elle semblait terrifiée. Peut-être se souvenait-elle de l'agression ou peut-être avait-elle peur de dénoncer son assaillant.

Bêtement, elle avait espéré que Theresa lui donnerait simplement les noms. Mais il n'y eut pas de miracle.

— D'accord, vous n'avez pas serré ma main, vous ne connaissiez pas ces hommes. C'est formidable, Theresa, vous m'aidez beaucoup. Ces types cherchaient-ils quelque chose ?

Sans hésiter, Theresa lui serra fort la main. Elle semblait reprendre des forces. Peut-être était-elle réconfortée de savoir que la police cherchait à interpeller ses agresseurs.

— Encore un « oui ». Nous avançons, c'est bien !

Mais elle ne pouvait demander s'ils cherchaient les pièces d'or. Theresa risquait de répondre par l'affirmative pour lui faire plaisir ou simplement pour communiquer. Les patients essayaient toujours de la contenter. Elle le savait d'expérience.

— Savez-vous ce qu'ils cherchaient ?

Cette fois, Theresa ne serra pas sa main mais articula quelque chose comme si elle tentait de lui parler.

Elle se leva pour approcher son oreille de ses lèvres et apporta le magnétophone.

— Vous n'êtes pas obligée de le dire fort. Essayez.

Theresa balbutia des sons étouffés.

— 'genterie.

— Pouvez-vous recommencer ? J'ai entendu un « 'genterie ». Avez-vous voulu dire « argenterie » ?

Theresa lui serra la main.

— Vous dites « oui ». C'est bien.

Malgré ses démonstrations de satisfaction, elle se sentait perdue. L'agression n'était peut-être pas liée à Eduardo, finalement. C'était un retour à la case départ.

— Ont-ils pris votre argenterie ?

— Non, répondit distinctement Theresa. N'en avais pas.

Chaque mot lui demandait un effort infini.

— Vous n'aviez pas d'argenterie à leur donner, ils sont devenus furieux et vous ont frappée ? C'est ça ?

Elle ne lui serra pas la main.

Theresa devenait agitée. Son cœur s'emballait.

— Theresa, je vous en prie, détendez-vous. Quoi que vous vouliez me dire, je reviendrai jusqu'à ce que vous soyez parvenue à me le dire, d'accord ?

Ces mots parurent la rassurer.

— Or, dit-elle. Argent.

Ces mots pouvaient désigner les pièces d'or, mais aussi n'importe quel objet de valeur. Elle n'était pas vraiment plus avancée.

Finalement, Theresa prononça un nom.

— Eddy.

— Vous voulez dire « Eduardo », votre beau-frère ? cria-t-elle presque.

La main de Theresa tremblait dans la sienne.

— Que désirez-vous dire à propos d'Eddy ? N'ayez pas peur. Il ne peut pas vous faire de mal.

— *Fantasma. Espíritu. Muerto.*

Elle hésita à demander une traduction. Mais la conversation était enregistrée, Billy lui dirait ce que signifiaient ces paroles et elle n'avait pas beaucoup de temps.

— Tout va bien, Theresa. Vous n'avez rien à craindre ici.

Elle l'espérait, en tout cas.

— J'ai une autre question à vous poser. Avant que Mary-Francis, votre sœur, soit arrêtée, vous a-t-elle donné quelque chose ? Pour que vous le gardiez en sécurité ?

Theresa serra si fort sa main qu'elle en eut presque mal. Elle ouvrit les yeux, la bouche, mais aucun son ne sortit.

— De quoi s'agissait-il, Theresa ? Que vous a donné votre sœur ?

— *Tesoro español. Ocultado en la estatua.*

L'infirmière surgit alors.

— Vous devez la laisser se reposer, à présent. Vous n'auriez pas dû la pousser à parler.

— Je suis désolée, mais elle avait quelque chose d'important à me dire.

— Elle vous a dit quelque chose ?

Peut-être ignorait-elle que Theresa était sortie du coma.

— Dans deux langues différentes. Je crois que j'ai compris, Theresa, et je reviendrai vous parler. A plus tard.

*
* *

Billy et Hudson se précipitèrent vers elle dès qu'elle sortit de la chambre.

— T'a-t-elle dit quelque chose ?

— Oui, mais surtout en espagnol et je ne le comprends pas bien.

— Je vais traduire.

Comme ils étaient seuls dans la salle d'attente, ils écoutèrent l'enregistrement. Tous trois s'assirent autour de l'appareil, l'oreille tendue.

— Bon sang, grommela Hudson quand elle fit allusion à Eddy.

— Attendez, il y a mieux.

Billy écouta et traduit rapidement.

— « Fantôme, esprit, mort. »

Puis, comme l'enregistrement continuait, il se tourna vers Claudia et cria :

— Tu as réussi, *Cielito*, tu as réussi !

— Qu'a-t-elle dit ?

— « Le trésor espagnol caché dans la statue. » Tu avais raison depuis le départ. Mary-Francis avait caché les pièces dans la statue et quelqu'un l'a prise.

— Et surtout, intervint Hudson, elle a identifié Eduardo. Comme il est censé être mort, elle l'a pris pour un fantôme, mais elle l'a reconnu comme un de ses agresseurs.

— Et il cherchait le trésor, reprit Billy. Comme Angie a retourné toute la maison sans parvenir à mettre la main sur ces pièces, il a dû penser que sa femme les avait confiées à sa sœur pour les mettre en sécurité.

— Theresa savait où elles étaient, murmura Claudia. Mais elle ne l'a pas dit. Même lorsqu'ils l'ont frappée à mort. Elle est très courageuse. Malheureusement, tant que ces pièces n'ont pas été retrouvées, elle est en danger.

13

— L'affaire est-elle donc réglée ? demanda Claudia tandis qu'elle sortait de l'hôpital avec Billy. Je veux dire, une fois que le procureur Fitz sera rentré de sa croisière, Theresa sera sans doute assez rétablie pour lui dire elle-même…

Il secoua la tête.

— Le problème reste le même. Le procureur prétendra que Theresa dit tout et son contraire pour sauver sa sœur. Si elle déclare avoir vu le fantôme d'Eduardo, elle ne le convaincra pas.

— Et le père Benito, lui rappela-t-elle.

— As-tu vraiment envie d'ennuyer ce malheureux prêtre ?

— J'aimerais juste lui parler.

— Même s'il sait quelque chose à propos de ces pièces, cela ne nous aidera pas à innocenter Mary-Francis.

— Mais si ! protesta-t-elle. Eduardo veut récupérer ces pièces, à tout prix. Si nous les retrouvons avant lui, nous parviendrons à le coincer. Et à libérer ainsi Mary-Francis.

Il poussa un gros soupir.

— Si nous allons voir le prêtre, me promets-tu de rester ensuite tranquille chez moi afin que je puisse travailler sans avoir à m'inquiéter de toi ?

Son côté directif l'agaçait, mais il ne céderait pas sur ce point. C'était clair !

— D'accord, Billy. D'accord…

Il parut se détendre un peu en s'installant au volant.

— Cette affaire est complexe et une intervention divine ne serait pas du luxe. Nous profiterons de notre passage dans l'église pour allumer un cierge et prier le saint patron de l'ADN de nous donner un coup de main.

— Il y a un patron de l'ADN ? Tu plaisantes, non ?

Il se mit à rire.

— A moitié seulement. Les filles avec qui j'étais au collège prétendaient qu'il y avait un saint pour tout.

— Nous, nous avons le patron des scientifiques, saint Albert le Grand. Il doit aussi être chargé de l'ADN ! Et il y a également le père Raymond Nonnatus, le patron des accusés à tort.

— Nous avons besoin de toute l'aide que nous pouvons trouver, dit-il avec un soupir.

L'église Notre-Dame était un petit bâtiment en brique, érigé dans un quartier pauvre de la ville. Elle avait bien une centaine d'années.

Claudia la contempla avec intérêt. Il ne restait que quelques vitraux d'origine et ils étaient protégés par des grilles. Quant au toit, il semblait sur le point de s'écrouler.

— Je ne connaissais même pas l'existence de cette église, dit-elle, tandis que Billy glissait des pièces dans le parcmètre.

— Moi si, lui répondit-il. Au lycée, j'y venais souvent prier avec ma classe. Je me souviens encore de la religieuse qui nous accompagnait chaque semaine à l'office.

— Comment penses-tu que nous devons aborder le père Benito ? demanda-t-elle.

Il haussa les épaules.

— C'était ton idée.

— Cela t'ennuie vraiment d'interroger un prêtre ?

— A vrai dire, douze ans dans des écoles catholiques m'ont marqué.

— Cette expérience t'a-t-elle été positive ? Tu avais de bonnes relations avec les religieuses et les prêtres ?

— Bien sûr. Mis à part une des sœurs qui ne cessait de m'ennuyer — elle avait le côté général en chef de Céleste —, je leur dois ce que je suis. Ils m'ont donné des limites. Sans eux, je serais en prison.

Il lui jeta un œil et ajouta :

— A voir ton expression, tu as eu une expérience moins positive avec la religion.

— Les curés passaient leur vie à me raconter que je finirais en enfer parce que je n'étais pas baptisée et que je n'allais pas à la messe. Un jour, une fille m'a baptisée de force, mais je n'ai pas eu l'impression d'être sauvée.

— Tu as dû être terrifiée. Heureusement, tous les catholiques ne sont pas comme ça.

— Je sais, je ne t'imagine pas forcer quelqu'un à se faire baptiser.

— Non. J'étais plutôt du genre à voler le vin de messe dans l'espoir de m'enivrer. Mais, en réalité, c'était du jus de raisin !

— Je m'apprêtais à te demander de défendre ma cause au moment du Jugement dernier mais, apparemment, tu auras déjà fort à faire pour éviter de finir en enfer.

Billy ne sourit pas. Ses fautes pesaient lourdement sur sa conscience. Il revit Sheila, pleine de vie, un sourire chaleureux sur les lèvres, avant de se remémorer son corps inanimé après la fusillade.

— Pardonne-moi, j'ai eu tort de dire ça, reprit Claudia. Je ne veux pas me moquer de ta foi. Je suis sûre que saint Pierre t'ouvrira en grand les portes du paradis.

— J'en doute, répondit-il en retirant son Stetson pour entrer dans l'église.

Une agréable fraîcheur régnait à l'intérieur.

Le sol de marbre était propre, les boiseries bien cirées. L'odeur de l'encens, la vue des cierges et des vieux livres de chants plongèrent Billy dans ses souvenirs. Il se revit dans d'autres églises, à d'autres époques.

Porté par une vague de nostalgie, il s'approcha des cierges, en acheta un et l'alluma avant de prier pour Sheila.

Il avait pris l'habitude de le faire chaque semaine, mais il n'était pas revenu se recueillir depuis longtemps. Il s'agenouilla et récita une prière pour sa coéquipière, son amante. Il implora Dieu pour son salut, mais elle était déjà certainement au paradis, là où allaient les âmes droites.

Après un moment, il se tourna vers Claudia. Elle le regardait. Pas de la façon respectueuse que la plupart des gens adoptent face aux rituels catholiques qu'ils ne pratiquent pas… Mais comme un sujet d'étude scientifique !

Elle tentait toujours de le déchiffrer, d'extirper les secrets qui le tourmentaient. C'était un peu pénible, à force.

Ils étaient seuls dans l'église, mais il y avait certainement quelqu'un qui surveillait les lieux. Dans cette partie de la ville, les voleurs étaient légion et de nombreux objets de culte étaient revendus à des antiquaires.

Comme il se relevait après s'être signé, le père Benito apparut. Il le reconnut pour l'avoir vu sur la vidéo tournée par Claudia. Il était en soutane. A sa ceinture étaient accrochées plusieurs clés.

— Bonjour, leur dit-il avec un sourire chaleureux. Je suis le père Benito et je vous souhaite la bienvenue dans cette église. Aimeriez-vous la visiter ? Cela ne prendra pas longtemps.

Il avait un léger accent espagnol que de nombreuses années aux Etats-Unis avaient rendu presque imperceptible.

Billy s'avança vers lui, la main tendue.

— Bonjour, mon Père. Je suis Billy Cantu et voici mon assistante, Claudia Ellison. J'aimerais en effet en savoir plus sur votre église.

Le prêtre les regarda avec attention.

— Mais vous n'êtes pas des touristes.

Claudia hésita un instant avant de lui répondre.

— C'est vrai. En fait, nous aimerions vous parler d'une de vos paroissiennes, Mary-Francis Torres.

Le visage du prêtre s'assombrit aussitôt.

— Mary-Francis, oui. Cette affaire est très triste. Elle n'est plus ma paroissienne d'ailleurs. Les gens ont déserté cette petite église depuis longtemps, lui préférant des bâtiments plus grands, plus récents. Le diocèse la conserve à cause de son histoire, même si j'y dis la messe de temps en temps et y administre des sacrements. Les mariages, par exemple.

— Mais vous êtes un ami de la famille Torres, reprit Claudia. Vous avez célébré une messe à la mémoire d'Eduardo.

— Je connais cette famille depuis de nombreuses années, en effet. Mary-Francis et sa sœur sont originaires du même village que moi au Mexique, Rio Verde.

La porte s'ouvrit et une vieille religieuse en habit entra, s'appuyant lourdement sur sa canne. Le prêtre la salua d'un mouvement de tête et elle lui rendit son salut avant de s'agenouiller.

— Sœur Marguerite, murmura-t-il. Elle vient chaque jour prier, mais elle ne dit pas grand-chose.

Il reprit un ton normal pour poursuivre.

— Peut-être vaut-il mieux discuter dans la sacristie ? Nous y serons plus tranquilles.

Billy tiqua. Il aurait préféré l'interroger dans l'église. Un prêtre aurait sans doute plus de mal à mentir dans un lieu si rempli de la présence de Dieu. Mais Claudia avait déjà accepté et, bientôt, tous trois s'installèrent dans une petite pièce remplie de vêtements liturgiques et d'objets religieux ainsi que d'un bureau et d'un ordinateur.

Le père Benito les invita à s'asseoir.

— Puis-je vous offrir un verre d'eau fraîche ? C'est malheureusement tout ce que je peux vous proposer.

— Non, merci, dit Billy. Nous avons quelques questions à vous poser avant de débarrasser le plancher.

— Etes-vous de la police ? s'enquit-il avec curiosité.

— Je suis le conseil de Mary-Francis, répondit Claudia. Nous sommes venus vous trouver à sa demande. Il y a beaucoup de choses qu'elle aimerait régler avant son exécution.

Le prêtre pencha la tête.

— Oui, bien sûr.

Il ne demanda pas à Billy de se présenter. Apparemment, la réponse de Claudia lui suffisait.

Tant mieux, songea celui-ci. Ça lui facilitait la tâche. Et puis Claudia avait si bien su justifier leur présence, en ne mentant qu'à moitié. Mieux valait qu'il la laisse prendre la direction de l'entretien.

— Nous croyons Mary-Francis innocente, poursuivit-elle en mettant directement les pieds dans le plat.

Le regard du prêtre s'éclaira.

— Moi aussi ! Je la connais depuis l'enfance. Même si elle n'est pas parfaite, je la sais incapable de prendre volontairement la vie de quelqu'un.

— Même celle d'un mari violent ? s'enquit Billy.

— Il régnait beaucoup de violence chez les Torres, en effet.

— Et vous conseilliez à Mary-Francis de… la supporter ?

De rester fidèle à son engagement conjugal ? De prier ? demanda Claudia.

Le père Benito eut l'air horrifié.

— Non, bien sûr que non. A d'autres époques, un prêtre aurait peut-être réagi ainsi, mais les temps ont changé, les mentalités ont évolué. Mes échanges avec Mary-Francis entrent dans le champ du secret de la confession et je ne vous en dirai rien, mais je peux vous assurer que je ne lui ai pas demandé de rester auprès d'un homme qui ne songeait qu'à lui faire du mal.

— Bien sûr, j'en suis certaine.

Le prêtre se tourna vers elle comme si Billy n'était pas là. Il joua avec ses mains.

— Je peux vous dire ce que je conseille en général à une épouse dans une situation similaire. Je l'encourage d'abord à se protéger et à protéger ses enfants. Puis à solliciter une annulation du mariage.

— Mais elle devra malgré tout demander le divorce, remarqua Billy.

— C'est vrai, répondit-il sèchement avant de sourire à Claudia. Je pense que Mary-Francis a annoncé à son mari — un homme brutal, odieux — son désir de divorcer et qu'il ne l'a pas bien pris. En voulant se défendre, elle l'a tué accidentellement et a ensuite fait disparaître le corps parce qu'elle avait peur des conséquences.

— Vous a-t-elle raconté ce qui s'était passé ? demanda Claudia.

Billy soupira. Le prêtre ne pouvait répondre à cette question.

Le père Benito secoua en effet la tête.

— Si elle me l'avait dit, je serais tenu par…

— Le secret de la confession, on sait, dit Billy.

Claudia lui jeta un regard d'avertissement.

Il la contempla. Elle avait les yeux d'une lionne repérant une proie.

— Mon père, seriez-vous étonné si je vous disais que je crois qu'Eduardo est vivant ?

Le père Benito parut perdu.

— Mais le sang…

— Les analyses sanguines ne sont pas fiables, répondit-elle sans entrer dans les détails. Nous avons de bonnes raisons de penser que, si Eduardo a été assassiné, cela n'a pas été de la façon que la police le croit.

Après y avoir réfléchi un moment, le prêtre sourit.

— Je suis un simple, un modeste homme d'Eglise.

Claudia lui sourit. Sa façon de se présenter était presque drôle tant elle faisait cliché et sans doute le souhaitait-il, songea-t-elle.

— Je ne prétends pas comprendre les subtilités de cette affaire, reprit-il, mais je suis d'accord pour faire tout ce qui est en mon pouvoir pour aider Mary-Francis. Mais dites-moi quel rapport il y a entre cette affaire et moi ?

— Nous espérions que vous connaissiez assez cette famille pour nous donner des pistes. Sans violer le secret de la confession, bien sûr. Mais vous devez être au courant de certaines choses, non en tant que prêtre mais comme tous ceux qui les côtoyaient. Par exemple, la fille de Mary-Francis, Angie…

— Angie est… Je ne prétends pas tout savoir de ses relations avec sa mère, mais elle refuse d'aller à la messe depuis le plus jeune âge, elle s'est détournée de Dieu dès l'enfance. J'ai peu de contacts avec elle. Après la mort d'Eduardo, si Mary-Francis a eu besoin de mon soutien, Angie m'a envoyé promener. Elle ne s'est même pas rendue à la messe pour son père.

— Et la sœur de Mary-Francis, Theresa ? Vous êtes proche d'elle, non ?

Il sourit tristement.

— Theresa est une femme adorable. Je prie chaque jour pour elle, pour son rétablissement. Et, même si je ne suis pas animé par un esprit de vengeance, j'espère que la police rattrapera les hommes effroyables qui s'en sont pris à elle.

— *Les* hommes ? répéta Billy. Vous pensez qu'ils étaient plusieurs ?

Comment savait-il que les assaillants étaient deux ? Ce détail n'avait pas été rapporté aux médias, songea Billy.

Le prêtre haussa les épaules.

— Je vis et je travaille dans ce quartier et je suis malheureusement au courant de la violence qui y règne. Il est rare qu'un cambriolage soit le fait d'une seule personne. Il s'agit souvent de gangs. Un homme pourrait sans doute avoir le dessus avec une femme seule et sans défense, mais ces types ne veulent pas courir le moindre risque. Ils sont lâches et attaquent à plusieurs.

Les statistiques confortaient sa thèse, pensa Billy.

— Une dernière question, mon père, dit Claudia. Mary-Francis et Eduardo avaient une collection de pièces d'or qui avait sans doute de la valeur. Dans la confusion de la disparition d'Eduardo et de l'arrestation de sa femme, les pièces se sont volatilisées. Par hasard, sauriez-vous ce qu'elles sont devenues ?

— Je ne peux rien vous dire à ce sujet.

Il avait parlé trop vite, songea Claudia.

— Ecoutez, mon père, je sais que vous n'avez pas le droit de trahir des confidences, mais la vie de Mary-Francis est en jeu. Theresa a déjà été victime d'une terrible agression sans doute perpétrée par Eduardo et ses amis qui cherchaient ces pièces. S'il les trouve, il disparaîtra pour toujours et Mary-Francis sera exécutée. Alors, si quelque chose, même un détail, qui…

Il croisa les bras.

— Je ne peux pas vous aider. Je prierai pour que vous les retrouviez. Je vous conseille d'allumer un cierge pour saint Antoine — le patron des objets perdus — qui peut sans doute intercéder en votre faveur.

Billy eut un mouvement de recul. La réponse du père Benito le choquait. C'était évidemment un mensonge. Peut-être le père ne voulait-il pas être mis sous pression ou peut-être protégeait-il quelqu'un. En tout cas, c'était le moment de sortir leur dernière carte.

— Nous le ferons, mon père, reprit-il. Mais une femme a déjà été gravement blessée, Claudia a elle-même été attaquée. Nous avons des raisons de penser que ceux qui s'en sont pris à Theresa n'ont pas trouvé ce qu'ils étaient venus chercher chez elle. Rien ne les arrêtera. Songez à ceux qui sont sur la liste. Angie ? De nouveau Theresa ? Ou vous peut-être ?

— Je ne crains pas les malfaiteurs sans foi ni loi, répliqua fermement le prêtre. Je n'ai pas peur non plus de mourir, tant que j'ai la conscience tranquille. Et vous ?

— Je crois que nous en avons terminé, dit Claudia en se levant. Merci de nous avoir reçus, mon père.

*
* *

Une fois sortis de la sacristie, elle murmura :

— Et moi qui pensais que tu voulais y aller mollo avec le prêtre.

— Je l'ai ménagé… jusqu'au moment où j'ai compris qu'il mentait.

— Je le crois aussi. Allons-y.

— Pas de cierge pour saint Antoine ?

Il ne plaisantait qu'à moitié. Combien de fois, enfant, avait-il prié le saint patron ?

— Oh non, Billy ! Cet endroit me donne la chair de poule. Et puis comment le prêtre savait-il que nous étions là ? Nous n'avons pas fait de bruit en entrant. Il doit y avoir une caméra cachée dans l'église.

Il haussa les épaules et s'arrêta pour admirer la nef. Partout se trouvaient des niches avec des statues dont une représentant la Vierge Marie.

— Regarde, Claudia, dit-il en s'approchant.

Des cierges entouraient la Vierge.

— Elle ressemble beaucoup à celle que nous avons vue sur la vidéo, remarqua Claudia. Mais toutes se ressemblent, non ?

Billy examina la statue.

— Pas tout à fait, répondit-il en lui montrant la manche de la Vierge.

Elle avait été cassée et grossièrement réparée.

Il n'avait pas sur lui le morceau trouvé chez Theresa, mais la couleur de la céramique était la même.

14

— Je partage l'avis de Billy, dit Daniel. Nous ne pouvons pas aller accuser un prêtre d'avoir volé les pièces d'or d'une de ses paroissiennes. Surtout lorsqu'il a la réputation dont jouit le père Benito. En plus, il est évident que découvrir l'auteur d'un cambriolage ne prouvera pas l'innocence de Mary-Francis.

Ils étaient tous réunis dans la salle de conférences de Project Justice, Billy, Claudia, Raleigh, Beth et Mitch avec Daniel présent via un écran de vidéo.

Billy avait eu envie de reconduire Claudia chez lui et qu'elle y reste, mais il avait finalement préféré faire le point de l'enquête avec ses collègues pour solliciter leur opinion. De toute façon, aucun bandit ne tenterait quoi que ce soit dans ce bâtiment où travaillaient tant d'anciens policiers.

Il bougonna intérieurement. Cette affaire était devenue un amas de pistes qui ne menaient nulle part. Ils devaient très certainement concentrer leurs efforts sur Eduardo et non sur une statue remplie de pièces d'or. Mais Claudia n'avait pas tort en disant qu'Eduardo devait lui aussi chercher le trésor. Les deux pistes se rejoignaient…

Les indices étaient posés sur la table pour que tout le monde puisse les voir. Le morceau de céramique, la caméra vidéo et la photo que Billy avait prise de la statue de l'église.

— Elle ressemble quand même beaucoup à celle qui a disparu chez Theresa, dit Claudia.

— Mais cela ne signifie pas qu'il s'agit de la même, répliqua Beth. C'est un modèle très courant qui se trouve partout au Mexique et dans tous les Etats du sud du pays, au Texas et ailleurs. J'ai effectué des recherches sur internet. En les étudiant l'une et l'autre, je pourrai, en revanche, dire si le morceau de porcelaine provient ou non de la statue actuellement dans l'église Notre-Dame.

— Même si tu peux prouver qu'il vient bien de la statue, en quoi cela nous avancera-t-il ? demanda Billy. Nous apprendrons qu'un prêtre est capable de voler.

— Mais pourquoi l'aurait-il volée ? demanda Claudia. La statue elle-même n'a aucune valeur. Et sa réaction quand nous l'avons interrogé sur ces pièces prouvait qu'il mentait.

— Vous croyez que le bon père Benito est de mèche avec Eduardo ? intervint Daniel. Un prêtre associé à un bandit ?

— Ce ne serait pas une première, répliqua Claudia.

— Malheureusement, nous ne pouvons pas le convoquer pour un interrogatoire en règle. Nous ne faisons pas partie de la police, répondit Billy.

— Pourquoi ne pas impliquer la police, justement ? demanda Claudia.

— Pour cela, il faudrait que nous le soupçonnions d'un crime, dit Daniel. Or, personne n'a signalé le vol d'une statue et, comme elle se trouvait toujours chez Theresa après son agression, les deux événements ne peuvent être liés.

— Alors, on abandonne ? s'exclama Claudia

— Non, non, la coupa Daniel. Il y a peut-être encore une ou deux pistes à explorer. Billy, demandez à quelqu'un de suivre Angie. Si elle est au courant de l'existence de ce trésor, elle est forcément en contact avec son père. Et faites aussi surveiller le prêtre.

— D'accord, lui répondit Billy. Autre chose ?

— Oui, emmenez Beth à l'église. Occupez le prêtre sous un prétexte quelconque pendant qu'elle comparera le morceau de porcelaine retrouvé chez Theresa et la statue de la Vierge.

— J'aurai également besoin de prendre un bout microscopique de cette dernière, dit Beth. Pour affiner la comparaison.

— Voilà pourquoi Billy devra détourner l'attention du prêtre. Une fois que nous aurons la certitude que cette statue a été volée chez Theresa, nous pourrons aller plus loin.

Billy consulta sa montre.

— L'église est fermée à cette heure-ci.

— Vous irez demain matin alors.

— Et moi ? demanda Claudia.

Tous les autres avaient apparemment quelque chose à faire.

— Que diriez-vous d'organiser une réception pour moi ? J'ai invité deux cents personnes pour l'*Independence Day*, demain.

— Organiser une réception ne fait pas partie de mes compétences et vous le savez, Daniel. Vous essayez juste de me tenir à distance de l'enquête.

— Je veux vous protéger, rectifia-t-il. Et puis ce serait un peu tard pour lancer les invitations, non ? Restez chez Billy ou chez moi. De toute façon, vous êtes tous invités à cette fête. Elena, mon adjointe, s'est donné du mal pour que cette journée soit inoubliable.

Billy planta ses yeux dans ceux de Claudia.

— A toi de choisir. Tu vas chez moi ou chez Daniel. Tu m'avais promis de rester tranquille si nous allions voir le prêtre.

— C'est vrai, je m'y étais engagée.

Elle hésita à revenir sur sa parole. L'association retravaillerait-elle avec elle si elle n'était pas fiable ?

Après la réunion, elle suivit Billy dans son bureau.

— J'ai quelques coups de fil à passer pour mettre sur pied la surveillance de mon appartement.

— Bien, pas de problème, répondit-elle.

Elle tentait de mettre en place les morceaux du puzzle. Elle devinait qu'ils n'étaient pas loin de parvenir au but. Ces pièces, ces stupides pièces. Où pouvaient-elles…

Soudain, une boule de poils fonça sur elle. Avec un cri, elle se plaqua contre le mur pour l'éviter. L'animal se rua dans le couloir, glissant sur le sol marbré. Il lui fallut un instant pour comprendre qu'il s'agissait de Buster, le pécari de Céleste.

Un instant plus tard, cette dernière surgit. Vêtue d'une robe patchwork et juchée sur des talons hauts, elle demanda :

— Par où est-il parti ?

Claudia et Billy lui montrèrent la direction empruntée par le pécari et elle partit en courant.

— Depuis tout ce temps, il traîne toujours dans les bureaux ? demanda Claudia avec étonnement.

— Apparemment, oui. Il fait beaucoup de dégâts.

— Et il a dû laisser des crottes dans la salle de conférences. J'y ai senti une odeur désagréable.

Par téléphone, Billy organisa la surveillance d'Angie et du père Benito comme Daniel l'avait suggéré. Project Justice comptait de nombreux policiers confirmés, très heureux de travailler pendant leur temps libre pour arrondir leurs fins de mois.

Il voulait continuer à creuser. Il y avait encore des pistes à suivre, des coups de fil à passer, des endroits à ratisser. Mais il voyait aussi la fatigue dans les yeux de Claudia. Il était temps qu'elle se repose. Aussi lui proposa-t-il de la raccompagner chez lui.

En route, il s'arrêta chez un marchand de plats à emporter et prit presque tout ce qu'il proposait.

— Mais nous mangerons jamais tout ça, dit-elle comme il revenait chargé d'un énorme paquet.

— Nous garderons le reste pour les jours à venir.

— En tout cas, cela sent bon. Billy, tiens-tu vraiment à ce que je reste chez toi ?

— Je t'attacherai s'il le faut. Je serai incapable de réfléchir et encore moins de travailler si je m'inquiète, si j'imagine en permanence que quelqu'un cherche à te tirer dessus à travers les baies vitrées de ton appartement. Même là, nous sommes à découvert et je ne me sens pas tranquille.

— Tu ne peux pas me contraindre, je ne le supporte pas.

Il serra les mâchoires et ne répondit pas tout de suite, se focalisant sur la circulation.

— D'accord, dit-il avec une profonde inspiration. Tu as raison. Mais l'éventualité qu'il t'arrive quelque chose… Tu pourrais être n'importe qui, je m'inquiéterais tout autant. Je suis un homme, toi, une femme, et je suis censé te protéger. C'est dans mes gènes.

— En fait, aucune preuve scientifique ne vient…

— Ne commence pas. Tu sais très bien ce que je veux dire. Je suis programmé ainsi.

— Je refuse d'être considérée comme une faible femme.

— Tu n'es pas faible. Crois-moi, je ne t'ai jamais considérée comme telle. Mais tu n'as pas été entraînée à te défendre. Et, même si tu étais Terminator, je continuerais à craindre que…

— Qu'allais-tu dire ? Tu n'as pas à te censurer devant moi.

— Je ne me censure pas. Mais il y a des choses que je ne peux pas, que je ne veux pas…

Il s'interrompit de nouveau et elle poussa un soupir frustré.

— Pourquoi refuses-tu de te confier à moi, Billy ? Nous avons passé du temps ensemble ces derniers jours, tu me connais plutôt bien, maintenant. N'as-tu pas confiance en moi ?

— Mais si, bien sûr, j'ai confiance en toi.

— Alors pourquoi…

— Il y a des choses sur moi que je n'ai pas envie que tu saches. Est-ce trop difficile à comprendre ?

— Franchement, oui.

Depuis l'enfance, elle avait une bonne écoute, une profonde connaissance de la nature humaine qui la rendait compréhensive et bienveillante. Cela lui permettait de venir en aide aux gens, en particulier ceux qui avaient de graves problèmes. Elle était facile d'approche.

Pourtant elle n'avait jamais eu beaucoup d'amis ni d'amoureux. C'était un choix de sa part. Elle ne s'ouvrait pas elle-même assez pour permettre aux autres de nouer des liens étroits avec elle.

Avec Billy, elle s'était ouverte. Elle lui avait confié des secrets qu'elle n'avait encore révélés à personne d'autre, des secrets qui pourraient lui nuire s'il les divulguait. Elle ne lui aurait pas raconté ces secrets si elle n'avait pas eu totalement confiance en lui. Le fait qu'il ne fasse pas la même chose, qu'il ne partage pas son passé avec elle, la blessait.

Elle se tourna vers lui. Il serrait si fort son volant que les jointures de ses doigts en blanchirent.

— Je ne veux pas te perturber, d'accord ? Il y a des choses sur moi qu'il vaut mieux que tu ignores. Je t'en donne ma parole.

D'accord, songea-t-elle. Elle avait retourné ses explications des heures et des heures dans sa tête. Il l'appréciait, mais pas au point de vouloir lui dire certaines choses. Il craignait qu'elle en soit malade. OK !

Mais il y avait tout de même une petite lueur d'espoir. Si elle se montrait patiente, si elle lui donnait du temps, de l'espace, il se rendrait compte qu'il y avait très peu de choses qu'elle ne pourrait supporter. Qu'il soit un tueur à la tronçonneuse, par exemple. Mais ses secrets n'avaient certainement pas cette gravité.

— Je peux le comprendre, Billy.

Il lui jeta un regard de biais.

— Vraiment ?

— Pour plein de raisons, je ne sais pas toujours nouer des relations humaines valables. Je peux aider les gens dans ce domaine, mais ma propre vie amoureuse et amicale n'est pas une réussite.

Il hocha la tête.

— La question est réglée, alors.

Ah bon ? Avait-elle accepté quelque chose ? Allaient-ils redevenir des amis qui coucheraient ensemble à l'occasion ? Elle devait en décider très vite parce qu'ils étaient arrivés dans le parking de son immeuble.

Dix minutes plus tard, elle s'assit face à lui dans la cuisine, une bouteille de sauvignon et les plats cuisinés entre eux. Il préférait la bière au vin. Elle apprécia donc qu'il fasse l'effort de la satisfaire. Mais était-il très sage de boire dans son état ? Après une journée aussi stressante ? Oh ! après tout, elle avait peut-être justement besoin d'un bon verre pour se détendre.

— Santé ! lança-t-elle en dégustant le sauvignon.

— A notre enquête, répondit-il en souriant.

Désarçonnée par le nombre de plats devant elle, elle ne savait par quoi commencer. Les sushis ? Les nems ? Les carrés de fromages ? De fruits ?

— Je ne comprends pas pourquoi je ne suis jamais allée chez ce traiteur. Tout a l'air délicieux.

— Je passe devant tous les jours en me rendant au bureau. J'ai essayé un jour où je voulais changer des hamburgers et j'ai été conquis.

— Je crois que je ne cuisinerai plus jamais, dit-elle en fermant les yeux pour mieux savourer son repas.

Elle dégusta chaque bouchée. Son agression dans le parking l'avait peut-être profondément ébranlée mais, depuis sa sortie de l'hôpital, elle avait plus d'appétit. D'ailleurs, tous ses sens semblaient exacerbés. Les couleurs lui paraissaient plus vives, la musique plus subtile et les saveurs plus fines.

A moins qu'il ne s'agisse d'un effet des endomorphines. Elle avait assez étudié le phénomène de l' « amour » pour savoir que les neurotransmetteurs qui traversaient le sang d'une personne attirée par quelqu'un risquaient d'altérer son jugement.

Elle n'aurait jamais pensé devenir la proie de ce que la plupart des gens appellent l'amour. Etait-ce le cas d'ailleurs ? Elle n'en était pas sûre. Mais, depuis qu'elle avait rencontré Billy, quelque chose la rendait différente.

Ils mirent ce qui restait dans des Tupperware et ceux-ci au réfrigérateur.

Elle regarda autour d'elle. La pièce avait été rangée et impeccablement nettoyée.

— Ta femme de ménage est une vraie fée du logis, Billy.

— En effet, elle est très efficace. C'est la première fois de ma vie que quelqu'un fait le ménage chez moi. Mais cela fait partie de la location.

— Tu as de la chance.

Elle avait tout à fait les moyens de s'offrir les services d'une femme de ménage, mais elle renâclait à cette dépense qui lui semblait inutile.

Comme elle s'approchait de l'évier pour s'emparer de l'éponge et faire la vaisselle, Billy la lui prit de mains.

— Tu es mon invitée, tu n'as pas à tout ranger.

Il était presque contre elle.

Elle sentit la chaleur qui irradiait de son corps et elle lutta contre le désir de se coller à lui et de s'abandonner à son étreinte.

Il ne fit pas un geste pour s'approcher un peu plus. Attendait-il qu'elle fasse le premier pas ?

Elle le désirait. Qu'il la touche, la caresse, lui fasse l'amour ! Qu'il colle son corps contre le sien, sa peau contre la sienne ! Qu'elle le sente en elle ! Sur le lit, sur le canapé et pourquoi pas…

— Fais-le, murmura-t-elle. Ici !

— Faire quoi ? demanda-t-il d'un air innocent.

Devait-elle vraiment lui faire un dessin ?

— Touche-moi. Prends-moi !

— En as-tu envie ?

— Te demanderais-je si je n'en avais pas envie ?

Il l'embrassa dans le cou.

— J'ai besoin de prendre une douche. Tu viens avec moi ?

Elle se mit à trembler et s'adossa contre le mur pour ne pas risquer de s'effondrer. Allait-elle faire ça ?

Billy s'était écarté d'elle et quitta la cuisine.

Il la laissait donc prendre sa décision toute seule. Elle voyait clair dans son jeu. Il ne voulait pas qu'elle puisse dire plus tard qu'il l'avait séduite ou avait profité d'un moment de faiblesse. S'ils recouchaient ensemble, ce serait un choix conscient de sa part. Si elle le suivait dans la salle de bains, se déshabillait et le rejoignait sous le jet de la douche, cela signifiait qu'elle était pleinement consentante pour coucher avec lui et peut-être plus.

Eh bien, oui ! Elle était pleinement consentante ! Elle le voulait et elle l'aurait... Et, même si cela s'avérait ensuite être une erreur, elle n'en mourrait pas. Elle serait peut-être heureuse, au moins pour un moment, du plaisir qu'il allait lui donner. Et dans le pire des cas, si cela se passait mal, elle en apprendrait quelque chose sur elle-même. L'expérience l'aiderait à mieux comprendre les comportements irrationnels adoptés par certains de ses patients au nom de... l'amour ?

Tout en se dirigeant vers la salle d'eau, elle commença à se déshabiller, à retirer ses chaussures.

Quand elle y entra, elle était nue.

Lui était déjà sous la douche et, une fois de plus, elle admira son corps parfait, musclé, bronzé. Elle sentit sa gorge se serrer.

Comment avait-elle pu hésiter ne serait-ce qu'un instant ?

15

Le visage sous le jet d'eau chaude, Billy perçut du coin de l'œil un mouvement dans la salle de bains. Un instant, ses vieux réflexes le reprirent et il chercha d'instinct un revolver qui n'était pas là. Puis un indicible désir le traversa.

Claudia était à quelques pas de lui, nue et si belle…

Il lui ouvrit la paroi vitrée pour l'inviter à le rejoindre.

Une fois avec elle à l'intérieur, il eut l'impression d'être dans un monde clos où rien ne pouvait les atteindre, ni doutes, ni dangers, ni tristes souvenirs, ni culpabilité. Il n'y avait qu'elle, plus désirable que jamais.

Comme elle nouait les bras à son cou, il comprit soudain pourquoi elle lui semblait si magnifique.

Ses yeux étaient remplis d'amour ou, en tout cas, de quelque chose qui lui semblait être de l'amour. Pour la première fois depuis qu'il la connaissait, elle avait baissé la garde et même son œil au beurre noir ne pouvait altérer sa beauté.

Il l'embrassa avec passion et l'attira sous le jet. Attrapant le savon, il se mit à la caresser en commençant par le dos avant de s'aventurer sur son cou, puis ses hanches. Il la massa fermement. Il veilla bien à adoucir ses gestes chaque fois qu'il touchait un bleu ou une plaie, s'efforçant de ne pas penser au salopard qui lui avait fait ça.

Plus tard, il la vengerait. Mais, là, il ne voulait penser qu'à elle et à l'instant présent.

Elle le surprit en s'emparant à son tour du savon pour couvrir son corps de mousse. Ils restèrent un bon moment à se savonner mutuellement au milieu des bulles.

— Tu aimerais que je te lave les cheveux ? demanda-t-il.

— Tu ferais ça pour moi ?

— Je ferais tout ce que tu veux, *mi amor*.

Il lui frotta doucement le cuir chevelu puis s'attaqua à sa nuque ankylosée. Mais jouer les coiffeurs à domicile le frustrait. Il se mit à lui pétrir les seins avec douceur, heureux de les voir se dresser sous ses caresses.

Elle prit sa main et la glissa entre ses cuisses. Les doigts pleins de savon, il s'approcha de sa grotte secrète, excitant son bouton de rose, la faisant se liquéfier.

Les yeux dans les siens, il vit le plaisir qu'elle éprouvait. Elle était plus belle encore. Il aurait pu la saisir contre le mur carrelé. Le désir cisaillait ses reins. Mais elle avait été blessée, il aurait pu lui faire mal. Et puis, il n'avait pas envie d'aller vite. Il voulait prendre son temps. Coupant l'eau, il sortit de la cabine et l'enveloppa dans une serviette-éponge, essuyant tendrement sa peau, ses cheveux. Il la drapa ensuite dans un peignoir avant de la soulever de terre pour la porter jusqu'au lit.

Il lui fit l'amour doucement, tendrement, l'entraînant vers le ciel. Il s'assura qu'elle prenait autant de plaisir que lui.

Lorsqu'il la pénétra, elle s'accrocha à lui pour l'enfoncer plus profondément en elle. Et, cette fois, ils jouirent ensemble.

Ce fut encore mieux que la première fois, parce qu'ils se connaissaient un peu plus. Ils avaient confiance l'un en l'autre, ils pouvaient se laisser aller et s'offrir pleinement à l'amour.

Ils se blottirent dans les bras l'un de l'autre et restèrent un long moment enlacés, perdus dans leurs pensées.

Voilà, se dit-il. Ses grandes sœurs lui avaient promis qu'un jour, il rencontrerait une femme qu'il aimerait vraiment, son âme sœur.

Et pourtant… il n'était pas certain d'être prêt pour cette aventure. De nouveau, il songea à Sheila et à son terrible destin. Il n'avait pas été amoureux d'elle, il n'avait pas connu avec elle ce qu'il ressentait pour Claudia. Mais il l'avait vraiment appréciée, respectée, désirée.

Ils n'auraient pas passé leur vie ensemble. C'est certain. Ils se disputaient trop souvent. Pourtant, sa disparition avait laissé un abîme dans son cœur.

Curieusement, il s'imaginait rester avec Claudia longtemps. Jusqu'alors, aucune femme ne lui avait donné envie de s'engager sur le long terme. Mais elle, oui.

Elle ne pourrait combler le vide qu'avait laissé Sheila. Celui-ci demeurerait à jamais. Mais, quelque part, Claudia le raccrochait à la vie et pour la première fois il avait envie d'aimer quelqu'un.

Est-ce que cela pourrait durer ? Ce bonheur, cette perfection, ne seraient peut-être que temporaires. Ils étaient convenus d'un arrangement provisoire. L'avenir restait un gros point d'interrogation.

Claudia s'enfonça plus profondément sous les draps, comblée, heureuse. Etait-ce parce qu'ils avaient si bien fait l'amour ? Parce qu'il était près d'elle ? Ou parce que son lit était particulièrement confortable ? En tout cas, elle dormit comme un loir, malgré ses blessures.

Elle ouvrit un œil vers 2 heures du matin et regarda un instant Billy dormir.

En entendant son souffle régulier, en sentant la chaleur de ses bras sur elle, elle se rendormit aussitôt.

Mais, soudain, il se mit à s'agiter et elle se réveilla de nouveau. Il prononçait des mots sans suite. Il était très certainement en plein cauchemar. Balbutiant des paroles inintelligibles, il secouait la tête en tous sens et semblait souffrir horriblement.

D'instinct, elle eut envie de le prendre dans ses bras, de le calmer et de lui assurer que tout allait bien.

— Billy, réveille-toi, tu fais un mauvais rêve.

— Non, non ! Sheila ! Mon Dieu, Sheila !

Elle ne pouvait supporter sa détresse.

— Billy ! Réveille-toi !

Il bondit soudain hors du lit, projetant ses poings en avant comme s'il se battait avec quelqu'un. Il frappa avec violence une vasque remplie de pièces de monnaie qui se renversèrent par terre avec fracas.

Il cessa alors de bouger, le souffle court.

— Que s'est-il passé ? bredouilla-t-il, l'air perdu.

— Tu as fait un mauvais rêve.

Son visage était crispé de douleur. Il retourna vers le lit, s'y assit et lui tendit la main.

— Je ne t'ai pas fait mal, j'espère ? Dis-moi que je ne t'ai pas fait mal.

— Non, ne t'inquiète pas. Tu as souvent des cauchemars ?

— Moins qu'à une époque mais, oui, cela m'arrive encore.

— J'ai travaillé en hôpital psychiatrique et je sais qu'il est dangereux de réveiller quelqu'un dans un mauvais rêve. Mais tu semblais à l'agonie.

Elle faillit utiliser un jargon qu'il pourrait prendre pour un diagnostic. Comme il refusait d'être analysé…

Il lui caressa la joue.

— Merci. Excuse-moi si je t'ai fait peur.

— Je n'ai pas eu peur, je savais ce qui se passait. As-tu envie d'en parler ? proposa-t-elle avec douceur.

— Non, ce n'était qu'un cauchemar.

— Je t'écouterai sans te juger, sans me croire autorisée à te conseiller. Comme une amie, pas comme un psy.

— Même si tu n'émets aucun commentaire, je saurai que tu interprètes chacune de mes paroles et je n'en ai pas envie.

— Je ne penserai pas que tu es fou. Je le saurais déjà si c'était le cas…

— Je suis peut-être fou, j'ai cassé une vasque.

— Viens, recouchons-nous. Je vais t'embrasser et tu te sentiras mieux.

Il lui sourit, mais cela sonnait faux.

— Je ne retrouverai pas le sommeil, dit-il. Je suis trop énervé. Ce n'est même pas la peine d'essayer. Va dormir, je préfère me lever.

Elle le regarda, étonnée. Il n'avait même pas envie d'elle ? Son rêve l'avait donc affecté plus profondément qu'il ne le laissait paraître.

Il pourrait tout de même lui faire confiance, lui parler de ses tourments. Il aurait pu se blottir dans ses bras, songea-t-elle.

Décidément, même s'il n'était pas diabolique comme Raymond, il n'avait pas réglé ses comptes avec lui-même. Et, tant qu'il ne les aurait pas réglés, il représentait un danger pour lui et pour ceux qui l'aimaient.

*
* *

Il sortit du lit. Manifestement, pour lui l'incident était clos. Mais il n'allait pas partir comme ça.

— Billy, j'ai besoin que tu me prennes dans tes bras. Juste un moment. Ensuite, tu pourras te lever, d'accord ?

— Bien sûr, *Cielito*, bien sûr. J'imagine qu'il n'est pas simple d'être réveillé en sursaut par un type qui se comporte comme un dément.

— Cela surprend, reconnut-elle en s'enfonçant sous les draps avant de lui ouvrir les bras pour l'inviter à la rejoindre.

Elle se blottit alors contre lui.

L'oreille contre son torse, elle fut surprise du rythme effréné de son cœur.

— Tu es bien ? demanda-t-il.

— Oui, mentit-elle.

— Excuse-moi d'avoir voulu sortir du lit en vitesse. J'ai perdu l'habitude de dormir avec une femme.

— Ne t'en fais pas. Bientôt, je débarrasserai le plancher.

— Je ne me plains pas.

— Billy ?

— Oui ?

— Tu m'appelles souvent *Cielito*. Ça veut dire quoi ?

— Littéralement, *cielito* se traduit par « petit ciel ». Mais en vérité, il signifie « mon petit coin de paradis ».

Elle en eut les larmes aux yeux.

— C'est adorable !

Elle fut tentée de se rendormir, blottie contre lui. Elle était si bien entre ses bras. Mais ce n'était pas elle qui avait besoin d'être réconfortée. Mais lui.

— Billy ?

— Oui ?

— Tu travaillais avec Sheila, à Dallas, non ?

Elle sentit son corps de raidir.

— Oui.

— Elle était plus qu'une simple coéquipière pour toi ?

— Cela aurait-il de l'importance, si c'était le cas ?

En fait, oui.

— Je sais que tu as connu d'autres femmes, ce n'est pas la question. J'ai connu d'autres hommes, moi aussi. Je ne t'interroge pas par curiosité malsaine. C'est juste que… tu as crié son nom dans ton cauchemar.

— Ce n'était qu'un rêve, oublie-le.

Elle soupira.

— Je ne peux pas.

— Cela ne te concerne pas. Sheila appartient au passé et n'a rien à voir avec nous.

— Je ne suis pas d'accord.

Elle se releva pour pouvoir le regarder en face et le regretta aussitôt. Il était en colère contre elle. Mais il fallait au moins qu'il comprenne ce qu'elle ressentait.

— Je suis capable d'accepter des relations passées. Mais si tu cries le nom d'une autre dans ton sommeil juste après m'avoir fait l'amour… cela signifie que votre histoire n'est pas terminée. Et cela m'inquiète.

— Tu ne peux pas laisser tomber le sujet ?

— Si je ne voulais pas d'une véritable intimité, je n'insisterais pas. Mais ce n'est pas le cas. Et toi ? Tu cherches juste une sex-friend ?

— Mais tu étais d'accord pour une amitié sexuelle sans liens. La première fois. Dans ton bureau.

Elle grimaça.

— Parfois, je réussis à me mentir à moi-même. Mais en réalité, en faisant l'amour avec toi, j'espérais ouvrir une porte. Je t'aime peut-être un peu aussi. Nous ne nous connaissons que depuis une semaine et c'est de la folie de ma part, je te l'accorde. Mais…

Elle l'observa à la dérobée. Il ne semblait pas choqué par ses paroles, ce qui était bon signe, non ?

— Toi aussi, tu comptes beaucoup pour moi, *mi coshita linda*. Mais ça ne signifie pas que tu doives tout savoir à mon sujet.

— Rien de ce que tu pourrais me dire ne me choquerait ou ne m'inquiéterait. Je t'en prie, raconte-moi ce qui s'est passé avec Sheila. As-tu encore des sentiments pour elle ?

— Oui.

Elle sentit son cœur se serrer. Peut-être avait-il raison, peut-être valait-il mieux qu'elle ne sache pas tout.

— Mais pas comme tu crois.

Il se leva et se mit à ramasser ses affaires pour se rhabiller.

— Sheila était ma coéquipière, mon amie et, oui, mon amante aussi. Elle est morte, d'une balle en plein cœur et je l'ai tuée. Voilà. Tu es contente ?

Il se dirigea vers la salle de bains dont il claqua la porte. Elle entendit bientôt la douche couler.

Elle était pétrifiée, incapable du moindre mouvement. Il l'avait tuée ? Serrant l'oreiller contre elle, elle se remémora cet horrible moment où, après avoir vu le portrait-robot du tueur en série, elle avait reconnu Raymond, son amant de l'époque.

Mais la situation était différente. Billy n'était pas un tueur, c'était ridicule. Peut-être lui avait-il tiré dessus en état de légitime défense. Non, elle ne pouvait pas l'imaginer. Il n'avait certainement pas appuyé sur la détente. C'était impossible.

Il lui avait déjà dit qu'il se sentait responsable de la mort de quelqu'un. Il s'agissait donc de sa coéquipière ? De son amante ? Un tel drame marquait un homme à vie. C'est certain. Personne ne se remet de ce genre de traumatisme. Après une telle tragédie, certaines personnes arrivent à réapprendre à fonctionner, à vivre en société, peut-être même à se marier et à avoir des enfants.

Mais pas à oublier. Il était probable que Billy pensait à Sheila et aux circonstances de sa mort chaque jour de sa vie. Et, s'il ne s'était pas fait suivre par un professionnel, ce serait pire encore.

Quelle boîte de Pandore avait-elle ouverte ?

Elle aurait dû le laisser tranquille, ne pas insister pour savoir. De quel droit lui avait-elle mis la pression pour qu'il lui avoue l'origine de sa culpabilité ? Certes, elle avait été animée par le désir de l'aider, mais elle y avait vu aussi un moyen de servir ses propres intérêts. Elle ne pouvait se sentir en sécurité avec un homme si elle ne savait pas tout sur lui.

Les relations humaines devaient se bâtir sur la confiance, bien sûr. Mais avait-elle le droit d'exiger de Billy qu'il lui livre tous ses secrets, y compris les plus sombres, alors qu'ils se connaissaient à peine ?

Vraiment, elle lui en avait trop demandé et son insistance avait brisé ce qu'ils étaient en train de construire.

Il était trop tard pour revenir en arrière et regretter, à présent.

Elle venait sans doute de bousiller tout ce qui était beau entre eux. Elle l'avait convaincu qu'elle était inflexible, malsaine et indiscrète.

*
* *

Une demi-heure plus tard, Billy entra dans la cuisine. Claudia était déjà habillée et avait préparé du café. Elle fixait la machine.

Il commença à lui sourire avant de se souvenir qu'il était furieux contre elle.

Et aussi contre lui parce qu'il avait perdu son sang-froid. Après le drame qui avait coûté la vie à Sheila, il avait été sujet à de fréquentes crises de nerfs. Un rien pouvait le faire exploser. Mais il avait travaillé là-dessus et, maintenant, il gardait son calme.

Bien sûr, Claudia avait juste voulu l'aider, mais il lui avait clairement exposé ses limites et elle n'en avait pas tenu compte. Au lieu de le respecter, elle était revenue sans cesse sur le sujet jusqu'à ce qu'il craque. Elle avait été trop loin, mais lui n'avait pas fini son travail de protection. Il devait encore veiller sur elle.

— Qu'aimerais-tu pour ton petit déjeuner ? demanda-t-il. J'ai des œufs, du bacon. Ou des céréales, si tu préfères.

Elle consulta sa montre. Comme si elle s'inquiétait d'être en retard ! C'était ridicule, pensa-t-il. L'aube se levait à peine.

— J'ai besoin de retourner chez moi, j'ai des choses à y faire.

— Ecoute, Claudia, ce n'est pas parce que nous nous sommes disputés que ton sort m'indiffère. J'ai promis à Daniel de veiller sur toi.

— Je te remercie, Billy. C'est très noble de ta part.

Il la dévisagea. Elle avait pleuré. Voilà, il la faisait pleurer. Voilà à quoi ils en étaient arrivés avec tout ça ! Il ne pouvait rien y changer ni revenir en arrière. Maintenant, elle savait. Il ne lui avait peut-être pas donné les détails du drame, mais elle les découvrirait sans mal. Une simple recherche sur internet lui apprendrait comment une opération d'envergure pour tenter de démanteler un réseau de trafiquants à Dallas avait lamentablement échoué et coûté la vie d'un des inspecteurs de police. Il soupira.

— Indépendamment de nous et de ce qu'il adviendra de notre relation, nous devons toujours résoudre une affaire. Et tout faire pour sauver Mary-Francis.

— Tu as toujours envie de travailler avec moi ?

— Je pourrais te renvoyer la question. La dernière femme avec qui j'ai travaillé l'a sûrement regretté.

Allait-elle sauter sur cette phrase pour lui demander de tout lui raconter ? Ou en avait-elle assez ?

— Je ne suis pas inquiète pour cela, répondit-elle. Je me sens toujours déterminée à retrouver Eduardo et à innocenter Mary-Francis. Cela n'a pas changé. Mais je dois vraiment repasser chez moi. J'ai des plantes à arroser, une boîte aux lettres à vider, des vêtements à prendre…

— Cela me semble normal.

— Ensuite… Peut-être vais-je accepter la proposition de Daniel de séjourner quelque temps chez eux.

Elle s'approcha de la fenêtre et il prit sa place près de la cafetière.

— Tu peux rester ici, si tu veux.

— Non, je t'ai assez ennuyé comme ça.

Il sentit son cœur se serrer. Elle le quittait ! Malgré tout, il avait espéré qu'il y ait moyen d'arranger les choses. Mais non ! Il l'avait terrifiée avec son cauchemar. Il n'aurait pas dû exploser de colère avant de lui asséner la vérité si brutalement.

Jamais il n'avait voulu lui balancer ainsi le lourd secret qu'il cachait depuis des années. Mais il n'avait pas réussi à tenir sa langue et l'inévitable arrivait : elle partait !

Elle avait déjà eu un petit ami tueur en série. Sans doute se disait-elle qu'elle avait le chic pour tomber amoureuse de meurtriers et qu'il était grand temps d'arrêter.

— Claudia, à propos de ce que je t'ai dit…

Elle leva la main pour l'empêcher de poursuivre.

— Il n'y a pas besoin de t'excuser ni d'expliquer. Je n'aurais jamais dû insister, te mettre une telle pression. Tu as le droit d'avoir des secrets, une intimité.

Et, elle, elle avait le droit de s'en aller.

— J'ai eu tort de m'énerver.

Elle haussa les épaules.

— Cela arrive. A quelle heure as-tu rendez-vous avec Beth à l'église ?

— Vers 8 heures.

— Tu as donc largement le temps de me conduire chez Daniel

et de revenir. C'est férié aujourd'hui. *Independence Day*… La circulation ne devrait pas être chargée.

Puisqu'elle tenait à s'en aller, il ne la retiendrait pas. Il avala son café, se brûla la langue et fut curieusement heureux de souffrir. Sa pénitence pour l'avoir blessée.

Non, sa pénitence serait de se rappeler toute sa vie qu'il avait fichu en l'air sa seule chance d'être heureux.

16

Billy franchit en voiture les hautes grilles du domaine Logan et, comme chaque fois qu'il y entrait, fut impressionné par l'opulence presque insultante de River Oaks, petit paradis au cœur de Houston. Le père de Daniel, qui avait gagné des millions en exploitant des gisements de pétrole au Texas, avait construit cette maison, brique par brique, utilisant des matériaux récupérés sur un château médiéval écossais. Même le chemin était pavé de vieilles pierres et Billy s'imaginait presque arriver à un manoir anglais.

A l'intérieur, en revanche, la technologie était partout. La maison était sous surveillance électronique. Les tableaux étaient hautement protégés et un système permettait de détecter quelles pièces étaient occupées. Chacune des chambres disposait d'écrans et de chaînes audio dernier cri. Quant à la cuisine, elle était digne d'un grand restaurant.

Daniel avait promis que cette fête du 4 juillet serait spectaculaire. Il voulait très certainement faire oublier celle qu'il avait organisée pour Noël, songea Billy. Ce soir-là, la maison avait été transformée en palais de glace avec de fausses chutes de neige et de faux bonhommes de neige. Mais surtout, Jamie, l'épouse de Daniel, avait failli être assassinée.

Billy roula jusqu'à l'entrée principale de la villa. Là, un voiturier prit en charge son véhicule tandis qu'Elena, le bras droit de Daniel, vint le saluer. Elle était juchée sur des hauts talons et habillée en short. Elle ressemblait aux pin-up des années quarante.

— Je suis heureuse que vous ayez pu venir, Billy. Avez-vous

apporté un maillot de bain ? Dans le cas contraire, nous en avons de toutes tailles et de toutes couleurs.

— J'ai ce qu'il faut, merci.

Claudia y aura-t-elle pensé ? Comme elle l'en avait prié, ils étaient passés par son studio pour qu'elle puisse prendre quelques affaires.

Quel maillot aura-t-elle choisi dans sa garde-robe ? se demanda-t-il, légèrement excité. Un classique une-pièce ? Ou un Bikini sexy ?

Il avait soudain très envie de savoir. Et il n'était pas ravi à l'idée que d'autres la voient à moitié dénudée. Il n'était même pas sûr de supporter qu'un homme la regarde. Cette garden-party n'était peut-être pas une si bonne idée, finalement.

Elena lui décrocha un sourire à cent mille watts.

— Il y a tout ce que vous voulez boire ou manger. Les étoiles peintes sur le sol vous mèneront au buffet.

Billy les suivit et traversa un immense salon dont les portes-fenêtres donnaient sur le jardin. Dehors, la fête battait son plein.

Un petit orchestre jouait dans un coin, en face de la piscine olympique. D'immenses grils de barbecue avaient été disséminés dans le parc. Des cuisiniers s'activaient à tout préparer. Des odeurs de côtelettes grillées et de barbe à papa flottaient dans l'air.

Il eut l'impression d'une kermesse. Des promenades en poney étaient même prévues pour les enfants.

Une serveuse lui offrit une bouteille de bière fraîche, mais il n'était pas d'humeur à boire. Il promena les yeux autour de lui, cherchant Claudia. En vain. Mais où pouvait-elle être ? Pourvu qu'il ne lui soit rien arrivé !

Une voix en provenance de la piscine le ramena à la réalité.

— Cantu, cria Griffith Benedict, le mari de Raleigh. Viens avec nous. Nous sommes mal partis.

— Que racontes-tu ? s'exclama Ford Hyatt, de l'autre côté du filet. Vous avez un point d'avance.

— Oui, mais un joueur de moins dans l'équipe.

— La nôtre est composée presque exclusivement de filles !

— Et nous sommes nulles, ajouta Raleigh avec bonne humeur.

Billy leur sourit.

— D'accord les amis, je vous rejoins dans un instant.

Il fit un rapide tour du jardin, cherchant de nouveau Claudia.

C'était plus fort que lui. Maintenant qu'il avait pris l'habitude de s'inquiéter pour elle, il ne parvenait plus à s'en défaire. Bien sûr, ici, il ne pouvait rien lui arriver. Daniel avait une équipe chargée de la sécurité digne de travailler pour un sommet des Nations Unies.

Mais ces gardes du corps se trouvaient aussi sur la propriété, à Noël, et un drame avait failli se produire.

Enfin, il la repéra ! Elle discutait sous un parasol avec Jillian — une de ses voisines — qui avait un bébé dans les bras.

Elle était ravissante dans sa robe d'été vert émeraude. Il aurait bien aimé qu'elle croise son regard, mais elle semblait totalement focalisée sur l'enfant. En tout cas, elle allait bien et c'était le principal. Il pouvait rejoindre les joueurs de volley.

Il retira son T-shirt et plongea dans la piscine en éclaboussant tout le monde.

Il s'intéressa assez à la partie pour faire gagner quelques points à son équipe mais, du coin de l'œil, il observait Claudia qui berçait tendrement le bébé. Elle était si belle qu'elle ressemblait à une photo de mode.

Il sentit soudain l'amertume le gagner. Il n'avait pas le profil pour être son homme idéal, un homme gentil, sensible, qui lui écrirait des poèmes, regarderait des films romantiques et partagerait ses sentiments avec elle. Il n'était pas ainsi et ne le serait jamais. Cette idée lui transperçait le cœur, mais avait-il d'autre choix que de faire avec ? On ne pouvait pas se changer !

Il n'arrivait plus à se concentrer sur le jeu, mais, heureusement, la partie prit fin et les joueurs sortirent de l'eau pour aller se restaurer. Il les suivit jusqu'à un des banquets et y reconnut Arturo, le fils de Ford. Mais il n'avait jamais vu la plupart des invités. Beaucoup de membres de la famille Logan étaient venus. Ils étaient très riches.

Sans doute l'un d'eux serait le type parfait pour Claudia.

Il s'assit sur le bord de la piscine et laissa le soleil le sécher. Encore une fois, il regarda autour de lui pour trouver Claudia.

Elle était à une dizaine de mètres, en grande discussion avec un homme aux cheveux coupés à ras et habillé de façon ultra-classique.

Elle était donc capable de flirter avec un inconnu dans les heures qui suivaient leur rupture ? Etait-il donc si facile à remplacer ?

Il s'apprêtait à se lever pour aller dire deux mots à ce monsieur et lui apprendre la vie quand Daniel prit place à côté de lui.

— Daniel, quelle belle réception !

— Merci. Elena s'est chargée de tout et je crois qu'elle a vu un peu grand.

— Les femmes adorent dépenser.

— Oh ! tout le monde aime dépenser, Billy. Vous ne faites pas exception. Dois-je vous rappeler que vous avez acheté le dernier modèle des 4x4 Ford et que vous ne détestez pas les costumes italiens ?

— Un point pour vous.

— Alors, comment s'est passée votre visite à l'église avec Beth ?

— Nous n'avons pu entrer. Elle était fermée. Mais elle rouvrira cet après-midi, à 3 heures pour les confessions, nous tenterons alors notre chance.

— Et comment va Claudia ?

— Elle est en train de séduire un des membres du conseil d'administration de votre société pétrolière.

Daniel se tourna dans la direction que lui indiquait Billy d'un mouvement de menton avant d'éclater de rire.

— Je voulais dire, physiquement. Et vous n'avez pas à vous inquiéter. Brent joue dans une autre cour, si vous voyez ce que je veux dire…

— Je crois qu'elle va se rétablir tout à fait et je ne m'inquiète pas.

— Claudia est peut-être experte en langage du corps, mais vous êtes si facile à décrypter qu'un gosse y parviendrait.

Donc, non seulement tout le monde savait qu'il s'était disputé avec Claudia mais aussi qu'elle l'avait plaqué, songea Billy, dépité.

— Je vois que vous n'avez pas envie d'en parler alors je n'insiste pas, poursuivit Daniel. Mais sachez que voir mes employés nouer des relations amoureuses ne m'ennuie pas. Et c'est une chance ! Sinon, je perdrais la moitié de mon personnel. Voyez Beth et Mitch…

Tout à coup, un remue-ménage attira leur attention. Une grande silhouette apparut, en Bikini et une bouée géante autour de la taille. Elle sauta dans l'eau, éclaboussant tout le monde au passage, eux y compris.

— Waouh ! Céleste ! Quelle tenue ! lança Billy.

— Il faut reconnaître que, pour une femme de son âge, elle est très bien conservée, dit Daniel.

— Je ne l'ai pas regardée d'assez près pour en juger.

Les invités éclatèrent de rire à la vue de Céleste dans l'eau. L'un d'eux s'approcha d'elle.

— Bonjour, Céleste, vous n'avez pas raté votre entrée en scène. Avez-vous rattrapé votre…

— Chut ! J'ai installé de pièges un peu partout. Je vais y arriver !

Daniel secoua la tête.

— Elle n'a donc pas encore récupéré son pécari. Je préfère ne pas imaginer les dégâts qu'il provoque dans les bureaux.

— L'enquête piétine, dit Billy, revenant à l'affaire. Nous n'avons aucune piste qui nous mènerait à Eduardo, le trésor reste introuvable, le procureur est obtus, la fille de notre cliente brade tout ce qui a appartenu à ses parents et nous ne pouvons l'en empêcher.

— Quelque chose va sortir. Continuez de travailler.

— Je ne sais pas, Daniel. Je ne suis pas sûr d'aboutir. Je fais de mon mieux, mais je ne suis peut-être pas au niveau. Et si nous n'arrivons pas à prouver l'innocence de Mary-Francis ? Je ne supporterai pas d'avoir sa mort sur la conscience.

— Dites-moi, vous n'êtes pas très gai, aujourd'hui.

— Il est difficile de faire la fête dans des circonstances pareilles. Peut-être devriez-vous confier le dossier à quelqu'un d'autre.

Daniel redevint très sérieux.

— Tout ce que je vous demande est de faire de votre mieux, Billy. Oh ! quand on parle de nos amoureux… Tous deux se relevèrent. Beth et Mitch venaient de faire leur apparition à la fête et s'approchaient d'eux, l'air préoccupé. Mitch avait son ordinateur portable sous le bras et Beth serrait une liasse de papiers contre elle. Manifestement, ils n'étaient pas venus piquer une tête dans la piscine.

— Que se passe-t-il ? leur demanda Daniel. Vous avez du nouveau ?

— Oui, lui répondit Beth. Il faut qu'on en parle.

Elle salua de loin Claudia qui berçait toujours le bébé.

Voir Claudia si naturellement maternelle attendrit Billy. Il ne l'avait jamais imaginée ainsi. Quelle mère serait-elle ? Pour ses enfants. Pour *leurs* enfants.

Il s'obligea à repousser cette image.

Claudia s'approcha d'eux avec le bébé.

— Bonjour, Mitch et Beth. Quoi de neuf ?

Beth s'apprêtait à répondre mais, à la vue du bébé, elle s'interrompit.

— Qu'il est mignon, ce petit bonhomme !

— N'est-ce pas ? dit Claudia. Il s'appelle Scotty. Sa maman joue au tennis ce qui me permet de le câliner.

— Il dort profondément, dit Mitch. Emmenez-le avec vous. Nous avons à vous parler sans attendre.

Enfin, il y avait du nouveau, songea Billy. Ils devaient avancer, résoudre cette affaire. Il allait devenir fou s'il continuait à travailler avec Claudia et à devoir veiller sur elle à tout instant alors qu'ils n'étaient plus ensemble. L'avaient-ils jamais été d'ailleurs ?

Quelques minutes plus tard, ils étaient tous dans la bibliothèque, autour d'une grande table de lecture.

Billy tira un fauteuil pour Claudia. Après tout, elle avait un bébé dans les bras. Elle le remercia, mais il s'assit le plus loin possible d'elle.

— Les analyses du mégot de cigarette n'ont rien donné, commença Beth. Mais j'ai obtenu un profil d'ADN avec l'ongle. Mon amie qui travaille pour la police judiciaire de Houston l'a comparé avec ceux enregistrés dans les fichiers de la police. Et vous ne devinerez jamais qui est sorti…

— Dis-moi qu'il s'agissait d'Eduardo, lança Billy.

— Non, pas d'Eduardo, reprit Beth. Mais le résultat est à la fois très curieux et très important. L'agresseur de Claudia s'appelle Pedro Madrazo. C'est un des chefs mafieux de Rio Verde. Il a longtemps été considéré comme le directeur de la société d'import-export d'Eduardo.

— Yesss ! cria Billy.

— En général, il ne s'implique pas dans les petites agressions de ce genre, poursuivit Mitch. Il s'occupe de grosses affaires. En tout cas, il s'en occupait.

Quelque chose dans le ton de Mitch interpella Billy.

— Ce n'est plus le cas ? Il est en prison ?

— Non et c'est là que c'est curieux. Il est censé être mort, lui aussi.

Pendant un moment, tout le monde en resta bouche bée.

— Il ne s'agit certainement pas d'une coïncidence, finit par dire Daniel. Nous avons deux hommes, associés qui plus est, censés être morts et qui ne le sont sans doute pas.

— Pedro Madrazo est supposé avoir été descendu au cours d'une fusillade, il y a sept ans, dit Mitch. Il a été touché au visage. Sa femme l'a identifié grâce à ses vêtements, il avait sur lui un portefeuille avec sa carte d'identité.

— Ils n'ont pas dû faire de recherche d'ADN, dit Beth. Ce n'est pas sérieux.

— A l'époque, Madrazo était poursuivi pour meurtre, continua Mitch. Et pour trafic de drogue.

— Il a falsifié sa propre mort, cela ne fait pas l'ombre d'un doute, reprit Beth. Il a dû trouver un pauvre clochard de sa corpulence et l'a tué d'une balle en pleine figure. La femme et les gosses sont rentrés au Mexique et ont disparu des écrans radars, peu après.

— Eduardo aussi était poursuivi par la justice, dit Billy. Alors il a décidé de suivre l'exemple de son ami.

— Les liens entre les deux hommes et donc entre les deux affaires sont indéniables, poursuivit Daniel. Nous pouvons demander une réouverture du dossier de Madrazo. Une fois qu'ils confirmeront que le gars n'est pas mort…

— Tout cela est très bien, mais ne suffira pas à convaincre le procureur de la nécessité de rouvrir le dossier Torres, intervint Billy. Nous devons retrouver Eduardo. Le prêtre sait quelque chose. C'est certain.

— Je parlerai de tout ça à Jamie, dit Daniel. Le meurtre d'Eduardo ne relève pas de sa circonscription, mais le cas de Pedro Madrazo, oui. Peut-être peut-elle persuader les enquêteurs de relier les deux affaires. De plus, j'ai quelques contacts au Mexique. J'essaierai de les faire jouer.

Le téléphone portable de Billy sonna et il vérifia le nom qui s'affichait sur l'écran. Mais l'appel était anonyme.

Il se leva pour s'isoler dans un coin de la salle.

— Cantu.

— David Blaire, vous m'avez chargé de surveiller Angie Torres.

— Oui, et qu'est-ce que ça donne ?

— Elle s'est rendue à Conroe.

— La maison de sa tante, dit-il en sentant un frisson le parcourir.

— Elle a attendu le départ de son petit ami comme si elle préférait le tenir à l'écart. Elle est à l'intérieur, maintenant.

— Est-elle entrée avec une clé ?

— Non, par une fenêtre cassée.

C'était une bonne nouvelle. La police avait enfin une raison de l'arrêter et de la questionner. Cela dit, il ne pourrait pas se charger de l'interrogatoire. Parfois, il regrettait de ne pas être flic.

— Ne la laissez pas partir, Blaire. Si elle tente de quitter la maison, arrêtez-la. Dites-lui que vous passiez par là et que vous l'avez vue pénétrer par effraction.

Très bien. Vous venez ?

— Dès que possible.

Quand il raccrocha, tout le monde le regardait. Il leur résuma rapidement la situation.

— J'y vais, je veux savoir ce qu'elle est venue chercher là-bas.

— Je regarde à qui elle a téléphoné ces derniers temps, dit Mitch en pianotant sur son clavier.

— Vous pouvez consulter la liste de ses appels ? Comment faites-vous ? Ne faut-il pas un mandat ? s'étonna Claudia.

— Ne posez pas la question, répliqua Mitch en riant. Ah, je vois quelque chose d'intéressant. Un fois par jour, vers 8 heures, elle reçoit un coup de fil. Il ne s'agit jamais du même numéro, mais ces appels émanent toujours de cabines publiques.

— Eduardo, s'exclamèrent Billy et Claudia en même temps.

— Prenez quelqu'un pour interroger Angie, dit Daniel à Billy. Ford ou Griffith.

— Je veux venir, dit Claudia.

— Pas cette fois, *Cielito*, dit-il avant d'avoir pu retenir ce surnom. La dernière fois, Angie a failli… bref, tu t'en souviens.

— Que s'est-il passé avec Angie ? demanda Daniel en les dévisageant tour à tour.

— J'ai bêtement exposé la vie de Claudia, avoua Billy. Je préfère ne pas prendre de risques, cette fois.

— Il a raison, dit Beth. Laissons les anciens policiers se charger de ça, d'accord ? Les drogués peuvent devenir très dangereux.

— Je sais. Soyez prudents, souffla Claudia.

Le cœur de Billy fondit. Au moins se souciait-elle de son sort même s'il se comportait comme un abruti.

— Nous le serons, promis.

17

Mitch rangea son ordinateur et quitta à son tour la bibliothèque, laissant les femmes et le bébé. Le petit Scotty était très mignon, mais le bercer ne calma pas l'angoisse de Claudia.

Billy était bien entraîné et avait été décoré à de nombreuses reprises lorsqu'il travaillait pour la police. Mais qui savait comment allait réagir une droguée comme Angie ?

— Puis-je le prendre dans mes bras ? demanda Beth.

— Bien sûr.

— Regardez ses adorables petites oreilles, dit Beth en installant l'enfant sur ses genoux. Elles sont parfaites.

— Et avez-vous vu ses longs cils ? renchérit Claudia. Et vous ? Comptez-vous avoir une progéniture ?

— Oh ! oui, c'est certain. Enfin, pas tout de suite. Mitch et moi avons envie d'avoir un peu de temps pour nous deux d'abord. Mais ensuite… Et vous ?

— J'ai toujours pensé que je n'aurais jamais d'enfants. Il est si difficile de les élever correctement, même lorsque leurs parents sont aimants et cherchent à faire de leur mieux. Et j'ai vu tant de gosses maltraités, mal aimés, rejetés. Cela m'a brisé le cœur. Mais quand on voit un bout de chou comme celui-ci, si mignon, si parfait…

— Oui, cela donne envie d'en avoir un à soi.

— Exactement.

— J'espère ne pas être indiscrète, mais Billy et vous…

— Cela ne va pas marcher entre nous.

— Vraiment ? Il ne veut pas s'engager ?

— Ce n'est pas la question. J'aimerais qu'il me fasse confiance, qu'il s'ouvre. Et, de son côté, il voudrait que je lui fasse confiance, même s'il ne dit rien sur lui. Mais je ne peux pas. Alors, j'ai insisté, je lui ai mis la pression pour qu'il me parle de son passé, de ses problèmes. Il l'a fait avec colère et j'ai soudain compris que je n'avais pas le droit de le forcer. J'ai tout gâché entre nous.

Beth parut très triste.

— Je suis désolée, Claudia.

— Non, c'est sans doute mieux ainsi.

— Etre seule n'est pas souvent mieux, non. J'en sais quelque chose, croyez-moi.

Tout en se dirigeant vers la maison de Theresa, Billy résuma à Ford le gros de l'affaire.

— Toute seule, je ne pense pas qu'Angie soit très dangereuse, dit-il. Et, comme elle a attendu que son petit ami soit parti pour se rendre chez sa tante, j'imagine qu'il ne va pas venir la rejoindre avec son arme. Mais mieux vaut se préparer au pire.

— A ton avis, pourquoi ai-je mis une veste avec cette chaleur ?

Billy hocha la tête. Ford Hyatt était quelqu'un de bien. Il faisait partie de l'équipe de Project Justice depuis le début de l'aventure.

Quand Billy avait fait sa connaissance, il le trouvait un peu coincé. Ford avait toujours l'air d'avoir avalé un parapluie. Il ne semblait pas s'amuser beaucoup.

Mais lorsqu'il avait rencontré sa future femme, un an plus tôt, il s'était métamorphosé.

— Penses-tu que l'amour puisse changer les gens ? demanda soudain Billy. Changer leur personnalité, je veux dire.

— Je ne parle jamais du sujet avec les hommes, désolé.

Mais son petit sourire en coin en disait long. Peut-être la capacité de Claudia à lire sur le visage des gens finissait-elle par déteindre sur lui, songea Billy.

Quand ils arrivèrent dans le quartier de Theresa, il repéra la voiture banalisée de David Blaire, mais ce dernier n'était pas dans l'habitacle.

Ils se garèrent plus bas et s'approchèrent de la maison. Malgré la distance, ils entendaient des cris de femmes dans la cour arrière. Blaire se tenait devant la barrière et regardait à travers. Comme tout bon policier, il surveillait aussi ses arrières et il vit Billy et Ford approcher. Il leur fit signe de se dépêcher.

— Jusqu'ici, elles ne se sont pas encore agressées physiquement. Elles se contentent de s'insulter. Mais si la voisine lève encore sa pelle d'un geste menaçant, je considérerai qu'elle brandit une arme et j'interviendrai.

Billy observa à son tour la scène à travers la palissade. Angie Torres et la voisine se tenaient dans la cour. Le terrain semblait avoir été retourné dans tous les sens et, comme Patty tenait la pelle, elle était sans doute la coupable.

— Vous n'êtes pas en train de jardiner, disait Angie. Ne me faites pas croire que vous avez besoin de faire des trous aussi profonds pour planter des pommes de terre.

— Je ne plantais pas des pommes de terre, je retirais des racines.

— Vous avez déterré les plants de tomates.

— Ils étaient morts, de toute façon.

— Si vous trouvez, ne serait-ce qu'un penny dans cette cour, vous avez intérêt à me le rendre, sinon j'appelle les flics.

— Les flics ? Quelle bonne idée ! Camée comme vous êtes, ils vous embarqueront sur-le-champ.

— Vous êtes si grosse et si moche qu'ils vous jetteront dans la benne la plus proche !

— Vous êtes jalouse parce que vous êtes maigre à faire peur.

— Dites donc, elles s'envoient des amabilités ! dit Ford.

Furieuse, Angie s'empara d'un plan de tomate, l'arracha et s'en servit pour frapper la voisine.

— Laissez-moi, vous n'avez pas le droit de m'agresser !

— J'en ai le droit. Vous êtes chez ma tante, vous êtes entrée sur une propriété privée sans autorisation.

— Bon, dit Billy, il est temps d'intervenir.

Il laissa Blaire prendre la tête du mouvement puisqu'il était le seul à porter un badge.

— Désolé de vous interrompre, mesdames…

Elles se retournèrent. Patty laissa immédiatement tomber sa pelle et recula comme si l'outil n'était pas à elle. Mais Angie ne lâcha pas son plant de tomate.

— Qui êtes-vous et que voulez-vous ?

Elle reconnut Billy.

— Encore vous ? Vous n'êtes pas un flic, j'ai vérifié et je n'ai pas à vous écouter.

— Lui est policier, contra Billy en désignant Blaire qui sortait déjà son badge.

— Que se passe-t-il ici ? demanda celui-ci.

— Je m'occupe du jardin de Theresa pendant qu'elle est à l'hôpital, dit Patty. Mais cette petite camée s'est introduite dans la maison par la fenêtre pour voler sa tante et pouvoir s'acheter de la dope.

— C'est un mensonge ! hurla Angie qui brandit son plant de tomate avec fureur.

— Calmez-vous, ordonna Blaire en la prenant par les épaules.

Il voulut l'écarter de sa voisine, mais Angie se libéra de son emprise et s'enfuit en courant.

Elle n'eut pas le temps d'aller bien loin. Blaire la rattrapa avant qu'elle n'atteigne la rue, la menotta et la ramena vers le petit groupe.

— Cette fille n'a jamais causé que des problèmes, grommela Patty avec dédain.

— Si vous m'arrêtez, dit Angie, vous devez la coffrer, elle aussi. Elle est sur une propriété privée et cherche des pièces d'or.

— Celles de votre père ? demanda Billy d'un air innocent. Je croyais qu'elles n'avaient qu'une valeur sentimentale. Vous-même espérez les retrouver, non ?

Angie ignora la pique.

— Elles ne se trouvent pas dans la maison de mes parents. Ma mère a dû les confier à ma tante pour que mon père ne puisse les prendre. Après ce qui est arrivé à Theresa, je préfère les récupérer et les mettre dans un endroit sûr. N'importe qui peut s'introduire ici et les voler, ajouta-t-elle en regardant Patty.

Billy acquiesça. L'histoire tenait debout. Angie semblait sensée et saine d'esprit.

— Si j'avais volé ces pièces, rétorqua Patty, je ne continuerais pas à creuser la cour.

Tous les regards se tournèrent vers elle. Elle venait de se trahir et tenta de se rattraper.

— J'ai pensé qu'il était de mon devoir de les retrouver avant qu'elles ne tombent entre les mains d'une droguée. Savez-vous combien de doses elle pourrait acheter avec un trésor d'une valeur d'un million de dollars…

— Fermez-la ! hurla Angie.

— Votre père doit être très déçu que vous n'ayez pas découvert ces pièces, dit Billy.

— Mon père est mort…

— Bien sûr. Et voilà pourquoi il vous appelle tous les jours d'une cabine. A 8 heures.

— S'il était en vie, comment expliquez-vous tout le sang dans son lit ? répliqua Angie avec agressivité.

Billy voyait la peur dans ses yeux.

— Inutile de continuer. Votre père a été arrêté, lança-t-il.

Blaire et Ford furent sans doute étonnés de l'énormité de son mensonge, mais ils ne réagirent pas.

— Pour le moment, vous n'êtes poursuivie que pour être entrée illégalement dans cette maison, poursuivit-il. Et, si des substances illicites se trouvent dans votre voiture, vous aurez également des ennuis. Maintenant, à vous de choisir. Soit vous témoignez contre votre père et la justice oubliera ces bricoles, soit vous persistez à mentir et vous serez accusée de complicité. Avoir aidé votre père à falsifier sa mort et avoir envoyé injustement votre mère dans le couloir de la mort vous coûtera cher, très cher.

Angie explosa soudain en sanglots.

— C'était son idée.

Tout le monde se pétrifia, y compris Patty.

— L'idée de qui, Angie ? demanda Billy avec douceur.

— De papa. Il ne voulait pas lui donner la moitié du trésor. Alors je lui ai montré comment prendre son propre sang, je l'ai gardé au frais dans mon cabinet médical jusqu'à ce qu'il y en ait assez. Il ne pensait pas que maman serait condamnée à mort. Il voulait seulement vendre les escudos et cacher l'argent. Puis il aurait dit qu'il était vivant. Mais, comme nous n'avons pas retrouvé les pièces, il est devenu furieux. Il a compris qu'elle l'avait volé et a estimé qu'elle méritait de mourir.

— Vous auriez pu innocenter votre mère, dit Billy. Je vous ai demandé si votre père était vivant et vous l'avez nié. Vous avez donc conspiré avec lui pour faire condamner à mort votre mère.

Pour moi, il s'agit d'une complicité de meurtre. Qu'en pensez-vous, les gars ?

Blaire hocha la tête.

— C'est certain.

— Angie Torres, vous êtes ignoble ! cria Patty.

— Quant à vous, madame, vous n'êtes pas irréprochable, dit Billy. Vous vous êtes introduite sur une propriété privée et vous cherchiez des pièces qui ne vous appartiennent pas.

— Je voulais les mettre en sécurité jusqu'au rétablissement de Theresa.

— Elles n'auraient pas été plus en sécurité en restant enterrées dans la cour ? demanda Ford.

— Elles sont là ? demanda Patty, les yeux brillants.

— Dieu seul le sait ! cria Angie. Où que ma mère les ait cachées, elle a fait du bon travail. Et elle ne dira rien.

— En fait, elle les avait dissimulées dans une statue de la Vierge, dit Billy. Vous ignorez ce qu'il est advenu de cette statue, n'est-ce pas ?

Les yeux d'Angie s'écarquillèrent, mais elle secoua la tête.

Billy en avait assez.

— Embarquez-les toutes les deux, dit-il.

Il avait envie de retourner chez Daniel piquer une tête dans la piscine et de partager une bière fraîche avec Claudia.

Claudia. Il avait hâte de lui annoncer la bonne nouvelle. Angie avait reconnu que son père était en vie devant quatre personnes dont un inspecteur de police assermenté. Le procureur serait maintenant obligé de rouvrir le dossier.

— Attendez, dit Patty. Je sais peut-être quelque chose à propos de cette statue.

— Et quoi ?

— La nuit qui a suivi l'agression de Theresa, un prêtre est venu dans la maison. Il avait la clé.

— Continuez.

— Il n'est pas resté longtemps. Quand il est sorti, il portait quelque chose sous le bras, caché sous une couverture. Et je crois que c'était cette statue.

*
* *

L'estomac noué, Claudia attendait des nouvelles de Billy. La fête battait son plein et les gens arrivaient par vagues successives. Mais elle avait bien du mal à rester souriante.

Robyn, la femme de Ford Hyatt, n'était pas loin. Elle surveillait du coin de l'œil leur fille, âgée d'un an. Son mari était parti avec Billy pour confronter Angie Torres mais, elle, elle ne semblait pas inquiète.

Elle s'approcha de Claudia.

— Ils vont bien, lui dit-elle. Rassurez-vous. Moi aussi, j'ai eu du mal au début à m'habituer aux dangers auxquels Ford devrait faire face. Mais ils savent se protéger, croyez-moi. Ce sont d'anciens policiers.

— Vous ne connaissez pas bien Billy, manifestement, répondit Claudia. Il ne respecte pas toujours la loi. Il me fait peur parfois. Il prend beaucoup de risques.

Robyn la regarda avec sympathie.

— Vous vous y ferez.

— Je n'en ai pas l'intention.

— Oh ? Je croyais que Billy et vous… Je me suis trompée.

Claudia soupira. Que savaient les membres de Project Justice sur ses relations avec Billy ? Billy n'avait certainement pas vendu la mèche, ce n'était pas son style. Mais peut-être les spéculations allaient-elles bon train. Billy s'était montré très protecteur après son agression. Les gens en avaient sans doute tiré les conclusions qui s'imposaient.

— Nous ne sommes pas en couple, reprit-elle.

— Mais vous avez peut-être envie d'en parler ?

Claudia lui sourit.

— Je viens de me confier à Beth et je ne veux pas avoir l'air de pleurnicher sur les épaules de tout le monde.

Robyn se mit à rire.

— Personne ne dirait ça de vous. Vous êtes psychologue. Vous passez vos journées à écouter les gens se plaindre et, même à l'extérieur, vous avez une bonne écoute.

— On en apprend plus en écoutant qu'en parlant.

— Je peux peut-être vous aider. Ford et moi avons connu de

moments difficiles. J'avais du mal à m'adapter à sa mentalité de policier. Avec lui, tout était noir ou blanc, gentil ou méchant, avec lui ou contre lui…

— Comment avez-vous réussi à vous adapter ?

— Comme toujours, en trouvant des compromis. Il s'est efforcé d'être moins sec, de laisser aux gens le bénéfice du doute. Et j'ai compris que son travail exigeait une certaine attitude, il devait être suspicieux pour être en sécurité.

— Je recommande toujours les compromis dans les problèmes de couples, reconnut Claudia. Mais apparemment, dans ce domaine, je n'arrive pas à suivre les conseils que je donne.

Elle avait eu tort d'insister, de mettre Billy sous pression, de l'obliger à se confier. Mais elle se connaissait. S'il avait continué à ne rien dire, elle n'aurait pu le supporter.

— J'ai besoin qu'il me fasse confiance, reprit-elle.

— Cela semble normal. Et, vous, lui faites-vous confiance ?

— Absolument. Enfin, je le pourrais s'il me faisait confiance.

— Qui a fait l'œuf, qui a fait la poule ? Peut-être ne peut-il vous faire confiance que si vous lui accordez la vôtre sans conditions.

Le cœur de Claudia se serra.

— De toute façon, cela n'a plus d'importance. Tout est fini. Nous avons raté notre chance.

— Buvez un verre de ce jus de mangue et attendez qu'une autre ouverture se présente.

Claudia hocha de la tête, mais Daniel fit alors son apparition d'un pas décidé. Il était avec Jamie.

Elle craignit le pire et sauta sur ses pieds.

— Avez-vous de mauvaises nouvelles ?

— Au contraire. Angie a été arrêtée, tout va bien.

— Merci, mon Dieu.

Elle pouvait enfin respirer de nouveau, elle avait eu si peur… Elle se rassit, les jambes faibles.

— Billy ne s'attendait pas à une telle réussite, mais il veut vous l'annoncer en personne, poursuivit Daniel.

— A-t-il retrouvé Eduardo ?

Il cligna de l'œil.

— Tout ce que je peux vous dire est que j'ai du champagne au frais, au cas où…

Robyn lui prit le bras.

— Voilà de bonnes nouvelles, Claudia. Daniel ne sable le champagne que lorsqu'une enquête a abouti.

Claudia s'interdit de mettre Daniel sous pression pour en savoir plus.

Enfin, Billy et Ford arrivèrent. Billy s'était changé. Son bermuda et sa chemise à fleurs comme les claquettes qu'il avait aux pieds auraient pu sortir de la garde-robe de Hudson Vale.

Sans réfléchir, elle se précipita vers lui pour se jeter à son cou.

— Je suis si heureuse que tu ailles bien.

— Bien sûr que je vais bien. J'ai affronté des gens infiniment plus dangereux qu'Angie au cours de ma carrière. Mais merci de t'être inquiétée pour moi.

Elle reprit soudain ses esprits et recula. Qu'est-ce que les gens allaient penser ? Robyn avait accueilli son mari avec moins d'effusion, se contentant de l'embrasser légèrement avec un sourire complice. Ford avait pourtant couru les mêmes dangers que Billy.

— Daniel m'a dit que tu avais de bonnes nouvelles ?

Il sourit.

— Angie a avoué. Devant quatre témoins, Ford, la voisine, moi et surtout devant un inspecteur de police assermenté.

— C'est fantastique ! s'écria-t-elle s'efforçant de ne pas l'embrasser encore. Et Eduardo ? Où est-il ?

— Toujours dans la nature, mais nous le retrouverons. Angie a promis de coopérer. Et, même si nous ne pouvons le coincer, le procureur va être obligé de reconnaître qu'Eduardo est vivant.

Tout le monde souriait, se congratulait sauf Jamie dont le visage était de pierre. Elle ne voulait manifestement pas se réjouir, même si elle n'avait évidemment pas envie qu'une femme innocente soit envoyée à la mort.

— Jamie, dit Claudia. Quelque chose ne va pas ?

— Je suis désolée de gâcher votre joie, mais il me semble prématuré de sortir le champagne.

18

— Il faut se mettre à la place du procureur, poursuivit Jamie. Regarder la situation de son point de vue.

Même en maillot de bain très sexy, Jamie ressemblait encore à un procureur, songea Claudia. Son autorité naturelle expliquait en grande partie son succès aux dernières élections.

— Angie est la fille de Mary-Francis, de sa chair et de son sang. Comme la date d'exécution approche, toutes les querelles sont oubliées et elle est prête à raconter ou à faire n'importe quoi pour sauver sa mère. Voilà ce qu'il vous dira.

L'expression de Billy changea brutalement.

— Elle n'a pas pu inventer cette histoire, elle a donné trop de détails.

— L'avez-vous enregistrée ? s'enquit Jamie.

— Non, il s'agissait d'aveux spontanés. Mais nous avons des témoins.

— L'avocat d'Angie lui conseillera de se rétracter. Et elle prétendra qu'elle a dit n'importe quoi parce qu'elle avait peur.

— Bon sang, dit Billy en se frottant le visage. Nous sommes donc revenus au point de départ ? Ce n'est pas possible. Nous devons donc absolument retrouver Eduardo et le traîner devant le procureur pour sauver la vie de sa femme, c'est bien ça ?

— Vous avez avancé, dit Jamie. Je ne dis pas que les aveux d'Angie ne valent rien. Mais montrer à ce procureur Eduardo vivant serait bien plus efficace.

— Alors nous allons le trouver, dit Billy en frappant son poing de sa paume. Il faut lui tendre un piège. Je vais demander aux flics de laisser filer Angie. Une fois libre, elle reprendra certainement contact avec son père, lui dira qu'elle a appris que le prêtre avait pris la statue remplie de pièces.

— Vous comptez vous servir d'un prêtre comme appât ? demanda Daniel.

— Il a volé la statue. Et puis, nous n'avons pas le choix. Nous allons nous arranger pour qu'Angie soit libérée demain matin. Nous surveillerons l'église de près. Quelqu'un va se montrer, c'est sûr, et même si ce n'est pas Eduardo lui-même, ce quelqu'un nous conduira jusqu'à lui.

— Nous ne pouvons pas laisser le père Benito dans l'ignorance, intervint Claudia. Il faut le prévenir qu'il va être la cible des bandits.

— Nous devons également nous assurer qu'Angie ne contactera pas son père avant que nous soyons prêts, dit Billy. Je vais aller trouver le père Benito tout à l'heure. Je l'enverrai dans un endroit sûr puis nous mettrons en place une équipe. Et, quand tout sera au point, nous ferons libérer Angie.

— Et s'il refuse de coopérer ? demanda Daniel.

— Je lui parlerai, dit Claudia. Il a peur de Billy, mais il m'aime bien. Je le déciderai à accepter.

Billy secoua la tête, mais Daniel approuva l'idée de Claudia.

— Je me charge d'Angie, dit Jamie. Je la garderai au chaud jusqu'à votre signal. Mais elle a peut-être déjà appelé son père. Les gens ont droit à un coup de fil lorsqu'ils sont arrêtés.

— Eduardo ne doit pas être facile à joindre, répliqua Billy. Il téléphone à sa fille à partir de cabines toujours différentes. Je suis prêt à parier qu'elle n'a pas son numéro et n'a aucun moyen de le contacter.

— Billy et Claudia, allez-y, dit Daniel. Il est urgent de sortir le prêtre de son église et de le mettre à l'abri. Pendant que vous vous rendez sur place, je réunis l'équipe de surveillance.

— Une fois celle-ci sur les lieux, je relâcherai Angie, poursuivit Jamie. Je demanderai à un de mes inspecteurs de la suivre.

Ce n'est que lorsque Billy et Claudia se retrouvèrent dans une Jaguar prêtée par Daniel — un véhicule qu'Eduardo ne pourrait reconnaître — et qu'ils se dirigeaient vers l'église, que Billy reprit la parole.

— Je ne sais pas comment tu as réussi ce coup-là, Claudia. Mais chapeau ! Tu étais censée rester tranquille et tu es parvenue à te remettre sur le devant de la scène, exposée à tous les dangers. Une fois de plus.

— Tu as besoin de moi, Billy. Je ne prétends pas que la situation est sans danger, mais tes collègues et toi risquez quotidiennement vos vies pour des causes qui vous semblent justes. Je crois en cette histoire, j'ai envie d'aboutir. Je tiens à sauver la vie de cette femme et si, pour y parvenir, je dois prendre certains risques, je l'accepte.

— Cela ne me plaît pas.

— On ne fait pas toujours ce qui nous plaît.

— Je préfère te faire descendre de la voiture.

— Billy !

Il sortit de la voie express, mais ne mit pas sa menace à exécution. Il se contenta de se garer.

— Claudia, avant toute chose, je dois te raconter comment Sheila est morte.

— Quoi ? Maintenant ?

— Oui. Je dirigeais une opération d'infiltration. J'avais emmené Sheila parce qu'elle était jeune, ravissante et qu'aucune de mes cibles ne la connaissait. J'avais besoin d'elle pour soutirer un renseignement à quelqu'un. Sans ce renseignement, nous ne pouvions les arrêter. Elle portait un micro dissimulé sur elle et j'étais dehors à écouter. J'attendais que le type en dise assez pour que nous ayons la preuve qu'il nous fallait. Mais il continuait à tourner autour du pot, à faire l'imbécile. Finalement, j'ai compris qu'il savait que j'étais flic et qu'il jouait avec elle. Mais il était trop tard ! Il lui a tiré dessus et l'a tuée d'une balle en plein cœur.

— Mon Dieu, Billy !

— Voilà pourquoi je suis si nerveux. Elle était entraînée et toi, pas du tout. Tu ne sais sans doute même pas te servir d'une arme.

— La situation est très différente.

Claudia sentit son cœur se serrer. Voilà pourquoi il ne voulait plus travailler sur le terrain.

— Nous allons prévenir le prêtre, reprit-elle. Il a peut-être quelque chose à cacher, mais il ne représente pas une menace. Il n'est pas armé et ne fera de mal à personne.

— Il a pris les pièces ! Il a quelque chose à perdre. Ou il pourrait être blessé.

— Eduardo ne sait pas encore que le père Benito a embarqué la statue. Quand il l'apprendra, nous serons prêts. *Tu* seras prêt, rectifia-t-elle. Je me tiendrai à l'écart, je te le promets.

— Ecoute-toi, ça fait peur, tu commences à raisonner comme nous.

— Ne t'inquiète pas. Je n'ai pas l'intention de faire partie de l'équipe de Project Justice. Si j'ai pu hésiter, cette dernière semaine m'a convaincue que ce serait une erreur.

Une fois parvenus à l'église, Billy fit deux fois le tour du pâté de maisons, examinant les alentours, les voitures garées, les clochards qui traînaient dans la rue, pour deviner si l'un d'eux était Eduardo ou son copain. Finalement, il se gara un peu plus loin. Tout semblait tranquille. Des cris joyeux d'enfants résonnaient dans le quartier.

Son téléphone sonna avant qu'ils n'atteignent la porte de l'église.

— Oui, Daniel ?

Il sentit le regard de Claudia sur lui et resta imperturbable.

Quand il raccrocha, elle demanda :

— Alors ?

— Ils ont relâché Angie. Dès qu'elle est arrivée au commissariat.

— Comment ? Ce n'est pas possible !

— Un imbécile de flic a estimé qu'elle devait être libérée sur-le-champ. A présent, personne ne sait où elle est passée.

— Elle est peut-être en train de discuter avec le père Benito, là. Il a pris la statue, il est en possession des pièces d'or et elle a évidemment l'intention de s'expliquer avec lui au plus vite.

— Allons-y. Je te donne dix minutes pour convaincre le père Benito de coopérer avec nous. Puis je te conduis, avec lui s'il est d'accord, dans l'hôtel le plus proche.

— Et si Eduardo ne vient pas ?

— Il viendra. Nous devrons peut-être l'attendre un moment, mais il viendra.

La porte de l'église n'était pas verrouillée. Billy entra seul, la main sur son arme. Les claquettes qu'il portait aux pieds n'étaient pas idéales s'il lui fallait courir, mais il n'avait pas voulu perdre du temps à se changer.

Claudia le suivit du regard. Les églises étaient censées être des sanctuaires et il ne devait pas être facile pour lui de porter un revolver dans un lieu sacré qu'il considérait depuis l'enfance comme la maison de Dieu.

— Il n'y a personne, murmura-t-il en revenant vers elle. Mis à part la vieille religieuse.

— Elle aussi, nous la mettrons en sécurité.

— Ils iront tous avec toi, Claudia. Je resterai ici et tu les conduiras quelque part. Voici les clés de la voiture.

— Avant toute chose, il faut parler au père Benito.

Ils remontèrent l'allée centrale jusqu'à la nef et se dirigèrent vers la porte de la sacristie, mais elle était fermée. Ils retournèrent donc vers la religieuse.

— Excusez-moi, ma sœur, dit Billy Je suis désolé d'interrompre vos prières, mais nous devons absolument voir le père Benito. Savez-vous où il se trouve ?

La religieuse haussa les épaules sans répondre. Peut-être avait-elle fait vœu de silence, songea Claudia.

Elle tapota l'épaule de Billy pour lui montrer le confessionnal.

— Ne disais-tu pas que l'église était ouverte à partir de 15 heures pour les confessions ?

— Exact, répondit-il en se dirigeant vers le confessionnal.

Mais elle l'arrêta.

— Laisse-moi faire.

Le confessionnal était situé près de l'orgue, non loin de la statue de la Vierge. Sainte Marie semblait sereine, illuminée par les cierges à ses pieds.

Un petit panneau sur la porte signalait que le prêtre était occupé. Mais, du côté du pénitent, il n'y avait personne. Claudia se glissa à l'intérieur. L'endroit était si étroit qu'elle n'aurait pu se retourner. Elle s'agenouilla et poussa la pancarte pour qu'elle affiche « occupé ».

Elle n'était pas catholique, mais elle se souvenait des mots à prononcer. Une des familles d'accueil chez qui elle avait vécu les lui avait appris…

— Bénissez-moi, mon Père, car j'ai beaucoup péché…

*
* *

Billy s'assit là où il avait une vue parfaite du confessionnal, de la porte d'entrée et de la sacristie. Il n'était pas simple de surveiller les trois points en même temps, mais il le fallait. Le compte à rebours avait commencé quand Claudia s'était agenouillée dans le confessionnal.

A quelques mètres de lui, la religieuse fit le signe de croix et se leva péniblement. Son chapelet à la main, les mains cachées sous son habit, la tête penchée, elle se dirigea vers une porte, s'appuyant lourdement sur sa canne.

Elle avait un trousseau de clés et en essaya plusieurs avant de trouver la bonne.

Billy tiqua. Quelque chose clochait… Mais oui ! Lorsqu'elle s'était signée, elle avait fait le signe de croix à l'envers, touchant son épaule droite avant la gauche.

Aucune religieuse ne ferait cette erreur.

Il sauta sur ses pieds.

— Attendez, ma sœur, je vais vous aider.

— Merci, je vais y arriver.

Elle semblait soudain paniquée et moins vieille qu'un instant auparavant. Quand elle parvint à débloquer la serrure, elle sortit et essaya de lui claquer la porte au nez. Heureusement, il avait mis le pied dans l'embrasure. Elle se mit alors à courir, relevant sa robe pour faciliter ses mouvements. Il vit alors un pantalon qui n'avait rien de la tenue habituelle des religieuses !

Il la poursuivit et la rattrapa quelques mètres plus loin. Mais elle se débattit comme un chat sauvage, le griffant, le frappant, le mordant, hurlant.

Il parvint à lui arracher son voile et reconnut Angie Torres. Il avait encore fait une erreur de débutant en ne cherchant pas plus loin que l'habit.

— Laissez-moi ! cria-t-elle.

Il était assis sur elle, lui tordant le bras dans le dos pour la neutraliser. Elle lui avait lacéré le visage et il sentait le sang couler.

— J'espère pour vous que la religieuse qui portait cet habit est en vie. Où est-elle ?

Sans répondre, Angie le regarda d'un air dédaigneux.

— Très bien, poursuivit-il.

Il chercha par automatisme une paire de menottes dans sa poche, mais il n'en avait pas. Parfois, il regrettait de ne plus être policier. Il devait improviser et déchira un morceau du voile pour s'en servir comme lien.

— Attendez, dit Angie. Laissez-moi me lever et je vous conduirai jusqu'à mon père.

— Où est-il ?

— Il doit me retrouver à l'église mais, si je ne l'appelle pas, il ne viendra pas. Vous ne l'attraperez jamais. Si je l'attire pour vous permettre de l'arrêter, je coopère, non ? Cela m'évitera-t-il la prison ?

— Certainement. Si vous coopérez, je le dirai aux flics et la justice en tiendra compte.

— Alors, tant mieux. Laissez-moi me lever.

Il n'avait pas du tout l'intention de la libérer. Elle tenterait de s'enfuir à la première occasion, il en était sûr. Cela dit, elle était petite et faible, elle ne ferait pas le poids.

Il finit de lui attacher les mains malgré ses protestations. Il la palpa rapidement pour s'assurer qu'elle ne portait pas d'armes et l'aida à se mettre debout.

— Où est la sœur ?

— Quelle sœur ?

— La sœur Marguerite, celle à qui appartient cet habit. Si vous avez fait du mal à une vieille religieuse sans défense, vous le paierez cher.

— Je ne lui ai rien fait.

— Alors où est-elle ?

— Vous voulez mon père, oui ou non ?

— Pas avant que je sois sûr que la sœur va bien.

Angie soupira.

— Elle est dans cette pièce, vous savez, là où les prêtres s'habillent.

— La sacristie.

Il l'y entraîna, mais la porte était verrouillée.

— Où sont les clés ?

— Je les ai fait tomber quand vous m'avez agressée.

Il perdit un temps précieux à les récupérer avec Angie, à la traîner de nouveau jusqu'à la sacristie et à essayer toutes les clés jusqu'à ce qu'il trouve la bonne.

Quand il y parvint enfin, il poussa le battant et alluma la lumière. La religieuse était étendue par terre, les mains attachées. Il se pencha vers elle, elle le dévisagea d'un air terrifié.

— Seigneur ! cria-t-il en se tournant vers Angie avec colère. Comment avez-vous pu faire ça ? Allongez-vous sur le sol. Si vous bougez, je vous assomme, c'est bien compris ?

Puis il s'agenouilla près de sœur Marguerite et lui parla avec douceur.

— Tout va bien, ma sœur. N'ayez pas peur de moi. Je suis ici pour vous aider.

Une fois son bâillon retiré, la malheureuse inspira plusieurs fois. Il la libéra de ses liens. Puis il sortit son portable pour appeler les secours.

— J'ai besoin d'une ambulance pour l'église Notre-Dame, dit-il en donnant l'adresse.

— Votre nom, monsieur ?

— Billy Cantu, de Project Justice.

La religieuse s'était difficilement relevée et frottait ses poignets l'un contre l'autre.

Billy s'empara d'un tissu sur une table et le posa sur ses épaules. Elle devait se sentir humiliée d'être pratiquement nue devant un homme inconnu.

Puis il dit à la réceptionniste des urgences qui patientait au bout du fil :

— Et envoyez la police. Une religieuse a été agressée.

La sœur tentait de lui dire quelque chose. Mais, sous le coup de l'émotion, elle avait du mal à parler et il ne comprit pas tout de suite.

— Le père Benito, balbutia-t-elle enfin en lui montrant du doigt un coin de la pièce.

Horrifié, il découvrit le prêtre étendu sur le sol, inconscient.

— Mon père !

Comme il se précipitait vers lui, une question le traversa soudain. Si le père Benito était devant lui, qui était dans le confessionnal ?

*
* *

— Bonjour, mon père, c'est moi, Claudia Ellison. Je sais que le moyen que j'ai choisi pour m'entretenir avec vous n'est pas très conventionnel, d'autant que je ne suis même pas baptisée…

Elle attendait une réponse de sa part, mais il resta silencieux. Il était là, en tout cas. Elle l'entendait respirer de l'autre côté de la grille de bois, derrière le rideau.

— Ecoutez, je ne veux créer d'ennuis à personne. Je cherche juste à sauver Mary-Francis. Son mari est en vie quelque part et je sens que peut-être vous savez où il se trouve. Ou que vous pouvez au moins le deviner.

Il ne disait toujours rien.

— Je vous le promets, tout ce que vous me confierez restera entre nous. Je sais qu'un prêtre n'a pas le droit de trahir le secret de la confession, mais je suis thérapeute. Comme vous, je suis tenue à un devoir de réserve.

Elle attendit. Toujours rien.

— Je crois que vous avez pris la statue chez Theresa. Elle était pleine de pièces d'or. Je suis certaine que vous n'aviez pas l'intention de les voler parce que vous êtes un homme bon. Je le sens. Peut-être cherchiez-vous à les mettre en sécurité. En tout cas, je ne suis pas la seule à savoir que vous l'avez récupérée. Eduardo Torres le sait aussi. Et il va sans doute venir chercher son bien. Billy et moi aimerions vous mettre dans un endroit sûr. Puis, une fois la religieuse et vous à l'abri, Project Justice se chargera d'arrêter Eduardo. Etes-vous d'accord ?

Son silence finissait par la rendre folle. Pourquoi ne répondait-il pas ?

— Mon père ?

C'est alors qu'elle remarqua une odeur qui n'avait pas sa place dans un confessionnal. Une odeur de tabac, de cigarette.

La panique s'empara d'elle.

« Sors d'ici au plus vite, vite ! » s'ordonna-t-elle en essayant d'ouvrir la porte.

Mais elle ne fut pas assez rapide.

Avant qu'elle ne réussisse à quitter le petit réduit, une main la saisit à la gorge.

— Vous auriez dû vous mêler de vos affaires comme Pedro vous l'avez conseillé. Vous auriez pu sauver votre vie, mais vous n'avez pas écouté. Ma femme ne mérite pas les efforts que vous avez déployés.

Claudia ne parvenait plus à réfléchir, pas même à respirer. Eduardo Torres pressait son artère carotide. Elle n'allait pas tarder à perdre connaissance.

« Réfléchis, bon sang, réfléchis », se dit-elle.

Elle n'était pas une victime sans défense. Elle pouvait faire quelque chose, agir, prévenir Billy.

Son signal d'alarme personnel ! Cette fois, elle avait une main libre. Elle plongea dans sa poche et pressa le bouton, déclenchant une sirène assourdissante.

19

— Claudia ! hurla Billy dans la sacristie.

Un instant, il hésita. Devait-il rester au chevet du prêtre inconscient ou se précipiter au secours de la femme qu'il aimait ? Qui avait le plus besoin de son aide, dans l'immédiat ?

— Allez-y, je vais m'occuper du père.

La religieuse s'était levée. Elle semblait plus forte et plus assurée qu'un instant plus tôt.

Elle n'eut pas à le répéter.

— Surveillez la fille, dit-il. Qu'elle ne se libère surtout pas.

Il se laissa guider par la sirène. En quelques enjambées, il rejoignit le confessionnal, mais celui-ci était fermé à clé.

— Claudia !

Sans perdre de temps à tenter de forcer la serrure, il recula et donna de grands coups d'épaule sur la porte pour la défoncer.

Quand il y parvint, il découvrit une scène terrifiante. Un homme serrait Claudia au cou, la clouant contre le mur. Elle ne bougeait plus.

Il frappa avec violence le bras qui étouffait sa bien-aimée, l'obligeant à lâcher prise.

Puis, il tira Claudia hors du confessionnal.

— Claudia, ça va ?

— Oui, oui. Cours après Eduardo. Vite !

Eduardo en avait profité pour filer. Billy le prit en chasse et le rattrapa avant qu'il n'atteigne les portes de l'église. Il le saisit par les épaules et le fit basculer à terre. Tous deux roulèrent sur les dalles de pierre.

Eduardo était musclé, mais Billy réussit à le neutraliser sans trop de difficultés. Maintenant, il avait la possibilité de lui donner une bonne leçon. Cet homme était un monstre, il avait frappé sa femme, lui avait fait croire qu'il était mort, l'avait fait accuser d'un meurtre qu'elle n'avait pas commis et n'avait pas bougé le petit doigt pour la sauver lorsqu'elle avait été condamnée à mort.

Malheureusement, Billy n'avait pas beaucoup de temps devant lui. Un prêtre inconscient et une vieille religieuse ne feraient pas longtemps le poids contre Angie.

Il sortit son arme et se leva, pointant le canon sur Eduardo.

— Allongez-vous sur le ventre, les mains dans le dos.

— D'accord, d'accord, ne tirez pas.

Claudia sortit alors du confessionnal. A la vue des marques rouges qu'elle avait au cou, Billy eut envie de massacrer Eduardo.

— Ça va, *Cielito* ?

— Oui, répondit-elle dans un murmure.

— La police arrive, mais essaie de trouver quelque chose pour ligoter Eduardo.

— Cela ne sera pas nécessaire.

Billy se retourna et découvrit Angie. Elle était armée et tenait en respect le prêtre et la religieuse.

— Laissez tomber votre revolver, Cantu, ou vous aurez deux morts sur la conscience.

Lentement, Billy obtempéra. Il posa son arme sur le sol avant de l'envoyer valser d'un coup de pied. Il ne voulait surtout pas qu'Eduardo s'en empare.

Angie se tourna vers son père.

— Lève-toi, papa. Je gère la situation.

Eduardo tenta de se redresser, mais il retomba lourdement sur le sol.

— Ce fils de pute m'a cassé la jambe.

— Allons chercher le trésor et filons, dit Angie nerveusement. Une dernière fois, père Benito, où sont ces pièces ?

Le prêtre avait une grosse bosse sur la tête et il était pâle.

— Je vous l'ai déjà dit. Elles ne sont pas ici.

— Alors où se trouvent-elles ?

— Au Mexique, je les ai rendues au musée. Votre père les avait volées, votre mère m'avait raconté toute l'histoire. Ces pièces étaient à l'origine sur le *Margarita*, un navire espagnol qui a fait naufrage.

— Vous avez fait main basse sur le trésor ! cria Angie. Vous avez profité du fait que ma tante était à l'hôpital pour entrer par effraction chez elle et pour la voler. Quel prêtre êtes-vous ?

— Un prêtre proche de votre mère et de votre tante, répliqua le père Benito avec calme. Nous venons tous du même village. Quand j'ai fini mon séminaire, je suis allé aux Etats-Unis. Et, quand je m'y suis installé, les parents de Mary-Francis et de Theresa m'ont demandé de l'aide, de trouver un bon mari pour leurs filles pour qu'elles aient une meilleure vie et ne connaissent jamais la faim. Je pensais bien faire.

— Mary-Francis avait quinze ans, intervint Claudia d'une voix sévère. Sa sœur, deux ans de plus.

— Dans les campagnes mexicaines, les filles se marient jeunes. Eduardo Torres avait vingt-quatre ans, il avait une forte constitution, il possédait déjà une maison. Il m'a promis d'être bon pour elle. Si j'avais su…

Il ne put poursuivre.

Billy fixa Angie du regard. Elle semblait s'intéresser aux paroles du prêtre, être moins en colère.

— Ne l'écoute pas, Angie, intervint Eduardo. Il cherche à gagner du temps. Fais-le avouer où sont les pièces. Tire-lui dans les jambes, au besoin.

— Les pièces ne sont plus là, répéta le prêtre. Oui, j'ai pris la statue. Quand j'ai vu que Theresa avait été victime d'une tentative de meurtre, à cause de ces pièces, je les ai emportées. Pour les mettre en sécurité, d'abord. Puis, j'ai compris qu'elles étaient maudites alors je les ai renvoyées au Mexique, au musée. Puis j'ai mis la statue dans l'église. Je prie la Vierge chaque jour pour Mary-Francis, qui n'a pas tué son mari, et pour Theresa.

— Il n'y a donc pas de trésor ? glapit Angie.

— Non, mon enfant. Les pièces sont parties pour toujours.

Les yeux d'Angie se remplirent de larmes.

— Nous avons donc fait tout ça pour rien. Tous ces plans, tous ces mensonges n'auront servi à rien. Et je vais finir en prison.

Lentement, elle pointa le canon de son arme vers sa propre tête.

— Non, Angie, ne faites pas ça ! cria Billy. Vous n'avez pas commis de crimes graves. Un bon avocat vous tirera de là.

— Je suis complice de meurtre, vous l'avez dit.

— Je mentais.

Il se tourna vers Claudia. Elle s'était discrètement rapprochée d'Angie.

— Je voulais m'enfuir au Mexique avec papa, poursuivit cette dernière. Nous aurions passé la frontière déguisés en prêtre et en religieuse pour ne pas être inquiétés. Grâce aux pièces d'or, nous aurions pu acheter une maison avec des domestiques et une Mercedes. Et vivre bien tous les deux.

— Posez cette arme, Angie, dit Billy.

— Billy, à plat ventre ! hurla Claudia.

Il plongea à terre.

Angie tira, mais la balle se perdit et atteignit la statue.

Claudia, la religieuse et le prêtre se jetèrent sur Angie pour la désarmer. Pendant ce temps, Billy récupérait son revolver.

Et, enfin, la police arriva.

Billy tenta de protester quand un policier lui passa les menottes tandis qu'Eduardo essayait de convaincre la police qu'il était vraiment prêtre. Heureusement, le père Benito rétablit la vérité même s'il fallut un moment pour éclaircir la situation…

Une fois qu'Angie et Eduardo furent embarqués par les policiers, Billy eut profondément envie de prendre Claudia dans ses bras et de la serrer contre lui. C'était peut-être sa dernière chance de l'embrasser et de renouer avec elle, songea-t-il. Elle était assise sur une chaise, toute pâle, et lui souriait courageusement. Mais elle n'en menait pas large.

Incapable de s'en empêcher, il s'approcha d'elle et l'enlaça.

— Quand je t'ai vue aux prises avec Eduardo, j'ai eu la peur de ma vie, Claudia. J'ai cru qu'il était trop tard.

Il s'arrêta un instant, puis reprit :

— Claudia, tu m'as sauvé la vie en désarmant Angie. Comment avais-tu deviné qu'elle allait tirer sur moi ?

— C'était écrit sur son visage. Elle n'est pas suicidaire, elle s'aime trop pour attenter à sa propre vie. Elle jouait les désespérées pour s'attirer notre sympathie. Elle regardait tout le monde pour voir nos réactions. Mais, quand elle t'a regardé, j'ai vu qu'elle te reprochait l'échec de son entreprise. J'ai compris qu'elle allait tirer.

— Je ne qualifierai plus jamais tes qualités de vaudoues, je te le promets.

Comme elle fondait en larmes, il l'étreignit plus fort.

— Ne pleure plus, *Cielito*. Tout est fini, maintenant.

— Billy, balbutia-t-elle. Je suis si désolée.

— Pour quoi ?

— D'avoir insisté pour que tu me parles de Sheila.

Il se raidit. La vieille douleur habituelle, la morsure de la culpabilité allait-elle de nouveau le terrasser ? Non. Tout cela semblait bel et bien fini. Peut-être avait-il enfin rompu la malédiction. Aujourd'hui, tout s'était bien passé. Il avait sauvé Claudia d'Eduardo.

— Tu avais raison, poursuivit Claudia. Tout le monde a le droit d'avoir des secrets, une intimité, de garder ses pensées pour soi. Je ne peux pas m'empêcher de lire sur le visage des gens. Mais je n'avais pas à interpréter à haute voix tes faits et gestes, ni à insister pour tout savoir. J'ai eu tort.

— Non, *querida*. Tu as vu mes côtés sombres et tu cherchais seulement à ramener mon âme à la lumière.

— C'est une façon très poétique de présenter les choses, mais je n'ai pas été juste.

— J'essaie seulement de te dire que j'ai peut-être le droit d'avoir des secrets, mais tu as celui de te sentir en sécurité avec moi. Et de partir, si ce n'est pas le cas.

— Alors j'aurais dû partir plutôt que te forcer à…

— Tu ne m'as pas forcé, je t'ai avoué mon crime, c'est tout. J'ai été torturé par des gens plus inquiétants que toi.

— Tu as été torturé ? Quand ?

Il posa un doigt sur sa bouche.

— Tu as raison, se reprit-elle en souriant légèrement. Cela n'a pas d'importance.

— Je te raconterai une autre fois et seulement si tu le souhaites. Quant à Sheila, je ne voulais pas te le dire parce que j'avais peur que tu me quittes. Je l'ai tuée.

— Tu as pris une décision. Ce n'était peut-être pas la bonne, mais sans doute le dealer l'aurait-il tuée de toute façon. Tu te sens responsable, mais tu ne l'as pas tuée, non. Et je ne t'aurais jamais quitté pour cela, Billy parce que… je t'aime. Je sais que c'est de la folie mais c'est vrai.

— Claudia. *Te amo, también*. Je t'aime, mon cœur.

Il se pencha pour l'embrasser avec force et elle se laissa faire. Mais sœur Marguerite se gratta alors la gorge…

Ils s'écartèrent l'un de l'autre, un peu gênés. La religieuse avait remis son habit et semblait aussi sévère que celles qu'il avait connues lorsqu'il était enfant.

Pourvu qu'elle n'ait pas de règle de bois.

Epilogue

— En général, je n'encourage pas la consommation d'alcool pendant les heures de travail, dit Daniel de son écran vidéo. Mais, comme il s'agissait de la première affaire de Billy et qu'il l'a menée avec succès, j'ai commandé du champagne.

Daniel ouvrit une bouteille et Billy fit de même. La salle était remplie de gens qui avaient participé de près ou de loin à l'enquête.

— Mary-Francis sera libérée demain, annonça Claudia. Sa sœur Theresa va mieux de jour en jour. Elle aussi devrait bientôt pouvoir rentrer chez elle.

— De plus, poursuivit Billy, Pedro Madrazo a été arrêté hier. Il est mis en examen pour de nombreux crimes, y compris l'agression de Claudia dans le parking.

— Et le prêtre ? demanda Daniel. Il a quand même volé des pièces d'or…

— Comme elles avaient été volées à l'origine et qu'il les a rendues à leur propriétaire sans en tirer aucun gain personnel, personne n'a porté plainte contre lui. Il est libre.

Billy se mit à verser le champagne dans les coupes. Céleste fut la première à tendre la sienne. Quand tout le monde fut servi, elle la lui présenta de nouveau.

— Vous ne m'en avez donné que quelques gouttes la première fois, lui dit-elle en souriant.

Puis tous portèrent un toast au succès de l'affaire.

— Nous avons deux autres raisons de sabler le champagne, dit Billy. D'abord, je vais démissionner de Project Justice.

— Quoi ? s'exclama Raleigh. Et il faudrait sabler le champagne pour ça ?

— En fait, j'ai décidé de réintégrer les rangs de la police. J'ai posé ma candidature auprès de la police judiciaire de Houston et, avec le soutien de Jamie, je pense que je décrocherai le poste. En travaillant sur cette enquête, j'ai compris à quel point, je regrettais mon badge.

— Ce sont de bonnes nouvelles, dit Daniel. Je savais que vous ne faisiez que passer chez nous et je suis certain que vous serez un de nos meilleurs alliés lorsque vous serez redevenu inspecteur.

— Je ferai de mon mieux.

— Vous avez dit que vous aviez deux autres raisons de sabler le champagne, reprit Daniel. Quelle est l'autre ?

— Je crois que je l'ai devinée, dit Beth.

Un grand sourire éclaira le visage de Billy.

— Le Dr Claudia Ellison a accepté d'être ma femme.

Tous poussèrent des cris de joie et se pressèrent pour féliciter les fiancés. Claudia et Billy ne savaient plus où donner de la tête.

Puis, alors que le calme commençait à revenir et que quelqu'un demanda s'il ne fallait pas aller chercher une autre bouteille, un étrange grognement se fit entendre.

Jillian hurla et sauta sur une chaise. En un clin d'œil toutes les femmes perdirent la tête, criant et pleurant à qui mieux mieux.

— Seigneur, dit Daniel. Est-ce le pécari ?

Céleste calma tout le monde en prenant la direction des opérations.

— Tout va bien, Buster, maman est là. N'aie pas peur.

Et, s'emparant de son animal, elle quitta la pièce à la hâte.

— Je crois que je devrais me rendre plus souvent au bureau, dit Daniel. A présent, tout le monde se remet au travail. Des innocents sont toujours en prison.

L'église Notre-Dame n'avait jamais paru plus belle. Des bouquets de roses blanches étaient accrochés partout.

Sœur Marguerite avait soigneusement balayé les dalles de pierre, ciré les bancs et retiré les toiles d'araignées.

Mary-Francis avait payé quelqu'un pour réparer la statue de la Vierge. Le résultat était spectaculaire et personne n'aurait pu deviner ses mésaventures.

Billy et Claudia avaient souhaité se marier dans l'intimité. Ils n'avaient envoyé que de rares invitations à des amis proches et à leurs familles. Si Claudia n'en avait aucune, les sœurs et la mère de Billy avaient sauté dans un avion pour l'aider à tout préparer. Elles avaient envie d'un grand mariage et eurent du mal à comprendre qu'ils préféraient une cérémonie toute simple.

Claudia portait une robe blanche sans voile mais avait planté des fleurs dans ses cheveux. Billy avait choisi un élégant costume bleu.

Le père Benito célébra la messe et les maria. Mary-Francis et Theresa étaient au premier rang.

Theresa était assise dans un fauteuil roulant mais allait cent fois mieux que quelques semaines plus tôt.

Claudia s'approcha de l'autel. L'amour brillait dans les yeux de Billy et, malgré la promesse qu'elle s'était faite, elle fondit en larmes.

Lorsqu'il glissa un anneau d'or à son doigt, elle trembla de tout son être. Ellc avait enfin trouvé un foyer. Billy et elle le bâtiraient ensemble. Ils auraient beaucoup d'enfants, certains abandonnés, d'autres à accueillir et aussi les enfants qu'elle aurait avec Billy.

Ils leur donneraient tout l'amour et la tendresse dont elle avait été privée, petite fille.

— Je vous déclare mari et femme, dit le vieux prêtre. Billy, vous pouvez embrasser la mariée.

Ils s'étreignirent rapidement pour ne pas choquer la vieille religieuse. Puis, main dans la main, ils sortirent de l'église pour commencer une nouvelle vie.

MALLORY KANE

Piégée par le mensonge

BLACK *ROSE*

éditions HARLEQUIN

Titre original : COVERT MAKEOVER

Traduction française de PHILIPPE DOUMENG

83-85, boulevard Vincent-Auriol, 75646 PARIS CEDEX 13.

Service Lectrices — Tél. : 01 45 82 47 47

www.harlequin.fr

1

Sophie Brooks décroisa les jambes et tira sa jupe sur ses cuisses tandis que sa patronne arpentait nerveusement la salle de réunion de Mariage pour la Vie, société d'organisation de mariages sise dans un immeuble de haut standing du centre-ville de Miami. La robe de fin coton de Rachel Brennan virevoltait à chacun de ses pas. A son arrivée au bureau ce matin, Sophie avait remarqué que la ravissante directrice de Miami Confidentiel, une jeune femme au physique élancé et à la chevelure d'un noir de jais, était particulièrement agitée.

Rachel raccrocha son portable et appliqua son gobelet de lait frais contre sa tempe pour se rafraîchir.

— Quand la journée s'annonce ainsi, je regrette sincèrement le climat du Colorado. Comment peut-on survivre dans cent pour cent d'humidité ?

Elle posa le regard sur les bas noirs de Sophie.

— Je te promets, Sophie, je fondrais comme un cornet de glace au soleil si je m'habillais comme toi.

Sophie afficha un vague sourire en guise de réponse et recroisa les jambes. Après avoir bu une longue gorgée de son verre de lait, Rachel regarda tour à tour les membres de l'équipe installés à la table de réunion.

— Je viens d'avoir les responsables de l'hôpital. Le chauffeur de Sonya Botero a repris connaissance. Sean Majors, le responsable de la sécurité pour le clan Botero, a exigé que personne ne soit autorisé à lui rendre visite. Il veut être le premier à l'interroger.

Rafe Montoya frappa du plat de la main sur la table.

— Il aurait placé un garde du corps devant la chambre de Johnson vingt-quatre heures sur vingt-quatre. Je n'aime pas ça.

Majors s'intéresse un peu trop à ce type à mon goût. Nous savons que Craig Johnson est directement impliqué dans l'enlèvement de Sonya. Qu'est-ce que manigance Majors ? Qu'essaie-t-il de nous cacher ?

Rachel se passa la main dans les cheveux.

— Je pense qu'il se sent en partie responsable de l'enlèvement, vu que Johnson est l'un de ses hommes, et qu'il fait du zèle. D'ailleurs, il a tout à fait le droit de protéger son employé. Soyons patients. Il faudra bien, tôt ou tard, qu'il se montre coopératif.

— Il n'a pas d'autres informations au sujet de l'enlèvement ? demanda Julia Garcia.

Rachel secoua vivement la tête.

— Donc, nous n'avons toujours aucune idée du montant de la rançon, ni du lieu d'échange ?

Julia ne cachait pas son inquiétude. Elle fréquentait Sonya Botero depuis de nombreuses années et toutes deux étaient très proches.

Comme Rachel ne répondait pas à sa question, Sophie prit la parole.

— Vous pensez qu'on n'en saura pas plus, n'est-ce pas ?

Tout le monde la regarda. D'évidence, Sophie venait d'exprimer à haute voix l'angoisse que tous ressentaient.

— Leurs intentions sont évidentes : atteindre le fiancé de Mlle Botero. Si son enlèvement a pour but de contraindre Juan DeLeon à cesser sa lutte contre la drogue au Lareda, on va rencontrer de sérieux problèmes pour agir depuis ici. De plus, les élections législatives auront lieu dans quelques semaines.

Samantha Peters se dandina sur son siège et ajusta ses lunettes turquoise sur le bout de son nez.

— Il y a un autre point à ne pas négliger : l'éventuelle implication de cette folle d'ex-femme de Juan. N'importe qui parmi sa famille aurait pu monter le coup. Après tout, ils sont tous plus ou moins dans le trafic de drogue.

— Pourquoi agiraient-ils seulement maintenant ? rétorqua Sophie. S'ils voulaient se venger, ils auraient pu le faire depuis des années.

— Oui, mais aujourd'hui Juan est devenu une personnalité très influente.

Rachel jeta son gobelet dans la corbeille et fronça les sourcils.

— Il est frustrant de ne pas avoir la moindre piste. Et, du reste, Sophie a raison. Notre pouvoir d'action depuis Miami est limité. Une chose est sûre : nous devons tabler sur le fait que Sonya est encore en vie. Tout ce que nous entreprendrons ne doit converger que vers un seul but, la récupérer vivante.

— La police ne nous donne pas de ses nouvelles, ce qui est plutôt encourageant, intervint Rafe.

— En effet. Je préfère que l'on tienne la police en dehors de tout ceci. En fait, j'ai rendez-vous avec le commissaire cet après-midi pour lui faire part de notre stratégie. Nous somme parvenus à cacher l'affaire au grand public, et le commissaire a tout intérêt à collaborer avec Miami Confidentiel, mais les médias commencent à s'intéresser de près à la présence de Juan DeLeon en Floride, et à l'absence de Sonya des cérémonies officielles.

Sophie jeta un coup d'œil à sa montre ; elle avait un rendez-vous avec un prospect. Mariage pour la Vie était une entreprise très florissante et fournissait une couverture idéale pour Rachel Brennan et Miami Confidentiel.

— Je suis désolée, Rachel, dit-elle, mais mon client sera là d'une minute à l'autre.

Rachel acquiesça d'un petit signe de tête.

— Bien. Vas-y. Pas question de négliger les affaires en cours ou d'attirer les soupçons sur la boîte.

Entendant retentir la sonnette du hall d'entrée, Sophie se leva, tout en remettant de l'ordre dans sa tenue.

— Voilà ma cliente. Dès que j'en aurais terminé avec elle, j'appellerai mes contacts à la CIA pour connaître la situation actuelle au Lareda.

— Bien. Merci à tous, dit Rachel.

Sophie descendit l'escalier en spirale, ses hauts talons claquant sur les marches en marbre, et accueillit tout sourires une jeune femme dont le souci majeur était de décider de la couleur de ses faire-part.

Sean Majors serra les poings en voyant Carlos, dans son fauteuil roulant, s'avancer dans le salon de sa superbe propriété.

Sean avait de bonnes nouvelles à annoncer à son employeur, mais aussi des mauvaises.

Carlos Botero avait été un homme imposant, volontaire et assez séduisant jusqu'à ce que sa fille unique se fasse enlever, quelques semaines auparavant. A présent il semblait abattu, vidé de son énergie. Son esprit était toujours aussi vif, mais, physiquement, il dépérissait à vue d'œil.

Carlos agita faiblement la main pour signifier à Javier, son aide-soignant, de se retirer. Ce dernier échangea un regard avec Sean ; il serait non loin au cas où Sean aurait besoin de lui.

— J'ai de bonnes nouvelles, monsieur Botero.

Carlos devint soudain très pâle.

— Sonya ?

— Non, monsieur. Il ne s'agit pas de Sonya. Je suis désolé.

Sean aurait pu faire preuve d'un peu plus de tact, mais deux événements significatifs survenus durant la demi-heure précédente lui accaparaient l'esprit.

— Craig Johnson a repris conscience.

Les mains de Carlos se crispèrent sur les accoudoirs de son fauteuil.

— Je vous somme de découvrir son degré d'implication dans cette affaire, dit-il en plongeant son regard dans celui de Sean.

Sean approuva avant de détourner le regard. Carlos était tout sauf un imbécile. Il ne pouvait que sentir qu'il lui cachait quelque chose. Sean ne lui avait pas encore révélé, en effet, qu'un membre de Mariage pour la Vie avait intercepté un appel de Johnson à destination du Lareda.

— Je vais m'y employer, monsieur. Le garde du corps ne laissera personne voir Johnson tant que je n'aurais pas eu une petite conversation avec lui.

Sean prit une grande inspiration. Son estomac s'était noué.

— Monsieur Botero…

Carlos lui lança un regard inquisiteur.

— Qu'y a-t-il encore ? Vous ne m'auriez pas tout dit ?

Sean sortit de la poche de sa veste un sachet en plastique ; il contenait la feuille de bloc-notes qu'il venait de récupérer auprès du garde en faction devant l'immeuble de Carlos, et qu'il avait placée sous scellés afin d'éviter de la contaminer — c'était une pièce à conviction.

Sean allait se rendre à l'hôpital pour voir Johnson lorsque le garde l'avait appelé pour l'informer qu'un chauffeur de taxi avait déposé une enveloppe à son intention. Le garde avait judicieusement noté la plaque minéralogique, ce qui avait permis à Sean de confier à l'un de ses hommes la mission de retrouver le chauffeur et de le questionner.

— Est-ce là un autre mot des ravisseurs ? demanda Carlos, une pointe d'excitation dans la voix.

— Oui, monsieur.

— Donnez-la-moi.

Sean la lui tendit.

« Nous espérons que vous avez les deux millions que nous exigeons. Placez la somme en coupures de mille dollars dans un sac en plastique transparent et attendez nos instructions. Vous êtes prévenu : vous aurez deux heures après notre appel pour vous soumettre à nos ordres. Pas un instant de plus. »

— Monsieur Botero, il me semble judicieux de prévenir la police et le gouvernement de…

— Non !

La feuille échappa aux mains de Carlos et virevolta jusqu'au sol.

— Pas la police.

Il voulut attraper le bras de Sean et ses doigts se refermèrent sur la manche de sa veste.

— Le message ne fait pas mention de ma fille.

— Non, monsieur.

Et cela inquiétait Sean au plus haut point. Le message des ravisseurs ressemblait plus à une extorsion de fonds qu'à une demande de rançon. Il redoutait que l'enlèvement soit un plan destiné à tenir Juan DeLeon hors du Lareda et à l'éloigner ce faisant de ses fonctions politiques, afin que ses opposants le coiffent sur le poteau aux prochaines élections.

Il craignait, par ailleurs, que Sonya soit déjà morte ; mais il n'osait pas partager ses craintes avec Carlos. Cela risquait de provoquer la mort du vieil homme, lequel l'employait depuis près de dix ans. Sa mission devait se borner à accomplir les vœux de Carlos, tout en assurant sa sécurité.

Bien entendu, il avait le même engagement vis-à-vis de Sonya, et il avait lamentablement échoué.

— Monsieur, laissez-moi vous rappeler que la situation au Lareda est totalement imprévisible. L'enlèvement de Sonya a certainement un rapport avec le trafic de drogue. Les autorités locales devraient être informées de la situation.

Carlos secoua la manche de la veste de Sean.

— Non ! Je me fiche bien de ces politiciens corrompus. Je ne me soucie que d'une chose : retrouver ma fille vivante. Je vous confie sa vie ! lança Carlos en haussant la voix. Promettez-moi…

Javier passa la tête par l'entrebâillement de la porte, mais Sean lui fit signe de les laisser seuls.

— Monsieur Botero, je ne saurais vous dire à quel point je suis désolé…

— Je n'ai que faire de vos excuses. Promettez-moi seulement de laisser les autorités en dehors de tout ceci.

— Je ferai selon vos désirs, monsieur.

Carlos braqua son regard fiévreux sur Sean.

— Je veux que l'on me rende ma fille. Sonya est le soleil de ma vie, mon seul enfant. Je ne supporterais pas de la perdre.

Sean lui tapota la main.

— Je vous donne ma parole que je ferai tout ce qui est en mon pouvoir pour vous la ramener saine et sauve.

Carlos se détendit ostensiblement.

— Merci, merci… Si seulement mon vieil ami Esteban était encore en vie, il pourrait vous épauler dans votre mission. Mais, à présent, Javier a repris sa place de garde du corps…

Carlos eut tout à coup du mal à respirer et fut secoué d'une quinte de toux. Sean appela Javier en renfort. Il souffrait de voir son patron si diminué.

Javier apporta un verre d'eau à Carlos puis l'emmena, prétextant qu'il était l'heure de son massage quotidien. Sean s'installa alors au bureau de son employeur et, pour la énième fois, se rejoua la scène de l'enlèvement de Sonya Botero, qui s'était déroulée devant le bâtiment de Mariage pour la Vie.

En qualité de responsable de la sécurité de Botero, il sentait le poids de sa responsabilité peser sur ses épaules. C'était suivant ses recommandations que Sonya avait laissé son coupé Porsche pour la limousine de son père.

Compte tenu de la tension politique au Lareda, et des menaces que recevait régulièrement le fiancé de Sonya, il avait ressenti la nécessité de lui adjoindre un garde du corps. Il avait choisi Johnson à cause de ses glorieux états de service dans l'armée. Il avait servi dans différents conflits internationaux particulièrement délicats.

A présent, Johnson gisait entre la vie et la mort sur son lit d'hôpital, un innocent client de Mariage pour la Vie était sévèrement blessé, et personne n'avait eu de nouvelles des ravisseurs depuis plusieurs jours. Jusqu'à ce que ce nouveau message leur parvienne enfin.

Le premier message, sur lequel était apposée l'empreinte digitale ensanglantée de Sonya, avait été accompagné d'une mèche des cheveux de la jeune femme. Il était affreusement concis.

« Deux millions de dollars. Vous serez recontacté. »

Secouant la tête de dépit, Sean relut le dernier message. Il ne donnait aucun éclairage supplémentaire sur l'affaire.

« Vous aurez deux heures après notre appel pour vous soumettre à nos ordres. »

Sean décrocha le téléphone et appela le gestionnaire de Carlos pour s'assurer qu'il avait bien réuni la somme.

— Winstead ? C'est Majors. Nous avons reçu un second mot de la part des ravisseurs. La somme est prête ?

— Prête. Des précisions ?

Le gestionnaire de Carlos était un homme avare de paroles.

— Nous n'avons encore d'instructions ni sur l'heure ni sur le lieu d'échange. Nous devrons être opérationnels en l'espace de deux heures, c'est pourquoi je dois m'assurer que la somme sera bien disponible en temps voulu.

— En quelles coupures ?

— Mille dollars.

— Très bien.

— Merci, Winstead.

Sean raccrocha, en proie à un profond sentiment de solitude. Il avait l'habitude de contrôler la situation. Il avait toujours été conscient de la vulnérabilité de Sonya. Son style de vie et sa participation à des œuvres de charité l'exposaient. A chacune de ses apparitions en public, la jeune héritière était accompagnée d'un garde du corps, bien qu'elle ne s'en soit jamais doutée.

Cependant, la façon dont s'était déroulé son enlèvement le faisait tiquer. Depuis le début, Rachel Brennan, la responsable de Mariage pour la Vie, s'était employée à tenir la police et le FBI à l'écart de cette affaire. D'ailleurs, Sean avait déjà eu quelques démêlés avec son responsable de la sécurité. Rafe Montoya semblait déterminé à l'évincer.

Une entreprise d'organisation de mariages dotée d'un service de sécurité d'une redoutable efficacité… Le kidnapping d'une personnalité en vue sans que les médias s'emparent du formidable scoop que cela représentait… Les employés de Mariage pour la Vie dissimulant des informations, notamment le fait que Johnson ait passé un appel téléphonique à destination du Lareda, juste avant que l'on s'introduise dans sa chambre d'hôpital dans l'intention de le réduire définitivement au silence… Tous ces faits étaient étrangement reliés à la respectable entreprise de Mariage pour la Vie.

Quelque chose clochait.

Mais tout allait changer. Il allait de ce pas rencontrer Rachel Brennan et exiger d'elle des réponses. Il était plus que temps qu'il prenne la situation en main.

Sean se leva et replaça le message dans la poche de sa veste. Il avait promis à Carlos de lui ramener sa fille en vie, comme s'il se fût agi de son propre enfant.

En sortant de l'imposante demeure, il se retrouva sous le soleil écrasant du mois de juillet à Miami, et se remémora les paroles de Carlos.

« Sonya est le soleil de ma vie. »

Il comprenait parfaitement les sentiments de son employeur. Sean esquissa un sourire en pensant à sa propre fille, âgée de trois ans. Michaela. Quelle serait sa réaction s'il lui arrivait malheur ? Il en mourrait, à n'en pas douter.

Comme il s'assurait de la présence du message dans sa poche, le souvenir d'un autre mot s'imposa à lui ; celui que son ex-femme, Cindy, lui avait laissé avant de le quitter.

« Toi et ta fille me rendez la vie impossible. Je ne peux plus le supporter. Je veux divorcer. Tu peux garder Michaela. De toute façon, elle est convaincue que tu es son père. »

Ces derniers mots lui avaient transpercé le cœur. Deux ans avaient passé et, si la douleur s'était peu à peu estompée, elle n'avait pas disparu.

Il s'installa dans son pick-up et démarra, faisant rugir le moteur d'une manière exagérée.

S'inquiéterait-il autant pour cette fillette si elle n'était pas son enfant ? Comment pouvait-il ressentir un tel amour pour elle si elle n'était pas la chair de sa chair ? Il ferma les yeux et demeura un instant immobile.

Ce n'était pas vrai ; cela ne pouvait être vrai. Michaela avait ses yeux, sa détermination, son courage. Cindy avait juste voulu se séparer de lui sur une note de cruauté. Du reste, elle avait toujours cherché à le blesser, par tous les moyens. Elle avait voulu détruire sa relation avec sa fille, pensant que ce serait la touche finale idéale à leur relation.

Il chassa de son esprit son ex-femme et traversa la propriété de Botero. Il franchit la grille après avoir ordonné au garde de ne laisser entrer personne, sauf si on lui présentait un laissez-passer signé de sa main. Personne ne devait pénétrer dans la propriété. Pas même la police.

Il fit la route jusqu'à l'hôpital pied au plancher et gagna directement la chambre de Johnson. Une brève discussion avec l'infirmière en charge de ce dernier lui apprit que son état était stable depuis qu'il avait repris conscience.

Le garde en place devant la porte se leva d'un bond à son arrivée.

— Bonjour, monsieur Majors.

— Bonjour, Kenner. Si vous voulez boire un café, c'est le moment. Soyez de retour dans dix minutes.

La chambre était plongée dans la pénombre. Indifférent à la série policière que diffusait un poste de télévision, Johnson avait les yeux clos, et sa main agrippait le tube à oxygène engagé dans l'une de ses narines.

Sean considéra l'homme qu'il avait engagé un an auparavant.

Comment pouvait-il s'être comporté ainsi ? En colère envers lui-même et envers cet homme en qui il avait placé toute sa confiance, il traversa la chambre d'un pas décidé et ouvrit les stores d'un geste brusque.

— Hé !

Johnson se protégea les yeux avec son bras. Il grogna, toussa, puis fit un effort pour se relever.

— Monsieur Majors.

Johnson se laissa retomber sur le lit, le visage soudain extrêmement pâle.

— Ça fait plaisir de te revoir parmi nous.

Johnson battit des paupières, l'air terrorisé.

— Quelqu'un a essayé de me tuer.

— Je suis au courant. Ce que je veux découvrir, c'est pour quelle raison.

Lorsque Johnson haussa les épaules, Sean sut que son employé ne parlerait pas facilement. Il s'approcha du lit et le saisit par le poignet dans lequel était insérée la perfusion.

Johnson grimaça de douleur.

— S'il vous plaît, monsieur Majors, faites-moi sortir d'ici.

— J'ai détaché un garde devant ta porte, vingt-quatre heures sur vingt-quatre.

— Vous ne semblez pas comprendre. Cela ne les arrêtera pas. Je le sais.

— Qui en a après toi ?

Johnson transpirait à grosses gouttes, et la souffrance déformait ses traits. Sean s'en moquait bien et ne relâcha pas sa pression.

— Je vous jure que je n'en sais rien. On m'a enfoncé une aiguille dans la poitrine pendant que je dormais. Ce qu'on m'a injecté a bien failli me tuer.

— Tu n'as donc rien vu ?

— Vous ne me croyez pas, hein ? La seule chose dont je me souviens est la sensation de cette aiguille me traversant le corps, dit-il en se frottant le torse de la paume de sa main.

Johnson avait bien été agressé. Cela ne faisait aucun doute. On lui avait administré une forte dose de potassium. Qui que soit celui qui avait agi de la sorte, il savait qu'une injection de potassium dans le cœur provoquait une mort instantanée. Fort heureusement, la tentative avait échoué.

— Pourquoi as-tu fais cela, Johnson ?

L'homme déglutit et détourna le regard. La pâleur de son visage et l'appareillage médical qui l'entourait témoignaient de la gravité de son état. Cependant, il était toujours en vie, et Sean voulait des réponses à ses interrogations.

Il attendit, silencieux.

Johnson battit des paupières de façon ridicule, puis il prit une longue inspiration qui le fit abondamment tousser.

— Dès que Sonya est montée dans la limousine, j'ai reçu un coup de fil. On m'a communiqué un numéro de téléphone. Tout ce que je devais faire était leur dire où je déposais Sonya. Je n'imaginais pas qu'ils projetaient de l'enlever.

— Mon œil !

Sean relâcha la main de Johnson, craignant que sa colère ne le pousse à blesser sérieusement le jeune homme.

— Ecoutez, boss, je suis sérieux. J'ai cru qu'il s'agissait des médias.

— Les médias ? Tu mens. J'ai vu le relevé de tes communications. Tu as appelé un numéro au Lareda.

Johnson se passa la langue sur ses lèvres sèches et écarquilla les yeux.

— C'était juste un seul appel ! On n'a échangé que quelques mots.

Sean se pencha au-dessus de lui.

— Arrête de me mentir, Johnson, sinon je t'abandonne sans protection. Qu'est-ce qui t'a poussé à en arriver là ?

Le visage de Johnson revêtit une teinte verdâtre tandis qu'il jetait des regards apeurés vers la porte.

— J'avais des dettes de jeu. Après avoir dit au bookmaker que j'étais le chauffeur de Sonya Botero, j'ai commencé à recevoir ces coups de fil. Je vous jure, monsieur Majors…

Une infirmière frappa à la porte et entra dans la chambre.

— Monsieur Johnson, il est l'heure de vous rendre au scanner.

Sean poussa un soupir d'exaspération. Johnson mentait, mais il n'avait plus la possibilité ni le temps de poursuivre son interrogatoire. Il lui fallait rejoindre le siège de Mariage pour la Vie et informer Rachel Brennan de l'existence du second message que les ravisseurs avaient déposé.

Sean s'écarta du lit comme deux infirmiers à la carrure imposante entraient en poussant devant eux un brancard, et vit derrière eux le garde du corps qui regagnait son poste.

— Je te verrai plus tard, lança-t-il à Johnson en s'éloignant. Ne le quitte pas une seconde des yeux, ajouta-t-il à voix basse à l'intention du garde, en le dépassant.

Une demi-heure plus tard, Sean se trouvait devant le somptueux hall d'entrée de l'entreprise de mariages. Il jeta un coup d'œil discret aux caméras de surveillance positionnées tout autour de l'édifice. Le jour où Sonya avait été enlevée, le parking de la société était dans un total chaos. Des officiers de police, des techniciens du laboratoire et des infirmiers des urgences s'activaient en tous sens. Sur le moment, il ne s'était préoccupé que de la fille de son employeur et de Johnson, blessé durant l'incident.

Ensuite, il avait regardé les bandes vidéo et éprouvé une immense frustration devant la faible quantité d'indices que la police scientifique était parvenue à récolter sur la scène de crime.

La vidéo montrait la limousine des Botero entrant dans le champ de la caméra et venant se garer devant Mariage pour la Vie. Johnson, vêtu de sa livrée de chauffeur et visiblement contrarié de la porter, était venu ouvrir la portière arrière à Sonya, laquelle avait jailli du véhicule, son éternel sourire aux lèvres.

Puis une seconde limousine avait surgi et s'était arrêtée à la hauteur de la première ; deux hommes en costume noir en étaient descendus et s'étaient emparés de la jeune femme. Johnson avait aussitôt tenté de s'interposer, mais l'un des deux hommes lui avait porté un violent coup à la tête.

Un jeune homme bien bâti était alors apparu, courant vers la seconde limousine, tandis que le chauffeur de cette dernière manœuvrait pour foncer sur Johnson, qui tentait de se relever.

Johnson s'était élancé sur le côté, hors du champ de la caméra, tandis que la limousine venait percuter une jeune femme assistant à la scène. Sean avait appris depuis que celle-ci se nommait Caroline Graham et que le jeune homme qui avait accouru était son frère, Alex.

Aucun des ravisseurs n'avait montré son visage à la caméra ;

c'était comme s'ils savaient où se tenir exactement pour échapper à l'objectif.

S'ébrouant, Sean s'avança résolument vers la porte d'entrée. Mariage pour la Vie semblait une entreprise florissante et certainement plus rentable qu'il ne le pensait.

Il savait, de par sa propre expérience, qu'un mariage était onéreux. Néanmoins, cet équipement de sécurité coûtait plus cher que le loyer annuel de son appartement. Rachel l'avait d'ailleurs fait remplacer, depuis l'enlèvement, par un système plus sophistiqué. Une initiative prise un peu tard pour Sonya et Johnson, mais tout de même à saluer.

A cause de sa décoration insolite, le hall d'entrée de Mariage pour la Vie donnait à qui le traversait l'impression de se retrouver sur un plateau de tournage des années trente. Une jeune femme derrière un comptoir en marbre accueillit Sean avec un large sourire.

— Bonjour, monsieur. Bienvenue à Mariage pour la Vie. Que puis-je pour vous ?

— Rachel Brennan, s'il vous plaît.

La jeune femme se livra à une rapide inspection de sa personne ; la qualité de son costume, la coupe de ses cheveux, l'état soigné de ses mains.

— Sean Majors, responsable de la sécurité de M. Carlos Botero, annonça-t-il en exhibant sa carte de visite.

— Oh ! bien entendu, monsieur Majors, répondit-elle en rougissant légèrement. Mlle Brennan n'est pas disponible. Puis-je vous proposer de rencontrer… — elle jeta un regard vers son agenda — Mlle Brooks ?

Qui était-ce ? se demanda Sean en la cherchant du regard.

A sa droite, près de l'escalier en marbre, dans une petite pièce dont elle avait fait son bureau, se tenait une femme blonde, à l'allure plutôt élancée et vêtue d'une robe noire et blanche, ses longues jambes prises dans des bas noirs. Face à elle était assise une petite femme à la chevelure rousse que rehaussait son ensemble rose flashy.

Les deux femmes se levèrent tandis qu'il les observait.

Jolie… Ainsi, la blonde aux longues jambes était Sophie Brooks. Comment avait-il pu oublier ces jambes ? Les bas qui les gainaient, d'une texture soyeuse et satinée, étaient une espèce en voie de disparition, vu le climat régnant à Miami. Ils étaient d'autant plus excitants que l'on était en plein été.

Comme la future mariée prenait congé et que la blonde se rasseyait en croisant les jambes, Sean en profita pour lorgner vers ses cuisses.

— Monsieur Majors, je vais prévenir Mlle Brooks de…

Sean eut un bref geste de la main.

— Pas la peine. Je l'aperçois.

La jeune femme rousse lui sourit ostensiblement alors qu'il la croisait pour gagner le bureau de Mlle Brooks.

Une mèche de cheveux masquait le visage de celle-ci : penchée, elle écrivait dans son agenda. Son téléphone sonna alors et elle décrocha, écouta un instant, puis tourna la tête vers Sean qui approchait.

— Non, aucun souci. Je vais le recevoir.

Sean lui sourit. Elle fronça les sourcils, reposa le combiné et se leva.

Il perçut le froissement soyeux du Nylon de ses bas et sentit son corps réagir curieusement.

Bon sang. Que lui arrivait-il ? Il était en mission, et n'avait pas l'habitude de se laisser aussi facilement distraire. Et certainement pas par une jolie femme. Miami était saturé de jolies femmes. De plus, il n'était absolument pas intéressé par une aventure en ce moment. Son travail et sa fille, il ne lui en fallait pas plus pour être heureux.

Malgré tout, ces magnifiques jambes gainées de Nylon…

Il dut se faire violence pour maintenir son regard à la hauteur de son visage.

Battant des cils, elle baissa les yeux et s'employa à lisser sa jupe. Etait-elle consciente du tumulte qu'elle avait provoqué en lui ?

« Laisse tomber, Majors. » Il n'était venu que dans un seul but : informer Rachel du second message des ravisseurs.

— Mademoiselle Brooks ?

— Je suis Sophie Brooks, dit-elle en lui tendant la main.

Sa main était froide, ce qui ne le surprit pas outre mesure. Elle était la froideur même. Ses mouvements étaient lents, sophistiqués, calculés, excepté le léger tressautement de sa poitrine lorsqu'elle avait croisé son regard.

— Asseyez-vous, je vous en prie, reprit-elle.

— Après vous.

Se maudissant pour son manque de volonté, il jeta un dernier regard à ses cuisses comme elle croisait de nouveau les jambes.

— Je dois m'entretenir avec Rachel Brennan, dit-il en regardant avec méfiance le petit siège de plastique gris destiné aux visiteurs.

— Mlle Brennan est sortie. Que puis-je faire pour vous, monsieur Majors ?

— Cela dépend. Etes-vous en possession d'informations sur le kidnapping de Sonya Botero ?

Le bleu de ses yeux vira soudain à l'opaque. Elle se saisit d'un crayon traînant sur son bureau et se mit à dessiner des formes géométriques sur un bloc-notes, l'air absent.

— Oui, bien entendu. Ce regrettable incident s'est déroulé juste devant notre siège social…

— Regrettable, en effet. Surtout si l'on songe à la peine qu'ont dû ressentir Sonya, son père, et les innocents blessés au cours de l'enlèvement, répliqua-t-il d'un ton sec.

L'espace d'un court instant, elle lui rappela son ex-femme : égoïste et insensible aux malheurs des autres. Mais il en attendait peut-être trop d'elle en espérant qu'elle soit bouleversée par le sort de personnes qu'elle ne connaissait pas. Elle n'était qu'une petite employée ; qu'elle ne se soucie que de la réputation de son entreprise était naturel.

— Certainement. J'ai appris que son garde du corps avait repris conscience. Comment se porte-t-il ?

Sean perçut une pointe de désapprobation dans le ton de sa voix, comme si la responsabilité du kidnapping incombait à Johnson. Et, par association, à lui-même.

— Il est sous surveillance médicale. Je dois le voir cet après-midi.

— Oui, je comprends pourquoi vous avez laissé des instructions pour que personne ne puisse l'approcher.

Son ton était de plus en plus contrarié.

— En quoi puis-je vous être utile, monsieur Majors ?

Sean la jaugeait. Elle semblait totalement maîtresse d'elle-même ; les jambes croisées, le dos droit. Peut-être trop droit, tout bien pesé. Une rigidité à la limite de la pathologie.

— Vous êtes responsable des faire-part, n'est-ce pas ?

Elle cligna des yeux. Sans aucun doute, le brusque changement de sujet la surprenait. Mettre ses interlocuteurs sous pression était une des techniques dans lesquelles Sean excellait. Les petits signes d'émotion qui échappaient à Mlle Brooks lui prouvaient qu'elle n'était pas aussi forte qu'elle voulait bien le laisser paraître.

— Tout à fait. J'aide les femmes à choisir le faire-part de l'événement le plus important de leur existence…

— Nous nous sommes déjà rencontrés. Vous avez dessiné les invitations de mon mariage.

Sophie tâcha de rester de marbre.

C'est donc pour cela qu'il lui semblait familier…

Elle avait remarqué sa présence, le jour de l'enlèvement de Sonya, et ressenti une sensation de déjà-vu. Les traits de son visage, à la fois durs et gracieux, lui avaient fait penser à une star de cinéma. Puis, elle l'avait oublié.

A présent, elle se rappelait parfaitement la cérémonie. Sa stature athlétique, ses larges épaules et sa taille étroite cintrées dans une veste de smoking… Son mariage avec une petite blonde, quatre ans auparavant, avait été son premier dossier chez Mariage pour la Vie.

— Bien sûr, répondit-elle en soutenant son regard.

Elle s'en tint là ; hors de question qu'elle admette se souvenir de lui après tout ce temps. A dire vrai, le bleu particulier de ses yeux l'avait fascinée, de même que son visage aux traits abrupts et son assurance avec les femmes. Elle se souvenait aussi de l'amour qu'il semblait témoigner à son épouse. Elle lui sourit.

— Comment va votre femme ?

Elle vit son regard virer au bleu sombre et son expression se durcir.

— Je n'en ai aucune idée, repartit-il d'un ton détaché.

Machinalement, elle jeta un regard sur sa main gauche. Pas d'alliance. Pas même une trace plus claire.

— Je suis désolée.

— Vous n'avez pas à l'être. Ce n'est pas à cause du faire-part.

S'il souriait poliment, ses yeux étaient dénués de toute trace de sympathie.

— Cependant…

— Quand Mlle Brennan doit-elle rentrer ?

Retour sur le sujet professionnel. Pour faire bonne mesure, il jeta un coup d'œil à sa montre, d'un air irrité.

« Quelque chose ne tourne pas rond. » Son intuition, aiguisée par ses années de service au sein du FBI, la mit en alerte.

— Pas de sitôt, je le crains. Mais je vous assure que j'ai tous pouvoirs en son absence.

Il acquiesça et porta la main à la poche de sa veste. D'un geste a priori anodin, il en palpa le contenu et reposa la main sur sa cuisse avec nonchalance.

Le bord d'un sachet en plastique dépassait légèrement de sa poche. Sophie en déduisit qu'il avait reçu un nouveau message des ravisseurs. Elle se pencha vers lui.

— M. Botero a des nouvelles des ravisseurs, n'est-ce pas ?

Majors plongea le regard dans son décolleté, s'attardant sur les sphères rebondies de ses seins. Ils se contractèrent en réponse, et sa peau fut parcourue d'une légère chair de poule.

Puis il leva les yeux pour croiser les siens. A cet instant, Sophie sut qu'il hésitait à lui accorder sa confiance et à la mettre dans le secret.

— Oui.

Elle sentit son cœur bondir dans sa poitrine.

Enfin, un moment de répit. Elle lissa sa jupe tout en se rappelant que, pour cet homme, elle n'était qu'une simple graphiste. Néanmoins, elle avait la responsabilité de la société quand Rachel s'absentait. Elle avait pour mission de tenter de recueillir toute information importante.

— Et, vous êtes venu nous informer que M. Botero ne souhaitait pas impliquer la police dans cette affaire.

— C'est exact. M. Botero accepte de coopérer, mais jusqu'à un certain point. Il refuse à la police l'accès à son immeuble. Il ne veut pas qu'ils sachent qu'il vient de recevoir des nouvelles des ravisseurs. Pour ma part, je n'aime pas agir sans qu'ils soient informés.

— Nous sommes disposés à coopérer sans restriction, dit Sophie du tac au tac.

Elle ne pouvait lui avouer que Rachel, en tant que responsable de Miami Confidentiel, était déjà en rapport avec le commissaire et s'employait activement à ce que la famille Botero soit épargnée par les médias.

— Comme vous le savez certainement, nous attendons avec impatience de connaître les modalités d'échange, ajouta-t-elle.

— Votre équipe de sécurité est-elle prête ?

— Bien entendu.

En qualité de responsable de la sécurité de Carlos Botero, il était de son devoir de prendre toutes les mesures de sécurité et de protection des civils. Et de respecter le principe de coopération avec les autorités. Fort heureusement, il ne suspectait en rien le rôle de Miami Confidentiel dans cette affaire. La réelle activité de Mariage pour la Vie était un secret bien gardé.

Il reporta son regard sur le crayon qu'elle agitait. Consciente d'être absorbée dans ses graffitis, ainsi qu'elle le faisait chaque fois qu'elle se sentait nerveuse, elle cessa son petit manège et recouvrit le bloc-notes de son avant-bras.

— Bien, monsieur Majors. En quoi Mariage pour la Vie peut-il vous aider ?

— J'ai besoin d'une copie des bandes de vidéosurveillance du jour de l'enlèvement. J'aimerais interroger toutes les personnes avec lesquelles Sonya est entrée en contact ce jour-là. Je veux avoir accès aux dossiers personnels de l'ensemble de vos employés.

— La police a déjà tout cela.

Il attendit silencieusement.

— Comme vous voudrez, reprit Sophie. Mlle Brennan détient des doubles de tous ces éléments.

Elle décrocha le téléphone et composa un numéro interne.

— Samantha, auriez-vous une copie de tous les éléments relatifs à l'affaire Botero, pour M. Majors ?

— Absolument tout ? demanda Samantha d'un ton amusé. J'ai remarqué le séduisant responsable de la sécurité de M. Botero. Tu as de la chance, aujourd'hui.

Sophie agrippa le combiné tout en évitant le regard du séduisant responsable de la sécurité, sachant que le fard lui était monté aux joues.

— Vous lui donnerez copies de tous les éléments déjà transmis à la police.

— Bien. Donne-moi dix minutes. Pendant ce temps, fais en sorte que l'invincible Sophie Brooks ne tombe pas sous le charme irrésistible du prince charmant.

— Non, bien sûr que non…

Elle raccrocha en vouant Samantha aux gémonies.

— Ce sera prêt d'ici dix minutes, dit-elle en offrant à son visiteur un sourire de pure courtoisie. Entre-temps, si vous le souhaitez, vous pouvez vous adresser à la réceptionniste afin de programmer les auditions des employés présents le jour de l'enlèvement. Mais, j'y pense, peut-être aimeriez-vous rencontrer votre homologue ici, M. Rafe Montoya ? Il s'est absenté, mais il ne devrait pas tarder à revenir.

Majors regarda de nouveau sa montre.

« Il est pressé. » Sophie ne pouvait plus retenir sa curiosité.

— Les ravisseurs vous ont imposé une date limite, n'est-ce pas ? A quand est fixé l'échange ? Que dit le dernier message ? Comment a-t-il été transmis ?

Sophie se tut en le voyant froncer les sourcils. Elle voulut se rattraper.

— Je voulais dire, Sonya est-elle saine et sauve ? Le message donne-t-il des précisions quant à sa santé ?

Elle se renfonça dans son siège et s'intima au calme. Sean Majors ne se doutait pas le moins du monde qu'elle était un agent infiltré de la CIA et elle ne devait en aucun cas éveiller ses soupçons.

Il ne disait toujours rien.

— Monsieur Majors, je vous répète que j'ai tous pouvoirs pour agir en l'absence de Mlle Brennan. Si vous le voulez, je peux vous donner son numéro personnel afin que vous puissiez vous en assurer directement auprès d'elle.

— Le message ne parle pas de Sonya. Il y est question de la somme réclamée et de leur intention de nous recontacter prochainement.

— Puis-je le voir ? s'enquit-elle en lorgnant vers la poche de sa veste.

Alors qu'il lui tendait enfin le sachet en plastique, elle fut distraite par la beauté de ses mains. Puissantes et tannées par le soleil, avec de longs doigts gracieux. De belles mains… et certainement très adroites.

Elle se concentra sur le mot des ravisseurs.

— Deux heures !

— Exactement. Pas une minute de plus. Il va falloir se tenir sur le qui-vive.

Elle leva le sachet pour le placer en pleine lumière.

— Papier sans filigrane, sans aucune particularité… Puis-je faire une copie de ce document ?

— Pour quelle raison ?

— Mlle Brennan voudra en prendre connaissance. Elle se sent en partie responsable de l'enlèvement de Sonya Botero.

Sean lui adressa un regard lourd de suspicion.

— Comment être sûr que ce document ne finira pas entre les mains de la police ?

— Je vous le répète, vous pouvez joindre Mlle Brennan au téléphone à tout moment.

Il secoua la tête et soupira.

— Une seule copie, sans ôter la pochette plastique.

— Bien entendu. Je m'en occupe personnellement. Vous pouvez m'accompagner, si vous le voulez.

Il se leva, l'air déterminé à ne pas le quitter des yeux un instant. Elle se leva à son tour.

— Veuillez me suivre.

Elle sortit de son bureau et monta l'escalier, dans les petits cliquetis sonores de ses talons frappant le marbre. Majors lui emboîta le pas et elle l'imagina la détaillant, reluquant la courbe de ses reins, de ses fesses, de ses jambes. C'était à la fois désagréable et très excitant. Elle hâta le pas et, parvenue à l'étage, se dirigea rapidement vers la photocopieuse.

Tandis qu'il l'observait avec attention, elle fit une seule photocopie. Il la lui prit des mains et l'inspecta.

— Votre manque de confiance est décevant…

— Il s'agit de la fille de mon employeur, et c'est son unique enfant.

— C'est exact. Je vous prie de m'excuser.

Il ne fit aucun commentaire. Il se contenta de lui tendre la copie et de récupérer l'original qu'il replaça au fond de sa poche. Tous deux regagnèrent le rez-de-chaussée, Sophie le précédant.

— Avez-vous une idée de l'endroit où s'effectuera l'échange ? demanda-t-elle en lui faisant face.

— Aucune. Ils ne semblent pas inquiets à l'idée d'opérer en plein jour, mais ils vont certainement exiger un lieu désert.

— Proposez-leur que cela se déroule ici.

Il la toisa ; elle allait trop vite. Mais elle avait acquis la certitude qu'il comptait s'acquitter seul de cette mission et, cela, elle ne pouvait l'accepter. Rachel était plus déterminée que jamais à retrouver Sonya en vie, et Sophie, ainsi que le reste de l'équipe, était habitée par la même détermination. L'incident s'était déroulé sous leurs yeux ; la responsabilité de Mariage pour la Vie était engagée.

— L'endroit est parfait, ajouta-t-elle aussitôt. Les ravisseurs seront en confiance puisqu'ils sont bien placés pour connaître les lieux. Nous pouvons délimiter une zone sur le parking et annuler tous nos rendez-vous le jour J afin d'être tranquilles. C'est assez isolé, ici, et l'endroit est suffisamment dégagé. Cette proposition me semble justifiée.

Majors leva un sourcil.

— Vous semblez avoir déjà tout prévu. Serait-ce, là, le fruit d'une longue réflexion ?

Sa remarque la déstabilisa un instant. En fait, l'idée d'utiliser Mariage pour la Vie comme lieu d'échange venait tout juste de surgir dans son esprit.

— Je dois vous avouer que je regarde pas mal de séries policières. Mais j'imagine que cela n'a rien à voir avec la réalité, n'est-ce pas ?

— Il faudrait pour cela que les ravisseurs nous laissent ce choix, ce dont je doute. Mais pourquoi pas, supposons qu'ils acceptent. Avez-vous une idée de qui pourrait remettre l'argent ?

Sophie prit une grande inspiration et le regarda droit dans les yeux.

— Moi. Je travaille ici. Je suis sûre que les ravisseurs connaissent la liste des employés. Ils ont dû tous nous ficher avant de faire leur coup. Ils ne seront pas surpris de me voir.

— Vous *ficher* ?

— Excusez-moi, fit Sophie en baissant la tête. Comme je vous l'ai dit, je pense que je regarde trop de séries policières.

— Vous pensez ? ironisa-t-il.

Piquée par sa remarque désobligeante, Sophie fronça les sourcils.

— Vous assumerez votre rôle ? ajouta-t-il, retrouvant son sérieux.

— Vous ne m'en croyez pas capable ? retourna-t-elle avec défi.

— Si. Je crois que vous y arriverez. Tout ce que vous aurez à faire est de marcher sur quelques dizaines de mètres et de déposer une mallette au sol. Ma véritable interrogation est : pourquoi voulez-vous vous en charger ?

Devant la rudesse de sa voix, elle se renfrogna. Pensait-il qu'elle puisse être de mèche avec les ravisseurs ?

Cependant, elle ne pouvait lui dire la vérité. Lui avouer qu'en tant qu'agent de Miami Confidentiel, elle avait pour mission de s'assurer que personne ne serait blessé au cours de la transaction. Son expérience au sein de la CIA en faisait l'intermédiaire idéal. Elle savait comment se comporter face au danger.

Majors croisa les bras, attendant patiemment sa réponse.

Lui souriant innocemment, elle se pencha vers lui. Comme elle l'avait espéré, il plongea aussitôt le regard dans son décolleté.

— J'aime le danger. C'est tellement excitant.

2

« C'est tellement excitant. »

L'espace d'un court instant, tandis qu'il la dévisageait, ces mots restèrent comme suspendus entre eux.

Sophie prit une grande inspiration, priant pour que son expression ne trahisse pas son embarras. Son plan avait échoué ; jamais elle n'aurait dû s'aventurer sur le terrain de la séduction. Elle se savait pourtant nulle à ce petit jeu.

Majors décroisa les bras et boutonna sa veste tout en faisant un pas en arrière. Le pli amer de sa bouche témoignait de sa désapprobation.

Elle détestait se retrouver en pareille posture, être contrainte d'employer de telles ruses pour garder secrète la véritable vocation de Mariage pour la Vie. Mais elle avait commencé ainsi et devait donc poursuivre dans cette voie. Il lui fallait, par tous les moyens, faire en sorte que Miami Confidentiel soit impliqué dans la remise de la rançon.

— Je suis sûre que ressentez la même excitation, dit-elle en avançant d'un pas vers lui.

Elle baissa les yeux et regarda le holster qui apparaissait sous sa veste. Elle en caressa la bretelle de cuir du bout des doigts, puis lui sourit.

— Sinon, quel intérêt y aurait-il à porter une arme ?

Les lèvres de Majors se pincèrent ; son regard s'assombrit.

— Ma mission est de protéger mes employeurs. Il n'y a rien d'excitant à cela.

Son ton désagréable la fit frissonner. Néanmoins, elle était parvenue à ses fins. Il la prenait pour une bimbo écervelée, excitée à l'idée de tenir le premier rôle dans le dénouement d'un kidnapping.

Elle s'accrocha désespérément à son sourire de complaisance.

Il regarda une dernière fois sa montre ; il en avait terminé avec elle.

— Très bien, mademoiselle Brooks. Votre suggestion est intéressante, après tout. Simple et directe, et cependant surprenante. Si les ravisseurs et M. Montoya l'approuvent, vous aurez droit à votre dose d'excitation. Mais n'oubliez pas un instant que la situation est on ne peut plus dangereuse. Le moindre faux pas pourrait vous coûter la vie.

Il marqua une pause, mais elle ne fit aucun commentaire, se bornant à approuver d'un petit mouvement de tête.

— Souvenez-vous : nous devrons être prêts dans les deux heures qui suivront l'annonce du rendez-vous. Je préviendrai Mlle Brennan dès que les ravisseurs nous recontacteront.

Il abaissa alors le regard le long de son chemisier de soie blanche, jusqu'à la ceinture de sa jupe, puis parcourut ses jambes. Il fronçait les sourcils. Sophie déglutit avec peine sous son regard critique. Il cherchait à évaluer sa capacité à assurer sa propre sécurité si les choses venaient à mal tourner lors de la remise de la rançon.

— Demandez à Rachel Brennan de m'appeler.

— Comptez sur moi. A-t-elle votre numéro ?

Il sortit une carte de visite de sa poche. Sophie la prit du bout des doigts.

Il lui fit un petit salut et pivota sur ses talons.

Elle se sentait en désaccord avec elle-même et éprouvait un certain malaise qu'il la catalogue comme une femme à la recherche de sensations fortes.

Tandis qu'elle le regardait s'éloigner en admirant la grâce et l'assurance de sa démarche, elle se remémora son changement d'attitude à son égard. Il avait tout d'abord observé un comportement détaché, puis il l'avait reluquée à la dérobée. A présent, il donnait l'impression de la prendre pour une potiche.

Que lui importait ce qu'il pensait d'elle ? Elle n'avait que faire de lui, après tout.

En se rasseyant à son bureau, elle regarda son bloc-notes ; elle l'avait dessiné durant leur conversation.

S'en était-il rendu compte ? Le croquis était discret, dans un coin de la feuille, mais très ressemblant. Elle alluma sa lampe pour mieux le voir. Elle avait su capturer la férocité de son regard lorsqu'il avait évoqué le sujet de sa séparation. Elle se souvint de son changement de comportement à partir du moment où elle avait joué la blonde écervelée.

Le regard qu'elle lui avait dessiné était triste, et cette tristesse s'était muée en une sorte de dégoût à la fin de leur entrevue.

Etait-il toujours amoureux de son ex-femme ?

Chassant de son esprit cette interrogation, qui d'ailleurs ne la concernait pas le moins du monde, elle appela Vicky pour lui demander d'organiser avec lui le planning des entretiens avec les membres de la société.

Elle tâcha ensuite de se remettre au travail, mais sa curiosité à l'égard de Sean Majors accaparait ses pensées. Elle parcourut les dossiers archivés dans son ordinateur portable. Elle retrouva ce qu'elle cherchait : le mariage Majors-DuVall. Le faire-part représentait deux cœurs dorés enchevêtrés sur fond de papier toile d'un blanc immaculé.

Elle se tourna vers la baie vitrée de son bureau. Il parlait avec Vicky. Puis elle reporta son regard sur son bloc-notes et y griffonna deux cœurs identiques à ceux du faire-part, dont l'un était brisé. Elle soupira.

Elle ne vivrait pas de nouveau une déception semblable. Plus jamais.

Dans le bureau privé d'une magnifique villa dominant la capitale du Lareda, sept hommes avaient pris place autour d'une immense table de réunion. Trois d'entre eux fumaient des havanes et tous tenaient en main une tasse de café fumant.

Lorsqu'un huitième homme vint les rejoindre à la table, les sept autres se redressèrent sur leurs sièges. L'homme, grand de taille et les cheveux tout blancs, intima d'un signe au serveur de lui verser une tasse de café.

— Vous savez tous pourquoi je vous ai réunis, dit-il à l'assistance.

Un petit homme grassouillet leva timidement l'index.

— Est-il exact que la fiancée de DeLeon a été aperçue au Lareda ?

— Ce ne sont, pour l'instant, que des rumeurs. Une équipe de Miami enquête sur le sujet.

— Et elle fait du bon boulot, dit un autre participant.

L'homme aux cheveux blancs le fusilla du regard.

— Oui. J'ai fait jouer mes relations afin que ni la police ni le FBI ne soient impliqués dans cette affaire. Mais la situation peut basculer à tout moment.

— Qui est notre contact sur place ?

— Cela ne vous concerne pas. Profitez plutôt de la situation délicate dans laquelle se trouve DeLeon pour travailler à sa perte. Le peuple de Lareda voit d'un mauvais œil sa croisade contre la drogue, car elle risque de le priver de ses ressources. Nous devons profiter de ces élections pour l'évincer du paysage politique, et continuer à le dépeindre comme un fanatique, mû par le seul désir de venger son ex-femme rendue folle par son addiction à la drogue.

— Juan DeLeon est pourtant très apprécié, objecta l'un des hommes.

— En effet, et c'est pourquoi j'ai décidé de vous réunir aujourd'hui. Vous êtes mes plus fidèles alliés. Avant de nous séparer, je veux m'assurer que chacun de vous a bien saisi l'importance de son rôle dans les jours à venir. DeLeon a de nombreux adversaires parmi les sénateurs, lesquels sont pressés de procéder au premier tour du vote.

Les sept hommes se mirent à marmonner entre eux.

— J'attends avec impatience un rebondissement dans l'affaire de l'enlèvement de Sonya. Nous devons faire en sorte que le vote ait lieu *avant* le retour de DeLeon au Lareda. Certains de ses alliés ont des points faibles dont nous pouvons tirer parti. C'est la raison de votre présence, Hector. Nous allons débuter la séance par vous. Voici ce que j'attends de vous…

Sean passa le reste de la matinée à interroger les employés de Mariage pour la Vie, y compris Sophie Brooks. Il ne parvint à recueillir que très peu de renseignements. Il se rendit ensuite à l'hôpital pour retrouver Craig Johnson.

Il ne s'entretint avec lui que quelques instants, tant l'esprit du jeune homme semblait confus — certainement à cause des calmants qu'on lui avait donnés. Les infirmières lui confirmèrent que, plus tôt dans la matinée, le jeune homme avait eu un comportement agité ; on lui avait administré un sédatif.

Sean rencontra le médecin qui suivait Johnson, afin de lui dire qu'il devait absolument parler au jeune homme dès le lendemain. Le praticien, engagé et rémunéré par Carlos Botero, lui assura que ce serait chose possible.

Sean retourna alors à son bureau, situé dans l'immeuble Botero, afin de se replonger dans les rapports de police et de visionner une partie des bandes de la vidéosurveillance. Comme il le présageait, il ne découvrit rien de nouveau.

Il mit un terme à ses recherches vers 18 heures, les ravisseurs ne s'étant toujours pas manifestés. Michaela devait l'attendre. Il fit sonner l'Interphone.

— Javier, il se pourrait que les ravisseurs vous appellent. Dans ce cas, passez la communication à M. Botero, mais mettez-moi aussitôt en mode conférence. Je veux assister à l'intégralité de la conversation.

— Bien, monsieur.

— Merci. Je voudrais parler à M. Botero.

Quelques secondes d'attente et la voix fatiguée du vieil homme résonna dans le combiné.

— Majors ?

— Monsieur Botero, avez-vous encore besoin de moi, ce soir ?

— Non, non. Javier est avec moi, ainsi que Cook. Rentrez chez vous.

— Merci, monsieur. Si quelqu'un entrait en contact avec vous, Javier a reçu la consigne de me connecter. Néanmoins, je doute que nous ayons des nouvelles ce soir. Je vous verrai demain matin.

Il était presque 19 heures lorsqu'il regagna son immeuble. Dans l'ascenseur le menant à son étage, il dénoua sa cravate et ôta le premier bouton de sa chemise. Une fois entré dans son salon, que de larges baies vitrées baignaient de lumière, il eut à peine le temps de se débarrasser de sa veste que Michaela faisait irruption dans la pièce en criant de joie.

— Papa ! Papa ! Tu es en retard !

Ses boucles d'or et son large sourire étaient un rayon de soleil après une journée cauchemardesque. Il s'accroupit et lui tendit les bras.

— Bonjour, petit écureuil. Qu'as-tu fait de beau aujourd'hui ?

Michaela se jeta dans ses bras en gloussant de plaisir.

— Rosita et moi, on a fait des gâteaux. Tu vois ? dit-elle en exhibant ses mains couvertes de farine.

— Michaela, qu'est-ce que je viens de te dire ? fit Rosita en entrant dans la pièce. Va te laver les mains tout de suite.

L'enfant regarda son père avec un air sérieux.

— Je dois me laver les mains, papa, pour ne pas salir ton costume.

— C'est une très bonne idée.

Elle disparut en courant.

— C'est un peu tard, mais c'est quand même une bonne idée, plaisanta-t-il.

Il ôta sa cravate et déboutonna sa chemise.

— Rosita, pouvez-vous déposer ces affaires au pressing dès demain, s'il vous plaît ? Excusez-moi pour mon retard.

— Monsieur Sean, veuillez vous déshabiller dans votre chambre. Ce n'est pas un spectacle pour une femme de mon âge.

Sean rit, et lui tendit sa cravate et sa chemise d'un geste désinvolte.

— Il est vrai que vous ne m'avez pas talqué les fesses quand j'étais bébé.

Il se dirigea vers sa chambre, séparée de celle de Michaela par la cuisine et le salon, puis se retourna sur le pas de la porte.

— Je vais certainement rentrer tard les jours qui viennent.

Rosita alla prendre sa veste.

— Pas de souci. Mon fils et sa femme sont allés à Disney World. Ils voulaient que je les accompagne, mais je leur ai dit que les marathons n'étaient plus de mon âge.

— Quel âge avez-vous déjà, Rosita, quatre-vingt-dix ans ?

— J'ai soixante-trois ans, vilain garnement. Je vous ai préparé de la paella pour le dîner. Je me sauve dès que les gâteaux seront prêts. Ce soir, il y a ma série préférée à la télé.

Sean prit une douche rapide et enfila un jean et un T-shirt sur lequel était inscrit « Miami Heat ». Lorsqu'il sortit de la salle de bains, tout l'appartement sentait bon le gâteau tout chaud.

Michaela, qui l'attendait de pied ferme dans la cuisine, lui sauta au cou avec un grand sourire.

— Papa ! Goûte mon gâteau.

Il la prit dans ses bras et mordit à belles dents dans la pâtisserie quelque peu difforme.

— Mmm... C'est très bon.

Comme il embrassait sa joue sillonnée de sucre, il huma profondément son parfum de petite fille, auquel se mêlait une douce odeur de bonbon acidulé.

— Qui est l'écureuil préféré de papa ?

— C'est moi ! répondit-elle en se posant la main sur la poitrine.

— Oui, mon ange. Tâche de ne jamais l'oublier !

— Toi non plus, répliqua-t-elle en le désignant de son petit index tendu.

Pas de danger. Il la serra fort contre lui et chassa de son esprit le doute qu'avait tenté d'y semer son ex-femme à propos de sa paternité.

— Dis bonsoir à Rosita.

— Bonsoir, Rosita. Merci pour les gâteaux.

— Tu sais ce que nous avons à dîner, ce soir, mon écureuil ?

— Des croque-monsieur !

Il s'esclaffa.

— Pas tout à fait. De la paella.

— Pa-lé-la.

Michaela faisait la grimace en tentant de répéter le mot.

— Je n'aime pas ça, ajouta-t-elle.

— Bien sûr que si.

Il l'installa dans sa chaise et lui en servit une petite portion dans un bol.

— Allez, mange. C'est du riz et du poulet.

— J'aime le poulet, dit-elle en en prenant un morceau entre ses doigts.

— Je le sais bien, mon ange. Mais je voudrais que tu te serves de ta cuillère. Ce sera plus facile. Quand tu auras fini, tu iras prendre ton bain, et je te lirai une histoire.

Il leva les yeux vers la pendule de la cuisine ; il était presque 20 heures. Il lui fallait encore se pencher sur les modalités de la remise de la rançon. Il ne se lançait dans aucune opération sans la préparer minutieusement. Il attendrait néanmoins que Michaela soit endormie.

Il n'était pas question d'empiéter d'une seule seconde sur le temps qu'il réservait à sa fille.

Deux jours plus tard, tout était prêt pour l'échange. Carlos avait reçu un appel des ravisseurs et, selon les instructions de Sean, avait prétendu être trop faible pour poursuivre la conversation. Sean avait pris le relais en se présentant comme le responsable de la sécurité de M. Botero. Il avait refusé lcur proposition de les rencontrer dans un quartier désert de Miami et était parvenu à garder son calme tandis que l'homme s'énervait à l'autre bout du fil. Il les avait défiés d'accepter le parking de Mariage pour la Vie comme lieu de rendez-vous — en plein centre, non loin du commissariat, si jamais les choses tournaient mal — et sa stratégie avait payé. L'échange aurait lieu à 18 heures.

Sean regarda sa montre. Il était à présent 17 h 15. Il se tenait dans le bureau de Rachel Brennan, en présence de Sophie Brooks, Montoya et une petite blonde qui n'avait pas daigné s'asseoir depuis qu'elle les avait rejoints. Elle se tenait devant la fenêtre, observant ce qui se passait sur le parking.

Rachel faisait les cent pas.

— Nous sommes prêts, Rafe ?

Montoya lui retourna un regard confiant.

— Absolument. L'endroit est sous contrôle. J'ai trois caméras braquées sur le théâtre des opérations. Nous aurons tout sur bande-vidéo.

— Vos hommes savent qu'ils ne doivent pas intervenir, n'est-pas ? demanda Sean en se dandinant sur sa chaise.

Il ne tenait pas en place. Il aurait voulu être déjà à l'extérieur du bâtiment, au cas où les ravisseurs arriveraient plus tôt que prévu.

— Bien évidemment. Ce sont des professionnels de la sécurité. Tout se déroulera bien.

Sous-entendu : *cette fois*. L'allusion directe à la faute de Craig Johnson dont la responsabilité, par voie hiérarchique, incombait à Sean, n'échappa pas à ce dernier.

En proie à la plus vive tension, Sean triturait sa casquette de base-ball. Il avait proposé sa propre équipe de sécurité, mais Montoya avait argumenté que les ravisseurs, connaissant la totalité des employés de Mariage pour la Vie, se douteraient de quelque chose en voyant des inconnus. Ainsi, Sean était le seul membre de son équipe sur le coup.

Il était pleinement conscient que Montoya détestait devoir collaborer avec lui. Leur seul point commun était que le chef de la sécurité était tout aussi furieux que lui que l'enlèvement se soit déroulé juste devant Mariage pour la Vie.

Mais le plus important était de récupérer Sonya vivante. L'heure n'était pas à l'affrontement stupide.

— Sophie, dit Rachel, j'espère que vous réalisez que vous devrez rester maître de la situation. Vous irez seule vous jeter dans la gueule du loup.

Comme Sophie acquiesçait, Sean se mit à étudier Rachel Brennan. Le personnage s'accordait parfaitement avec son activité d'organisation de cérémonies : elle était féminine, détendue et gracieuse. Mais quelque chose dans son comportement détonnait. Elle dégageait une autorité digne d'un représentant de la loi.

Sean reporta son attention sur Sophie Brooks et suivit sa main du regard tandis qu'elle tirait sur le bas de sa jupe en satin gris. C'était là un réflexe contre le stress. Elle portait son uniforme habituel : un chemisier de haute couture, une jupe moulante lui arrivant au-dessus du genou, et ses incontournables bas noirs. Elle était chaussée d'une paire d'escarpins noirs. Elle n'aurait pas pu choisir une tenue moins appropriée à la mission qui l'attendait...

— Sean ?

Il prit conscience qu'il reluquait les jambes de Mlle Brooks. Il détourna les yeux et croisa le regard de Rachel Brennan.

— Je vous ai demandé si vous n'aviez pas de changement de dernière minute.

— Non, à moins de parvenir à convaincre Mlle Brooks de s'habiller de façon plus adéquate.

L'intéressée lui lança un regard mauvais.

— Je ne vois pas ce qui cloche dans...

Rachel leva la main pour couper court.

— Si vous parvenez à lui faire ôter sa minijupe et ses bas noirs, je vous invite à dîner.

Rafe Montoya s'esclaffa, aussitôt rejoint par Isabelle, la petite blonde qui n'avait pas souhaité s'asseoir.

Sean sentit un sourire naître sur ses lèvres. La jeune graphiste s'était aussitôt empourprée.

— Je tenterais bien ma chance, dit-il en la dévisageant.

Elle battit des paupières tout en lissant sa jupe d'un geste inconscient.

— S'il vous plaît, trouvez-vous un endroit discret pour cela, ajouta Rachel, secouée d'un rire.

Un instant, cet intermède détendit l'atmosphère.

Sean se leva et son sourire disparut.

— Il est temps de nous mettre en place. Nous ne disposons plus que d'une demi-heure et je tiens à être prêt au cas où ils seraient en avance.

Majors quitta la pièce d'un pas décidé sous le regard de Sophie, laquelle tentait de masquer son embarras. Au cours des deux nuits passées, dans ses rêves, il faisait exactement ce que Rachel avait lancé sur le ton de la plaisanterie. Il lui arrachait sa jupe, mettait à sac son chemisier et caressait ses cuisses en glissant les doigts sous ses bas.

Elle s'était éveillée en proie à un indéfinissable malaise — à un puissant désir inassouvi. Jamais elle ne faisait ce genre de rêve. Non, jamais.

Le suivant dans l'escalier de marbre menant dans le salon d'accueil, elle en profita pour se livrer à une brève étude du personnage. Qu'avait-il de si différent pour venir s'immiscer jusque dans ses rêves ?

Ce matin, lorsqu'il lui était apparu au volant d'une camionnette frappée du logo de Mariage pour la Vie, habillé en jardinier, Sophie avait découvert une nouvelle facette non moins intrigante de sa personnalité.

Son débardeur d'un vert délavé, tranchant sur sa peau bronzée, laissait voir ses bras musclés et ses puissantes épaules, son jean moulait ses hanches étroites et le galbe de ses cuisses. Il devait posséder ce jean depuis de nombreuses années, tant il épousait ses formes à la perfection.

Parvenu au bas de l'escalier, il se coiffa de sa casquette de base-ball.

Isabelle donna un petit coup de coude à Sophie pour lui désigner du regard ses fesses avantageusement moulées dans son jean. Sophie se sentit rougir de nouveau et offrit à Isabelle un sourire gêné.

Cependant, sa collègue avait bigrement raison ; le responsable de la sécurité des Botero dégageait un érotisme torride. Si Sophie le trouvait déjà très séduisant, aujourd'hui, son charme était plus mâle que jamais.

Tout dans cet homme à la silhouette charpentée exsudait le danger — le même danger qui avait valu, des années auparavant, de gros ennuis à Sophie, et qu'elle s'était juré d'éviter depuis qu'elle avait dix-sept ans.

Il l'attendait, l'air concentré, la mâchoire contractée, les sourcils froncés. Cependant, elle remarqua la lueur de désir dans son regard lorsqu'il promena les yeux sur ses jambes.

— Vous êtes sûre de pouvoir marcher dans cette tenue ?

Elle s'arrêta sur la dernière marche et le toisa.

— Tout à fait sûre. Je le fais depuis des années.

Son regard avait retrouvé ce bleu particulier, presque translucide. Le vert de son T-shirt s'y reflétait.

— Je ferai semblant d'être occupé à soigner les plantes du côté ouest de l'immeuble, annonça-t-il. Quand vous sortirez, je jetterai un regard alentour, puis je vous observerai. On pourrait trouver étrange que je ne reluque pas… — il marqua une pause pour la détailler de la tête aux pieds — enfin, vous voyez ce que je veux dire.

Elle ne fit aucun commentaire, mais dut s'avouer qu'elle éprouvait du plaisir qu'un homme aussi attirant que lui la trouve à son goût. Quoi de plus naturel ?

Sur ces entrefaites, Rafe, suivi d'Isabelle, sortit par la porte de service et contourna la piscine pour aller s'assurer du bon fonctionnement du système de vidéosurveillance. Restée à l'étage, Rachel observerait le déroulement des opérations depuis la fenêtre de son bureau.

— Vous savez où Montoya a disposé les snipers, reprit Majors. Ils resteront focalisés sur le véhicule des ravisseurs. On n'a pas pu les placer plus près de la scène, car le parking n'offre aucune cachette.

Elle approuva d'un petit hochement de tête.

— Il y a deux hommes au sol, dans la maison voisine, et un sur le toit de Mariage pour la Vie, récita-t-elle.

Majors lui toucha amicalement le bras.

— Ne vous inquiétez pas. Vous êtes sous haute surveillance.

Sa pression sur son bras la rassura.

— Regardez vos ongles, dit-elle.

Il fronça les sourcils et baissa le regard sur ses mains.

— Ils sont propres. C'est bizarre pour un jardinier, non ?

— Faites-moi confiance, ce n'est pas moi qu'ils regarderont, répondit-il en lui souriant. Bon, je vais me mettre en place. Ce serait préférable que je sois en sueur à leur arrivée.

Sophie croisa son regard et déglutit difficilement.

— N'oubliez pas : ne sortez de l'immeuble qu'à 18 heures et deux minutes exactement. Ils n'approcheront pas tant qu'ils ne vous auront pas vue. Contentez-vous de marcher tranquillement vers le parking. Déposez le sac à l'endroit prévu, faites demi-tour et rentrez à couvert. Ne regardez surtout pas derrière vous. N'ayez aucune réaction en entendant leur véhicule approcher. Marchez. Ne courez pas. C'est clair ?

Elle prit une grande inspiration.

— Très clair.

Majors disparut par la porte de service, laissant Sophie seule dans le hall désert. Elle se dirigea vers la porte d'entrée et s'arrêta près du sac dans lequel se trouvait la somme exigée par les ravisseurs.

Elle jeta un regard à sa montre ; encore sept minutes à patienter avant de déclencher l'opération. Ces sept minutes allaient lui paraître infiniment longues.

Sean s'activait parmi les arbustes et les fleurs afin de transpirer abondamment. Il lui serait aisé d'observer la scène sans se faire remarquer, avec ses lunettes noires et sa casquette. Il se releva et ôta cette dernière pour s'éponger le front du revers de la main. Sous le soleil de juillet à Miami, nul besoin de s'escrimer longtemps pour être en sueur.

Il regarda sa montre ; 18 heures passées de deux minutes. Que faisait Sophie Brooks ? Il remit sa casquette et ôta ses lunettes de soleil. La luminosité l'éblouit l'espace d'une seconde. Les façades des immeubles avoisinants renvoyaient la lumière tels des miroirs, et l'asphalte laissait échapper une brume de chaleur montant à la verticale vers le ciel d'un bleu limpide. Il scruta les environs : rien à signaler.

Il n'en fut pas surpris outre mesure. Il ne s'attendait pas à ce que les ravisseurs se montrent avant que la somme soit déposée. Cependant ils se tenaient non loin, en observation. Il le sentait. Ils attendraient probablement que Sophie ait livré la rançon et qu'elle ait réintégré l'immeuble pour agir. Il se pouvait même qu'ils attendent jusqu'à la nuit tombée.

Se passant la main dans le dos, il s'assura de la présence de son holster. Son débardeur ne le dissimulait pas tout à fait, mais il ferait avec. Jamais il n'aurait permis à la jeune femme de s'impliquer dans ce guêpier sans s'assurer de sa protection personnellement, et il ne serait soulagé que lorsqu'elle serait enfin hors de danger.

Il perçut alors le tintement de ses talons sur le parterre en marbre. Sophie Brooks était en marche.

Le parterre traversé, elle s'engagea sur le bitume de la route menant au parking. Elle se déplaçait lentement, la tête droite, le sac bien assuré dans sa main. Le sac était lourd — exactement dix kilos et deux cents grammes —, mais elle le portait sans le moindre effort apparent.

Sean s'épongea avec le bas de son T-shirt sans toutefois la quitter un instant des yeux. Avec ses cheveux d'un blond doré et sa silhouette élancée, la pureté des traits de son visage et la grâce de ses longues jambes, elle lui renvoyait l'image de la femme parfaite.

A supposer qu'elle suscite son intérêt, elle était tout à fait son type de femme. Mais, bien entendu, elle ne l'intéressait pas. *Pas le moins du monde.* Il avait Michaela, ainsi qu'un travail l'accaparant au-delà du raisonnable. Il n'avait ni le temps ni l'envie de se lancer dans une relation amoureuse.

Il n'en restait pas moins que quelque chose chez Mlle Brooks déclenchait en lui des pulsions primaires. Bien sûr, il aimait regarder les femmes, surtout celles qui étaient sexy et bien faites. Mais, dans le cas de Sophie, il ne s'agissait pas seulement de son physique. Son comportement, son attitude exacerbaient sa curiosité et son désir de la posséder.

Lorsqu'il était en sa présence, lorsqu'il pensait à elle, son âme se mettait à vibrer, comme sous l'action d'un archet. Une corde magique dont le son résonnerait à l'infini.

Il sentit alors une chaleur l'envahir, au plus profond de son être, et se propager lentement, inexorablement, vers son sexe. Une sensation qu'il n'avait pas ressentie depuis très, très longtemps.

Elle approchait du point de dépose et scrutait les environs.

— Non, non, Sophie, murmura-t-il. Contente-toi d'abandonner le sac et fais demi-tour.

Comme si elle l'avait entendu, elle se baissa pour déposer le sac juste à l'endroit prévu.

En se relevant, elle regarda la route, puis reprit la direction de l'immeuble.

Le ronronnement d'un véhicule au loin la fit ralentir.

— Sophie ! Rentrez vite à l'intérieur. Je ne veux pas que vous soyez blessée ! cria Sean.

Malheureusement, elle ne l'entendit pas.

Sophie entendit rugir le moteur de la voiture. « Ne regardez surtout pas derrière vous », lui avait ordonné Sean. Mais son expérience à la CIA et son instinct lui rappelaient de ne jamais tourner le dos au danger.

Elle accéléra le pas. Les muscles de son dos se tétanisaient comme le véhicule approchait. Pourquoi ne s'étaient-ils pas arrêtés pour récupérer le sac ?

Soudain, elle sut que le véhicule était bien trop proche d'elle. Elle jeta un coup d'œil par-dessus son épaule et, dans un réflexe, lança la main dans son dos à la recherche de son holster. Le holster ne s'y trouvait évidemment pas. Elle n'était plus en service pour la CIA.

La berline noire fonçait droit sur elle, mais, au dernier moment, le chauffeur fit une embardée et stoppa son véhicule en dérapant. Un tir retentit, en provenance de l'immeuble, et Sophie crut voir un reflet métallique surgir de la vitre passager.

Elle se jeta par terre comme un coup de feu éclatait. Ses genoux heurtèrent le sol et elle se reçut sur l'épaule avant d'effectuer une roulade, tandis qu'un second coup de feu suivait. Elle ressentit une violente douleur au coude, mais se borna à rouler sur elle-même pour échapper à la fusillade.

Elle releva la tête au moment où quelque chose lui tombait sur le dos — quelque chose de ferme et de chaud.

3

La berline fit demi-tour, projetant des graviers tout autour d'elle, et deux nouveaux tirs fusèrent.

Une voix lui cria dans l'oreille :

— Restez couchée !

Sophie supportait le poids de Sean Majors, les graviers lui meurtrissant les joues et la paume de ses mains. Il reposait son menton sur sa tête et lui protégeait le visage avec son bras replié. Elle nicha sa tête dans le creux de son coude.

La berline fut bientôt hors de vue, et un crissement de pneus retentit au loin tandis qu'elle prenait un virage serré. Sophie s'assit tant bien que mal et leva le regard vers Majors, qui rengainait son arme dans le holster placé dans son dos.

Il l'aida à se relever, puis fit un signe à Rafe qui accourait vers eux, son portable rivé à l'oreille ; l'équipe de ce dernier tentait sans doute de localiser la berline des ravisseurs.

— Etes-vous blessée ? Avez-vous été touchée par les tirs ?

Majors avait le visage couvert de poussière et de terre, ce qui faisait ressortir les petites rides au coin de sa bouche.

Sophie se borna à secouer la tête.

— Vous êtes sûre ?

Il l'inspecta du regard de la tête aux pieds. Comme il écartait du bout des doigts la manche déchirée de son chemisier afin d'examiner son épaule, elle recula malgré elle.

— Je vais bien. Je suis juste tombée sur mon épaule en roulant.

Il plongea son regard dans le sien.

— Joli réflexe.

Sophie baissa les yeux. Sa question sous-jacente, d'évidence, était : « Où avez-vous appris à réagir ainsi ? »

Sa jupe était dans un état lamentable, toute râpée et maculée d'herbe et de terre. Tentant de la brosser du plat de la main, elle leva les paumes. Sa peau était égratignée.

— Oh ! marmonna-t-elle.

Majors la prit par la taille et la guida vers l'entrée de Mariage pour la Vie.

— Ce n'est pas la grande forme, n'est-ce pas ?

Elle avait les genoux écorchés, son épaule et son coude la lançaient, et son cœur se serrait dans sa poitrine. Elle avait connu pire ; ce n'étaient que de petites blessures sans gravité. Mais personne n'était au courant de ses activités passées…

— Allez vous faire ausculter à l'intérieur. Je dois parler à Montoya.

Elle se retourna et avisa le sac, toujours à sa place, en plein soleil.

— Qu'est-ce que ça signifie ? Ils ne se sont même pas arrêtés.

Majors grimaça.

— Je n'en sais rien. Je n'ai pas l'impression qu'ils aient eu l'intention de prendre l'argent.

— Attendez, dit-elle en lui prenant le bras.

Sa peau était chaude sous la paume de sa main.

— Que voulez-vous dire ? Pourquoi m'ont-ils tiré dessus ?

— Je pense qu'il s'agissait d'un test. Ils ont accepté notre lieu de rendez-vous un peu trop facilement.

— Un test ? Pour voir si nous allions prévenir la police ?

Majors haussa les épaules. Rafe les avait rejoints.

— Sophie, comment vous sentez-vous ?

Lorsqu'il lui toucha l'épaule dans une attitude protectrice, elle lui adressa un hochement de tête qui se voulait rassurant.

— Je vais bien, Rafe. Quelle est la situation ?

Rafe détourna le regard pour le poser sur son confrère.

— Rentrez, Sophie. Majors et moi avons deux trois points à éclaircir.

De retour dans le bâtiment de Mariage pour la Vie, Sophie se rendit dans la cuisine située au deuxième étage et prit place à la table. Isabelle vint la rejoindre.

— J'ai atterri sur mon épaule droite et je me suis égratignée les genoux et les mains, lui dit-elle.

Elle baissa les yeux. Ses bas étaient filés de toute part.

— Bon sang, jura-t-elle en tirant sur sa jupe pour dissimuler le désastre.

Isabelle s'en fut et revint avec la trousse à pharmacie. Rafe et Sean la suivaient.

— Elle va mieux ? demanda Rafe à Isabelle.

— Je vous ai dit que ça allait, répondit Sophie.

— Alors, qu'avez-vous vu ? Racontez-nous.

— Je n'ai vu la berline noire que lorsqu'elle a foncé sur moi. J'ai tout fait pour suivre les instructions de M. Majors, à savoir ne par regarder derrière moi. Je ne pense pas que le véhicule avait une plaque minéralogique, mais je n'en suis pas sûre.

— Pas de plaque minéralogique, confirma Majors.

Rafe fronça les sourcils et se saisit de son portable pour appeler son équipe. Sophie le vit hocher la tête tandis qu'il écoutait, visiblement satisfait.

— D'accord, les gars. Bon boulot. Amenez-nous les vidéos. On va passer tout ça au peigne fin.

— C'est exact, dit-il à Sophie, le véhicule n'avait pas de plaque, et des vitres suffisamment teintées pour empêcher de voir à travers. Vous n'auriez pas aperçu l'homme qui a tiré, des fois ?

— Non, désolée. J'ai vu une lueur se refléter sur un objet en métal et je me suis jetée à terre.

Isabelle appliquait une compresse d'alcool sur son genou, par les déchirures de ses bas.

Sophie lui fit signe de s'éloigner.

— Laisse tomber, je vais faire un aller-retour chez moi pour me changer. C'est ce que j'ai de mieux à faire.

Elle fut soudain consciente de la détresse de sa voix et espéra que les autres imputent son émotion au fait que l'on venait de lui tirer dessus. Elle voulait se changer au plus vite, car elle était extrêmement mal à l'aise dans cette tenue.

Elle jeta un regard désespéré à sa jupe ; elle était déchirée au niveau de la hanche et portait les traces de la transpiration de Sean Majors. Sentant le regard de celui-ci sur elle, elle leva les yeux.

Il était la parfaite incarnation du mâle, avec ses bras nus

couverts de sueur et de la terre. Une lueur de désir flamboyait dans ses yeux tandis qu'il la dévisageait.

— Vous avez effectué un sacré beau plongeon pour vous mettre à l'abri, dit-il d'un ton neutre.

— C'est grâce à mes cours d'autodéfense, répondit-elle du tac au tac.

Isabelle ramassa la trousse à pharmacie.

— Venez, Sophie. Allons dans un coin tranquille afin que je nettoie ces vilaines plaies.

— Jamais de la vie, dit-elle en secouant énergiquement la tête. Je rentre chez moi.

Elle prit son sac à main et regarda de nouveau la paume de ses mains ; elle se mit à frissonner.

— Je… je vais bien. J'ai juste besoin de prendre une douche et me changer.

— Je vous accompagne, déclara Majors.

Sophie lui adressa un regard surpris. Quoi, il allait quitter le périmètre sans l'avoir inspecté dans ses moindres recoins ?

Après tout, tout cela est de ma faute, ajouta-t-il pour se justifier.

— Ça, c'est bien vrai, marmonna Rafe.

Majors lui lança un regard noir.

— Au moins, nous avions un plan.

Sophie s'empressa de s'interposer entre les deux hommes avant que l'orage n'éclate.

— S'il vous plaît, messieurs… Très bien, monsieur Majors, emmenez-moi à mon appartement. Je me change rapidement et nous revenons faire le point sur toute cette histoire afin de décider de notre prochaine action.

Rafe lui coula alors un regard qui en disait long ; elle devait surveiller ses paroles. Trop tard. Majors en avait relevé la pertinence.

— *Notre prochaine action ?*

Elle se leva.

— Enfin, *votre* prochaine action.

— Montoya, quand pourrai-je visionner ces vidéos et interroger vos hommes ? M. Botero voudra connaître tous les détails de l'incident.

— Quand vous le voudrez. Je vais y jeter un coup d'œil pendant que vous conduirez Sophie.

Surprise de se sentir si faible, Sophie suivit Majors d'un pas mal assuré vers sa voiture, une BMW décapotable dernier cri.

— On devrait peut-être emprunter mon pick-up. Je vais salir votre jolie voiture.

Il eut un geste vers ses cheveux poudrés de poussière, son débardeur chiffonné, ses chaussures de sécurité pleines de terre grasse provenant du jardin.

— Je ne vaux pas mieux que vous.

Elle se mordilla la lèvre.

— Dans ce cas…

Il contourna le coupé sport pour lui ouvrir la portière passager. Elle repensa à la sensation de bien-être qu'elle avait éprouvée en nichant son visage dans le creux de son bras. Personne ne s'était jamais mis autant en danger pour la protéger. C'était tout nouveau pour elle — une sensation délicieuse et cependant singulièrement dérangeante.

Elle fut prise d'un léger tremblement tandis qu'elle le frôlait pour s'installer dans le véhicule. Sa jupe remonta haut sur ses cuisses, provoquant un coup d'œil approbateur de son compagnon. Puis il claqua la portière, contourna le coupé, s'assit au volant, fit rugir le moteur et lança le véhicule hors du parking.

A la CIA, Sophie avait occupé le poste d'expert graphologique. Son rôle consistait à étudier des documents, de nouvelles encres ou des papiers anciens, confectionner des faux, rechercher des empreintes. Bien qu'elle ne soit jamais intervenue sur le terrain, elle s'était régulièrement entraînée au tir et avait conservé son arme de service.

Elle s'enfonça dans son siège, les genoux joints, les mains glissées entre ses cuisses, et soupira. Tout son corps était pris de tremblements.

— Alors, se faire tirer dessus est-il si excitant ?

Le ton de Majors était empreint d'une certaine hostilité. Elle était intimement convaincue qu'il n'appréciait pas sa compagnie. Après tout, c'est elle qui avait choisi de le laisser croire qu'elle souhaitait mettre un peu de piment dans sa vie. Mieux valait qu'il pense cela plutôt qu'il sache la vérité. Elle avait donné sa parole à Rachel de ne pas révéler son véritable rôle dans cette affaire d'enlèvement.

— Pas autant que…

« Pas autant que de sentir votre corps pesant sur le mien. »

Elle se racla la gorge.

— … que je l'escomptais.

— Ah ? Je pensais que vous aviez apprécié.

— Peut-être serait-ce le cas si je n'avais pas endommagé ma nouvelle jupe et mon beau chemisier.

Son regard rivé sur la route, sa mâchoire contractée et son laconisme témoignaient de son antipathie à son égard.

— Vous ne m'aimez pas beaucoup, n'est-ce pas ?

Son accoutrement de jardinier le rendait si différent aujourd'hui, bien loin du jeune cadre dynamique dans son costume de bonne facture. Dans cette tenue de simple ouvrier, il était plus attirant que jamais. Sophie ne pouvait détacher son regard de cet homme au corps musclé, à la stature imposante, et la vue de ses cuisses, moulées dans ce jean délavé, la fit frissonner de désir.

Elle reporta son regard sur son profil. Ses cils étaient brun clair et étonnamment longs pour un homme. Elle avait déjà remarqué, dès leur première rencontre, la couleur particulière de ses yeux. Quant à sa bouche, elle était légèrement incurvée, ce qui lui conférait une expression de petit garçon malicieux.

Le type d'homme qu'elle s'était juré de ne jamais plus fréquenter.

— En fait, je n'ai pas d'avis précis sur vous, répondit-il en sortant son portable de sa poche.

Elle savait qu'il lui mentait. Le simple fait qu'il s'emploie à paraître détaché le lui confirmait. Et, étrangement, son intérêt pour elle l'enchantait.

— Javier, passe-moi Carlos.

Sophie détourna le regard pour mieux écouter leur conversation.

— Non, ne le réveille pas. Dis-lui juste que j'ai appelé. Non. Rien. Oui, il ne va pas bien le prendre. Reste auprès de lui. Si tu penses que cela vaut mieux, je ferai un détour pour le lui annoncer en personne avant de rentrer chez moi. Merci.

Il raccrocha et déposa le portable sur ses cuisses. Sophie dut se faire violence pour en détourner les yeux.

— C'était le père de Sonya ? Comment va-t-il ?

Il serra les mains sur le volant.

— Pas très bien. Il est passablement diminué. Son esprit n'est pas affecté, mais du point de vue physique… Enfin, c'est une tout autre histoire. Il ne survivra pas à la perte de Sonya.

— On la retrouvera.

Comme il lui jetait un regard suspicieux, elle se reprit aussitôt.

— Je sais combien Rafe est efficace dans son travail, et aujourd'hui vous avez risqué votre vie pour me sauver.

Elle haussa les épaules.

— Je sais que vous en ferez de même pour sauver la fille de votre employeur.

Elle se retrouva contrainte de l'inviter à entrer pendant qu'elle se changeait. Tout en insérant la clé dans la serrure, elle tenta de se rappeler si quoi que ce soit d'inopportun pouvait traîner dans son appartement. Elle avait ramené du bureau des doubles des rapports de police, mais ils se trouvaient dans sa chambre, sur sa table de nuit.

Son accréditation et son insigne de la CIA étaient dissimulés dans le tiroir de sa commode, sous la pile de ses sous-vêtements. Elle se félicitait d'avoir pris cette initiative au cas où elle recevrait de la visite. Cela dit, elle ne recevait jamais personne.

— Je n'en ai que pour quelques minutes. Faites comme chez vous. Il y a de l'eau et du jus de fruits dans le réfrigérateur.

— Ça va, merci.

Il n'avait pourtant pas l'air à son aise. Plutôt contrarié, impatient. Pourquoi avait-il tenu à l'accompagner ?

— J'aurais pu venir seule. Il n'était pas indispensable que vous m'escortiez.

— Cessez de vous excuser et dépêchez-vous de vous changer. Il faudra soigner vos genoux. Je suppose que vous possédez une trousse à pharmacie ?

— J'ai aussi suivi une formation de premiers secours, rétorqua-t-elle. Je sais désinfecter une plaie et appliquer un pansement. Je n'en aurai pas pour longtemps.

Sean regarda Sophie Brooks quitter la pièce. Sa jupe était de guingois, ses cheveux décoiffés parsemés de brins d'herbe et la manche de son chemisier pendait lamentablement. Le charme qui se dégageait d'elle dans cette tenue le fascinait.

Comme il se dirigeait vers la cuisine pour se servir un verre d'eau, il entendit la douche commencer à couler.

La sonnerie de son portable le tira de sa vision de Sophie, nue sous le jet d'eau brûlant, et le ramena à la dure réalité. Carlos tentait de le joindre. Il poussa un long soupir. Comment lui avouer qu'il n'avait encore aucune nouvelle de sa fille ?

— Monsieur Botero.

— Sean, Javier m'a dit que vous aviez appelé.

La voix du vieil homme lui apprit que Javier lui avait administré un calmant.

— Alors, les ravisseurs ont-ils récupéré l'argent ?

— Non, monsieur. Il semblerait que quelque chose les en ait dissuadés. Ils sont arrivés dans une berline noire sans plaques minéralogiques et ont fait feu sur la femme censée leur remettre la somme.

— Mon Dieu ! A-t-elle été blessée ?

— Juste quelques égratignures. L'incident l'a secouée. C'est une employée de Mariage pour la Vie, Sophie Brooks.

— Pas de nouvelles de ma Sonya ?

— Non, monsieur. Je suis désolé.

— Sonya, ma fille chérie ! Quelle tragédie…

Sean était pleinement conscient de la tristesse et de la douleur du pauvre homme.

— Nous faisons notre possible pour retrouver sa trace, monsieur. Mais leurs coups de feu étaient un avertissement. Ils étaient assez proches de Mlle Brooks pour ne pas la manquer s'ils avaient vraiment voulu la tuer.

Il ressentait encore dans sa chair les tremblements de son corps quand il s'était allongé sur elle pour la protéger. Il s'attendait à recevoir à tout moment une balle dans le dos.

Se sentant à l'étroit dans le salon, il entra dans la chambre de Sophie.

— Tâchez de ne pas trop vous inquiéter, monsieur Botero. L'argent est en lieu sûr dans les locaux de Mariage pour la Vie. Nous aurons bientôt de leurs nouvelles.

Un dossier sur la table de nuit attira son attention. Il jeta un coup d'œil vers la salle de bains pour s'assurer que la porte était fermée avant de s'approcher. Il s'agissait du rapport de police sur l'enlèvement de Sonya Botero.

— J'ai l'intention de prévenir la police.

— Non, pas la police ! Les ravisseurs vont exécuter ma fille ! cria Botero à l'autre bout de la ligne.

Carlos fut pris d'une atroce quinte de toux et Javier lui prit le récepteur des mains. Il informa Sean qu'il allait lui donner un sédatif.

Démuni face à la souffrance de son employeur, Sean remercia Javier. Il remit son portable dans sa poche tout en parcourant le rapport. C'était le même que celui dont Sophie Brooks lui avait fourni une copie.

Il fronça les sourcils. Pourquoi une employée de Mariage pour la Vie s'intéressait-elle à un rapport de police au point d'en faire sa lecture de chevet ? Cela dépassait de loin le degré d'implication d'une simple graphiste. Avait-elle voulu s'imprégner des moindres détails de l'affaire avant de proposer son aide dans la remise de la rançon ?

« Quel zèle, mademoiselle Brooks ! »

Il sursauta quand la douche cessa de couler. Il referma le rapport et le remit en place avant de quitter la chambre à pas de loup, non sans remarquer le dessus-de-lit en coton blanc et les oreillers aux taies jaune pâle, vert tendre et rose flashy. La seule note de gaieté dans cet appartement un peu tristounet.

La porte de la salle de bains s'ouvrit, laissant s'échapper un nuage de vapeur, comme il s'avançait dans le salon.

Sophie apparut, enveloppée dans un peignoir semi-transparent, les cheveux mouillés et tirés en arrière. Elle tenait à la main une trousse à pharmacie.

Il la détailla depuis son visage jusqu'à ses pieds, nus, dont les ongles étaient peints en rose vif. Son désir tendit l'étoffe de son jean.

Bon sang. Il n'avait pas le temps de se laisser distraire par une aventure, fût-elle sans lendemain. Et certainement pas avec cette femme. Quand bien même il s'était senti puissamment attiré par elle dès qu'il avait posé le regard sur ses longues jambes gainées de Nylon.

Cependant, son courage et son cran l'impressionnaient. Il

contracta la mâchoire tandis que son corps lui criait qu'il la désirait. Il ne s'agissait que d'un désir physique, sexuel, et on ne peut plus naturel. Mais le fait qu'il l'affecte à ce point le rendait fou de rage.

Cette femme sophistiquée n'aurait pas dû susciter chez lui un tel émoi ; son attitude détachée et hautaine lui rappelait par trop son ex-femme.

L'évocation de Cindy lui fit l'effet d'une douche glacée.

— Je serai bientôt prête, lui annonça la jeune femme.

— Tant mieux. On a déjà assez perdu de temps ici.

Elle grimaça, et il se sentit coupable d'avoir employé un ton si rude.

— Je comprends, dit-elle.

Elle se hâta vers sa chambre et s'arrêta sur son seuil.

— Si vous voulez vous débarbouiller, ne vous gênez pas.

Elle entra et referma derrière elle.

Après tout, pourquoi pas ? Avec un peu de chance, elle en avait encore pour une bonne demi-heure. Il gagna la salle de bains et s'y enferma. La cabine de douche et le miroir étaient encore embués, et des senteurs délicates vinrent chatouiller son odorat. Son corps se raidit lorsqu'il reconnut les effluves de son parfum. Il les avait respirées alors qu'il la maintenait au sol, le visage enfoui dans ses cheveux.

Se saisissant de la serviette humide jetée sur le lavabo, il essuya le miroir, ce qui était plus facile que d'effacer de son esprit l'image de Sophie Brooks promenant cette même serviette sur son corps.

Elle ne valait pas la peine qu'il se mette dans tous ses états. Pas davantage elle qu'une autre. Du moins, pas pour le moment. Chaque instant qu'il ne consacrait pas à son travail était réservé à sa fille.

Faisant couler l'eau dans le lavabo, il ôta son T-shirt pour se savonner le visage et le torse. Fort heureusement, la présence d'un savon de Marseille près du robinet lui éviterait de s'imprégner des mêmes senteurs qu'elle.

Cette toilette partielle lui fit le plus grand bien. Il lui fallait malheureusement remettre le même T-shirt, mais ce ne serait pas pour longtemps. Il regarda sa montre : cinq minutes s'étaient écoulées.

Autrement dit, il allait encore devoir attendre Mlle Brooks un petit moment. Avec un petit grognement de contrariété, il revint dans le salon, où il se mit à déambuler de long en large.

Il était impatient de regagner Mariage pour la Vie et d'apprendre de Rafe ce qu'il avait découvert en visionnant les bandes-vidéo. Il voulait s'assurer que ses hommes avaient bien inspecté les environs et recherché les douilles des balles des ravisseurs, les morceaux de verre ou les éclats de peinture dus aux tirs des snippers de Montoya.

En proposant à Sophie de l'accompagner chez elle, il avait agi par compassion. L'avoir vue si fragile, livrée à elle-même au milieu du parking, sous les tirs fusant de toute part, avait activé son instinct protecteur ; mais sa réaction l'avait choqué : sous une apparence de petite femme fragile, elle avait plongé et roulé sur elle telle une vraie professionnelle.

Il y avait aussi ce dossier sur sa table de nuit. Sean ne parvenait pas à justifier sa présence. Cela participait-il de son « excitation » ? Faisait-elle partie de ces gens qui se délectent de romans policiers basés sur des faits réels ou qui écoutent les fréquences de la police sur leur scanner ?

Rien dans sa personnalité ne le laissait penser. Cela dit, rien non plus chez son ex-femme ne trahissait son addiction à la drogue.

Il considéra le salon. Depuis combien de temps vivait-elle dans cet appartement ? Son mariage avec Cindy avait eu lieu quatre ans auparavant et elle lui avait dit qu'il s'agissait de son premier contrat avec Mariage pour la Vie.

Elle n'avait amassé que peu d'objets personnels durant ces quatre années. Le mobilier semblait compris dans la location. La décoration tournait de façon obsessionnelle autour du noir et blanc. Seule sa chambre était égayée de quelques touches de couleur.

Son portable sonna. C'était Montoya.

— Majors, j'ai regardé les bandes. Il n'y a pas grand-chose à voir, mais je suppose que vous voudrez vous en rendre compte par vous-même.

— Vous supposez bien. Ecoutez, Sophie prend son temps et je risque d'être de retour plus tard que prévu. Avez-vous inspecté le parking ?

— Bien entendu. Nous avons trouvé deux douilles de fusil-mitrailleur et des éclats de peinture. Au moins une de nos balles a atteint la berline.

— Qu'allez-vous faire de ces indices ?

Montoya demeura un instant silencieux.

— Je m'occupe de les faire analyser.

— Et à propos des bandes-vidéo ?

— Je peux vous les faire livrer chez vous, si vous voulez.

Sean fronça les sourcils. La proposition était inattendue. Cependant, elle lui ferait gagner un temps précieux.

— J'apprécierais beaucoup.

Il lui communiqua son adresse et, sur le point de lui parler de Johnson, se ravisa. Ce sujet pouvait attendre.

Il raccrocha et regarda la porte toujours close de la chambre de Sophie. Quinze minutes s'étaient écoulées.

Déambulant dans le salon, il s'intéressa à la petite bibliothèque. Au-dessus des livres, une étagère remplie de DVD. Il pencha la tête de côté pour en lire les titres. *Oliver Twist, Autant en emporte le vent, Le Fantôme de l'Opéra, Les Experts*… Un choix pour le moins éclectique.

Quant à ses livres, il s'agissait principalement de romans, d'amour ou d'aventures, d'après les titres et les couvertures. Mais il y avait aussi un rayonnage de livres épais et techniques : *Une vie à la CIA, Double Vie, Un agent dans la tourmente*…

De l'espionnage ? Alors qu'il allait se saisir du livre à propos de la CIA, un petit fascicule intitulé *Retour à la vie civile* attira son attention. Intrigué, il voulut s'en emparer.

— Qu'est-ce que vous faites ?

Sean se raidit. Etait-ce de la peur, de la colère qui animait la voix de la jeune femme ?

Il croisa son regard et haussa les épaules.

— Je jetais juste un œil sur votre collection de DVD. Vous avez des goûts plutôt variés.

Elle était redevenue la femme froide et sophistiquée qu'il connaissait. Elle avait attaché ses cheveux en une queue-de-cheval qui lui donnait l'air sévère et s'était légèrement maquillée. Elle portait un top blanc à manches courtes et une petite jupe rayée noire et blanche.

— Si vous le dites, dit-elle en plissant les yeux.

Sean ne put s'empêcher de la détailler. Elle avait enfilé ses incontournables bas noirs et était juchée sur des hauts talons. A travers le Nylon opaque, il distinguait les petits rectangles clairs des pansements recouvrant ses genoux.

Aujourd'hui, elle avait failli perdre la vie, et elle en était pleinement consciente. Mais, si les tremblements dont elle était sujette alors qu'il la recouvrait de son corps l'attestaient pleinement, elle ne l'aurait jamais admis.

Il la vit alors sous un nouveau jour. Elle ne voulait pas que les gens, et encore moins Sean, s'intéressent à elle. Pour quelle raison ?

Bon sang. Ces considérations futiles n'étaient-elles pas une perte de temps ?

Il attrapa les clés de la BMW et les fit sauter dans sa main.

— Vous voulez que je conduise ?

— Vous pouvez d'abord me rendre un petit service ?

— Euh… Bien sûr. De quoi s'agit-il ?

— Pourriez-vous bander mon coude ? J'ai déjà gaspillé trois bandages en tentant de les placer correctement.

Elle lui tendit la trousse à pharmacie en lui souriant.

Une fois encore, son attitude le surprenait. L'espace d'un instant, il avait cru percevoir quelque chose de particulier dans son expression, quelque chose la différenciant de son ex-femme. Mais son comportement séducteur était de retour. La personnalité de cette femme était décidément complexe.

— Tant qu'il s'agit d'aider une jolie femme à se faire belle, répondit-il avec une pointe de sarcasme.

Elle rougit et lui présenta son coude. Sa peau délicate était entaillée. Un gravillon particulièrement tranchant, sans doute.

— Cette plaie n'est pas belle à voir, et votre bras est écorché au-dessus du coude. Laissez-moi regarder ça de près.

Il voulut relever sa manche.

— Non ! s'écria-t-elle en s'éloignant brusquement.

Sean leva les mains.

— Je ne voulais pas vous faire de mal…

— Ce n'est rien. Je… Je demanderai à Isabelle de le faire.

— Allez, approchez. Je ne toucherai pas à la plaie. Je me contenterai d'appliquer le bandage.

Il en ôta la partie collante et saisit le pansement du bout des doigts.

— Vous voyez, mes mains ne vous toucheront pas.

Elle lui présenta de nouveau son coude tout en s'assurant, de l'autre main, que sa manche resterait bien en place. Il apposa délicatement le bandage sur la plaie. Dès que ce fut fait, elle eut un mouvement de recul.

— Merci.

Elle lui adressa un regard apparemment amical, mais il avait noté le tremblement de sa voix.

Il avait aussi noté un autre fait : Sophie Brooks n'était pas aussi parfaite qu'elle voulait le laisser croire. Elle possédait une cicatrice juste en dessous de l'épaule.

Une méchante cicatrice… qui ne datait certainement pas d'hier.

4

L'homme qui avait tenté d'assassiner le chauffeur de Sonya Botero était prêt pour un second essai. Il rassembla les éléments de sa trousse médicale et prépara une seringue. Cette fois, ce serait plus facile. Lors de sa précédente tentative, le chauffeur n'était pas encore sous perfusion. Il avait dû enfoncer son aiguille dans la poitrine de Johnson pendant qu'il dormait. Il n'était parvenu qu'à lui administrer la moitié de la dose mortelle, la position assise de Johnson ne lui ayant pas facilité la tâche. Le jeune homme avait sombré dans un coma profond auquel il avait hélas survécu.

La bonne nouvelle était que, cette fois-ci, il lui suffirait d'introduire l'aiguille dans la perfusion. Cela ne prendrait que quelques secondes. Johnson décéderait d'un arrêt cardiaque aussitôt que le produit se répandrait dans son organisme.

La mauvaise nouvelle était qu'un garde du corps avait été affecté à la surveillance du chauffeur. Il lui fallait imaginer comment se rendre discrètement au huitième étage, car il travaillait cette semaine au service des urgences, au rez-de-chaussée. Puis comment se débarrasser du garde.

Mais il se savait malin et prudent, extrêmement prudent.

Craig Johnson, chauffeur de limousine et agent de sécurité pour Carlos Botero, ne verrait pas le soleil se lever le lendemain.

Comme Sean prenait place aux côtés de Sophie dans la BMW, il jeta un coup d'œil à sa montre. Il lui serait impossible de déposer Sophie à son bureau et de rentrer chez lui à temps pour coucher Michaela. Cela faisait deux soirs de suite qu'il manquait ce rendez-vous.

Sa fille grandissait chaque jour un peu plus et il ne pouvait assister à cette transformation.

Il se frotta la joue et soupira de dépit.

Il décida de déposer Sophie et de repartir avec le camion dans lequel il était venu le matin. La proposition de Montoya de lui faire livrer les bandes-vidéo tombait à pic. Il resterait un peu plus longtemps à la maison demain matin et prendrait le petit déjeuner avec Michaela.

— Je suis sincèrement désolée. Je sens bien que je bouleverse votre programme.

— Ne vous en faites pas, marmonna-t-il. Je comptais passer à l'hôpital pour poursuivre ma conversation avec Johnson, mais la journée ne s'est pas déroulée comme prévu.

— Vous avez pu lui parler ? s'enquit-elle, soudain intéressée.

Son changement de ton le fit se tenir sur ses gardes.

— Oui, juste quelques instants. On est venu le chercher pour l'emmener au scanner.

— On peut donc désormais lui rendre visite ?

Sean lui adressa un regard lourd de sous-entendus.

— Non.

Elle eut une expression contrariée.

— Pourquoi voulez-vous le voir ?

— Eh bien, il est impliqué dans l'enlèvement. Ma directrice aimerait savoir ce qu'il a à en dire.

— Je n'en doute pas une seconde. Pour ma part, je suis déterminé à découvrir jusqu'où il est impliqué dans cette affaire. Mais je ne permettrai à personne de l'interroger tant que je ne l'aurais pas fait moi-même.

— Il y a toujours un garde posté devant sa porte ?

— Vous êtes bien curieuse à son sujet.

— Rachel s'intéresse beaucoup à lui. Il s'est servi de nous, en quelque sorte. Son coup de fil au Lareda est certainement une piste qui pourrait nous mener au lieu de détention de Sonya.

— Je dois d'abord découvrir ce qui s'est réellement passé.

— En sa qualité de chauffeur personnel de Mlle Botero, il était le mieux placé pour fournir des renseignements sur ses différents déplacements. Comment a-t-il eu ce job ?

— C'est moi qui l'ai embauché, dit-il d'un ton neutre.

— Vous pensiez pouvoir lui faire confiance.

— Apparemment, j'avais tort.

Mais il ne comprenait toujours pas ce qui avait bien pu se produire. Il avait toujours été plutôt perspicace avec les gens. Cette qualité lui avait permis de se forger un nom dans le métier.

Son regard se posa sur la pendule du tableau de bord. Il sortit son portable de sa poche et appuya sur l'une des touches du clavier pour lancer la numérotation automatique.

Lorsque Rosita décrocha, il entendit aussitôt les pleurs de sa fille au loin dans la pièce.

— Qu'est-ce qu'il y a ? demanda-t-il sans préambule.

— Ah, monsieur Sean. Elle se comporte comme une petite peste.

— Comme une petite peste ? Michaela ? Elle doit juste être un peu fatiguée.

Rosita adorait employer cette expression lorsque ses propres petits-enfants la faisaient tourner en bourrique.

— Que s'est-il passé exactement ?

— Aujourd'hui, elle a dessiné pour vous. Vous vous souvenez qu'elle vous a dit qu'elle vous dessinerait l'affreux monstre poilu ? Du coup, elle ne veut pas aller se coucher. Elle s'est réfugiée sous son lit pour pleurer.

Un sentiment de culpabilité lui noua le ventre. Il avait fait une promesse à sa fille chérie et l'avait oubliée.

— Je rentre au plus vite. M'a-t-on livré un paquet ?

— Ah, oui. Le concierge me l'a monté. Je l'ai laissé sur la table de la cuisine.

— Je suis désolé de vous mettre en retard.

— Ce n'est pas grave. Mais, s'il vous plaît, ayez pitié d'une pauvre vieille femme. Dépêchez-vous.

Il raccrocha. Sophie ne chercha pas à dissimuler son intérêt pour sa conversation.

— Une petite peste ? répéta-t-elle en fronçant délicieusement le nez.

— Michaela. Ma fille.

*
* *

Sophie faillit pousser un cri de surprise. Ainsi, il avait un enfant ? Elle s'attendait à tout sauf à ça. Cet homme était un vrai caméléon. Elle l'avait vu en jeune marié, en homme d'affaires et, aujourd'hui, en jardinier suant, jurant… et terriblement attirant. Pour conclure, elle avait pu sentir son côté mâle et protecteur lorsqu'il s'était jeté sur elle pour faire bouclier de son corps.

Elle n'arrivait pas à l'imaginer dans son rôle de père.

— Je pensais que… vous aviez divorcé.

— C'est exact.

Pourquoi son ex-femme n'avait-elle pas gardé l'enfant ?

Il lui adressa un regard sombre qui l'enjoignait de s'en tenir là ; il n'avait aucunement l'intention de parler de sa vie privée.

Cela lui allait très bien. Elle avait décidé de ne plus lui accorder d'attention. La raison pour laquelle il s'était proposé de la conduire chez elle, de même que ses regards à la dérobée sur son physique, étaient désormais le cadet de ses soucis. En rinçant ses plaies, tout à l'heure, sous la douche, elle l'avait définitivement chassé de ses pensées.

L'équation était simple : pas de liaison, pas de souffrance. C'est ainsi qu'elle voyait les choses. Cependant, il lui était parfois douloureux de se sentir seule.

Alors qu'elle était assise à côté de l'homme le plus séduisant qu'il lui ait été donné de rencontrer, son sentiment de solitude revint lui vriller le cœur.

Elle avait planifié sa vie avec rigueur, l'avait organisée de façon à ne jamais ressentir aucun regret, aucun remords. Les choses qu'elle avait perdues, tout comme celles qu'elle avait manquées, elle avait choisi de les oublier. Elles resurgissaient parfois au plus profond de la nuit, lorsqu'elle s'éveillait en sursaut, suite à un bruit suspect ou à un rêve étrange.

— Ecoutez, mademoiselle Brooks, dit-il en empruntant la sortie de l'autoroute.

— Vous pouvez m'appeler Sophie.

Il ne releva pas sa remarque.

— J'ai une chose urgente à faire avant de vous déposer à Mariage pour la Vie. Cela ne devrait pas être long.

Sophie sentit son cœur bondir dans sa poitrine et enfouit ses mains au creux de ses cuisses.

— Bien sûr. Pas de problème.

« Pourvu que ce ne soit pas au sujet de sa fille. »

Après de nombreux virages, il s'engagea dans un domaine résidentiel et vint se garer devant un petit immeuble.

— J'ai fait une promesse à ma fille et je suis en retard. Elle devrait déjà dormir. Il faut que je voie le dessin qu'elle a fait pour moi et que je la mette au lit.

Elle sentit ses mains se mettre à trembler.

— Très bien, se contenta-t-elle de répondre.

Elle faisait de son mieux pour rependre son rôle d'agent de Miami Confidentiel, pour penser et agir en conséquence, au lieu de se comporter comme une fille sensible aux nerfs à fleur de peau. Hélas, ses différentes blessures lui rendaient la tâche complexe. Elle avait connu le danger par le passé, et aussi la peur. Or cet homme lui avait fait ressentir un sentiment de totale protection, et ce, pour la première fois de son existence. Cette expérience toute nouvelle avait affaibli ses défenses.

Elle l'avait à présent dans la peau. Plus que tout, elle allait maintenant se retrouver nez à nez avec sa fille. Elle prit une grande inspiration pour se donner du courage.

N'en avait-elle pas à revendre ?

— Quel âge a-t-elle ?

Elle faisait un effort pour engager la conversation.

A sa grande surprise, l'expression de son visage changea du tout au tout. Ses yeux se mirent à briller et sa bouche s'entrouvrit dans un sourire de petit garnement. Sophie baissa les yeux.

— Trois ans, dit-il avant de couper le contact.

L'âge de sa fillette fit tiquer Sophie ; elle déglutit avec peine, tâchant d'éviter de se lancer dans des calculs.

Elle avait vingt-neuf ans. Ce qui signifiait que son enfant aurait aujourd'hui douze ans. Elle se mordit la lèvre et, comme elle l'avait déjà fait des centaines de fois, se rassura en se disant qu'elle avait alors pris la meilleure décision. Compte tenu de son passé mouvementé, elle n'aurait pas fait une bonne mère.

Elle ravala ses regrets et poussa un long soupir.

— Je peux vous attendre dans la voiture ?

Il se figea, la main sur la poignée, comme en proie à une soudaine réflexion.

— Non, répondit-il en sortant.

Il contourna le véhicule et vint lui ouvrir la portière.

— Nous n'en avons pas pour longtemps.

Ils empruntèrent l'ascenseur sans échanger un mot. Sophie avait la certitude qu'il était aussi mal à l'aise qu'elle de la ramener chez lui.

Comme les portes de la cabine s'ouvraient, il lui adressa un regard peu amène.

Elle se sentit rougir. Il était évident qu'il était embarrassé, voire contrarié, de devoir lui présenter sa petite fille. Elle ferma brièvement les yeux ; elle était un ex-agent de la CIA, un membre actif de Miami Confidentiel. Son travail exigeait d'elle qu'elle joue la comédie.

Elle saurait relever ce défi.

Il ouvrit la porte de son appartement et s'effaça pour la laisser entrer. Des jouets et des peluches de toutes sortes étaient disséminés au quatre coins du salon spacieux et décoré dans les tons pastel. Un grand canapé en cuir fauve trônait au centre. Une rambarde de protection courait le long des baies vitrées, certainement à l'intention de Michaela.

— Asseyez-vous. Je vais…

— Papa ! Papa, Papa ! s'écria une petite voix dans une autre pièce.

Un tourbillon en pyjama rose et jaune surgit alors.

Sophie s'installa sur le canapé tout en regardant, fascinée, Sean s'accroupir pour recevoir sa fille dans ses bras.

— Papa, j'ai dessiné le monstre pour toi, et tu n'es pas venu, et Rosita m'a fait prendre mon bain. Je n'aime pas Rosita.

Sean déposa un petit baiser sur sa joue encore humide de larmes et se mit à la bercer d'avant en arrière dans ses bras puissants.

— Bien sûr que si, Michaela. Tu l'aimes, Rosita.

Une femme d'un certain âge, d'origine hispanique, apparut dans l'encadrement de la porte du salon.

— Rosita n'apprécie pas de rentrer si tard, le soir, maugréa-t-elle avant de remarquer Sophie.

Elle se mit à la scruter de son regard noir.

Ne sachant quelle attitude adopter, Sophie se leva et esquissa un pâle sourire.

Rosita, apparemment peu impressionnée par la jeune femme, reporta son attention sur Sean.

Le malaise de Sophie s'accentua et les battements de son cœur s'accélérèrent.

— Michaela, je te présente Mlle Sophie.

Les larmes lui montèrent aux yeux. Le regard de l'enfant était du même bleu particulier que celui de son père. Elle était magnifique. L'enfant parfait.

— Ma-moi-selle Sossi.

— Sophie, lui murmura Sean en exagérant le « F ».

— So-phie.

Tous les regards étaient braqués sur Sophie. Elle approcha de la fillette en battant des cils.

— Bonjour, Michaela. Tu es si jolie.

Sean échangea un regard avec Sophie tandis que Michaela enfouissait le bout de son nez dans son cou.

— Beurk, papa, tu sens mauvais.

Sean éclata de rire.

— Tu crois que je devrais aller vivre dans une porcherie ?

Michaela se posa le doigt sur les lèvres et se mit à rouler des yeux, apparemment en proie à une intense réflexion. Puis elle secoua la tête en fronçant les sourcils.

— Viens voir mon dessin. Il fait très peur.

Sean regarda Sophie, puis Rosita.

— Rosita, je vous présente Sophie Brooks. Mlle Brooks est impliquée dans l'affaire sur laquelle je travaille actuellement. Pourriez-vous lui servir un verre ? Je vais admirer le dessin de ma fille, puis je prendrai une bonne douche.

Rosita coula à Sophie un regard suspicieux.

— Dix minutes, et pas une de plus, mauvais garçon. Vous me devez tellement de jours de repos.

— Je le reconnais. Dès que cette affaire sera bouclée, je vous offre une croisière. Qu'est-ce que vous en dites ?

Le visage de Rosita s'illumina.

— Destination Cancún ?

— Où vous voudrez.

Comme Sean quittait la pièce, Rosita reporta ses grands yeux noirs sur Sophie.

— Je vous sers quelque chose ?

Sophie avait la bouche atrocement sèche. Elle tentait de ravaler ses larmes.

— Avec plaisir. Un soda ou… du thé glacé ? Je vous prie de m'excuser pour le dérangement.

— Cela ne me dérange pas. Mais je suis très surprise. Il n'est jamais en retard à cause d'une femme.

Sophie ne sut plus où se mettre.

— Oh ! Ce n'est pas ce que vous…

Mais Rosita avait disparu dans la cuisine.

Sophie reprit sa place sur le canapé. Elle avait passé l'épreuve avec succès, finalement. Elle était parvenue à rencontrer la fille de Sean sans paniquer.

Rosita lui apporta un verre de thé glacé et se planta là, comme surveillant son territoire.

— Il me faut encore ramasser ces jouets, marmonna-t-elle, et finir de remplir le lave-vaisselle. J'ai passé la soirée à distraire la petite pour qu'elle ne pleure pas.

Sophie acquiesça. Elle ne savait que dire. Rosita se mit alors à parcourir le salon pour récupérer, un à un, les jouets épars.

— Rosita, pourquoi ne pas me laisser ramasser les jouets pendant que vous vous occupez de la cuisine ?

La gouvernant se releva dans un petit grognement et la regarda droit dans les yeux.

— Vous prévoyez de dormir ici, cette nuit ?

— Comment ? Non ! se défendit-elle. M. Majors me ramenait à mon travail, mais il a voulu faire un crochet pour voir sa fille. S'il avait pu l'éviter, il ne m'aurait certainement pas amenée chez lui.

Rosita leva un sourcil et marmonna un mot en espagnol tout en virevoltant pour regagner sa cuisine. Elle ne se doutait pas que Sophie avait compris son commentaire.

En effet, pour avoir grandi à Puerto Rico, elle parlait couramment cette langue.

Rosita avait dit : *Acerto,* ce qui pouvait se traduire par : « Vous ne croyez pas si bien dire ! »

*
* *

Quand Sean sortit de sa chambre, douché et rasé de près, il tomba nez à nez avec Rosita qui, posant les mains sur ses hanches, se dressa sur son passage.

— J'ai bien envie de prendre quelques jours pour aller rendre visite à ma sœur.

— Rosita, j'ai besoin de vous, ici. Je sais que je vous en demande beaucoup mais, au moment où je vous parle, l'un de mes hommes est à l'hôpital, et on n'a toujours pas retrouvé Sonya Botero.

— Aïe, aïe, aïe, je sais, je sais.

Puis elle eut un mouvement de tête vers le salon.

— Et c'est qui, celle-là ?

— Elle travaille à Mariage pour la Vie. Elle a eu une dure journée, aujourd'hui, et je lui ai proposé de l'accompagner chez elle pour qu'elle se change.

— Ah, répondit Rosita, une lueur espiègle dansant dans ses grands yeux noirs. Et il fallait que ce soit une blonde, hum ?

— Rosita…

— Au moins, elle a l'air plus sympa que votre ex-femme.

Sean leva les sourcils de surprise.

— Qu'est-ce qui vous fait dire cela ?

— Elle donne l'impression de bien vous connaître.

L'espace d'un instant, Sean la dévisagea, ne sachant que lui répondre, puis il tourna son regard vers Sophie, installée sur le canapé, qui tuait son ennui en suivant le parcours d'une goutte de condensation le long de son verre de thé glacé.

— Je ne vois pas du tout de quoi vous parlez. On vient juste de se rencontrer. Elle ne me connaît pas, pas plus que je ne la connais.

— Bon, il est bien tard pour une femme de mon âge pour rentrer seule en voiture à travers la ville. Je vais dormir ici. Michaela pourrait avoir besoin de moi.

Rosita se dirigea vers la chambre de la fillette en poussant un soupir volontairement exagéré.

— Vous n'êtes pas obligée de rester, Rosita. Sophie, enfin… Mlle Brooks va partir.

— Vous venez de me dire que vous aviez besoin de moi. Par ailleurs, je dois m'acheter une nouvelle télévision. J'ai tout intérêt à faire des heures supplémentaires.

Sean se mit à rire. Quel sens de la repartie ! Il adorait cette petite femme qui l'avait élevé et qui aimait sincèrement sa fille.

— Rosita, je devrais vous dénoncer pour extorsion de fonds.

— Oui, et qui accepterait de s'occuper de Michaela pour un salaire aussi dérisoire ?

Elle lui adressa un regard brillant de malice en se faufilant dans la chambre de la fillette.

— A demain matin.

Il ne put réprimer un sourire ; elle était incontestablement le chef de la maison. Il en était soulagé, à vrai dire. Avec Rosita veillant sur Michaela, il pourrait démarrer sa journée de bon matin.

Sophie le regarda tandis qu'il pénétrait dans le salon et il croisa son regard.

Tandis qu'il était sous la douche, l'erreur qu'il avait commise lui était apparue clairement. A quoi s'attendait-il en l'invitant à monter chez lui ? Ils avaient emprunté sa BMW ; il aurait pu se contenter de la laisser repartir seule. La camionnette de location se trouvait toujours sur le parking de Mariage pour la Vie, mais son véhicule personnel était dans le garage du sous-sol.

Eh bien, il était temps de remettre les choses en place.

— Je viens de me rendre compte que vous auriez pu rentrer chez vous. Votre voiture vous attend en bas. Navré de vous avoir retardée.

— Oh ! s'exclama-t-elle en ouvrant grand les yeux. Vous avez raison. Je... je vais m'en aller. Je suis désolée.

Elle se leva d'un bond et, en voulant prendre son sac à main, heurta le verre de thé glacé. Sean se précipita pour le rattraper et, comme elle en fit de même, leurs doigts entrèrent en contact. Sean nota qu'elle avait les mains froides et qu'elle tremblait. Il lui prit la main.

— Qu'est-ce qui ne va pas ?

Elle se passa la langue sur les lèvres et s'empourpra.

— Rien. Je suis juste fatiguée. Il est tard.

Elle marqua une pause et ôta sa main.

— Merci de m'avoir accompagnée.

— Vous n'avez rien avalé de la journée.

Elle devait être morte de faim et de fatigue. Sean ne l'en trouva que plus humaine, plus vulnérable.

— J'achèterai quelque chose en route.

Elle se saisit de son sac à main.

— Vous ne pouvez pas conduire dans cet état, déclara-t-il d'un ton sans appel.

Il réalisait combien la journée lui avait été pénible alors qu'elle ne s'était pas plainte une seule fois.

— Je suis sûr qu'un bon dîner m'attend en cuisine. Pourquoi ne pas le partager ?

— Oh ! non, je ne peux pas accepter.

Elle lorgna vers la porte de la chambre de Michaela.

— Ma fille dort, à présent. Il faudrait une explosion pour la réveiller, ce qui vaut mieux, compte tenu des ronflements de Rosita. On dirait une vieille locomotive.

Il attendit sa réaction, mais elle ne sourit pas. Pourquoi Michaela la mettait-elle si mal à l'aise ? Bah, décida-t-il en s'ébrouant, cela n'avait aucune importance.

Dès qu'il aurait retrouvé Sonya, il n'aurait plus aucune raison de revoir Sophie ; il lui importait peu qu'elle n'apprécie pas les enfants.

Les articulations de ses doigts serrés sur son sac à main devinrent blanches et elle vacilla légèrement, assez pour que Sean le remarque.

— Allez, c'est décidé. Allons découvrir ce que l'excellente-et-si-agréable Rosita nous a préparé, dit-il en se dirigeant vers la cuisine.

Ce qu'il entendit alors le surprit. Il se retourna. Sophie riait. Son rire était léger, chantant, et faisait briller ses yeux et se retrousser son petit nez.

Confuse, elle baissa aussitôt la tête.

— Je suis désolée. C'est… votre description de Rosita.

— En fait, Rosita est plus une mère qu'une gouvernante. Elle était ma nounou. Elle m'a élevé…

En percevant la note d'amour dans sa voix, Sophie sentit son cœur s'emballer. Elle identifia immédiatement la cause de son émoi : la peur. Elle ressentait de la peur face à cette femme qu'il aimait visiblement beaucoup.

— Etait-elle… est-elle sévère ? demanda-t-elle.

— Rosita ?

Il ouvrit le réfrigérateur et se pencha pour en inspecter le contenu.

— Pas du tout. Elle parle fort, mais elle n'a jamais mordu personne.

Sophie frissonna. Différentes émotions se bousculaient en elle. De la culpabilité, de la souffrance due à son passé, et toujours cette sensation de solitude.

Sean emplissait la pièce de sa présence. Il sentait bon le propre et respirait la confiance en lui. Son T-shirt blanc et son jean lui allaient à la perfection et rehaussaient le dessin de ses muscles et le galbe de ses fesses. Ses cheveux humides bouclaient sur sa nuque.

Il n'était pas seulement question de sa présence physique ; chaque pièce de son appartement exprimait l'amour. C'était comme si l'intrépide responsable de la sécurité de l'un des hommes d'affaires les plus influents de Miami se métamorphosait en passant le pas de sa porte.

Dans l'intimité, il était un père aimant et soucieux du bonheur de son enfant.

Sophie se sentait perdre peu à peu son aplomb. Comment en était-elle arrivée là ? L'amour de Sean pour sa fille et pour la femme qui l'avait élevé la bouleversait et elle ne savait comment appréhender ce genre d'émotion.

Il lui fallait quitter cet endroit. Elle devrait déjà être partie. Elle n'aurait jamais dû accepter son invitation et luttait contre son désir de s'enfuir sur-le-champ.

— Bien, fit Sean. Nous avons là un reste de paella, du poulet froid, une grande salade, et ça sent bon le pain chaud.

Tirée de ses pensées, elle tressaillit.

— De la salade, ce sera parfait. Il se fait tard.

Il approuva son choix d'un air satisfait. Avec une aisance insoupçonnée, il mit la table en quelques secondes.

— Vous êtes d'accord pour que j'ouvre une bouteille de vin ?

Elle haussa les épaules et s'attabla en face de lui. Après quelques bouchées de salade et de pain frais, et un verre de vin, elle commença à se détendre.

Elle observait Sean — ou plutôt M. le responsable de la sécurité des Botero, se corrigea-t-elle — et se remémorait les événements de la journée. Elle s'était tellement apitoyée sur son sort et sur le tumulte de ses émotions qu'elle n'avait pas pris le temps d'analyser les faits.

— Avez-vous pu parler à Rafe ? demanda-t-elle.

Il mordit de bon cœur dans une cuisse de poulet et leva les yeux sur elle.

— Il m'a fait livrer les bandes de vidéosurveillance. Il m'a dit qu'il n'y avait pas grand-chose à en espérer.

Sophie se souvenait de sa peur lorsqu'elle avait aperçu le canon de l'arme pointée dans sa direction par la fenêtre de la berline noire.

— J'aimerais aussi les visionner, dit-elle.

Il tendit le bras vers le plan de travail et ramena un paquet qu'il déposa sur la table.

— Les voici.

— Non, je voulais dire que je verrai cela au bureau. Pas besoin de…

— De toute façon, je dois les visionner ce soir. Il y a une télé avec un magnétoscope intégré, là, près du réfrigérateur.

Il ouvrit le paquet et en sortit une cassette VHS.

— Il y a une note. « C'est la seule cassette sur laquelle il se passe quelque chose d'intéressant. » Bon sang ! Je lui avais bien demandé de toutes me les envoyer.

Il se leva et alla allumer la télévision pour y insérer la cassette.

— Rafe est un homme très compétent, déclara Sophie.

Elle but une gorgée de vin pendait qu'il faisait avancer la bande-vidéo jusqu'au début de l'action.

Il eut un petit reniflement en revenant s'asseoir.

— Je n'en doute pas une seconde, mais je trouve qu'il la joue un peu trop personnel. Il prend vraiment son job très à cœur.

Elle lui sourit.

— Je sais. Il se plaint continuellement de devoir veiller à la sécurité de toutes ces femmes.

Sean lui adressa un regard suspicieux.

— Rachel Brennan s'entoure de bien des précautions pour une simple activité d'organisation de mariages.

Sophie but une autre gorgée de vin pour se donner le temps de préparer une réponse. Rachel avait expliqué à chaque membre de Miami Confidentiel comment éluder les questions gênantes à propos de Mariage pour la Vie ; mais, à cet instant présent, sous le regard insistant de Sean, Sophie ne sut comment esquiver sa remarque.

— Tenez, vous voilà, s'exclama-t-il. Je vous avais bien dit de ne pas chercher à regarder autour de vous.

Sophie leva les yeux et se vit balayer du regard le parking désert tandis qu'elle déposait le sac en plastique contenant la rançon. Les réflexes qu'elle avait acquis durant ses années à la CIA avaient pris le dessus : s'assurer du périmètre…

Ils restèrent silencieux en regardant la suite de l'incident.

Alors que Sophie regagnait l'entrée de Mariage pour la Vie, le bruit d'un véhicule s'amplifiait. La berline noire entrait dans le champ de la caméra, du côté de la portière passager.

Sophie se jetait au sol.

Puis une silhouette contournait l'immeuble et sautait par-dessus un massif pour s'élancer vers elle.

Sean. Il avait risqué sa vie pour la secourir.

Une détonation retentissait. Sean venait couvrir Sophie de son corps, l'obligeant à rester au sol et protégeant son visage de son bras replié, tout en saisissant son arme logée dans son holster. Puis, une nouvelle détonation éclatait, soulevant une gerbe de poussière à quelques centimètres de la tête de la jeune femme.

Elle frissonna.

Sean mit la bande sur pause.

— Ça va ?

— Ce tir est passé plus près de moi que je ne le pensais.

— C'était plus excitant que vous ne l'espériez ?

Elle secoua la tête, trop choquée pour se vexer de son allusion à son amour du danger.

— J'ai bien faillit être touchée à l'épaule.

— Vous seriez morte si vous n'aviez pas eu le réflexe de rouler !

Sean avait l'air hors de lui.

Elle croisa son regard. Non, il n'était pas fâché contre elle. Il semblait plutôt abasourdi.

Il détourna la tête et relança la lecture de la vidéo. Aussitôt, trois tirs retentirent successivement.

— Les hommes de Rafe, murmura Sean. Au moins une des trois balles a atteint la berline. Vous avez entendu l'impact ?

Sophie acquiesça et se pencha en avant pour se concentrer sur les images. La berline faisait une embardée et elle vit un bras qui tenait à bout portant une arme par la vitre baissée.

Puis la berline disparaissait de l'écran dans un crissement de pneus, projetant des gravillons tout autour d'elle.

Sophie fixait l'écran, fascinée. Elle gisait au sol avec Sean allongé sur son dos.

Sean levait la tête et lui murmurait quelque chose auquel elle répondait par un petit signe de tête. Puis il s'agenouillait prudemment, jetait un rapide coup d'œil alentour, et se levait pour lui tendre la main.

Elle ne se souvenait pas de ce qu'il lui avait dit, mais, étudiant son propre visage, elle grimaça.

Elle souriait largement à son héros. Sean venait de lui sauver la vie. Il s'était délibérément interposé entre elle et le danger. Jamais elle n'avait vécu une telle situation.

— Bon, dit-elle d'un ton qui se voulait détaché, il n'y a pas grand-chose qu'on ne savait déjà.

Sean remit la bande sur pause.

— Montoya m'a dit qu'il ferait analyser les douilles retrouvées sur les lieux. Peut-être nous mèneront-elles quelque part ?

— Bonne idée. On va s'en occuper.

Sean l'observait tandis qu'elle se resservait un verre de vin.

— Vous vous en êtes plutôt bien tirée, pour une graphiste dont le travail est de dessiner des faire-part de mariage.

Sophie se raidit.

— J'ai vécu à New York, vous savez. J'ai suivi des cours d'autodéfense.

— Vous deviez avoir un sacré bon prof !

Il plongea le regard dans le sien, puis tendit la main pour lui toucher la tempe du bout de son pouce. Elle aurait dû se dégager, ne serait-ce que par réflexe, mais curieusement n'en fit rien.

— Vous avez un petit bleu, là.

Le contact de sa peau était réconfortant.

— J'ai l'impression que mon enchaînement tomber-rouler n'était pas aussi bien exécuté que ça.

— Non, il était parfait.

Elle soutint son regard quelques instants, puis baissa les yeux pour rompre le charme sous lequel il la maintenait.

— Rafe n'a-t-il pris aucune autre initiative ? demanda-t-elle en se levant de table pour débarrasser. Ils n'ont pas pu identifier le type d'arme ? La marque des pneus ?

— Bonnes questions.

Une fois de plus, elle nota la curiosité et la suspicion dans le ton de sa voix. Sean Majors ne serait pas longtemps dupe de sa couverture à Mariage pour la Vie. Il était bien trop fin, trop intelligent.

Et il ne tarderait pas à s'apercevoir qu'elle éprouvait des sentiments pour lui. Il lui faudrait veiller à garder ses distances.

Alors qu'elle déposait la vaisselle sale dans l'évier, elle sentit une présence dans son dos. Il venait poser le saladier dans le bac de l'évier.

— De quoi avez-vous parlé avec Rosita ?

Le son de sa voix dans le creux de son oreille lui parut doux et chaleureux.

Elle frémit et se retourna, lui frôlant le torse de son épaule.

— Que voulez-vous dire ?

— Que lui avez-vous dit à propos de nous ? La raison pour laquelle je vous ai ramenée à la maison.

— A propos de nous ?

Elle secoua la tête, déstabilisée.

— Euh… rien.

Il était si sérieux, si sûr de lui et… si proche. Elle s'était fourrée dans une situation qu'elle s'était pourtant promis d'éviter. Elle devait en sortir, coûte que coûte.

S'éloignant de lui, elle se réfugia dans l'angle du réfrigérateur en vacillant.

Il la prit par les épaules.

— Je ne comprends pas, répondit-elle avec désespoir. Que croyez-vous que je lui aie dit ?

La bimbo blonde refaisait surface.

Elle leva la tête et croisa son regard.

— Que la seule raison pour laquelle je suis là est que vous deviez voir votre fille et que vous vous seriez bien passé de m'inviter chez vous.

5

La réponse de Sophie prit Sean au dépourvu.

— Vous lui avez dit que je me serais bien passé de vous inviter chez moi ?

— C'est la vérité.

Sean battit des paupières.

— *C'était* la vérité, ne put-il s'empêcher de répliquer.

Certes, elle avait raison : il n'avait pas sciemment décidé de l'accueillir dans son monde, son petit paradis où il était un père attentionné, aimé de sa fille — à laquelle il rendait son amour avec une exaltation dont il ne se serait jamais cru capable.

Qu'aurait-elle pensé en découvrant qu'elle était la seule femme, hormis Rosita, à pénétrer dans son appartement depuis son divorce ?

— Je dois m'en aller, dit-elle en s'éloignant.

Une pulsion soudaine le fit la rejoindre, et il effleura de nouveau l'hématome sur sa tempe. Il ne l'avait pas remarqué au cours de la journée et cet hématome formait maintenant une tache sombre.

Lorsqu'il la toucha, elle tressaillit, puis se figea.

— Cela va altérer la beauté de votre visage, dit-il en rivant son regard au sien.

Dans ses grands yeux bleus, il discerna de la méfiance, de la peur aussi, et quelque chose d'indéfinissable.

— Qui êtes-vous réellement, Sophie Brooks ?

Du bout des doigts, il se mit à caresser la peau douce de sa tempe, juste sous sa frange, se remémorant la première fois où il avait vu ces longues jambes gainées de Nylon noir et cet adorable visage, lors de sa visite à Mariage pour la Vie.

Plus il tentait de la chasser de son esprit, plus elle s'y installait. Tout chez elle le fascinait. Il la trouvait très belle, intelligente, et d'une indépendance remarquable. Mais elle cherchait sans cesse à dissimuler une facette de sa personnalité, ce qui la rendait d'autant plus mystérieuse et désirable. Elle lui rappelait par trop son ex-femme, et il refoulait cette sensation.

Elle secoua la tête, une lueur de crainte voilant ses yeux d'un bleu translucide.

— Je ne suis personne. Personne en particulier.

Cette femme était une véritable énigme. Elle était faite de contradictions ; elle devait cacher quelque chose.

Il lui fallait le découvrir. Par tous les moyens.

Il la prit par la pointe du menton et lui fit lever la tête.

— A présent je sais que vous ne me dites pas la vérité.

Elle croisa son regard.

— J'ai remarqué la façon dont vous avez passé votre main dans le dos pour saisir votre arme, reprit-il.

Elle se raidit.

— De quoi parlez-vous ?

Il scrutait la moindre de ses réactions.

— Quand vous vous êtes jetée à terre, sur le parking. Vous avez porté la main dans votre dos, là où l'on place généralement son holster.

— Vous faites erreur.

— Je peux vous repasser la vidéo.

— Je dois y aller, fit-elle d'une voix paniquée.

Elle repoussa sa main d'un geste brusque.

Il lui prit la main et la retourna, paume en l'air, ne sachant pas vraiment pourquoi il se livrait à ce petit jeu avec elle. Quel malin plaisir prenait-il à se torturer ainsi ?

Il voulait pourtant qu'elle s'en aille. En plus de sa paix intérieure, elle troublait le calme de ce petit sanctuaire réservé à Michaela.

— Je regrette sincèrement que vous ayez été blessée.

Elle demeura sans voix. Il fit pivoter son bras et inspecta son coude.

— Cette plaie n'est pas belle à voir. Avez-vous appliqué un désinfectant ?

— Bien sûr.

— Laissez-moi refaire votre pansement.

— Non. S'il vous plaît, laissez-moi m'en aller.

Son visage exprimait la peur, une peur viscérale.

Qu'avait-il fait pour la provoquer ?

— Sophie, qu'est-ce qui ne va pas ? De quoi avez-vous peur ?

Son cœur se serra lorsqu'il vit une larme rouler sur sa joue. Il posa son front contre le sien.

— J'ai besoin de savoir qui vous êtes, où vous avez appris à vous servir d'une arme, pourquoi vous n'aimez pas que l'on vous touche…

Elle demeurait là, immobile, leurs sourcils se frôlant. Puis, elle secoua la tête doucement, un signe de désapprobation qu'il ressentit comme une caresse.

Ce contact bien innocent suscita en Sean un violent désir. Il s'efforça de l'ignorer.

— Ça n'a aucune importance, chuchota-t-elle.

— Sophie…

Une autre larme glissa sur sa joue et il se pencha pour la recueillir entre ses lèvres, son goût salé ravivant la flamme de son désir. Rien de tout cela ne semblait réel. Il se sentait comme transporté dans un conte de fées d'un genre spécial, où il tenterait de libérer une princesse prise au piège de ses propres démons.

Un imperceptible soupir s'échappa de ses lèvres et il y déposa un baiser. Alors, la petite flamme de son désir se mua en un brasier menaçant. Il pouvait sentir ses lèvres trembler sous les siennes. Il se plaqua contre elle et sentit naître son érection.

Elle exhala un petit râle et posa les mains sur son torse.

Avant qu'elle puisse le repousser, il prit ses mains dans les siennes et l'embrassa plus tendrement encore.

Sa respiration se fit saccadée et elle laissa couler ses larmes.

— Je… ne peux pas, dit-elle en reculant.

Il la laissa aller, puis lui sourit.

— Ce n'est pas assez « excitant » ? fit-il sur un ton de plaisanterie.

Elle sécha ses larmes du revers de la main et déglutit avec difficulté.

— On peut le voir ainsi, répondit-elle avant de s'effondrer.

Sean ne s'attendait pas à sa réaction et la rattrapa de justesse dans ses bras. Son corps élancé était à la fois musclé et souple. Il voulut l'emmener sur le canapé, puis se ravisa et prit le chemin de sa chambre. Il la fit doucement s'asseoir sur son lit.

Elle s'allongea alors dans une position fœtale et, se cachant le visage dans ses mains, sanglota tout son soûl.

— Qu'y a-t-il, Sophie ? Pourquoi pleures-tu ?

Il ne comprenait pas pourquoi elle craquait justement à cet instant et non pendant l'incident sur le parking ou, plus naturellement, juste après, en contrecoup.

Mû par une impulsion qu'il se refusa à analyser, il ôta ses mocassins et la rejoignit sur le lit. Il se lova tout contre elle, dans son dos, veillant toutefois à ce que son sexe en érection ne la touche pas. Avec précaution, il lui enlaça la taille.

— Raconte-moi, murmura-t-il.

— Ce n'est rien, balbutia-t-elle en voulant se relever.

D'un geste doux, il la fit se retourner sur le dos et lui ôta les mains du visage.

Elle ferma les yeux.

— Souffrirais-tu plus que tu ne veux le laisser paraître ?

Elle secoua la tête.

— Non, je vais bien. Je t'en prie, laisse-moi m'en aller. Ce que nous faisons est mal. Je dois m'en aller. Je ne devrais pas être là.

— Mal ? Es-tu mariée ? En cavale ? Es-tu un agent secret ? demanda-t-il d'un ton moqueur.

Un agent secret. Sophie ne put réprimer un tressaillement et ouvrit grand les yeux. Il était si près d'elle qu'elle ne voyait que son visage. Le sourire qu'il affichait lui alla droit au cœur et lui procura une vague de chaleur telle qu'elle n'en avait jamais connu. Il était empreint de gentillesse, de douceur.

N'écoutant que son cœur, elle passa les bras autour de son cou. Ce fut là le geste le plus difficile qu'il lui ait été donné d'effectuer, et cependant le plus agréable.

Il l'embrassa tendrement, effleurant à peine ses lèvres. Elle poussa un long soupir et s'arqua sous ses attouchements. Une douce chaleur la submergea au plus profond de son être. Elle se mit à trembler.

Il leva la tête, le regard inquiet.

Ignorant sa peur, elle fit alors ce dont elle rêvait depuis qu'elle l'avait vu ce matin dans son débardeur. Elle lui passa la main sur l'épaule et descendit sur son biceps. Il était aussi ferme et plein qu'elle se l'était imaginé.

Le contact de sa peau dissipa instantanément les brumes de son désir. Une multitude de souvenirs assaillit son esprit. La culpabilité s'empara d'elle.

Elle se retrouvait à présent face à elle-même.

Il lui faudrait bientôt se dévêtir. Elle avait souvent rêvé de plaire si fort à un homme qu'il prendrait l'initiative de lui ôter ses vêtements pour la posséder totalement. En admettant qu'elle puisse provoquer cette réaction chez un homme, cette idée lui avait toujours paru inconvenante…

Il l'embrassa de nouveau, de façon plus insistante, chassant toute pensée rationnelle de son esprit. Elle agrippa son T-shirt et se blottit contre lui.

Un désir moite et vaporeux s'insinua en elle tandis qu'il parcourait de ses lèvres des lieux secrets, jamais explorés encore. Des lieux qui semblaient attendre ses baisers depuis toujours. La peau délicate dans le creux de son oreille, à la naissance de son cou. La petite zone sous son menton. Promenant le bout de sa langue sur ses lèvres, il les fit s'entrouvrir pour prendre pleinement possession de sa bouche et lui offrir un baiser qui la laissa sans souffle.

Puis il lui tourna le dos.

Elle se tint immobile, attendant qu'il poursuive.

Peut-être avait-il changé d'avis ? Peut-être ne voulait-il pas lui faire l'amour ici, dans sa chambre ?

Elle voulut se relever.

— Je coupe l'Interphone pour bébé relié à la chambre de Michaela, dit-il, lui tournant toujours le dos.

Bébé.

Elle avait oublié Michaela. Son cœur se serra dans sa poitrine.

— Oh ! non. Je ne peux pas…

— Hé, tout va bien. Rosita est avec elle. Elles dorment profondément. Nous ne les réveillerons pas.

Néanmoins, réveiller la fillette n'était pas la préoccupation première de Sophie. Leur aventure allait trop loin. Cet enfant, ce cocon familial, cette vie normale et rassurante…

Et Sean.

— Oui, mais… je ne peux pas faire cela. Je dois y aller.

— Chhhut.

Il fit glisser ses doigts le long de sa jambe, puis sur sa cheville. Sa main, ferme et chaude, lui arracha un râle de désir.

Si elle se laissait aller…

Il râla à son tour.

… elle abandonnerait toute résistance.

— Sophie, j'adore ces bas, dit-il, la voix rauque.

Il déposa un petit baiser sur le pansement de son genou et faufila les mains sous sa jupe.

— Sean…, dit-elle désespérément tandis qu'elle savourait le contact de ses mains sur ses cuisses.

Il se souleva pour ôter son T-shirt. La vue de son corps parfait la fit frissonner. Puis il déboutonna son jean et le fit coulisser le long de ses jambes. Son désir pour elle était on ne peut plus manifeste.

Se sentant prise au piège, Sophie posa une main sur sa bouche. Elle était allée trop loin. Comment avait-elle pu laisser le contrôle de la situation lui échapper ?

Lorsqu'il s'attaqua aux boutons de son chemisier, elle lui saisit les poignets.

— S'il te plaît, Sean.

— Tu veux que j'arrête ? murmura-t-il tout en l'embrassant de-ci de-là.

Elle ne sut que lui répondre. Elle gisait là, attendant l'inévitable. Dans l'ordre, il y aurait le plaisir, la culpabilité, puis la solitude.

Il écarta enfin les pans de son chemisier et, faisant sauter l'attache frontale de son soutien-gorge, prit ses seins en coupe dans ses mains avant de les goûter un à un.

— Oh ! je t'en prie, fit-elle dans un soupir de délice.

Elle n'arrivait plus à penser. Sa dernière résistance avait cédé sous la délicieuse pression de ses lèvres sur ses mamelons érigés.

Lorsqu'il dégrafa l'attache de sa jupe, elle tenta vainement de l'arrêter.

Il lui prit la main et la plaça sur ses abdominaux, puis déposa un baiser sur le bout de son nez.

— Tu es bien ?

A sa grande surprise, elle acquiesça.

Un sourire naquit sur le visage de Sean.

— Tu as l'air effrayé.

Elle le saisit par les épaules.

— Je le suis, plus que…

Il la fit taire d'un baiser passionné. Il continua de l'embrasser tandis qu'il la débarrassait de sa jupe pour caresser sa peau à travers la fine trame de ses bas.

Puis il se releva afin de lui ôter son chemisier.

Le cœur battant à tout rompre, Sophie baissa la tête et ferma les yeux. Jamais elle n'avait vécu pareille expérience. Habituellement, elle se déshabillait à la hâte et c'était fait.

Mais les mains de Sean, ses lèvres, étaient envoûtantes.

Elle prit une grande inspiration et attendit.

Il fit passer son chemisier par-dessus sa tête et se pencha pour lui embrasser l'épaule.

Elle eut un petit mouvement de répulsion.

Il se figea.

Elle voulut se couvrir de son chemisier, mais il l'en empêcha.

Il la prit dans ses bras et l'installa dos à lui, entre ses cuisses écartées. Elle sentit son sexe presser contre ses reins.

Elle rentra les épaules et se prit le visage dans ses mains.

Ils observèrent un long silence, entrecoupé par la respiration haletante et les sanglots de Sophie.

Elle sentit alors ses mains chaudes se poser sur son dos. Du bout des doigts, il traça le contour des cicatrices présentes autour de ses omoplates. Elle se contracta.

— Tu n'as pas à avoir peur de moi, chuchota-t-il d'une voix mal assurée.

— Je suis désolée.

— Tu es désolée ? Pour quelle raison ?

Le son de sa voix était métallique, dure, et traduisait son émotion.

— Qui t'a fait cela ?

— Ma mère adoptive était… sévère, avoua-t-elle d'une petite voix.

Sean sursauta.

— Sévère ? répéta-t-il, comme pour lui-même.

Sophie fit un petit mouvement pour s'écarter. Le moment était venu ; il allait tenter de masquer son dégoût.

— Elle n'était pas sévère, gronda-t-il. C'était un monstre !

Il posa délicatement les lèvres sur l'une des cicatrices, celle résultant d'un coup de ceinturon il y avait des années de cela.

— Allonge-toi.

Il la fit se coucher sur le ventre.

— Oh ! non. S'il te plaît.

Elle était terrorisée.

— Nous n'aurions pas dû en arriver là. Je t'en prie, laisse-moi m'en aller.

Sean embrassa chacune de ses cicatrices tandis qu'elle versait des larmes de désespoir. Ces cicatrices remontaient à un passé plus lointain encore qu'il ne l'avait supposé. Elle avait subi ces mauvais traitements alors qu'elle n'était qu'une enfant.

Pas étonnant qu'elle ait été si émue en découvrant Michaela et qu'elle ait demandé si Rosita était *sévère*.

La colère s'empara de lui alors qu'il imaginait les sévices qu'on lui avait infligés. Cela atténua son désir, calma ses ardeurs. Il serra les poings de rage.

S'exhortant au calme, il fit glisser ses mains dans le creux de ses reins, où d'autres cicatrices saillaient, puis, retenant son souffle, il roula ses bas noirs le long de ses jambes.

D'autres cicatrices. Sur l'arrière de ses cuisses.

Il les parcourut du bout des doigts. Certaines avaient presque disparu avec le temps. Mais, dans son ensemble, ce corps recelait une telle somme de peurs et de douleurs qu'il ne put contenir un frisson.

Il la fit se retourner doucement et elle posa ses paumes contre son torse, ses pansements lui grattant la peau. Elle lui adressa un regard dans lequel se lisaient la crainte, la honte et le désir, aussi.

Sean tenta de se composer une expression bienveillante, même s'il savait que la colère et l'horreur se lisaient sur son visage. Sophie ne devait pas croire que ces sentiments étaient dirigés contre elle.

— Pourquoi personne n'a-t-il tenté d'arrêter cette horrible femme ?

— C'est la vie.

— Personne n'a le droit de…

— Cela n'a pas d'importance, trancha-t-elle.

Il était néanmoins convaincu du contraire.

L'invitant à se nicher dans ses bras, il l'embrassa en y mettant toute sa tendresse. Son visage était baigné de larmes. Il se sentit enfin récompensé lorsqu'elle leva la tête pour lui retourner son baiser pour la première fois.

— Tu es magnifique, lui murmura-t-il en glissant la main entre ses jambes.

Il se mit à la caresser doucement afin qu'elle ressente le même degré d'excitation que lui.

— Non, laissa-t-elle échapper tandis qu'il explorait son intimité. Je ne suis pas jolie.

Elle lui résistait toujours, bien que son corps lui indiquât qu'elle était prête à s'offrir à lui.

Elle avait profondément souffert. Il se doutait bien que quelque chose de terrible lui était arrivé. Aussi ignoble qu'avait été sa mère adoptive, Sean redoutait que ce ne soit pas le pire épisode de sa vie.

Il lutina ses seins tout en poursuivant ses caresses. Puis il pressa son membre érigé contre son ventre et se lança dans un lent va-et-vient, s'imposant un véritable supplice tant son excitation était déjà à son paroxysme.

Enfin, elle entrouvrit les jambes en le gratifiant d'un regard dans lequel scintillaient les braises du désir.

Avec précaution, il entra en elle, sans quitter son regard. Elle était brûlante, tendue comme la corde d'un arc. La peur se lisait encore sur son visage.

Tandis qu'il allait plus profond, progressivement, elle ouvrit grand les yeux et entrouvrit les lèvres. Elle lui passa les bras autour du cou et se colla contre lui.

— Sean…

— Chhhut. Suis le mouvement de mes hanches.

Il allait et venait lentement, savourant l'exquise torture de se retenir alors qu'elle l'encourageait sans le vouloir par ses halètements.

Elle ferma les yeux et émit un petit râle venant du fond de sa gorge.

— On y est, Sophie. Encore quelques instants…

Il sentit un poids lui écraser le torse lorsqu'elle darda son regard dans le sien et se cabra, renversant la tête en arrière, avant de pousser un long gémissement.

Ne pouvant plus se retenir, il s'élança à sa suite dans la spirale du plaisir, priant que ce ne soit pas trop tôt, espérant ne pas l'avoir effrayée. Mais elle s'accrocha à lui, l'enserrant de ses jambes, et leurs corps ne firent qu'un tandis qu'ils se rejoignaient dans l'extase.

Il reposa la tête sur son épaule et eut un long soupir de plaisir. Elle passa amoureusement les doigts dans ses cheveux.

Elle lui dit quelque chose, si doucement qu'il ne put l'entendre. Au bout d'un moment, il releva la tête et plongea son regard dans ses grands yeux bleus. Ses lèvres étaient humides et pleines et son corps, pour la première fois, détendu.

Il roula sur le dos, l'entraînant dans le refuge de ses bras.

Sean tendit le bras vers sa table de nuit alors que son portable sonnait de plus en plus fort.

Il ne s'y trouvait pas.

Il s'assit dans son lit et consulta son réveil. 5 heures passées de dix minutes. Où pouvait bien se trouver ce maudit téléphone ?

Avisant son jean sur le sol, il l'attira à lui. Le portable était dans une de ses poches.

Kenner, le garde de Johnson, tentait de le joindre.

— Monsieur Majors ?

Kenner semblait hystérique ; des voix fusaient autour de lui. Les sens de Sean se mirent en alerte, chassant soudain la brume de son demi-sommeil.

— Qu'est-ce qui se passe ?

— Monsieur, il est arrivé quelque chose à Johnson.

— Comment ? Kenner !

— Je me suis juste absenté pour aller aux toilettes. Deux minutes, pas plus. Je le jure. Les médecins sont autour de lui. Ils font tout pour le ranimer.

Sean jura.

— Ne perdez pas Johnson de vue. J'arrive tout de suite.

Il jeta le portable sur la table de nuit et sauta du lit.

— Qu'y a-t-il ?

Il se figea.

Bon sang. Sophie.

Il passa son jean et le boutonna aussi vite qu'il le put.

Elle se tenait assise dans son lit, le drap remonté sur la poitrine. Ses cheveux blonds décoiffés encadraient son visage, lui donnant un air angélique. Son regard étincelait. Etait-ce de l'excitation ? La perspective du danger ? Sean se souvint avec dégoût de la curiosité macabre de Cindy pour les détails les plus scabreux de ses enquêtes.

— Rien. Lève-toi. Je dois filer.

Sophie écarquilla les yeux et se mit à trembler. Le drap glissa légèrement et découvrit l'auréole carmin d'un sein.

Un brusque désir le traversa, tel un arc électrique, et il contracta la mâchoire.

Décidément, elle le déconcentrait.

Il alla à la penderie et se choisit un sweat-shirt qu'il enfila prestement.

— J'ai dit : debout. Quelque chose est arrivé à Craig Johnson.

Elle l'avait distrait de sa mission, et il le regrettait amèrement. C'était couru d'avance. Il aurait dû retourner à l'hôpital, hier soir, au lieu de passer la soirée avec elle.

— Dépêche-toi avant que ma fille se réveille.

Une ombre passa dans son regard. Elle battit des paupières et se détourna pour récupérer ses vêtements.

Tandis qu'elle lui tournait le dos, il promena le regard sur ses cicatrices et un élan de compassion le saisit. Il l'ignora. Il n'y avait pas de temps à perdre. Johnson était peut-être déjà mort.

— Je t'accompagne à l'hôpital.

— Pas question. Tu vas retourner à tes faire-part et me laisser en paix.

Il attrapa son portable et ses clés et se rua vers la porte de la chambre.

Il tomba nez à nez avec Rosita. Ses yeux noirs allèrent de son visage au lit derrière lui, puis firent le trajet inverse.

— Ne commencez pas, Rosita. Je suis pressé, ce matin. Ecartez-vous de mon chemin.

En la dépassant, il ne put s'empêcher de jeter un regard derrière lui. Sophie, assise au milieu de son lit, semblait recroquevillée sur elle-même, déroutée, comme s'il l'avait battue.

Son cœur se vrilla dans sa poitrine et serra les dents.

Peu lui importait qu'il l'ait déçue.

Il ne devait pas lui accorder d'attention. Il ne pouvait se le permettre.

Alors qu'il se laissait aller au plaisir avec cette femme, quelqu'un s'en était pris à Johnson. Sean lui avait promis de veiller à sa sécurité, et il avait trahi sa promesse.

Sophie sentait le regard de Rosita sur elle tandis qu'elle s'habillait. Rouge de honte, elle s'escrimait à garder le dos face au mur afin de dissimuler ses cicatrices. Elle n'avait aucune envie de les exhiber devant la gouvernante ; celle-ci avait déjà une piètre image d'elle.

Lorsqu'elle fut fin prête, ayant enfilé ses éternels bas noirs, elle osa croiser son regard. Rosita l'avait observée, immobile, les bras croisés, debout dans l'encadrement de la porte, telle une sentinelle.

— Je suis sincèrement désolée, murmura Sophie. Je m'en vais. S'il vous plaît, n'allez pas penser que…

Rosita leva la main de façon autoritaire.

— Je ne vous connais pas, et donc, je ne vous jugerai pas.

Elle pointa le doigt sur elle.

— Mais, si jamais vous faites souffrir Sean, c'est à moi que vous aurez affaire.

Sophie lui sourit.

— Il a de la chance de vous avoir, dit-elle en espagnol.

Rosita leva les sourcils, abasourdie.

Sophie chaussa ses sandales, puis passa devant Rosita pour gagner la cuisine où son sac à main et ses clés de voiture l'attendaient, sur la table.

— Je n'avais pas l'intention de…, voulut-elle poursuivre.

Mais l'expression de Rosita la dissuada de s'expliquer. La gouvernante, les poings sur les hanches, dardait sur elle un regard noir.

Sophie redoutait que le mutisme de Rosita se transforme en une terrible colère. Elle fit halte alors qu'elle avait la main sur la poignée de la porte.

— Je sais que vous aimez beaucoup Michaela. S'il vous plaît, soyez gentille avec elle. Protégez-la. Et veillez sur Sean.

Elle referma la porte avec précipitation.

Sur le chemin de l'hôpital, elle appela Rachel. Egale à elle-même, la responsable de Miami Confidentiel était déjà opérationnelle et répondit dès la première sonnerie.

— Brennan.

Sa nuit avait dû être courte, mais rien dans le timbre de sa voix ne le trahissait.

— Rachel, c'est Sophie. Craig Johnson a été victime d'une nouvelle tentative d'assassinat. Je suis en route pour l'hôpital.

— Des détails ?

— Je n'en sais pas plus.

Sophie rechigna à lui faire cet aveu. Elle prit la sortie de l'autoroute menant à l'hôpital et poursuivit :

— Sean Majors a reçu un appel du garde du corps de Johnson.

— Majors vous a appelée ? s'étonna Rachel.

Les mains de Sophie se crispèrent sur le volant. Elle voulut répondre, mais aucun son ne sortit de sa bouche.

— Mmm, je vois. Je vais prévenir Rafe. Puis j'appellerai le médecin de Craig. Que sait Majors de Miami Confidentiel ?

C'était là un point important. Crucial.

— Rien du tout, répondit Sophie. Mais… il a des soupçons. Il a vu que je tentais par réflexe d'attraper mon arme pendant l'incident d'hier.

— Que lui as-tu dit ?

— Que j'ai grandi à New York et que j'y ai appris à me défendre. Il n'a pas eu l'air très convaincu.

— Sophie, quelles sont exactement vos relations ?

Sophie se gara sur le parking de l'hôpital et coupa le contact.

— Il n'y a rien, rien du tout. Il me considère comme une idiote excitée par le danger.

— Mais il sait désormais que tu es habituée à porter une arme.

La voix de sa patronne était teintée d'une évidente désapprobation. Sophie attendit, retenant son souffle.

— Sophie, je sais que ce n'est pas le moment, mais je dois t'avertir.

— Oui ?

Sophie sentit les battements de son cœur s'accélérer. Elle avait bâti sa nouvelle vie autour de Miami Confidentiel et ses collègues semblaient toutes l'apprécier. Il ne fallait pas qu'elle perde ce poste à cause d'une aventure.

Rafe se faisait du souci pour elle. Isabelle et Julia, ainsi que les autres femmes, aimaient la taquiner à propos de ses tenues vestimentaires. Personne ne l'avait jamais taquinée auparavant. Si elle perdait son emploi au sein de Miami Confidentiel, que ferait-elle ? Que savait-elle faire d'autre ?

— Je suis bien informée sur ton passé, tu sais.

Sophie eut un petit haut-le-cœur ; elle s'attendait à recevoir une leçon sur la nécessaire séparation entre vie privée et professionnelle. Rachel ne s'était jamais permis de faire le moindre commentaire sur sa vie privée, pas même lorsqu'elle l'avait reçue en entretien d'embauche. Elle avait été impressionnée par ses états de service au sein de la CIA.

— Je sais aussi que tu n'as pas eu de relation suivie depuis que tu es arrivée à Miami.

— Comment ?

Sophie esquissa un sourire en imaginant Rachel devant sa batterie d'écrans vidéo, occupée à espionner chacun des membres de son équipe.

— Je ne vois pas ce que cela…

— Sophie, je veux seulement te donner un bon conseil. Un conseil… personnel.

Sophie se tut et ferma les yeux. Pour la seconde fois en moins de vingt-quatre heures, elle était mise à nu. Après toutes ces années passées à tenter de se cacher derrière ses tenues sophistiquées et son comportement faussement cool, elle se retrouvait subitement faible et exposée. Sans défense.

— Le mariage de Sean Majors a mal tourné. Sa femme prenait de la drogue. Elle est toujours dedans. Elle est bien connue de tout Miami pour ses frasques et ses sautes d'humeur. Elle a abandonné son enfant, Sophie.

Chacun de ces mots atteignirent Sophie en plein cœur. Pas étonnant que Sean ait manifesté de l'animosité à son égard quand elle lui avait dit que le danger l'excitait. Comment aurait-il réagi si elle lui avait raconté l'histoire de sa vie ? Une chose était certaine : il ne la laisserait plus jamais approcher de sa fille. Non, plus jamais.

— Je pense que c'est un homme aigri, refermé sur lui-même. Il ne vit que pour sa fille. Prends garde, Sophie. Il n'est probablement pas… l'homme qu'il te faut.

Sophie se passa la main dans les cheveux. Rachel semblait sincèrement inquiète.

— Rassure-toi, Rachel. Je ne me fais aucune illusion.

Sophie revoyait le ravissant visage de Michaela, le sourire éclatant de bonheur de Sean lorsqu'il avait pris sa fille dans ses bras.

— Je suis arrivée à l'hôpital, dit Sophie pour changer de sujet.

— Très bien, répondit Rachel sur un ton professionnel. Tiens-moi informée.

— Rachel ? Merci.

Aucune réponse ne lui parvint : Rachel avait déjà raccroché.

Tandis qu'elle pénétrait dans l'hôpital et se dirigeait vers le bloc des ascenseurs, Sophie tâcha de se concentrer sur sa mission.

Mais elle ne parvint pas à chasser de son esprit les paroles de Rachel.

« Sa femme prenait de la drogue. Elle a abandonné son enfant. »

Ses jambes se mirent à trembler si fort qu'elle dut s'appuyer contre la paroi de l'ascenseur. Pourquoi avait-elle accepté de monter chez lui ? Pourquoi n'était-elle pas tout simplement rentrée chez elle ?

D'un autre côté, si elle avait agi de la sorte, elle aurait manqué la nuit la plus merveilleuse de son existence. Elle n'aurait pas non plus rencontré sa délicieuse petite fille, ni aperçu le magnifique sourire qu'il lui réservait. Elle n'aurait pas découvert qu'un tel amour existait.

A présent, elle en était pleinement consciente. Elle avait aussi appris combien Sean pouvait être tendre et aimant, déterminé et courageux.

Les paroles de Rachel résonnèrent de nouveau dans sa tête.

« Il n'est probablement pas l'homme qu'il te faut. »

Elle eut un petit rire. Elle n'avait pas besoin de Rachel pour savoir que Sean Majors était hors de sa portée. Cela, elle le savait depuis le commencement.

Non, un homme tel que Sean n'était certainement pas le bon choix. C'était un homme bon et juste, un homme attaché à sa famille. Il était entouré de gens qui l'aimaient ; elle pouvait tenter de se joindre à eux, mais en aucun cas les supplanter.

Au quatrième étage, les portes de l'ascenseur s'ouvrirent sur un véritable chaos.

Trois jeunes hommes aux yeux tirés de fatigue, vêtus de

blouses blanches sur lesquelles des badges d'externes étaient épinglés, pénétrèrent dans l'ascenseur comme elle en sortait. Une infirmière poussant devant elle un défibrillateur passa en courant devant ses yeux.

Le couloir était en pleine effervescence. Le personnel médical allait et venait en tous sens, hommes et femmes échangeant quelques mots, sans s'arrêter, quand ils se croisaient.

Ici, un infirmier aidait un vieil homme à regagner sa chambre. Là, deux patientes discutaient sur le pas de leur porte, leur poche à perfusion suspendue à un portique à roulettes.

Soudain, un visage familier.

Sean s'entretenait avec un médecin, à l'extrémité du couloir. Deux aides-soignants passèrent devant eux avec un brancard recouvert d'un drap. Sean se passa la main dans la nuque en écoutant les propos du médecin.

Sophie sentit ses craintes se matérialiser ; le drap recouvrant le brancard ne laissait aucun doute.

Craig Johnson était mort.

6

Ainsi, le chauffeur et garde du corps de Sonya Botero, l'homme quc tout le monde suspectait de feindre un traumatisme crânien pour ne pas avoir à répondre de ses actes, venait de mourir.

Sophie sentit une boule se former dans sa gorge. Il était si jeune ! Vingt-quatre, vingt-cinq ans à peine…

La dépouille de Johnson disparut dans l'ascenseur. Depuis l'autre extrémité du couloir, Sophie pouvait voir la tension nichée dans les épaules de Sean, les muscles contractés de sa mâchoire. Elle vit aussi qu'il était triste. Elle savait qu'il se blâmait de ce tragique incident, et il devait la blâmer, elle aussi.

Lorsque Sean, suivi du médecin, entra à son tour dans l'ascenseur, Sophie se mit à observer les gens déambulant dans le couloir. L'endroit se vidait peu à peu, à présent que le spectacle était terminé. Les patients regagnaient leur chambre et le personnel médical détaché sur le cas de Johnson avait repris ses occupations.

Sophie prit le dossier d'un patient sur le comptoir des infirmières et le plaqua contre sa poitrine afin de dissimuler son petit sac à main. Elle approcha d'un médecin, vêtu d'une combinaison bleue, qui se tenait près de la salle des infirmières. Il portait une charlotte et un masque en papier bleu masquait les traits de son visage.

— C'est la chambre du jeune homme ? demanda-t-elle.

Le médecin la dévisagea ; il ne l'avait pas vue approcher. Il approuva d'un signe de la tête et croisa les bras.

Sophie fit mine de consulter son dossier.

— Arrêt cardiaque, c'est cela ?

Le médecin haussa les épaules et fit quelques pas pour s'éloigner d'elle. Ce faisant, il jeta un regard dans la chambre de Johnson où un homme de ménage s'activait déjà.

Sophie s'arrêta sur le seuil d'une salle où une infirmière rangeait le chariot des soins intensifs. Un homme d'une trentaine d'années se tenait près d'elle et lui parlait.

— Il était sous ma responsabilité, se lamentait l'homme. Pauvre gosse. Majors va me passer un savon.

L'infirmière leva la tête et lui sourit.

— Ce sont des choses qui arrivent. Je ne saurais vous dire le nombre de fois où un parent resté des heures auprès d'un patient manque ses derniers instants pour s'être éclipsé quelques minutes seulement afin d'aller se chercher un café. C'est la vie.

— Non, dit l'homme, pas quand il s'agit d'un employé de Carlos Botero. Pas lorsque Sean Majors est votre patron. M. Majors m'avait ordonné de veiller sur lui. Je ne me suis absenté que deux minutes. Vous dites qu'il est mort d'un arrêt cardiaque ?

— Oui. J'étais occupée avec un autre patient quand j'ai entendu son monitoring se mettre à sonner. Arrêt cardiaque.

— Mais ce n'était qu'un jeune homme.

— Il avait déjà eu une complication quelques jours plus tôt.

— Oui, on a tenté de lui injecter un produit dans le cœur. C'est à partir de ce moment que M. Majors m'a détaché à sa sécurité.

— C'est arrivé avant que je sois affectée à ce service. J'ai lu le compte rendu dans son dossier, mais n'y ai rien vu de particulier. Il était considéré comme un VIP.

Sophie s'avança doucement dans la pièce pour mieux les entendre.

— VIP ? fit l'homme.

— Very Important Patient. Son dossier est confidentiel, consultable uniquement par les huiles et l'infirmière en chef, pas par nous autres, simples mortels, plaisanta l'infirmière. Mais j'ai entendu dire que…

Elle se tut brusquement en remarquant la présence de Sophie. Le garde du corps se tourna vers elle.

— Je peux vous être utile, madame ?

Sophie lui sourit.

— Je cherche la chambre de mon cousin. Il a été admis au service orthopédique.

L'infirmière détailla Sophie par-dessus la monture de ses lunettes.

— Deuxième étage, répondit-elle. Les visites ne débutent qu'à 8 heures.

— C'est l'heure à laquelle je serai au travail. Il m'a demandé de lui apporter des affaires.

— Deuxième étage.

Sophie la remercia et se dirigea vers le bloc des ascenseurs. Elle appela une cabine et s'appuya contre le mur, dans un recoin, pour se dérober aux regards de l'infirmière et du garde du corps.

Ils ne prononcèrent pas une parole jusqu'à ce que la sonnerie annonçant l'arrivée de l'ascenseur retentisse. Sophie ne fit pas un mouvement, attendant que les portes s'ouvrent et se referment.

— J'ai entendu dire que quelqu'un a tenté de le tuer en lui injectant une dose massive de potassium, reprit l'infirmière en chuchotant. C'est la raison pour laquelle il a sombré dans le coma.

— Vous pensez que c'est ce qui s'est passé aujourd'hui ? s'enquit le garde.

— Le potassium peut provoquer un arrêt cardiaque comme ça, dit-elle en claquant des doigts.

Le garde impressionné émit un sifflement.

— Qui peut avoir fait une chose pareille ? Vous n'avez vu personne de suspect ? Je ne me suis absenté que *deux* minutes, bon sang !

— Vous savez, on manque d'effectif, la nuit. J'ai pour ma part la responsabilité de dix-sept patients. Les médecins n'en font qu'à leur tête et ne se gênent pas pour me déranger pendant ma distribution de médicaments. Tenez, un médecin m'a demandé ce matin un dossier qui se trouvait juste sous son nez. L'homme de ménage était aussi en retard, hier soir. Habituellement, il commence son service à 3 heures du matin.

— L'homme de ménage ? Est-ce le type qui lavait le sol dans la chambre de Johnson il y a de cela quelques minutes ?

— Je n'en sais rien, je ne fréquente pas le personnel de ce service.

L'ascenseur s'arrêta de nouveau à l'étage et, cette fois, Sophie s'y engouffra avec un soupir de contrariété. Alors que les portes se refermaient, quelqu'un les fit se rouvrir.

Il s'agissait du médecin avec lequel elle avait tenté de lier conversation. Il entra dans la cabine et se tint à côté d'elle.

Sophie sentit qu'il la regardait. Elle se tourna légèrement pour le regarder à son tour. Ses sourcils étaient froncés ; allait-il lui demander la raison de sa présence à cet étage ?

Elle déglutit et reporta son attention sur l'indicateur de niveau. Le regard de l'homme pesait sur elle. Elle devint rapidement nerveuse. Elle ne pensait pas que les médecins aient l'habitude de se déplacer dans l'hôpital avec leur masque. Elle fit un pas en arrière et observa ses avant-bras parsemés de poils noirs et touffus.

Ses ongles étaient noirs de crasse.

Lorsqu'elle sortit de l'ascenseur, il lui emboîta le pas, se tenant juste derrière elle. Une femme passa en trombe devant eux, et Sophie s'arrêta pour l'éviter ; l'homme lui rentra dedans.

Il émit un grognement et la repoussa sans ménagement pour poursuivre sa route. Il faillit bousculer un vieil homme qui se déplaçait à l'aide d'une canne.

— Qu'est-ce qui lui prend ? fit le vieil homme. Tout va bien, madame ?

Sophie opina et suivit l'homme.

Il avait presque parcouru la longueur du couloir et il hâtait le pas. Les visiteurs et le personnel médical s'écartaient sur son passage ; il était médecin. Des vies étaient en jeu.

Parvenu au bout du couloir, il appuya sur un gros interrupteur rouge au-dessus duquel était inscrit « réservé au personnel médical autorisé » et se faufila par la porte automatique dès qu'elle s'ouvrit.

Le temps que Sophie le rejoigne et tente de l'imiter, un infirmier s'était matérialisé derrière elle.

— C'est un espace réservé, madame.

— Oh ! Je ne vous avais pas vu. Je dois parler à ce médecin.

Il fronça les sourcils.

— Quel médecin ?

— Celui en combinaison bleue, avec un masque. Il vient juste de franchir cette porte.

— Désolé. Vous n'avez pas accès à ce service.

Regardant alors à travers les hublots de la porte, elle ne vit qu'un couloir sombre.

— Qu'est-ce qu'il y a derrière cette porte ?

L'infirmier croisa les bras.

— Veuillez vous adresser à l'accueil. Ils vous mettront en relation avec ce médecin.

— Mais je ne connais pas son nom. Vous ne l'avez pas vu entrer ?

Montant sur la pointe des pieds, Sophie tenta de nouveau de regarder à travers les hublots.

— C'est très important. Il faut que je sache où mène ce couloir.

L'infirmier la prit doucement par le bras.

— Ne me forcez pas à prévenir la sécurité, madame.

— Mais…

Il la toisa.

— Très bien, *Jimmy*, dit-elle en lisant son nom sur son badge.

Elle le dévisagea, comme pour mémoriser son visage.

Jimmy ne parut pas impressionné.

Elle décida de laisser tomber et rebroussa chemin.

Elle récapitula ce qu'elle avait vu. Le médecin au masque devait mesurer un mètre soixante-quinze, car elle le dépassait de quelques centimètres. D'origine hispanique, il avait les yeux rapprochés et une abondante chevelure noire que sa charlotte ne parvenait à masquer totalement. Il possédait une cicatrice à l'arcade gauche.

L'homme qui avait tenté d'agresser Samantha, une semaine auparavant, alors qu'elle sortait de la chambre de Johnson, était également vêtu d'une combinaison bleue et portait un masque lui couvrant le visage. Cependant, Samantha était sûre qu'il ne s'agissait pas d'un médecin. Elle avait remarqué, elle aussi, que ses ongles étaient noirs de crasse.

Sophie regarda son épaule, là où le prétendu médecin l'avait empoignée en sortant précipitamment de l'ascenseur. Elle y vit une tâche sombre.

Avec un peu de chance, elle portait sur elle l'empreinte du tueur.

L'homme traversa le service des urgences d'un pas rapide et sortit par le parking. Se débarrassant de sa tenue de médecin pour la jeter dans une poubelle, il se dépêcha de contourner le bâtiment et vint se poster devant l'entrée principale, feignant de se détendre en fumant une cigarette.

Les gens venant rendre visite aux patients le dépassaient sans lui prêter attention. La tête baissée, il observait le hall d'entrée à la dérobée.

Il la vit alors : la grande femme blonde qui l'avait pourchassé. Elle sortit et inspecta les alentours du regard. Elle le cherchait toujours.

Il ravala un petit rire. A présent que sa mission était accomplie, il ressentait la satisfaction du travail bien fait. Il avait passé la nuit entière à attendre le moment propice pour régler son compte au chauffeur.

La patience et la prudence étaient ses principales qualités. Il ne s'impatientait jamais, et c'est ce qui le rendait aussi performant dans son travail.

Il observa la femme comme elle le cherchait du regard, affichant une indéniable expression de frustration. Il la reconnaîtrait sans hésitation la prochaine fois qu'il la verrait. Dans quelques instants, il saurait quelle était sa voiture.

Avec ses longues jambes et ses cheveux d'un blond doré, elle était magnifique. Jusqu'où était-elle impliquée dans cette affaire ? Et, surtout, pourquoi l'avait elle suivi ? Qu'avait-elle vu ? Que savait-elle ?

Etait-ce parce qu'il l'avait regardée avec un peu trop d'insistance dans l'ascenseur ? Non. Une femme dans son genre ne prêtait aucune attention à un homme comme lui. Elle avait dû voir, deviner quelque chose.

Elle traversa le parking. Il fit quelques pas pour la garder dans son champ de vision et la vit s'installer dans un coupé BMW. Ce faisant, sa jupe remonta et lui dévoila la peau blanche et lisse de ses cuisses.

L'espace d'un instant, il l'imagina à sa merci, ses grands yeux bleus brillant de peur et le suppliant. Cette vision le fit saliver et il sentit son entre-jambe réagir brusquement.

Il tira son portable de sa poche et composa un numéro.

— C'est Fuentes. Une femme m'a repéré.

Il communiqua à son interlocuteur le numéro de la plaque minéralogique.

La blonde démarra et sortit du parking, le dépassant sans le reconnaître.

— Non, je n'en sais rien, reprit Fuentes. Vous avez le bras long : utilisez vos relations !

Il raccrocha en jurant et revint dans l'hôpital par l'entrée des urgences. Il lui restait une heure à tirer avant de pouvoir quitter son service.

Ensuite, il s'emploierait à découvrir qui était cette jeune femme, et là où elle demeurait. Il prendrait beaucoup de plaisir à s'occuper d'elle.

Après avoir pris une douche brûlante et s'être changée, Sophie rangea soigneusement son chemisier dans un sachet en plastique et se rendit à Mariage pour la Vie. A son grand dam, elle avait rendez-vous à 10 heures avec une jeune femme pour organiser sa cérémonie de mariage.

Lorsqu'elle était entrée dans son appartement, elle s'était aussitôt immobilisée et son sang s'était glacé. Son havre de paix, son intimité avait été bousculée. Elle ressentait la présence de Sean. Il avait touché ses livres, ses DVD, avait fait un brin de toilette dans sa salle de bains.

Pénétrant dans sa chambre, elle remarqua que le dossier Botero sur sa table de nuit avait été déplacé et sut que Sean l'avait parcouru.

Elle avait commis trop d'erreurs durant les dernières vingt-quatre heures. Outrepassant les règles qu'elle s'était fixées, elle avait sacrifié une part trop importante de sa vie privée.

Et pour quel résultat ? Une brève relation charnelle avec un homme ? La sensation éphémère que quelqu'un se souciait de sa sécurité ? Un avant-goût d'une vie de famille qui ne serait jamais la sienne ?

Tandis que, sous un soleil de plomb, elle roulait à tombeau ouvert sur l'autoroute, une pensée effroyable lui vint. Elle regarda le dossier Botero sur le siège passager et imagina Sean, près de son lit, prenant connaissance de son contenu.

L'avait-il séduite afin de glaner des informations ? Elle ressentit une soudaine honte. Si tel était son dessein, il avait pris bien des risques en la ramenant chez lui. Son comportement démontrait qu'il ne voulait pas de sa présence dans sa vie, qu'il rechignait à lui présenter sa fille.

Pouvait-il s'être senti submergé par leur attirance réciproque, tout comme elle l'avait été ? Elle se remémora son corps puissant plaqué contre le sien, ses lèvres effleurant chaque cicatrice de son dos et de ses jambes.

« Arrête cela tout de suite ! »

Peu importaient les raisons de son comportement. Tout était fini entre eux. Ce matin, il l'avait purement et simplement virée de chez lui.

Il lui fallait à présent se concentrer sur l'affaire. Elle devait informer Rafe au plus vite au sujet de l'homme au masque et de son empreinte sur son chemisier. Elle jeta un regard sur la montre du tableau de bord et composa son numéro sur son portable.

— Montoya, dit-il d'une voix âpre en décrochant.

— Rafe, c'est Sophie.

— Tout va bien ?

— Oui, bien sûr. Je voulais juste…

— Je te rappelle.

— Mais…

— On est sur le rapport d'autopsie de Johnson. Tu es au bureau ?

— En route.

Rafe raccrocha.

Sophie poussa un long soupir. Le rapport d'autopsie était un élément capital. Ils allaient bientôt avoir la preuve que Johnson avait été assassiné. Les informations qu'elle s'apprêtait à lui communiquer passaient au second plan.

Elle changea de file, se préparant à sortir de l'autoroute. Tandis qu'elle manœuvrait, un véhicule noir vint se mettre à sa hauteur, approchant dangereusement.

— Qu'est-ce que vous fichez ? cria-t-elle en se dégageant vers la rambarde, tout en ralentissant.

La voiture noire approchait toujours. Leurs carrosseries entrèrent en contact dans un crissement de métal.

Paniquée, Sophie regarda dans son rétroviseur. Une file de véhicules la suivait de près.

N'osant pas regarder le véhicule la serrant sur sa gauche, elle freina, et sentit le flanc droit de sa voiture toucher la rambarde.

Des coups de Klaxon retentirent derrière elle et des pneus crissèrent. La voiture noire accéléra et lui fit une queue de poisson.

Agrippant le volant avec l'énergie du désespoir, Sophie écrasa la pédale de frein, s'attendant à être percutée par les véhicules la suivant.

Soudain, la berline noire fit une embardée et bifurqua, rejoignant le trafic sur la voie principale en coupant la route à un camping-car qui l'évita de justesse.

Sophie lutta pour conserver le contrôle de son coupé sport et finit par parvenir à se ranger sur la bande d'arrêt d'urgence.

Elle resta un moment là, comme pétrifiée, en proie à de violents tremblements. Ses larmes se mirent à couler tandis qu'elle prenait pleinement conscience de la catastrophe à laquelle elle venait, par miracle, d'échapper.

Les mains tremblantes, elle tentait de maîtriser sa respiration lorsqu'on vint frapper contre sa vitre.

— Hé ! Tout va bien ?

Un homme dans une combinaison de mécanicien. Sophie jeta un regard dans son rétroviseur et aperçut son pick-up garé dans son prolongement.

Elle hocha la tête et baissa sa vitre.

— Je… — sa voix se fêla — ça va aller.

— Quel crétin, fit l'homme en regardant dans la direction où la berline noire s'était enfuie. Je n'ai pas eu le temps de relever la plaque, mais il s'agit d'une Ford assez récente, avec des vitres teintées. Il faut prévenir la police.

— Non ! s'exclama Sophie. Je vous assure que tout va bien. De toute façon, on ne les retrouvera pas.

Elle se força à lui sourire.

— Vous savez bien comment ça se passe, ajouta-t-elle.

L'homme contourna sa voiture et inspecta la carrosserie.

— Vous avez une méchante rayure, de ce côté.

Il plongea la main dans sa poche et en ressortit une carte de visite qu'il lui tendit.

— Je travaille dans un atelier de carrosserie, et on fait du bon boulot.

Sophie la prit sans même y prêter attention.

— J'imagine que vous n'avez pas pu voir le visage du conducteur ?

L'homme secoua vigoureusement la tête.

— Comme je vous l'ai dit, les vitres étaient teintées. Ça devrait être interdit. Vous êtes sûre que ça va aller ?

Sophie le rassura et le remercia de s'être arrêté pour lui prêter secours.

Elle rappela Rafe, mais ce dernier ne décrocha pas.

Elle reprit le flot de la circulation, les mains tremblantes, l'estomac noué.

— Pourquoi te comportes-tu comme une mauviette ? se demanda-t-elle à haute voix.

Elle regrettait d'avoir abdiqué. Elle aurait dû se lancer à la poursuite de la berline noire.

Mais, d'un autre côté, cela ne lui aurait apporté que des ennuis. Le chauffeur avait failli entrer en collision avec un camping-car en s'enfuyant. Elle ne l'aurait jamais rattrapé.

Quoi qu'il en soit, une chose était sûre : elle était directement visée. Il ne s'agissait en aucun cas d'un accident, d'une erreur de pilotage. Elle regarda le sachet contenant son chemisier. Quelqu'un s'inquiétait de ce dont elle avait été témoin.

Comment était-on remonté jusqu'à elle ?

Soudain, la lumière se fit dans son esprit : elle avait été prise en chasse depuis l'hôpital.

L'assassin surveillait ses faits et gestes, et connaissait sûrement son adresse.

Sean avait passé un long moment en compagnie du médecin chargé de l'autopsie de Craig Johnson avant d'appeler les parents de ce dernier pour leur apprendre son décès, sans toutefois leur annoncer que leur enfant avait été assassiné.

Puis il s'était entretenu avec Kenner et avait entendu un à un les employés de nuit en service à l'étage lorsque le cœur de Johnson avait lâché.

Alors qu'il venait de conclure son dernier interrogatoire, Rachel Brennan et Rafe Montoya firent leur apparition, accompagnés d'un agent de la sécurité de l'hôpital. Rachel était en conversation sur son portable.

Sean avait placé Kenner devant la porte de Johnson avec pour mission de ne laisser entrer personne. Montoya écarta Kenner du revers de la main et ordonna à l'agent de sécurité de condamner la porte.

Sean s'avança vers Montoya, faisant signe à Kenner de s'éclipser.

— Qu'est-ce qui vous prend, Montoya ?

— Majors.

Le responsable de la sécurité de Mariage pour la Vie, qui était vêtu d'un costume de bonne coupe, lança un regard désapprobateur à Sean en détaillant son jean et son pull-over.

Rachel raccrocha son téléphone et les rejoignit.

— Bonjour, monsieur Majors. Je suis sincèrement désolée pour Craig Johnson. S'il vous plaît, veuillez présenter mes condoléances à sa famille.

Sean la regarda en fronçant les sourcils. Il n'était pas dupe de sa prétendue compassion.

— Je suis sûr que cela leur fera chaud au cœur, lui retourna-t-il d'un ton sarcastique avant de reporter son attention sur Montoya.

— Je suppose que c'est Sophie qui vous a prévenus.

Montoya leva la tête d'un air hautain, le regard mauvais.

— Effectivement, Majors. Si j'étais vous…

— Monsieur Majors, intervint Rachel en s'avançant. Il vaudrait peut-être mieux que vous nous laissiez nous occuper des démarches officielles avec l'administration de l'hôpital.

— Il s'agit d'un meurtre, mademoiselle Brennan, pas d'un souci de robe de mariée mal ajustée.

Montoya fut sur le point d'intervenir, mais Rachel l'arrêta en levant un doigt manucuré.

— En fait, rien ne prouve encore que Johnson ait été assassiné. J'aimerais que l'on traite cette affaire avec la plus grande discrétion. Pourquoi ne pas nous retrouver dans le bureau du directeur de l'hôpital dans — elle jeta un coup d'œil à sa montre — dix minutes ?

— De la discrétion ? railla Sean. Bien sûr. C'est là votre principal souci.

Rachel pinça les lèvres.

— Je suis convaincue que vous n'avez pas plus que nous intérêt à ce que les médias aient connaissance de l'affaire. Je pense que M. Botero n'a aucunement besoin d'un stress supplémentaire.

Sean serra les dents. Sans détester totalement Rachel Brennan, il ne la portait pas dans son cœur et se méfiait d'elle. Son exceptionnelle aptitude à gérer les situations les plus complexes le rendait perplexe.

La jeune femme savait exactement ce qu'elle faisait, et elle et son équipe cachaient bien leur jeu. Ne pas parvenir à la cerner l'exaspérait au plus haut point.

Il en était de même pour Sophie.

Sans attendre sa réponse, Rachel lui sourit et se détourna pour gagner le bloc des ascenseurs. Montoya lui emboîta le pas, suivi de l'agent de sécurité.

Sean regarda la porte close avec amertume, en proie à un vif sentiment de frustration.

— On dirait que le débat est clos, n'est-ce pas ? lança Kenner. Ce Johnson était un brave type. Il avait des tas d'anecdotes à raconter sur sa mission en Iraq. Je me demande comment il s'est retrouvé mêlé à ça.

Sean secoua la tête de dépit. Lui aussi pensait que Craig était un type bien, et il s'était toujours fié à son jugement. Johnson était-il parvenu à le berner ?

Deux raisons pouvaient expliquer les risques qu'avait pris l'assassin en venant commettre son crime au beau milieu d'un hôpital. Soit Johnson était un témoin gênant, soit il était mouillé dans l'affaire de l'enlèvement. Vu qu'il avait avoué avoir contracté des dettes de jeu, Sean penchait pour la seconde option.

— Je me souviens de lui quand vous l'avez embauché, reprit Kenner. Je ne voulais pas croire qu'il était majeur tellement il faisait jeunot. A quand cela remonte-t-il ? Trois ans ?

Sean opina. C'était quelques mois après la naissance de Michaela.

Il se mit à repenser à cette époque douloureuse.

Ce qui s'annonçait comme la plus belle période de sa vie avait viré au cauchemar. Cindy s'était vite révélée jalouse du bébé. Elle les avait abandonnés seulement quelques mois après son accouchement.

— Monsieur ?

Sean sortit brusquement de ses pensées.

— Kenner, retournez auprès de Carlos. Préparez-moi un rapport dans lequel vous noterez tout ce dont vous vous souvenez, jusqu'aux plus insignifiants détails.

— Monsieurs Majors, je me sens responsable de…

— Vous n'êtes pas responsable. Il est clair que l'assassin était déterminé et prêt à attendre la meilleure occasion pour agir. Cela se serait produit tôt ou tard. S'il doit y avoir un responsable, c'est plutôt moi. J'aurais dû prévoir un tour de garde avec deux hommes.

Sean lui tapota amicalement l'épaule.

— Vous avez fait du bon boulot, Kenner. Allez rédiger votre rapport. Vos remarques nous éclaireront peut-être sur ce qui s'est réellement passé.

— Bien, monsieur.

Kenner le salua et s'en fut d'un pas lourd vers le bloc des ascenseurs. Sean reporta son regard vers la porte de la chambre de Johnson en poussant un soupir d'impuissance.

— Oh ! monsieur Majors, fit Kenner en rebroussant chemin, j'ai oublié de vous dire : il y avait une femme au comportement louche qui traînait par ici pendant que vous vous occupiez de la dépouille de Johnson. Au début, j'ai pensé qu'elle était médecin ; elle avait en main un dossier médical. Mais elle ne portait pas de badge, ni de tenue réglementaire.

— Qui était-elle, alors ? Un visiteur ?

Kenner réfléchit quelques instants, puis secoua la tête.

— Non, je ne crois pas. Elle semblait nous espionner.

— Nous ?

— Une infirmière et moi. Pendant qu'on faisait le ménage dans la chambre de Johnson, cette infirmière m'a expliqué comment provoquer un arrêt cardiaque en injectant une dose de potassium en intraveineuse.

Espionner. La curiosité de Sean s'éveilla.

— Que pouvez-vous me dire à propos de cette femme ? A quoi ressemblait-elle ?

— Je dois avouer qu'elle était d'une beauté à couper le souffle. Grande, blonde, avec de ces jambes…

Sean poussa un soupir de contrariété.

— Comment était-elle habillée ?

— Elle portait une petite jupe noire, un chemisier classique. Et des bas noirs, aussi.

Ce ne pouvait être que Sophie. Il n'y avait pas tant de femmes blondes répondant à cette description et portant des bas noirs dans tout Miami. Il se remémora la sensation de ces bas noirs sous ses doigts et fut pris d'un brusque désir.

— Combien de temps est-elle restée dans les parages ?

— Je ne sais pas. Un bon moment. Elle était la dernière à quitter les lieux. Tous les patients avaient regagné leur chambre. Je lui ai proposé mon aide et elle m'a raconté une vague histoire à propos de son cousin.

— Merci, Kenner. N'oubliez pas de mentionner cela dans votre rapport.

— Bien, monsieur.

Sean regarda Kenner s'éloigner en serrant les dents. Bon sang. Lorsqu'il l'avait laissée ce matin dans sa chambre, il lui avait demandé de ne plus se mêler de ses affaires. Il aurait dû se douter qu'elle le suivrait.

Il ne savait pas exactement quel rôle elle jouait dans cette histoire, mais elle n'était certainement pas la simple graphiste d'une entreprise d'organisation de mariages. Elle était bien trop futée. Elle s'était jouée de lui en le convainquant de la laisser remettre la rançon. Ensuite, elle avait poursuivi son petit jeu jusque dans son lit.

Elle était parvenue à s'immiscer dans sa vie avec une facilité déconcertante. Elle avait joué de ses atouts, et su réveiller en lui ses instincts protecteurs.

Elle s'était donc évertuée à le séduire afin de découvrir ce qu'il savait à propos de l'affaire. La question était : dans quel but ?

Il frappa du poing dans sa main. Peu lui importait de savoir pourquoi elle avait agi ainsi. Elle le détournait de sa mission alors qu'il avait des engagements vis-à-vis de Carlos Botero et, depuis peu, vis-à-vis de Craig Johnson.

Il ne voulait plus entendre parler de Sophie Brooks, ni penser à elle, et encore moins la revoir. Il était hors de question qu'il se laisse aller à éprouver des sentiments pour elle. Il lui fallait garder la tête froide pour retrouver les ravisseurs de Sonya et le meurtrier de Johnson. Dans les plus brefs délais.

Sean se trouvait dans le luxueux bureau du directeur de l'hôpital. Rachel Brennan et Rafe Montoya s'y trouvaient également, ce qui était prévu. La présence du commissaire divisionnaire, en revanche, le prit au dépourvu.

Le directeur lui assura qu'il serait informé des résultats de l'autopsie dès que cette dernière serait pratiquée.

Sean secoua la tête et rit.

— Informé ? Je vous rappelle que c'est l'un de mes hommes qui est mort dans votre service. C'est *mon* affaire, et j'entends bien la suivre de près.

— Je me suis entretenu avec votre employeur, ce matin, monsieur Majors, déclara le commissaire.

— Vous avez parlé à M. Botero ? s'exclama Sean en maîtrisant un accès de colère. Il est très malade. Je suis son responsable de la sécurité et je m'évertue à le tenir au courant de la situation tout en veillant à ne pas le brusquer. Pourquoi n'avez-vous pas fait appel à moi ?

— Je vous assure que le brusquer n'était pas mon intention, monsieur Majors, mais je n'avais pas d'autre solution, vu le contexte délicat de cette affaire.

— Je suis tout à fait conscient du *contexte délicat de cette affaire,* et aussi de sa gravité. On a assassiné Craig Johnson et nous sommes toujours sans nouvelles de la fille de mon employeur. M. Botero m'a expressément demandé de ne pas avertir la police.

Sean parcourut l'assistance du regard.

— Je vois : vous avez tous décidé de me mettre sur la touche. Je découvre aujourd'hui qu'une directrice de société d'organisation de mariages et un flic privé en savent plus que moi sur cette affaire, dit-il d'un ton sarcastique.

— Nous souhaitons que vous coopériez, monsieur Majors, dit Rachel.

Sean la fusilla du regard.

— Je m'en doute. Et moi j'attends des réponses à mes questions, mademoiselle Brennan.

Le commissaire se racla la gorge.

— J'ai bien peur que vous deviez vous contenter de nous faire confiance. L'affaire a une portée internationale qui vous échappe. Il nous faut observer la plus grande discrétion.

Sean se leva d'un bond, faisant grincer sa chaise sur le sol.

— Je suis au courant de la situation au Lareda, et de l'implication de Juan DeLeon. Je n'ai aucun intérêt à semer la discorde. Mais je ne vais pas faire profil bas pour autant. Je dois retrouver au plus vite un assassin et un kidnappeur. Je peux m'acquitter seul de cette tâche si besoin est. Par ailleurs, vous allez rapidement prendre conscience qu'il vaut mieux m'avoir dans son camp que dans le camp adverse.

— Seriez-vous en train de me menacer, monsieur Majors ? s'enquit le commissaire d'un ton irrité.

— Pas du tout. Je vous fais part avec la plus grande sincérité de *mes* intentions. Je vais poursuivre mes recherches sur tout ce qui a trait, de près ou de loin, à l'enlèvement de Mlle Botero.

Un instant, il les dévisagea à tour de rôle, puis il tourna les talons et quitta la pièce.

Parvenu dans le couloir, il donna un coup de poing contre une porte. La douleur qu'il ressentit le fit se sentir mieux.

Il gagna rapidement son véhicule et prit la direction de l'immeuble de Botero tout en composant le numéro de son bras droit, Al Lopez.

— Lopez, tout va comme tu veux ?

— Ça va. J'ai appris pour Johnson.

Lopez était un homme avare de paroles ; c'était là l'une de ses nombreuses qualités.

— Oui. Kenner est plutôt secoué. Il prépare son rapport. Préviens-moi lorsqu'il te l'aura remis, d'accord ? Et tâche de l'occuper. Il se sent coupable de la mort de Johnson.

— Est-ce le cas ?

— Non. J'aurais dû prévoir deux gardes.

— Peut-être bien.

Sean savait que, comme lui, Lopez n'était pas convaincu que la présence de deux gardes aurait pu éviter le meurtre de Johnson. Il ne s'en sentait pas moins responsable.

— J'ai appris que le commissaire avait appelé Carlos. Comment l'a-t-il pris ?

— Mal. Il a cru que le commissaire avait des informations à lui communiquer au sujet de Sonya. Javier m'a dit qu'il avait failli s'évanouir.

— Bon sang ! Je suis en route. Je convoque tout le monde en réunion de crise.

— Il faudra prévoir deux réunions.

— C'est juste. Une avec la moitié de l'équipe chargée de la sécurité et une avec les autres hommes. Nous allons nous partager les tâches. Lopez, je compte sur toi. Tant que nous n'aurons pas retrouvé Sonya, je veux toute l'équipe sur le pied de guerre.

Il jeta un coup d'œil à sa montre.

— Je serai là dans dix minutes. Rassemble les hommes de la première équipe. Et, Lopez, je veux que tu interceptes personnellement toutes les communications téléphoniques. Que ce soit toi qui répondes quand les ravisseurs appelleront. J'ai le sentiment que cet appel ne devrait plus tarder.

Sean raccrocha. Lopez était fiable. Au service de Carlos depuis que ce dernier s'était installé aux Etats-Unis, il aurait pu obtenir la place de Sean, mais il n'en voulait pas. Dans sa jeunesse, pendant la guerre civile, il avait servi dans les rangs des insurgés. Si l'équipe respectait Sean, elle manifestait une loyauté inébranlable à l'égard de Lopez et était prête à mourir sous ses ordres.

Briefer l'équipe et s'entretenir avec M. Botero de la conduite à tenir lorsque les ravisseurs rappelleraient lui prendrait environ une heure.

Ensuite, aussi désagréable que cela serait, il irait dire deux mots à Sophie. Elle lui avait menti, et lui avait fait baisser sa garde. Comment avait-il pu être si faible ? Jamais il n'avait perdu ses moyens à cause d'une femme. Pas même à cause de Cindy. Bien qu'il l'ait profondément aimée, il n'avait jamais été dupe.

Cependant le regard triste de Sophie l'avait touché.

Elle l'avait suivi à l'hôpital, ce matin ; il devait savoir ce qu'elle y avait découvert.

7

Sean vint se garer sur le parking de Mariage pour la Vie à côté de la BMW de Sophie. En descendant de sa voiture, il remarqua aussitôt l'éraflure le long de la portière passager. Il fit alors le tour du coupé sport. Le pare-chocs était enfoncé et présentait des traces de peinture noire.

— Sophie !

En quelques foulées rapides, il fut dans le hall de la société et se retrouva face à Rafe Montoya.

— Qu'est-il arrivé à Sophie ? demanda-t-il d'un ton qui exigeait une réponse immédiate.

Du coin de l'œil, il aperçut Sophie à l'autre bout du hall. Elle porta la main à sa poitrine et se retourna.

— J'ai demandé au labo d'envoyer une équipe pour inspecter le véhicule, répondit Rafe.

— Inspecter ? Qu'est-ce qui s'est passé ?

Il dépassa Montoya et fonça vers Sophie, qui se tenait près d'une jeune femme portant des lunettes en écaille.

Le voyant approcher, celle-ci s'interposa entre lui et Sophie. Il devait donner l'impression d'un taureau en furie, mais il n'en avait cure. Il n'avait d'yeux que pour Sophie.

— Comment te sens-tu ?

La peur voilait son regard, et aussi autre chose qu'il ne sut définir. D'un geste affectueux, Sophie posa la main sur l'épaule de la jeune femme.

— Tout va bien, Samantha.

Ladite Samantha les regarda tour à tour, puis tapota la main de Sophie avant de s'éloigner.

— Majors ?

Montoya l'avait suivi ; Sean lui fit face.

— Je me ferais un plaisir de vous informer de ce qui est arrivé.

— Ah oui ?

Sean serra les poings.

— Comme vous m'avez informé de la présence du commissaire de police ? Je pense que j'ai tout intérêt à parler en tête à tête avec Sophie.

Une lueur d'amusement brilla dans le regard de Montoya.

— Je n'en doute pas.

Sean fit un pas vers lui.

— Rafe, s'il te plaît.

L'intervention de Sophie ramena Sean à la raison.

— Vous êtes tous deux têtus comme une mule. Je vais parler avec Sean.

Montoya la jaugea, puis leva les mains.

— Très bien. Si tu es sûre de toi…

Elle regarda Sean.

— Je suis sûre.

— Je vais remettre ton chemisier aux techniciens du laboratoire, mais je doute qu'ils parviennent à relever la moindre empreinte. Ils pourront néanmoins analyser la substance de la tâche.

Sophie acquiesça en évitant le regard de Sean.

Dès que Montoya fut hors de portée, Sean se tourna vers elle et lui dit tout bas :

— Il faut que je te parle en privé. Où pouvons-nous aller ?

Elle leva les yeux sur lui. Il y lisait toujours de la peur. Il prit une grande inspiration et se força à se détendre.

— Arrête de me regarder ainsi. Je ne vais pas te faire de mal. Je veux juste savoir ce qui t'est arrivé.

Apparemment, elle ne lui faisait pas totalement confiance. Le contraire aurait été surprenant ; après tout, ils ne se connaissaient que depuis peu.

Par quel mystère parvenait-elle à le faire ainsi sortir de ses gonds ? Il savait très bien pourquoi. Elle le fascinait, comme aucune autre femme ne l'avait fait auparavant.

Il avait commis une grave erreur en l'invitant chez lui, et une plus grave encore en l'invitant dans son lit.

Découvrir qu'elle avait subi des mauvais traitements dans

sa jeunesse lui avait brisé le cœur, et sa vulnérabilité l'avait fait succomber à son charme. Le souvenir de leur étreinte voluptueuse fit s'emballer les battements de son cœur.

Elle se passa la langue sur les lèvres.

— Nous pouvons aller dans le patio. Il y fait très chaud, mais…

Sa voix se fêla et elle baissa les yeux.

— Ce sera parfait.

Ni l'un ni l'autre ne savait quel attitude adopter suite à la nuit qu'ils avaient passée ensemble. Ce dont il était sûr, c'est qu'il devait se libérer de l'attirance déstabilisante qu'il ressentait pour elle, reprendre le contrôle de ses sentiments. Elle n'avait pas besoin de lui ; Montoya était là pour la protéger.

Tout était une question de self-control. La moindre négligence de sa part pouvait causer sa perte. Par ailleurs, comme il ne cessait de se le marteler, il n'avait ni le temps ni le désir pour une relation amoureuse.

Sophie le conduisit dans le patio, situé à l'arrière du bâtiment. La journée était particulièrement belle et chaude et le ciel, dans lequel glissaient paresseusement des nuages épars, d'un bleu limpide.

De là, on avait une vue magnifique sur l'océan. L'air était saturé d'embruns et le soleil ourlait les flots de milliers de diamants scintillants.

Sophie s'arrêta dans un petit salon composé d'une table basse, de quelques fauteuils et d'un canapé, et l'invita à s'asseoir.

Ce faisant, il ne put s'empêcher de reluquer ses jambes et un élan de compassion le submergea. Il s'ébroua afin de chasser de son esprit la vision de cette peau aux multiples cicatrices et chercha son regard.

Elle baissa aussitôt la tête, jouant machinalement avec le bouton de la manche de son chemisier.

— Tu voulais me parler ?

Sean s'avisa qu'il avait serré le poing et qu'il se frappait inconsciemment la cuisse en de petits coups répétés qui faisaient tinter le bracelet de sa montre. Il était à cran et devait absolument parvenir à se détendre.

— Voyons, par où commencer… Pourquoi m'as-tu suivi à l'hôpital ? Et pourquoi as-tu prétendu rendre visite à ton cousin quand mon garde t'a questionnée ?

Il marqua une pause et la dévisagea.

— Et puis, qu'est-il arrivé à ta voiture ? Quand cela s'est-il produit ? Et pourquoi ton chemisier a-t-il été confié aux techniciens du laboratoire ?

Son ton s'était fait plus agressif qu'il ne voulait et Sophie avait écarquillé les yeux au fur et à mesure que les questions pleuvaient sur elle. Le vent vint déranger ses cheveux et une mèche se plaqua sur son visage. Elle eut un petit mouvement de la tête pour la chasser et entrouvrit les lèvres. Puis elle joignit les mains sur ses cuisses et les regarda longuement, l'air absent.

Lorsqu'elle leva les yeux sur lui, ses lèvres étaient pincées en une fine ligne témoignant de sa contrariété. Elle prit une grande inspiration et se pencha en avant.

— Je t'ai suivi car je me doutais que Rachel me demanderait ce qui était arrivé à Craig Johnson. J'ai inventé cette histoire de cousin pour justifier ma présence. Ce n'était pas encore l'heure des visites. Il ne fallait pas que quiconque entrave ma mission.

Elle serrait si fort les mains que ses articulations étaient devenues blanches.

— Il s'est avéré que j'ai bien fait. Un homme en tenue médicale et portant un masque est monté dans l'ascenseur avec moi. Il n'a cessé de m'observer durant notre descente. En sortant, il a bousculé tout le monde et s'est enfui. Je l'ai suivi, mais il m'a échappé en pénétrant dans un local réservé au personnel.

— Il t'a bousculée ?

— C'est ainsi qu'il a fait une tache sur mon chemisier. Ce n'était pas un médecin. Ses mains et ses ongles étaient affreusement sales.

— A-t-il dit quelque chose ?

— Non. Il avait l'air malsain.

— Et tu penses…

— Je pense qu'il pourrait s'agir du meurtrier de Johnson.

Sean la sondait du regard, tentant de donner un sens à cet incident.

— S'il avait effectivement les mains sales, il a dû laisser ses empreintes sur toi. J'espère que les hommes de Montoya ne vont pas contaminer ces preuves.

— Notre équipe de sécurité est très performante.

Sean leva un sourcil.

— *Notre* équipe de sécurité ?

Sophie battit des paupières.

— Enfin, celle de Rachel.

— A ce propos, je trouve les moyens financiers dédiés à la sécurité d'une société d'organisation de mariage exagérés…

Elle se pinça les lèvres et baissa les yeux.

— Pourrais-tu décrire cet homme ?

— J'ai déjà dit à Rafe tout ce dont je me souviens. Nous pensons qu'il s'agit du même homme qui a tenté d'agresser Samantha, la semaine dernière.

Sean se promit de demander à Montoya de lui fournir la liste des employés de l'hôpital en service cette nuit-là afin de les questionner de nouveau.

— Nous en avons terminé avec l'hôpital. Passons à ta voiture : que s'est-il passé ?

— Je suis rentrée à la maison et j'ai pris une douche.

Elle fit une pause, et rougit comme leurs regards se rencontraient. L'espace d'un instant, le souvenir de leur nuit d'amour plana entre eux. Une étrange lueur brilla dans les yeux de la jeune femme.

Sean aurait aimé avoir le courage de venir près d'elle, de la prendre dans ses bras et de lui murmurer que tout irait bien, que son secret était bien gardé. *Tous ses secrets.* Mais cette attention les aurait par trop rapprochés.

L'intrusion de cette femme dans sa vie, dans son intimité était trop récente, trop lourde de significations. Cependant, alors qu'il devait prendre ses distances, il ne trouvait pas le courage de lui en exposer les raisons.

— Je me suis changée et j'ai repris la route pour venir ici, poursuivit Sophie. Comme je sortais de l'autoroute, une grosse berline noire a voulu me serrer contre le rail de sécurité.

Elle s'exprimait d'une voix posée, mais elle serrait ses mains plus fort encore et des petites rides étaient apparues aux coins de sa bouche.

— Bon sang, Sophie ! Comment te sens-tu, à présent ?

Une vision d'horreur s'imposait à lui : le petit cabriolet BMW écrasé entre la berline et le rail de sécurité.

L'idée qu'elle puisse être en danger lui était intolérable.

— Ça va, répondit-elle en esquissant un pâle sourire.

Il posa la main sur les siennes.

— As-tu pu relever le numéro d'immatriculation ? As-tu prévenu la police ? Es-tu sûre de pas avoir été blessée ?

— Je vais bien. Non, je n'ai pas pu relever le numéro, et non, je n'ai pas prévenu la police.

— Effectivement, tu as préféré avertir Rachel Brennan.

Il balaya du regard le luxueux bâtiment de Mariage pour la Vie. Tout cela n'était qu'une façade, une illusion destinée à dissimuler d'autres activités. Lesquelles ?

Sophie dit quelque chose qui lui échappa, tant il était plongé dans ses réflexions.

— Comment ?

Elle se tortilla dans son siège.

— Rien.

Mais il reconstitua ce qu'il avait inconsciemment entendu.

— Est-ce que tu aurais dû poursuivre la berline ? Tu plaisantes ? Ce n'était certainement pas la chose à faire. Ils auraient pu être armés. Sophie, d'après toi, cherchaient-ils à te tuer ?

De toute évidence, elle n'avait même pas envisagé la question sous cet angle.

— Je... je ne pense pas. Leur berline est très puissante. S'ils l'avaient voulu, ils auraient pu réduire mon coupé en miettes. Je crois qu'il s'agit d'un avertissement.

Sophie regarda la cadran de sa montre, puis se leva.

— Je suis désolée, Sean. J'ai rendez-vous avec un client.

Sean se leva à son tour. Manifestement, elle regrettait tout autant que lui la nuit qu'ils avaient passée ensemble et, étrangement, cela ne le fit pas se sentir mieux pour autant.

— Sophie, dit-il en l'attrapant par l'épaule. Quelqu'un t'a suivie jusque chez toi. Tu vois ce que cela implique.

Elle soutint son regard.

— Tu es en danger.

— Je peux me débrouiller seule, rétorqua-t-elle comme Montoya s'avançait vers eux. Excuse-moi, mon client doit déjà m'attendre.

Conscient que Montoya l'observait, Sean la relâcha et la regarda s'éloigner. Sa jupe noire et son chemisier gris clair mettaient en valeur son teint hâlé. Elle était divinement belle.

Ses collègues avaient-ils la moindre idée de ce qu'elle avait enduré, sacrifié, pour se construire une vie en apparence normale ? Savaient-ils ce qui lui en coûtait de donner l'image d'une femme sereine et confiante ?

Il ne pouvait s'empêcher de s'interroger sur sa véritable personnalité. Etait-elle la femme sophistiquée qui venait de l'éconduire, ou la jeune femme qui avait vibré sous ses caresses, la nuit passée ?

— Etes-vous disposé à ce que je vous briefe ? s'enquit Montoya.

Sean ne lui adressa pas même un regard.

— Vous savez que l'accident de Sophie n'est pas survenu par hasard.

Montoya ne répondit pas.

— Elle court un réel danger. Ils savent où elle habite.

— Je veille sur elle.

Sean lui fit face.

— Je me sentirais mieux si je m'assurais moi-même de sa sécurité.

Montoya éclata de rire.

— Je vous fais confiance, dit-il avec un clin d'œil.

— Ne me sous-estimez pas, Montoya, gronda Sean. Comme je vous l'ai déjà dit, mieux vaut m'avoir comme ami que comme ennemi. Je veux voir sans plus tarder votre rapport sur Craig Johnson.

Confortablement installé dans sa voiture, Jose Fuentes attendait Sophie devant chez elle. Il se mit à chantonner un air de musique cubaine, en tapotant sur le volant. Il avait tout son temps.

Régler son compte à Johnson ne lui avait pris qu'une poignée de secondes. Le cas de Sophie avait été aussi vite expédié. Il avait descellé son compteur électrique, fait son branchement et tout remis en place en moins d'une minute. Il avait eu tout le temps d'inspecter son appartement. Il considérait ces intrusions dans la vie privée de ses cibles comme une récompense.

Il ferma les yeux et se remémora le plaisir qu'il avait ressenti en manipulant ses sous-vêtements délicats, en rejetant son dessus-de-lit pour humer les senteurs de son corps entre les draps.

Violer l'intimité des femmes qu'il devait éliminer l'excitait au plus haut point. Surtout celle-ci, après qu'elle l'avait dévisagé dans l'ascenseur.

Cet incident l'avait rendu fou de rage. Elle l'avait regardé avec suspicion, mais il avait aussi décelé de la peur et du dégoût dans ses yeux.

Néanmoins, elle ne semblait pas s'effrayer facilement, car elle avait repris courage et fourni sa description aux forces de l'ordre, et ce, malgré la tentative d'accident dont elle avait été victime sur l'autoroute.

Fuentes, ainsi que tous les employés masculins de type hispanique de l'hôpital, avait été interrogé. On avait même prélevé des échantillons sous ses ongles. Il en avait conçu une vive humiliation. Fort heureusement, on se récurait les mains à longueur de journée lorsqu'on travaillait dans un hôpital. Ses ongles pouvaient être sales, on ne pourrait rien prouver d'après les échantillons recueillis.

Il jeta un coup d'œil à la pendule du tableau de bord. Sophie rentrerait tôt ou tard chez elle. Elle traverserait d'abord son appartement sans se douter qu'il s'y était introduit. Puis elle prendrait conscience que quelqu'un était entré, avait examiné son petit univers.

Il voulait la voir rentrer et allumer la lumière, aller et venir à contre-jour. Il se délectait à l'avance en imaginant son effroi en constatant que ses affaires n'étaient pas tout à fait à leur place habituelle.

Elle penserait instinctivement qu'elle se trompait. Il avait été extrêmement prudent, méticuleux, veillant à replacer chaque chose au bon endroit.

Il connaissait bien ce type de femme, continuellement en proie au doute. Elle se sentirait mal à l'aise, puis parviendrait peu à peu à se détendre. Elle s'assurerait que sa porte était bien verrouillée, de même que ses fenêtres. Elle se dirait qu'elle était fatiguée et se servirait peut-être un verre de la bouteille de vin qu'il avait aperçue dans le réfrigérateur.

Après cette rude journée, elle déciderait de prendre une douche.

Et c'est à cet instant qu'elle mourrait.

*
* *

Sophie avait emprunté la voiture de Rachel pour regagner son appartement. Parvenue devant son immeuble, elle coupa le contact et poussa un profond soupir. Enfin, elle était chez elle.

Rachel avait eu la gentillesse de l'inviter à dîner, mais la conversation avait tourné uniquement autour de deux sujets : les événements de la journée, et le fait que, selon sa patronne, Sean Majors n'était pas l'homme qu'il lui fallait.

Elle avait eu beau lui répéter une bonne douzaine de fois que Sean ne l'intéressait pas, Rachel n'avait pas été dupe un seul instant. Le pouvoir de déduction de la brillante jeune femme ne se limitait pas aux enquêtes criminelles.

Sophie descendit de voiture, en condamna les portières et se dirigea vers le hall d'entrée. Elle n'avait qu'une idée en tête : prendre une bonne douche.

A peine avait-elle refermé sa porte qu'elle déboutonnait son chemisier. Tandis que le plaisir d'avoir enfin retrouvé son intimité lui arrachait un soupir, son portable sonna.

— Sophie, je n'ai pas eu l'occasion de te revoir avant ton départ. Tout va bien ?

Sophie eut un sourire. Samantha s'inquiétait pour elle.

— Je vais bien, merci. Du nouveau sur la mort de Johnson ?

— Les experts en criminologie ont passé sa chambre au peigne fin. Aucune trace ni empreinte sur l'intraveineuse. Mais Rafe m'a dit qu'ils ont retrouvé une paire de gants qui pourrait bien porter des empreintes *à l'intérieur.* Ils étaient à la blanchisserie, dans un sac de linge sale, parmi des draps et des serviettes.

— Cela ne m'étonne pas. J'avais trouvé louche que l'homme soit en tenue de chirurgien et ne porte pas de gants. Le laboratoire a-t-il pu analyser la substance sur mon chemisier ?

— Je n'ai aucune information à ce sujet. J'allais d'ailleurs te poser la même question. J'ai su que tu étais allée dîner avec Rachel.

— Elle a été sympa. Elle s'est comportée comme une amie avec moi.

— Elle s'inquiète beaucoup pour toi.

Sophie fit passer son portable dans son autre main afin de finir de déboutonner son chemisier.

— Pour moi ?

— Allez, Sophie, ne fais pas l'innocente. Tu n'es pas une seule fois sortie avec un homme en quatre ans.

— C'est faux. Je sors de temps en temps.

— D'accord. Une ou deux fois, au cinéma ou au théâtre. Mais tu vois très bien ce que je veux dire. Tout le monde à Mariage pour la Vie se soucie de ton bonheur.

Un sentiment étrange et réconfortant s'empara de Sophie ; celui d'appartenir à une famille. Sa prudence l'avait fait se tenir à distance de ses collègues de Miami Confidentiel. Mais, depuis qu'on lui avait tiré dessus et qu'une mystérieuse berline avait tenté de la projeter hors de la route, elle avait découvert que Rachel se préoccupait de son sort, que Rafe s'employait à la protéger, et maintenant, que Samantha ressentait de l'amitié pour elle.

— Vous vous souciez de mon bonheur ? répéta Sophie en égrenant un petit rire embarrassé. S'il te plaît, ne me dis pas que vous tenez des réunions à propos de ma triste vie.

Samantha rit à son tour.

— Tu es tout sauf triste, Sophie. Tu es magnifique. Tu es intelligente. Tu dois te trouver un homme. Au fait, tu étais censée m'en dire plus à propos de Sean Majors. Il est terriblement sexy. Tu devrais jeter ton dévolu sur lui.

Sophie se sentit rougir.

— Ce n'est pas parce que tu as trouvé l'homme de ta vie en la personne d'Alex qu'il faut te sentir obligée d'accoupler les célibataires qui gravitent autour de toi. Qui seront les prochains ? Isabelle et… Rafe, pourquoi pas ?

— Ils iraient bien ensemble, plaisanta Samantha. Et puis, il y a pire que Sean Majors, tu sais. Sérieusement, Sophie : tu te sens bien ? Où es-tu ?

— A la maison. Je m'apprêtais à prendre une douche. Je me suis levée à 5 heures, ce matin.

— Rafe pense que le conducteur de la berline noire qui a manqué de te tuer t'a suivie depuis l'hôpital et qu'il connaît ton adresse. Tu ne devrais pas rester seule. Pourquoi ne viendrais-tu pas dormir à Mariage pour la Vie ?

Sophie ne l'entendit pas de cette oreille. Elle se débrouillait seule depuis qu'elle avait dix-sept ans.

— J'ai mon arme à portée de main. Ma porte possède deux verrous de sécurité. Je suis en sécurité.

— Mais…

— Samantha, tu as fait partie du FBI. As-tu le moindre doute sur tes capacités à assurer ta propre sécurité ?

— Non, mais…

— Eh bien, moi, j'étais à la CIA. Tu peux me faire confiance. Je n'ai besoin de personne pour veiller sur moi.

— Très bien. Bon, on se verra demain matin au bureau.

Sophie raccrocha, soulagée que Samantha ait lâché prise. Elle alla déposer son portable dans la salle de bains et gagna sa chambre pour finir de se déshabiller.

A la recherche de ses sous-vêtements préférés, un ensemble en satin rose flashy, elle se figea en ouvrant le tiroir de sa commode. Le lot de trois petites culottes qu'elle avait acheté la semaine précédente n'était pas à sa place.

Elle fronça les sourcils et se mit à réfléchir. Elle était pressée ce matin, alors qu'elle venait de quitter Sean. Elle avait peut-être dérangé ses affaires.

Elle referma le tiroir et ouvrit celui de dessous pour prendre son pyjama. Il se trouvait exactement là où elle l'avait vu la dernière fois. En le prenant, elle remarqua que son chemisier de soie couleur pêche était froissé.

— C'est de ta faute, Samantha, murmura-t-elle. Tu me fiches la trouille avec tes histoires…

Elle jeta un regard circulaire sur sa chambre afin de s'assurer que tout était en place. Samantha était bel et bien parvenue à lui communiquer son inquiétude. Sa sensation de peur la plus intense remontait à l'époque où elle avait dix-sept ans. Au cours des douze années qui avaient suivi, elle s'était forgé une carapace afin que personne ne puisse jamais plus la terroriser, ni la faire souffrir.

Elle referma le tiroir d'un geste brusque. Elle était tout simplement à cran à cause des événements de ces dernières vingt-quatre heures.

Par précaution, elle déverrouilla le tiroir de sa table de nuit et se saisit de son revolver. Mieux valait le garder à portée de main jusqu'à la fin de l'enquête.

Exhalant un long soupir de fatigue, elle alla déposer son arme sur le couvercle des toilettes, à côté de son portable, et ôta rapidement sa jupe et ses bas.

Elle écarta le rideau de douche pour ouvrir le robinet et ferma les yeux de plaisir en sentant l'eau chaude couler sur sa main.

Elle fit glisser sa petite culotte le long de ses jambes et entra dans la douche. Elle venait tout juste de se placer sous le jet quand des coups retentirent contre la porte d'entrée.

Elle s'élança hors de la douche et s'immobilisa, l'oreille tendue.

On frappa de nouveau.

Elle enfila son pyjama à la hâte sur son corps mouillé et se saisit de son arme et de son portable, faisant disparaître ce dernier dans la poche de son pantalon.

Elle se dirigea alors lentement vers la porte d'entrée, son arme bien en main.

— Sophie, c'est Sean. Ouvre !

Sean ? Elle en eut le souffle coupé.

— Qu'est-ce que tu veux ?

— Ouvre cette maudite porte.

Un incident était-il survenu ? Elle se dépêcha de déverrouiller la porte.

Il se rua à l'intérieur sans attendre qu'elle l'y invite.

— Sean, qu'est-ce qui se passe ? Que viens-tu faire ici ?

Il la détailla rapidement des pieds à la tête avant de refermer derrière lui.

— La question est plutôt de savoir ce que *toi* tu fais là.

Son visage exprimait la colère. Sophie battit en retraite.

— Qu'est-ce qui ne va pas chez toi ? Je vis ici, je te le rappelle, rétorqua-t-elle.

Il promena une nouvelle fois les yeux sur elle et s'arrêta sur son arme. Elle réalisa qu'elle la tenait à deux mains, le canon dirigé vers le plafond, dans une posture professionnelle.

Puis le regard de Sean se fixa sur sa poitrine.

Elle baissa les yeux et constata que son haut de pyjama mouillé lui moulait les seins, faisant ressortir l'auréole sombre de ses mamelons.

Elle sentit la chaleur de son regard sur sa peau. Ses seins, il les avait déjà vus, touchés, embrassés, titillés du bout de la langue.

Le feu du désir l'embrasa tout entière. Elle brûlait de connaître de nouveau la sensation de ses mains, de sa bouche se promenant en des lieux secrets de son corps qu'elle n'avait offerts à aucun autre homme…

Le fait de se sentir si vulnérable en sa présence la contrariait au plus haut point.

Il avança d'un pas.

— Tu te fiches de savoir que l'homme qui a tenté de projeter ta voiture contre le rail de sécurité connaît ton adresse ? Qu'il aurait pu être là, à t'attendre ? Quelle idée stupide t'a poussée à rentrer chez toi, ce soir ?

— Stupide ? *Stupide ?*

Sophie déposa son arme sur le guéridon, espérant ainsi qu'il l'oublierait.

— Je suis chez moi, et je m'y sens en sécurité. Même si l'accident a quoi que ce soit à voir avec la mort de Johnson, ce dont je ne suis pas certaine, pourquoi s'en prendrait-on à moi ? Il m'est impossible d'identifier l'homme que j'ai vu à l'hôpital.

— Alors, pourquoi quelqu'un a-t-il tenté de percuter ta voiture sur l'autoroute ?

— Peut-être lui avais-je fait une queue de poisson sans m'en apercevoir ?

Sean secoua la tête de dépit.

— Pour ma part, je pense que, qui que soit l'homme qui t'a prise en chasse à la sortie de l'hôpital, il considère que tu représentes une menace pour lui. Cet accident avait pour but de t'effrayer, peut-être même de te tuer. Alors, non, tu n'es pas en sécurité ici. Tu dois déménager en attendant que toute cette histoire soit terminée.

— Attends une seconde : Samantha t'a appelé, n'est-ce pas ?

— Non, pourquoi ?

Sophie planta ses mains sur ses hanches.

— En fait, c'est Rachel Brennan qui m'a appelé. Elle était inquiète pour ta sécurité.

— Rachel a préféré te prévenir plutôt que Rafe ? J'ai du mal à le croire.

— C'est pourtant la vérité. En fait, Montoya est avec les inspecteurs de police, ce soir. Je me réjouis qu'il soit enfin capable de collaborer avec eux.

— Rafe est très impliqué dans son travail.

— Tu l'as déjà dit. Ce que je me demande, c'est quelle est la nature *exacte* de son travail. Et, par la même occasion, quelle est la tienne.

Sean l'entraînait sur un terrain dangereux. Il nourrissait des soupçons depuis le début de l'affaire. Sophie était certaine que Rachel ne lui avait rien dit à propos de Miami Confidentiel, aussi devait-elle en faire de même.

Elle écarquilla les yeux et se passa la langue sur les lèvres, tâchant ainsi d'apparaître excitée à l'idée qu'un inconnu puisse l'espionner.

— Tu penses vraiment qu'il y a quelqu'un, là dehors, en train d'épier mes faits et gestes ?

Sophie vit sa mâchoire se contracter. Elle devait certainement le dégoûter.

— J'ai parcouru discrètement les environs et je n'ai vu aucun véhicule suspect. Mais cela ne prouve rien. N'as-tu rien remarqué d'étrange en rentrant ? Personne ne t'a suivie ? Rien n'a été dérangé dans ton appartement ?

Elle hésita une seconde, et cela n'échappa pas à Sean.

— De quoi s'agit-il ? Qu'as-tu remarqué ?

Elle secoua la tête, mais il la prit par les épaules.

— Sophie, arrête de jouer à ce petit jeu avec moi. Tu crois que je n'ai pas remarqué la façon dont tu tiens ton arme ? Tu penses vraiment que j'ai gobé ton histoire de cours d'autodéfense à New York après t'avoir vue plonger et rouler comme une vraie pro ?

Sophie eut soudain envie de se confier à lui, de se réfugier dans ses bras et de tout lui dire. Mais elle n'en avait pas le droit. S'il était désormais opportun que Sean soit informé de l'existence de Miami Confidentiel, la tâche en incombait à Rachel.

— Je ne sais pas ce que tu caches, reprit-il. Dieu sait que tu as toutes les raisons de n'avoir confiance en personne. Mais je fais tout pour te protéger. Je veux à tout prix éviter…

Il se tut, et grimaça.

— J'ai peur qu'il t'arrive quelque chose, murmura-t-il.

Sophie sentit son pouls s'accélérer. Elle ne sut que répondre à cet aveu. Son attirance pour lui grandissait à chacune de leur rencontre.

En allait-il de même pour lui ? Et, si tel était le cas, luttait-il contre cette attirance avec la même détermination qu'elle ? Elle ne serait jamais la femme de sa vie, et il semblait en être pleinement conscient.

— Il me semble que quelqu'un est venu en mon absence, admit-elle. Rien de bien précis, juste une impression.

Sa voix avait légèrement tremblé ; elle pria le ciel qu'il ne l'ait pas remarqué.

Le ciel ne l'exauça pas. Il lui prit le visage entre ses mains et le caressa tendrement.

L'espace d'un instant, elle se sentit aimée, protégée.

— Tu en es sûre ? Rien n'a été dérangé ?

Il ôta ses mains — de belles mains, puissantes et douces à la fois.

— Sophie ?

— J'ai eu l'impression que mes dessous n'étaient pas exactement à leur place, mais j'ai très bien pu les déplacer moi-même sans m'en rendre compte.

— Montre-moi.

Sophie haussa les épaules, puis se dirigea vers sa chambre. Elle entendit alors l'eau qui coulait toujours dans la douche.

— Oh ! J'ai oublié de fermer le robinet.

Elle s'élança vers la salle de bains ; Sean la suivit de près. Son pantalon de pyjama était tout aussi mouillé que son haut et elle n'avait pas eu le temps d'enfiler une culotte. Bien qu'elle sentît l'étoffe épouser les rondeurs de ses fesses, elle ne prit pas le soin de la décoller de sa peau.

Dans l'espace confiné de la salle de bains embuée, Sean l'arrêta en posant la main sur son épaule et la contourna pour fermer le robinet.

Les muscles de son dos ondulaient sous son polo de coton blanc. Elle avait touché ces muscles, les avait sentis se contracter sous ses doigts. La peau qui les recouvrait était douce et ferme.

— Qu'est-ce que c'est ? demanda-t-il d'un ton alarmé.

— De quoi parles-tu ?

— Reste à l'écart, ordonna-t-il en se retournant. Sors de cette pièce.

Elle voulut argumenter.

— Sors !

Il attendit qu'elle s'exécute pour ouvrir le rideau de douche et sortir de sa poche une torche miniature. Il fit courir le faisceau de la lampe le long de la canalisation, jusqu'au plafond, et Sophie vit, depuis l'encadrement de la porte, ce qu'il avait remarqué : un câble dénudé, dissimulé derrière la plomberie.

— Qu'est-ce que c'est ?

— Un branchement électrique. Certainement sous tension.

La peur la paralysa. Elle était entrée sous la douche alors que l'eau coulait à flots. Si elle avait eu le malheur de toucher le mitigeur, elle aurait été électrocutée.

Sean sortit son portable de sa poche.

— Quelqu'un est bien entré chez toi. Je préviens la police.

— Appelle plutôt Rafe.

Il la dévisagea, visiblement chagriné, et secoua la tête.

— Bien. Je suppose que ce n'est pas la peine de te demander pourquoi.

Il composa le numéro de Rafe, lequel répondit aussitôt.

— Elle va bien. D'accord. Je m'en occupe. Ne vous inquiétez pas. C'est promis.

Il raccrocha.

— Prends quelques affaires. Tu ne peux pas rester ici cette nuit. Je t'emmène chez Carlos Botero.

Et non pas chez lui…

Sophie s'ébroua. Pourquoi était-ce la première chose qui lui venait à l'esprit ? Pourquoi ressentait-elle de l'animosité à son égard, alors qu'elle aurait dû le remercier d'être arrivé à temps ? Sans lui, elle serait morte électrocutée.

N'empêche, qu'il ait décidé de l'emmener chez Botero plutôt que chez lui l'attristait profondément. Il ne voulait pas d'elle dans sa vie, pas plus qu'il ne voulait qu'elle revoie Michaela.

« Cela n'a aucune importance », tenta-t-elle de se convaincre. Elle avait passé la majeure partie de son existence à se tenir loin des autres de peur qu'ils la fassent souffrir.

— J'ai la voiture de Rachel. J'irai à Mariage pour la Vie. Nous y avons installé une pièce de repos.

— Je t'y conduis.

— Tu devrais plutôt rester ici pour attendre Rafe.

Sean serra les poings et son regard s'assombrit.

— Montoya se débrouillera seul. Il m'a demandé de veiller sur toi.

— On dirait que tout le monde te demande de me protéger, ces derniers temps. En tout cas, je t'assure que ce n'est pas nécessaire. Mariage pour la Vie est un lieu ultra-sécurisé.

— Aurais-tu déjà oublié que tu as failli être tuée, il y a à peine dix minutes ?

Sa voix était chargée d'émotion et ses traits angoissés. Pendant qu'il s'entretenait avec Rafe, Sophie avait remarqué que ses mains tremblaient.

Les événements de ces deux derniers jours se précipitèrent alors dans son esprit : la remise de la rançon qui avait mal tourné, la rencontre avec Michaela, la nuit d'amour avec Sean, le face-à-face avec le meurtrier de Johnson et, enfin, la berline qui avait essayé de projeter son coupé sport contre le rail de sécurité.

A présent, le danger la poursuivait jusque dans son appartement. On avait délibérément tenté de la tuer.

— Non, je ne l'ai pas oublié, répondit-elle d'un ton glacial. Mais je serai en sécurité à Mariage pour la Vie. Tu n'as pas à t'en faire pour moi.

— Je te suis dans mon pick-up, insista-t-il.

— Comme tu voudras. Je prends mon sac à main.

A sa surprise, l'expression de Sean se fit plus douce et il lui sourit.

— Tu ferais mieux de te mettre quelque chose sur le dos.

Elle se couvrit la poitrine de ses mains en rougissant.

— Tout juste. Je m'en occupe. Tout de suite.

Elle se précipita dans sa chambre.

Fuentes fut surpris de voir Sophie Brooks ressortir indemne de son appartement. Quand le responsable de la sécurité de Botero était arrivé sur les lieux, il s'était tassé dans son siège. Si cet homme l'avait vu, il aurait été contraint de le descendre.

Après avoir fait le tour du parking, Majors avait frappé à la porte de Sophie, ce qui avait réjoui Fuentes. Peut-être les deux tourtereaux auraient-ils l'idée de prendre une douche ensemble ? Deux pour le prix d'un, avait-il espéré.

Or la jeune femme était toujours en vie.

Après tout, si elle était terrorisée au point de ne plus fourrer son nez dans ses affaires, Fuentes n'en demandait pas plus. De toute façon, elle était dans l'impossibilité de l'identifier.

Il appela son complice pour lui décrire la voiture de Sophie, puis il démarra et engagea son véhicule à la suite de celui de Majors, en veillant à ne pas se faire repérer.

De la méthode et de la patience ; c'était la clé de la réussite. Il comptait sur son complice pour agir avec prudence. Avec un peu de chance, Sophie Brooks n'avait plus longtemps à vivre. Et, si jamais le plan de ce soir ne fonctionnait pas, il y aurait d'autres occasions.

8

Sean suivait le véhicule de Sophie, la maudissant de conduire si vite. Avait-elle l'intention de le semer, afin de se rendre ailleurs qu'à Mariage pour la Vie ?

Il accéléra, se faufilant entre les voitures pour se recoller derrière elle. Le trafic était moins dense que lorsqu'il s'était rué chez elle, suite au coup de fil de Rachel.

Il était 22 heures. Rachel l'avait contacté vers 20 h 30. Il avait encore une chance de trouver sa fille éveillée en rentrant chez lui ; il pourrait la mettre au lit et lui lire une histoire. Il remerciait le ciel de la présence de Rosita. Elle se plaignait constamment, mais elle adorait Michaela. Elle avait conscience que le travail de Sean le contraignait souvent à rentrer tardivement. Elle se laissait facilement convaincre de rester dormir avec sa fille.

Sophie accéléra à son tour. Il ne restait plus que deux sorties possibles pour se rendre à Mariage pour la Vie. Sean pouvait voir le contour de sa tête à contre-jour des phares des véhicules venant en sens inverse. Comme il la trouvait belle !

A dire vrai, ce soir, sans maquillage et les cheveux lâchés, dans ce pyjama collant à sa peau mouillée, elle était la femme la plus sexy et la plus désirable qu'il lui ait été donné d'admirer. Loin de son personnage sophistiqué, elle lui était apparue dans toute sa simplicité, délicieusement vulnérable, lui rappelant la Sophie qui avait partagé son lit.

Le contraste entre son corps tremblant et le revolver qu'elle tenait en main avait excité ses sens et fait naître en lui un puissant désir.

La frustration d'avoir été mandaté par Rachel d'aller s'assurer que Sophie ne courait aucun danger avait aussitôt disparu lorsqu'elle lui avait ouvert sa porte.

Elle lui avait paru agréablement surprise, et ses grands yeux bleus l'avaient bouleversé, comme chaque fois que leurs regards se croisaient.

Une berline noire s'immisça soudain entre son véhicule et celui de Sophie, le tirant de ses pensées. Sean changea de file, mais la berline se plaça aussitôt devant lui.

— Qu'est-ce qui lui prend ?

Il tenta de lire la plaque minéralogique, mais elle était couverte de boue et son éclairage était éteint.

Plus loin devant, la voiture de Sophie prenait de l'avance.

Sean écrasa la pédale d'accélérateur et s'engagea sur la file de droite.

La berline prit également de la vitesse et vint se positionner à sa hauteur, le frôlant. Sean tenta d'apercevoir le conducteur, mais les vitres teintées l'en empêchèrent. Il gagnait néanmoins du terrain et dépassa la berline.

Où était Sophie ? Le trafic s'était soudain intensifié.

Il la repéra enfin, séparée de lui par trois autres voitures. Une Ford bleue surgit alors d'une autre file et vint se placer à la hauteur de Sophie.

Sean jeta un coup d'œil dans le rétroviseur. La berline noire gagnait du terrain. Il fonça.

La Ford vint cogner le côté gauche de la voiture de Sophie. Sean sentit son cœur bondir dans sa poitrine.

— Allez, fit-il en s'adressant à son pick-up, avance !

Il se rapprocha de la Ford, laquelle fit un écart pour mieux revenir sur Sophie.

Sophie se déporta violemment sur la droite afin d'éviter la collision.

En klaxonnant, Sean dépassa un énorme 4x4.

L'auto de Sophie se mit à bringuebaler quand ses roues mordirent sur le bas-côté. Ses feux de stop s'allumèrent ; elle tentait d'échapper à son agresseur en ralentissant.

— Joli réflexe, Sophie !

Mais cela n'eut aucun effet. La Ford ralentit, elle aussi, et resta à sa hauteur.

C'est alors que le pare-chocs du véhicule de Sophie heurta le rail de sécurité et s'envola pour retomber au beau milieu du flot de voitures.

Des Klaxon et des crissements de pneus retentirent comme les autres véhicules l'évitaient. La Ford s'échappa loin devant dans un nuage de gaz d'échappement.

Sean vit avec horreur la voiture de Sophie effectuer plusieurs tours sur elle-même, ses pneus glissant sur l'asphalte dans un hurlement sinistre.

Il freina et vint se placer derrière le véhicule fou, espérant que Sophie parvienne à éviter le choc avec le rail de sécurité.

Il assistait, impuissant, à la scène, comme dans une vidéo passant au ralenti. A moins qu'elle ne succombe à l'accident, Sophie risquait d'être gravement blessée.

Son véhicule cessa enfin de tournoyer sur lui-même et vint terminer sa course contre le rail de sécurité dans un fracas de tôles froissées.

— Non !

Sean en eut le souffle coupé.

Il se mit debout sur la pédale de frein et vint s'arrêter à quelques mètres de l'auto encastrée dans le rail.

— S'il vous plaît, mon Dieu…

Il sauta hors de son pick-up et courut lui porter secours. Sa voiture avait fait un demi-tour complet et le côté passager était totalement écrasé. De la fumée s'échappait du capot.

Il reprit le contrôle de lui-même ; il avait déjà connu des situations plus dramatiques. A l'armée, il s'était efforcé de sauver la vie de l'un de ses hommes, lequel avait reçu une balle en pleine poitrine. L'homme n'avait pas survécu et Sean avait passé le reste de la journée couvert de son sang.

Mais de là à imaginer que Sophie soit morte, que son corps soit démantibulé…

Sean secoua la tête pour chasser les larmes qui lui montaient aux yeux. Son cœur tambourinait. Cela le surprit ; il était pourtant persuadé qu'il s'était arrêté de battre.

A travers le pare-brise, on ne voyait que l'airbag, qui s'était déclenché. Il s'essuya les yeux du revers de la main et se précipita sur la portière côté conducteur.

Il tira de toutes ses forces et elle céda sous sa pression.

Sortant un couteau de sa poche, il creva l'airbag, le dégageant au fur et à mesure qu'il se dégonflait.

— Sophie…

Elle était plaquée contre son siège par sa ceinture de sécurité et sa tête pendait sur sa poitrine.

— Sophie, répéta-t-il.

Elle n'eut aucune réaction.

Il appliqua les doigts contre son cou, à la recherche d'un pouls, priant le ciel de sentir le sang pulser dans ses veines.

Elle eut un petit grognement.

Il poussa un profond soupir de soulagement et fut secoué d'un rire nerveux tandis que ses yeux s'embuaient.

Elle était en vie !

— Sophie, parle-moi. Es-tu blessée ?

Il parcourut son corps du regard. Pas de sang. Ses magnifiques jambes étaient indemnes.

Il la prit par le menton et lui souleva la tête. Elle avait une belle ecchymose au-dessus de l'arcade gauche. Elle battit des paupières, puis ouvrit les yeux.

— Sean, j'ai quitté la route, murmura-t-elle. Ma main me fait mal.

— Je vais détacher ta ceinture de sécurité. Crois-tu pouvoir te lever ?

— Je ne sais pas, dit-elle en clignant des yeux. Est-ce que je saigne ?

— Apparemment non. Où as-tu mal au juste ?

— A la tête, à la main. Un peu partout.

Sean se pencha au-dessus d'elle pour détacher sa ceinture.

— Je vais te sortir de là.

Une voiture vint alors se garer devant eux. Sean se tint sur ses gardes et passa la main dans son dos pour se saisir de son arme.

Un homme accourut.

— Tout va bien ? Vous voulez de l'aide ?

— Je crois que ça va aller, répondit Sean en lâchant la crosse de son arme. Vous pouvez appeler les secours ?

— Bien sûr. Il y a quelqu'un d'autre dans le véhicule ?

— Non. Je pense qu'elle n'est que légèrement blessée, mais demandez à ce qu'on envoie une unité de réanimation.

— Pas de problème, chef, dit l'homme en prenant son portable.

Sean se retourna vers Sophie. Elle tentait de s'extraire du véhicule.

— Attends. Je vais t'aider.

— Non, ça va.

Elle poussa un cri de douleur en appuyant sa main sur le volant et se figea ; son visage devint affreusement pâle.

— Qu'est-ce que tu as ?

— Ma main, gémit-elle.

Sean lui prit délicatement la main et l'examina. Elle était enflée sur le dessus, et violacée.

— J'ai l'impression qu'elle est cassée.

Elle eut un petit signe de tête et pinça les lèvres.

— Je ne me sens pas bien.

— Repose-toi contre l'appui-tête et tâche de te détendre. Les secours ne vont pas tarder.

Des sirènes retentirent au loin.

— Qu'est-ce… qui s'est passé ?

— Ce que je redoutais, justement. Une voiture t'a précipitée contre le rail de sécurité. Une fois de plus.

Sophie lui lança un regard excédé.

— Figure-toi que je suis au courant. J'étais aux premières loges. L'airbag s'est déclenché quand j'ai heurté le rail. Je crois que c'est à ce moment que j'ai perdu connaissance car c'est la dernière chose dont je me souviens.

— Tu as tournoyé sur toi-même un bon nombre de fois avant de venir terminer ta course dans le rail.

— Pas étonnant que je me sente tout étourdie.

Sean repoussa les cheveux de son visage en veillant à ne pas toucher l'ecchymose sur son front.

— Tu te sens mal à cause de l'airbag.

Elle ferma les yeux et toucha la bosse sur son front.

— On va bientôt te sortir de là.

Elle tenta de dégager sa jambe, mais Sean l'arrêta aussitôt.

— Attends. Les secours seront là d'une seconde à l'autre.

A peine avait-il terminé sa phrase qu'une ambulance se garait devant la scène et qu'un infirmier se précipitait, muni d'une trousse de premiers secours.

— Y a-t-il des blessés ? demanda-t-il.

Sean s'effaça pour lui laisser le champ libre. Il vit alors une voiture de police foncer dans leur direction et sortit son portable pour appeler Montoya.

— Je n'ai pas beaucoup de temps, dit-il dès que Montoya eut décroché. Quelqu'un a tenté de tuer Sophie en projetant sa voiture hors de la route. Elle est légèrement blessée, mais je pense que ça va aller. La police est déjà sur les lieux.

— Pouvez-vous faire passer cela pour un accident ?

— A une condition.

— Laquelle ?

— Que vous m'expliquiez toute cette affaire.

— Ecoutez, Majors…

Un officier de police venait à lui.

— Je dois vous laisser.

Sean raccrocha sans laisser le temps à Montoya de prendre sa décision.

— Qu'est-il arrivé ? s'enquit le policier. Dans quel état se trouve le conducteur ?

Sean se retourna. Les ambulanciers aidaient Sophie à sortir du véhicule. Elle avait replié son bras droit contre sa poitrine et marchait en louvoyant. Un infirmier soutenait son bras gauche tandis qu'ils la guidaient vers l'ambulance.

Son téléphone se mit à sonner ; il regarda l'écran ; il s'agissait de Montoya. Il ne répondit pas.

L'officier de police revint à la charge.

— Monsieur, je vous ai demandé ce qui s'est passé.

La tournure qu'allaient prendre les événements dépendait de sa réponse. Rachel Brennan verrait ou non son emploi du temps chamboulé. Elle travaillait manifestement de concert avec les forces de l'ordre et Sean n'avait pas oublié les paroles du commissaire : « Faites-nous confiance… L'affaire a une portée internationale qui vous échappe… Il nous faut observer la plus grande discrétion. »

Il prit une grande inspiration et regarda l'officier de police droit dans les yeux.

— Je suivais Mlle Brooks dans mon pick-up quand j'ai vu une Ford bleu foncé la frôler dangereusement. Mlle Brooks a perdu le contrôle de son véhicule. La Ford n'a même pas ralenti. Son conducteur n'a probablement pas remarqué qu'elle percutait le rail.

Sean déglutit, se préparant au goût amer du mensonge.

— C'était un accident.

— As-tu tout ce qu'il te faut ?

Sean se tenait sur le seuil de l'une des nombreuses chambres d'amis de la demeure de Carlos Botero. Il feignait l'indifférence face à Sophie. Vêtue de l'un de ses T-shirts, trop grand pour elle, elle apparaissait fragile et toute menue.

Elle était pieds nus et avait le poignet droit bandé. L'ecchymose sur son front avait viré au violet sombre.

— A qui est ce T-shirt ?

— A moi. Je garde des affaires de rechange chez M. Botero, au cas où je doive y passer la nuit.

Durant les deux heures qui venaient de s'écouler, il avait raconté tant de mensonges et omis tant de faits dans sa déposition à la police qu'il aurait pu être arrêté sur-le-champ pour faux témoignage.

Puis il avait appelé Rosita pour prendre des nouvelles de Michaela, et Montoya pour lui livrer tous les détails de l'incident, avant de récupérer Sophie aux urgences afin de l'emmener chez Carlos, ignorant le flot de ses protestations.

Il était épuisé, tout autant qu'elle. Tous deux avaient besoin d'une bonne nuit de sommeil.

— Tu restes dans les parages, cette nuit ?

Il secoua la tête.

— Tu me laisses toute seule chez M. Botero ? Est-il au moins informé de ma présence ? Quelqu'un d'autre sait que je dors là ?

— Je n'importune pas M. Botero avec ce genre de détails. Sa gouvernante et ses gardes sont au courant. Tu es sécurité, ici, et on s'occupera bien de toi.

— Ce genre de détails. Oh ! je vois…

Sean grimaça. Ce n'était pas ce qu'il avait voulu dire.

— M. Botero est très souffrant. Ses seules pensées vont à sa fille. Je ne veux pas qu'il sache que d'autres personnes sont menacées.

Elle opina et se passa la main dans les cheveux.

— Je crois que je vais aller m'allonger.

Sean s'avança et la prit par la taille.

— Que t'ont-ils donné aux urgences ? Des anti-inflammatoires ?

— Ils m'ont fait une injection. Je ne me sens pas bien.

Elle tremblait.

— Ce doit être un genre de morphine ou de codéine. Quand as-tu mangé pour la dernière fois ?

— Ce midi... je ne sais plus.

— Pas étonnant que tu te sentes mal.

Sean alla ôter le couvre-lit. Il dormait dans cette chambre lorsqu'il était de garde. Cela ne lui était d'ailleurs pas arrivé souvent. La dernière fois, c'était le jour où Sonya avait été kidnappée.

Il aida Sophie à s'asseoir sur le lit et la regarda s'allonger en étirant ses magnifiques jambes. A contrecœur, il les recouvrit du drap.

Sophie poussa un long soupir et ferma les yeux.

Sean décrocha le téléphone de la chambre.

— Que désires-tu manger ?

— Rien. Je ne me sens pas la force d'avaler quoi que ce soit.

Le cuisinier répondit à l'autre bout du fil.

— Roberto ? Désolé de vous déranger si tard. Pourriez-vous préparer une assiette avec du fromage, des toasts et du thé à la menthe que vous m'apporterez dans ma chambre ? Merci.

Il raccrocha et vint s'asseoir près d'elle sur le lit.

— Sophie, je dois te poser quelques questions. La police t'a interrogée sur les lieux de l'accident ; que lui as-tu dit ?

— Rien de particulier. Qu'il s'agissait d'un accident.

— As-tu parlé d'une Ford bleu foncé ?

— L'inspecteur l'a mentionnée, alors j'ai dit qu'elle m'avait percutée. C'est tout.

— Très bien. C'est ce que je leur ai dit. As-tu vu le conducteur ? Remarqué un détail ?

La sonnerie de son portable l'interrompit. C'était encore Montoya.

— Pourquoi ne répondez-vous pas à mes appels ? Comment se porte Sophie ?

— Sophie va bien. Elle a le poignet foulé, et non cassé comme je le craignais, et un vilain bleu sur le front. Nous venons juste de quitter les urgences.

— Où êtes-vous ?

— Chez M. Botero. Elle dormira là cette nuit.

— Que dit la police ?

— Nous leur avons laissé croire qu'il s'agissait d'un accident dû à un chauffard qui a pris la fuite.

— Laissez-moi parler à Sophie.

— Elle ne se sent pas bien. Elle est sous tranquillisants.

— Bon, bon. Demandez-lui de m'appeler demain matin, alors. Majors ?

— Oui ?

— Vous êtes responsable de sa sécurité.

— Ne vous inquiétez pas. C'est ma toute première priorité.

— Avez-vous des nouvelles des ravisseurs ?

— Non, et je n'aime pas cela. Ils mettent trop de temps à se manifester.

Des petits coups frappés à la porte annoncèrent l'arrivée du cuisinier. Il entra et fit rouler son chariot jusqu'au pied du lit.

Sean lui fit un petit signe de la tête et il prit aussitôt congé.

— Se peut-il que Botero ait appris quelque chose qu'il vous cache ? reprit Montoya.

— C'est exclu. Javier, son intendant, est à ses côtés vingt-quatre heures sur vingt-quatre. De toute façon, Carlos ne possède pas de téléphone portable. Je suis automatiquement connecté à tous les appels entrants. Mes hommes sont parfaitement briefés sur la marche à suivre en cas d'appel des ravisseurs. Faites-moi confiance.

Montoya demeura silencieux un court instant.

— Qu'est-ce que vous en pensez ?

Sean nota une pointe d'inquiétude dans le ton de sa voix, cette même inquiétude qui n'avait cessé de le harceler de la journée. Pourquoi les ravisseurs ne rappelaient-ils pas ? Sean espérait que Sonya était encore en vie.

— Si seulement je savais que penser...

Il attira à lui le chariot et remplit une tasse de thé qu'il tendit à Sophie. Elle la prit avec un petit sourire de remerciement et l'entoura de ses mains afin de les réchauffer.

— Voyons-nous demain, proposa Montoya. Nous tâcherons de mettre au point une nouvelle stratégie.

Sean fronça les sourcils.

— Voyons-nous demain afin de discuter du véritable rôle de Rachel Brennan dans cette affaire.

Sophie lui lança un regard en biais en entendant le rire sonore de Montoya résonner dans l'écouteur.

— J'en toucherai un mot à Rachel, mais elle n'aime pas beaucoup les menaces.

— Il n'est pas question de menaces. Je pensais que nous avions un accord.

— Vous avez dicté vos conditions, Majors, et je ne crois pas les avoir acceptées.

— Arrêtez votre petit jeu, Montoya. Nous avons les mêmes intérêts.

— Je vous verrai demain.

Sophie s'assit dans son lit comme Sean raccrochait.

— Tu vas rentrer chez toi ?

— Oui. Ma fille s'attend à me voir à son réveil.

— Michaela, dit Sophie en souriant. Elle a de la chance de t'avoir comme père.

— C'est moi qui ai de la chance de l'avoir.

Le ton de regret de la remarque de Sophie le fit repenser à ses cicatrices et aux sévices qu'on lui avait infligés. La colère s'empara de lui. S'il lui était possible de remonter dans le passé, il réglerait son compte à cette femme qui l'avait fait tant souffrir.

— Elle a tes yeux, poursuivit-elle, et cette même expression volontaire.

Sean n'avait aucune envie d'évoquer sa fille avec elle.

— Il est bien tard pour parler de cela.

Il ramena le couvre-lit sur elle.

— Tu dois à présent te reposer.

— Tu n'aimes pas parler d'elle avec moi, n'est-ce pas ? demanda-t-elle en s'assoupissant.

Elle ferma les yeux.

— Je suis désolée, Sean. Je n'aurais jamais dû venir chez toi. Je n'avais aucune intention de m'immiscer dans ta vie privée.

Elle rouvrit les yeux et lui sourit.

— J'aimerais beaucoup la revoir, ne serait-ce qu'une fois. Elle est… si belle, si parfaite. Comment sa mère a-t-elle pu l'abandonner ? Au moins, Michaela sait que tu seras toujours là pour elle.

Sean étudiait son visage. Son expression était à la fois douce et triste.

— Comment a-t-on pu t'abandonner ?

Cette question lui échappa. Il se pencha et embrassa chastement l'hématome sur son front.

Elle tendit alors le cou et lui offrit sa bouche. Il piqua de baisers sa tempe, sa joue, puis s'empara de ses lèvres. Prenant son visage entre ses mains, il l'embrassa avec une ardeur croissante. Elle émit un râle de plaisir et lui rendit son baiser, l'invitant à la posséder.

Il la désirait totalement, désespérément. Son esprit était sous l'emprise de sa passion tandis que son sexe s'érigeait, pressant l'étoffe rude de son jean.

Promenant la main sur sa poitrine, il sentit les bouts de ses seins se tendre à travers son T-shirt et se mit à les caresser, à les masser doucement, ce qui la fit s'arquer pour se plaquer contre lui.

Il se figea. *A quel jeu jouait-il ?* De quel droit lui ferait-il l'amour dans la maison de Carlos, alors que Michaela dormait tranquillement, croyant son père à la maison pour la protéger ? Pensait-il que Sophie avait changé, simplement parce qu'elle était blessée ?

Elle était le même genre de femme que son ex…

Sophie entrouvrit les yeux et fronça les sourcils.

— Sean…, murmura-t-elle.

Il tenta de se ressaisir, de se convaincre que rien de tout cela n'était en train de se produire. Il lui fallait se détourner de cette femme vulnérable à la beauté ravageuse.

— Je pense que tu as eu ta dose d'excitation pour aujourd'hui, lança-t-il froidement en consultant sa montre. Je rentre chez moi. Si tu as besoin de quoi que ce soit pendant la nuit, appuie sur la touche 4 du téléphone. C'est le numéro du gardien de nuit. Il préviendra Javier, l'aide-soignant de Carlos.

Il se leva et fit quelques pas vers la porte.

— Sean ?

Sa voix était empreinte de ce ton particulier qui lui faisait toujours perdre ses moyens.

— Oui ?

— Merci de m'avoir suivie.

Il se retourna et la dévisagea.

— Alors que tu as tenté de me semer dans la circulation ?

Ses joues s'empourprèrent.

— Peut-être un jour seras-tu suffisamment reconnaissante pour me dire la vérité.

— La vérité ?

— Qui tu es réellement, et qu'est-ce qui se trame à Mariage pour la Vie.

Il la quitta, satisfait d'avoir lu la culpabilité dans son regard.

9

Le lendemain matin, Sophie s'éveilla en entendant s'ouvrir la porte de sa chambre. Par réflexe, elle tendit le bras vers la table de nuit dans laquelle elle cachait son arme, mais une vive douleur dans son poignet l'arrêta.

Elle se souvint alors que Sean l'avait conduite chez Carlos Botero.

— Veuillez m'excusez, madame, mais M. Majors a laissé la consigne de vous réveiller à 9 heures. Votre petit déjeuner est prêt.

Sophie bâilla comme l'employée de maison déposait un plateau sur le lit. Les odeurs du café chaud, des toasts et du bacon frit l'enveloppèrent, précipitant son réveil. Elle regarda au pied du lit : le chariot de la veille au soir avait disparu.

— Il m'a demandé de vous trouver de quoi vous habiller.

— Pourquoi ? Où sont mes affaires ?

— M. Majors m'a priée de les laver. Voici vos sous-vêtements, ainsi qu'une robe. M. Majors voulait quelque chose de long.

La femme exhiba une longue robe en coton bleu pastel.

Quelque chose de long. Sophie en fut reconnaissante à Sean. Il avait deviné qu'elle souhaiterait dissimuler ses jambes.

— Merci. Cette robe est très jolie.

— C'était… c'est une robe de Mlle Sonya.

Sophie lança un regard inquisiteur à l'employée. Son lapsus était-il révélateur ? Avait-on appris le décès de Sonya dans la nuit ?

La femme se mit à pleurer.

— Pardonnez-moi, madame.

— Vous êtes inquiète pour Sonya ?

— Oui, madame. Elle a toujours été bonne avec moi. Avec nous tous. J'espère…

Elle ne put terminer sa phrase. Elle ne jouait pas la comédie. Elle devait sincèrement penser que Sonya était déjà morte.

— Comment vous appelez-vous ?

— Amelia, madame.

— Amelia, M. Majors et les gens pour lesquels je travaille font tout pour retrouver Sonya saine et sauve. Si vous entendez ou voyez quoi que ce soit qui puisse nous aider, vous nous le direz, n'est-ce pas ?

— Oui, madame. Merci.

Dès que l'employée de maison fut partie, Sophie s'habilla le plus rapidement qu'elle le put, compte tenu de son poignet douloureux.

La robe était un peu trop ample au niveau de la poitrine, mais sinon elle lui allait très bien.

Regrettant de ne pas avoir ses bas avec elle, elle chaussa les mêmes sandales qu'elle portait la veille.

Elle s'assit sur le lit, se servit une tasse de café et se beurra un toast. Tout en sirotant son café, elle songea à Carlos Botero. Le pauvre homme était âgé, malade, et rongé d'inquiétude pour sa fille adorée. Combien de personnes travaillaient actuellement sur l'affaire ?

Si elle-même était kidnappée, il n'y aurait personne pour payer une éventuelle rançon. Personne ne se soucierait de savoir où elle se trouvait et si elle était ou non en vie.

— Arrête ces jérémiades, se dit-elle à vois basse. Tu es pathétique. Tu sais bien que tu n'as aucune famille.

L'image de Sean et de Michaela riant ensemble s'imposa douloureusement à elle.

Elle sentit les larmes lui monter aux yeux.

Un coup violent à la porte la fit sursauter. Sean entra sans être invité. Vêtu d'un costume gris clair très chic, il faisait songer à un jeune businessman.

Il haussa les sourcils en la découvrant.

— Oh ! Tu as l'air… si différente.

— Merci. C'est mon nouveau look. Pas de maquillage, une robe empruntée et des chaussures dépareillées.

— Ça te va bien. J'aime la couleur de cette robe.

— Vraiment ? fit-elle en baissant les yeux. Je ne porte jamais de bleu.

— Cela… fait ressortir la couleur de tes yeux.

— Si tu le dis. Pourrais-tu me prêter un sweat-shirt ?

— Pourquoi ? Tu es superbe, ainsi.

— Cette robe est sans manches, répondit-elle en grimaçant.

— Oh ! je vois.

Il vint la prendre par les épaules et la plaça de façon à ce que le soleil que laissait passer une fenêtre illumine son épaule gauche. Immobile, Sophie se laissa faire tandis qu'il caressait du doigt sa cicatrice.

— On la voit à peine, dit-il en effleurant la fine marque sur sa peau.

Sophie frissonna en se remémorant la sensation de son corps plaqué contre le sien alors qu'il promenait ses lèvres sur ses cicatrices. Personne ne l'avait traitée avec autant de gentillesse, de douceur. Il faut dire qu'elle ne s'était jamais laissé approcher de si près…

— Es-tu prête ? Il est temps de partir.

— Allons-nous à Mariage pour la Vie ? Je meurs d'envie de tout savoir : ce que Rafe a découvert chez moi, les indices qu'il a pu récolter sur la voiture de Rachel…

C'est alors que le portable de Sean sonna.

— Quoi de neuf, Kenner ?

— J'ai les ravisseurs au téléphone, monsieur.

Sean se figea.

— Où se trouve Carlos ?

— Dans son bureau.

— J'arrive tout de suite. Connecte-moi sur la ligne.

Sean s'élança dans le couloir en direction du bureau de Carlos. Les pas de Sophie résonnaient derrière lui.

Il y eut un grésillement sur la ligne, puis il entendit la voix de Carlos.

— Je vous en supplie, dites-moi que ma fille est toujours en vie.

— Contente-toi d'écouter, vieil homme, ou tu n'es pas près de la revoir.

Sean pénétra en trombe dans le bureau et, intimant d'un geste à Carlos de se taire, prit aussitôt le relais.

— Je suis Sean Majors, le responsable de la sécurité de M. Botero. M. Botero n'est pas en état de soutenir cette conversation.

— Qu'est-ce que vous racontez ? Il me parlait à l'instant.

Sean fit signe à Carlos de tousser, et ce dernier s'exécuta en exagérant.

— C'est avec moi qu'il faudra désormais négocier.

Il y eut un silence ; Sean attendit. Les ravisseurs étaient-ils tellement à cran qu'ils ne voulaient traiter qu'avec Carlos ?

Du coin de l'œil, il vit Sophie entrer dans le bureau et venir chuchoter à l'oreille de Carlos. Le vieil homme l'écouta, puis hocha la tête. Elle lui prit alors le combiné des mains et le plaça contre son oreille.

— Botero a tout intérêt à se remettre vite, dit la voix au téléphone, parce que, cette fois, s'il ne dépose pas lui-même la rançon, nous lui renverrons sa fifille adorée en plusieurs morceaux.

— Il sera là, assura Sean. Quand voulez-vous procéder à l'échange ? Dans deux heures ?

— Oh ! non. Nous avons changé nos plans. Nous vous rappellerons. En attendant, vous feriez mieux de vous mettre au boulot, car le prix a changé. Il a doublé, pour être précis. Cette fois, nous exigeons quatre millions.

Sean grimaça.

— Nous avons besoin de temps pour rassembler une telle somme.

— Vous auriez dû y songer plus tôt, monsieur le responsable de la sécurité. En désobéissant à nos ordres, la dernière fois, vous auriez dû vous douter que le montant grimperait.

Sean croisa le regard de Sophie.

— De quelle façon avons-nous désobéi ? L'argent a été déposé à l'endroit indiqué. Vous ne l'avez même pas récupéré.

— C'était trop dangereux compte tenu de la présence des snippers. Quand je demande à ce que l'on vienne seul, monsieur Majors, cela veut dire seul.

— Je vois.

— Je suis un homme de parole. Je vous ai promis que M. Botero retrouverait bientôt sa fille. Que ce soit morte ou vivante dépend de vous. Souhaite-t-il recevoir une preuve de ma sincérité ? Un de ses doigts, peut-être ?

— Non ! Ce ne sera pas nécessaire. Je lui ferai part de vos instructions. Quand nous rappellerez-vous ?

— Quand cela me plaira. Au revoir, monsieur Majors.

Sean retint son souffle. La communication avait été interrompue.

— Ils ont raccroché, dit Sophie en reposant son combiné sur le bureau. Croyez-vous que…

— Javier, l'interrompit Sean, nous devons nous préparer au cas où M. Botero doive sortir cet après-midi.

Sean rangea son portable en lançant un regard d'avertissement à Sophie, puis s'approcha de Carlos.

— Monsieur, pensez-vous être en mesure de procéder à la remise de la rançon ? Cela pourrait se dérouler dès aujourd'hui. Ils ne nous laisseront que très peu de temps.

— Je suis prêt à tout pour ma Sonya, répondit Botero en agrippant les accoudoirs de son fauteuil roulant. Rien de tout cela ne serait arrivé si Sonya m'avait écouté. Où est cette ordure de DeLeon ? Tout est de sa faute.

Carlos fut pris d'une quinte de toux et Sean demanda à Javier de lui administrer un calmant.

— Je fais tout mon possible pour retrouver votre fille. Nous serons prêts pour le prochain appel des ravisseurs. Nous ferons ce qu'ils demandent et nous ne préviendrons pas la police.

Carlos approuva d'un clignement des yeux.

Sean fit signe à Sophie de le suivre hors de la pièce. Contrarié qu'elle ait écouté la conversation, il était en proie au doute. Il tentait de se persuader qu'elle était comme son ex-femme : une droguée, non pas aux stupéfiants, mais à l'adrénaline. Cela lui serait plus facile de rompre le charme sous lequel elle le tenait et de cesser de tenter de la protéger à chaque instant.

D'un autre côté, il voulait croire qu'elle était différente. Que son prétendu amour du danger n'était qu'une façade dissimulant sa véritable personnalité. Que la tristesse qu'il lisait dans son regard était bel et bien réelle.

— Sean, attends.

Il se retourna. Elle descendait quatre à quatre les marches du perron, sa robe bleu pâle et ses cheveux blonds donnant l'impression qu'elle venait de s'échapper d'une aquarelle.

Bon sang ! Tout était de sa faute. Elle le détournait de sa mission.

Sa présence interférait avec son travail. Au lieu de s'employer à contrer les ravisseurs et réfléchir à une stratégie, il jouait les chauffeurs et promenait Sophie aux quatre coins de la ville.

Il monta dans son pick-up et démarra. Elle le rejoignit et contourna le véhicule pour ouvrir la porte passager. Elle était condamnée.

A contrecœur, il la déverrouilla, et Sophie prit place à ses côtés.

Ils n'échangèrent pas un mot tandis que Sean franchissait la grille du parc et prenait la direction de l'autoroute. Il sortit son portable.

— Winstead ? La situation se complique. Oui. Il nous faut deux millions de plus.

Il fronça les sourcils en écoutant l'homme lui répondre.

— Je sais, mais vous devez faire tout votre possible. Ils peuvent nous recontacter à tout moment. C'est une sacrée somme, j'en suis conscient. Débrouillez-vous. Prévenez-moi quand ce sera prêt.

Il raccrocha et tourna la tête vers Sophie.

— Le gestionnaire de Botero, dit-il.

Enfin, il lui parlait. Sophie sauta sur l'occasion.

— Merci pour les vêtements.

Il haussa les épaules.

— Je suis sincère. C'était très délicat de ta part de penser à une longue robe. Tu es tellement préoccupé ces temps-ci, et il est survenu tant de choses ces dernières vingt-quatre heures… Oh ! mais j'y pense : depuis la mort de Johnson, tout tourne autour de moi.

— Ça y est ? Tu as enfin percuté ? Au moins es-tu parvenue à tes fins. Je pense que tu as ta dose *d'excitation*, à présent, non ?

Le ton acide de sa voix la fit frissonner. Elle eut envie de lui passer les bras autour de son cou et de l'embrasser, de lui jurer qu'elle était tout le contraire de son ex-femme. Mais elle savait que cela ne modifierait en rien l'image détestable qu'il avait d'elle.

Et, de toute façon, ce serait là un piètre mensonge.

Elle s'appuya contre le dossier de son siège et soupira.

— Pourquoi ? Pourquoi en ont-ils après moi ?

— Parce que tu as pris l'ascenseur avec le meurtrier de Johnson. Tu es la seule personne à l'avoir vu.

— Mais ça s'arrête là. Je ne sais pas qui il est. Je ne saurais pas le reconnaître. Il portait un masque.

— Tu l'as poursuivi. Il a compris que tu le suspectais de quelque chose. Il a donc décidé de t'éliminer.

— De cela, j'en suis parfaitement consciente. Ce que je ne comprends pas, c'est pourquoi. Il lui suffisait de jouer profil bas et il n'aurait jamais été inquiété.

— Je ne crois pas qu'il puisse la jouer ainsi. Il est certainement au cœur de toute cette affaire.

— Tu crois que c'est lui qui détient Sonya ?

— Non, mais je suis sûr qu'il sait où elle se trouve.

— Sean, je ne pense pas pouvoir l'identifier, même si nous étions placés face à face.

— Tu as dit qu'il avait une cicatrice.

— Au-dessus de son sourcil gauche.

— Eh bien, voilà ce qui doit l'effrayer. C'est ce qu'on appelle un signe particulier. Tu l'as dit à Montoya et à la police, n'est-ce pas ?

Sean se gara sur le parking de Mariage pour la Vie.

— Bien entendu. En fait, je me demande bien pourquoi on n'a pas organisé une séance d'identification à l'hôpital.

— C'est une bonne question.

Il sortit de la voiture et vint lui ouvrir la portière. En descendant du véhicule, elle tira sur sa robe afin de cacher ses jambes.

Ils marchèrent ensemble vers le hall d'entrée, Sean la tenant par la taille. Sa main était chaude et ferme.

Sophie était à présent convaincue qu'il mettrait sa propre vie en danger pour la protéger.

Dommage que cela ne dure pas éternellement. Quand cette histoire serait terminée, il reprendrait sa vie auprès de sa fille et elle retrouverait la solitude de son appartement.

Mlle Sophie Brooks, à jamais célibataire. C'était là l'histoire de sa vie. Même si leur relation venait à s'épanouir, elle n'oserait jamais lui dire toute la vérité, car il était persuadé qu'elle lui mentait en permanence.

Sophie retint un sourire. Il ne pouvait savoir à quel point il avait raison.

Vicki, la jeune femme de l'accueil, et Julia Garcia, occupée avec une cliente, se trouvaient dans le hall.

— Sophie, qu'est-ce qui t'arrive ? chuchota Vicki.

— Regarde-toi. Tu es sûre que tout va bien ? demanda Julia en s'avançant.

Sophie hocha la tête.

— Le bleu te va à ravir, déclara Julia en remarquant l'hématome sur son front et le bandage à son poignet. Vraiment, tout va bien ?

— Ça va. J'ai juste eu une petite altercation avec un airbag, répondit-elle en tâchant de sourire aux deux jeunes femmes.

— Au fait, fit Vicky, Rachel vous attend, M. Majors et toi. Elle m'a demandé de la prévenir de votre arrivée.

— Nous allons la voir de ce pas, dit Sean en poussant Sophie vers l'escalier, lui plaçant la main dans le dos.

Sophie se retourna pour voir Julia contrefaire un évanouissement. Son message était clair : elle trouvait Sean extrêmement sexy. Sophie se contenta de lui sourire.

La porte du bureau de Rachel était ouverte ; la jeune femme faisait les cent pas, l'oreille rivée à son téléphone. Elle leur fit signe de s'asseoir à la table de réunion où Rafe Montoya était déjà installé.

— Ce n'est pas mon problème, disait-elle. Si vous n'êtes pas capable d'organiser une séance d'identification, faites-moi parvenir des photographies des suspects. Nous voulons identifier au plus vite l'homme qui a agressé l'un de mes employés.

Montoya s'adressa à Sophie.

— Comment vous sentez-vous ? Vous êtes ravissante dans cette robe bleue. Elle rehausse la couleur de vos yeux.

— Merci, Rafe.

— Où avez-vous passé la nuit ? demanda-t-il en regardant Sean.

— Chez M. Botero. Sean a pensé que c'était plus prudent.

Sophie ne fit aucune allusion à l'appel des ravisseurs, laissant le choix à Sean de divulguer ou non l'information.

— La police a-t-elle découvert des indices dans l'appartement de Sophie ? demanda ce dernier.

Rafe sortit un bloc-notes de sa poche.

— Pas de signe d'effraction. Quelques traces sur les serrures prouvant qu'elles ont été forcées. Il est très fort. Il est parvenu à verrouiller la porte en partant.

— Et à propos du câble électrique ?

— Il était connecté au secteur. C'est un miracle que Sophie n'ait pas été électrocutée.

Sophie vit de la colère dans le regard de Sean, mais cette colère ne semblait pas dirigée contre elle. Il était très pâle, comme sous le coup d'une peur intense.

— J'allais prendre ma douche lorsque Sean a frappé à la porte.

Sean pinça les lèvres et opina.

— A-t-on relevé des empreintes ? s'enquit-il.

— Non, excepté les vôtres et celles de Sophie.

Sophie rougit. Comme c'était pathétique… On n'avait pas relevé d'autres empreintes que celles de Sean car elle ne recevait jamais de visites.

— Cela dit, les vôtres se trouvaient partout dans l'appartement, dit Rafe à Sean en le dévisageant. Dans le salon, sur le réfrigérateur, sur la table de nuit.

Sean leva la tête et soutint son regard ; Sophie retint son souffle. Ainsi, il avait bien parcouru le rapport de police alors qu'elle prenait sa douche.

Rachel termina sa conversation téléphonique et vint les rejoindre, mettant ainsi un terme à la confrontation à laquelle se livraient les deux hommes. Tous deux baissèrent les yeux lorsqu'elle leur lança un regard désapprobateur.

— Nous allons te présenter une série de photos, dit-elle à Sophie. Je ne sais pas encore ce que nous pourrons en tirer. Elles proviennent du fichier des employés de l'hôpital. Il n'a pas été mis à jour depuis des années. Certaines de ces photos sont très anciennes.

— Je ferai de mon mieux. Que se passera-t-il si je parviens à identifier l'un de ces hommes ? Il sera arrêté ?

— Non, intervint Sean.

Les regards se tournèrent vers lui.

— Cet homme joue un rôle déterminant dans cette affaire. Il a réussi à identifier Sophie, et en a fait sa cible prioritaire, ajouta-t-il.

Rachel avait toute son attention ; elle lui fit signe de poursuivre.

— Il est très adroit. Il est parvenu à injecter un poison dans l'intraveineuse de Johnson sans laisser la moindre trace de son intervention. Il est entré chez Sophie avec une facilité déconcertante. Et il s'y connaît en électricité.

Rafe haussa les épaules.

— Alors, pourquoi ne pas l'arrêter ?

— Réfléchissez une seconde. Son arrestation risquerait de semer la panique parmi ses complices, et mettrait la vie de Sonya et de Sophie encore plus en danger.

Rafe approuva malgré lui.

— Nous devons te placer sous haute sécurité jusqu'à la fin de l'affaire, dit Rachel à Sophie.

— Non, s'il vous plaît, Rachel ! J'ai envie de participer, d'apporter mon aide.

— Il y a une autre solution, dit Sean. Carlos a reçu un appel ce matin.

La tension monta soudain d'un cran.

— Un appel des ravisseurs ? Pourquoi ne l'avez-vous pas dit plus tôt ? Que voulaient-ils ? Ont-ils fixé un rendez-vous ? demanda Rafe avec emportement.

— Aucun rendez-vous n'a été fixé pour l'instant. Ils nous recontacteront. Le montant de la rançon a doublé. Quatre millions. Ils ont menacé Carlos de lui faire parvenir un doigt de sa fille pour lui prouver leur détermination. Et ils exigent que ce soit lui qui remette la rançon.

— Est-il en mesure de le faire ? s'enquit Rachel. Il est très faible, n'est-ce pas ?

— Il le fera. Je serai là, à ses côtés.

Rafe frappa la table du plat de la main.

— Nous ne savons toujours pas si Sonya est ou non au Lareda. Je ne comprends pas le rôle de Sophie dans cette affaire. Pourquoi ne pas la mettre à l'écart en attendant le dénouement de toute cette histoire ?

— Je suis intimement convaincu que l'homme au masque est le cerveau de l'opération, répondit Sean. Il est inquiet que Sophie puisse l'identifier.

— S'il est le cerveau, pourquoi a-t-il pris le risque d'assassiner lui-même Johnson ? Il aurait pu déléguer l'un de ses hommes.

— Il est évident qu'il travaille à l'hôpital, car il a accès à des espaces réservés au personnel. Nous savons qu'il a une haute image de lui-même — il met un point d'honneur à s'acquitter en personne des missions importantes. Mais, s'il se sent traqué, il pourrait bien se volatiliser.

— Dans ce cas, mieux vaut ne pas le laisser penser que nous sommes après lui, dit Rachel.

— Oui, mais je veux tout de même que Sophie regarde ces photos. Il est important pour la suite des événements que nous sachions à qui nous avons affaire. Nous pourrions examiner ses antécédents et entrer en possession de la liste de ses appels téléphoniques afin de découvrir quels sont ses contacts.

— Je m'occupe de cela, fit Rachel.

Sean lui lança un regard entendu.

— Oui, j'ai vu avec quelle efficacité vous preniez les choses en mains. Comment vous y prenez-vous exactement, mademoiselle l'organisatrice de mariages ?

Rafe repoussa son siège, s'apprêtant à se lever ; Rachel leva la main pour l'en empêcher.

— C'est une question pertinente, monsieur Majors. Malheureusement, je ne peux y répondre pour l'instant. Me croiriez-vous si je vous disais que j'ai des contacts influents ? Nous sommes tout autant mobilisés que vous pour retrouver Sonya saine et sauve.

— Je n'aime pas cela, marmonna Sean.

— J'en suis tout à fait consciente, mais je vous donne ma parole que Rafe vous tiendra informé de tout nouveau rebondissement. Maintenant, que décidons-nous à propos de Sophie ?

— Elle reste avec moi. Nous devons nous comporter avec le plus grand naturel. Si Sophie venait à disparaître, cela éveillerait leurs soupçons.

Rachel croisa les bras et toisa Sean.

— Autre chose, monsieur Majors ?

— Nous devons nous tenir en alerte. D'après moi, la remise de la rançon aura lieu ce soir. Et je parie qu'elle s'effectuera dans les environs de Mariage pour la Vie.

10

Pendant que Sean et Rafe apportaient la dernière touche aux préparatifs de la remise de la rançon, Sophie termina la maquette des faire-part d'un jeune couple tout en répondant aux nombreuses questions de ses collègues.

Quelle étrange sensation de les voir venir à tour de rôle lui demander comment elle allait et si elle avait besoin de quoi que ce soit… Et, pour tout dire, elle y prit un certain plaisir.

Elle s'était toujours considérée différente des autres. Elle avait grandi au sein d'une famille d'origine hispanique et en était, de fait, la pièce rapportée. Cela ne lui avait pas facilité la vie, notamment auprès des enfants de son quartier.

Ces débuts avaient fait d'elle une jeune fille rebelle et avaient décidé du cours de son existence. Cela pouvait peut-être encore changer.

Lorsque Julia et Isabelle vinrent lui proposer de déjeuner ensemble, Sophie se rappela qu'elles lui en avaient souvent fait l'offre et qu'elle avait toujours refusé.

Cette fois, elle leur sourit et accepta l'invitation, se riant de leur réaction stupéfaite.

Ce déjeuner lui fit le plus grand bien. Elles avaient évité de parler de l'affaire comme des derniers déboires de Sophie. La discussion avait tourné autour de la mode, de la diététique, des films à l'affiche. Des histoires de fille, en somme.

De retour à Mariage pour la Vie, les jeunes femmes se séparèrent et Sophie regagna son bureau. Sean, qui tournait en rond dans le hall, l'y rejoignit.

— Où étais-tu ? demanda-t-il, visiblement irrité.

— Je suis allée déjeuner.

— Nous étions d'accord pour que tu restes près de moi.

Sophie était encore sous le charme de ce déjeuner agréable et reposant. Elle écarquilla les yeux.

— Oh ! tu veux dire vingt-quatre heures sur vingt-quatre et sept jours sur sept ? Je n'avais pas compris la chose ainsi.

— Ce que tu n'as apparemment pas compris, c'est que tu es en danger. Serais-tu encore à la recherche d'une dose d'excitation ?

— Je suis désolée. Je n'ai jamais pensé qu'un simple déjeuner avec deux…

Elle se tut ; elle avait failli dire « deux agents de Miami Confidentiel ».

— … avec deux collègues poserait problème.

Sean la dévisagea un instant.

— Nous avons reçu les photos. Il faut que tu les voies.

— Où sont-elles ?

— Dans le bureau de Rachel. On vient tout juste de nous les livrer.

Une fois installée dans le bureau de Rachel, il ne fallut que quelques secondes à Sophie pour reconnaître l'homme qui lui avait échappé.

— C'est lui, j'en suis sûre. Vous voyez cette cicatrice, juste au-dessus de son arcade gauche ?

Sean et Rafe s'assirent de part et d'autre de Sophie.

— Tu en es absolument certaine ? fit Sean.

— Je reconnais son regard, dit-elle en frissonnant.

Le portable de Sean sonna.

— Comment ? Quand ?

Sa voix prit un ton paniqué ; il jeta un coup d'œil à Sophie et à Rafe, puis sortit précipitamment de la pièce.

Sophie et Rafe échangèrent un regard interrogateur. Les ravisseurs avaient-ils rappelé ?

— Nous saurons bientôt de quoi il retourne, déclara Rafe. C'est du bon boulot, Sophie. Nous allons pouvoir récupérer un maximum d'informations sur cet homme.

Sean les rejoignit.

— Sean ? Qu'y a-t-il ? demanda Sophie. M. Botero a eu des nouvelles des ravisseurs ?

— Non. Il ne s'agit pas de cela. Nous devons y aller. Maintenant.

Rafe se leva.

— Majors ?

— C'était un appel personnel, répondit Sean.

— Sophie peut rester ici, rétorqua Rafe. Je ne bougerai pas de l'après-midi.

Sean secoua la tête. Son comportement alarmait Sophie.

— Quelque chose est arrivé à Michaela ? A Rosita ?

Sean la prit gentiment par la taille et l'entraîna hors du bureau de Rachel.

— Tu me ramènes chez moi ? s'enquit-elle comme ils empruntaient l'escalier.

— J'aimerais bien, mais l'accès à ton appartement est contrôlé. Je te rappelle que c'est une scène de crime.

— Oui, bien sûr…

Elle aurait dû s'en douter. Elle était à présent sans domicile, et les quelques affaires qu'elle avait emportées se trouvaient chez Carlos.

— Cela ne me facilite pas la tâche, dit-elle. Je n'ai rien à me mettre.

Tandis qu'ils passaient devant le comptoir de la réception, Vicki tendit un sac rose et blanc à Sean en lui souriant ostensiblement. Ignorant son sourire, Sean se saisit du sac pour le donner à Sophie.

— Rachel s'est occupée de cela. Elle a envoyé Vicki faire quelques courses pendant ton déjeuner.

Elle s'arrêta, contrariée. Sean était une vraie tête de mule.

— Tu t'imagines que tu vas être en permanence sur mon dos dans les jours qui viennent ?

Il lui adressa un regard amusé et la poussa à l'extérieur du bâtiment. Au loin, les nuages s'amoncelaient à l'aplomb de l'océan.

— S'il s'agit d'un problème personnel, pourquoi ne pourrais-je pas rester au bureau ? Je suis en sécurité, ici. Tu n'as pas à jouer les baby-sitters tout le temps.

— Il n'y a rien qui me ferait plus plaisir que de te laisser à tes petits jeux d'agent secret, mais cela n'est pas possible. Je n'ai plus confiance en personne. Je dois moi-même veiller sur toi.

Sophie le dévisagea.

— Tu es la seule à pouvoir identifier l'homme qui a enlevé

la fille de mon employeur, et je dois te protéger à n'importe quel prix, ajouta-t-il.

Ils traversèrent le parking et grimpèrent à bord de son pick-up.

— Chaque fois que je te perds de vue, tu te fourres dans des problèmes.

— Où allons-nous ? se contenta-t-elle de demander.

— J'ai quelque chose à faire.

Après quelques tentatives infructueuses d'engager la conversation, Sophie abdiqua. Elle ferma les yeux et tâcha de se détendre.

Elle s'éveilla alors qu'ils pénétraient dans un parking sous-terrain.

— Où sommes-nous ?

— Chez moi.

— Oh non !

Pourquoi la ramenait-il chez lui, alors qu'il voulait la tenir éloignée de Michaela ?

Sean se gara près des ascenseurs et ils s'y engouffrèrent rapidement.

— L'appel provenait de Rosita. L'un de ses petits-enfants s'est cassé la jambe.

Sophie comprit alors qu'il n'avait d'autre choix que de la ramener chez lui.

Sean ouvrit la porte de son appartement et s'effaça pour la laisser entrer. Michaela accourut aussitôt.

— Papa !

Sean afficha un magnifique sourire et s'accroupit pour recevoir sa fille dans ses bras. Il se releva tandis qu'elle lui déposait un énorme bisou sur la joue.

Vivement émue par cet instant de bonheur entre ce père et sa fille, Sophie s'éloigna. Elle battit des paupières, tentant de contenir ses larmes.

— Papa, comment tu as fait pour rentrer si vite ?

— J'ai couru pour venir embrasser mon petit écureuil. L'as-tu vu ?

Michaela se désigna du doigt.

— C'est moi, ton petit écureuil.

Il rit et l'embrassa.

— C'est vrai ! J'avais oublié.

Ce tableau familial touchait Sophie au plus profond de son

cœur. Elle avait envie de rire et de pleurer à la fois, et se sentait de trop dans la scène.

Michaela remarqua alors sa présence.

— Papa ! C'est So-phie ! Tu es venu avec Sophie.

Elle se mit à gigoter, tendant les bras vers Sophie.

— Sophie ! Tu es venue pour me voir !

Sean lui tendit sa fille qui se débattait pour la rejoindre.

— Tu ne veux pas la prendre ? demanda-t-il, interloqué.

— Je…

Comment lui dire qu'elle ne connaissait rien aux enfants ? Qu'ils l'effrayaient et la rendait mélancolique ?

— Sophie, je veux aller dans tes bras, dit Michaela au bord des larmes.

— D'accord, d'accord.

Elle prit la fillette qui se jeta dans ses bras.

Oh ! quelle agréable sensation ! Elle était chaude, frétillante, pleine d'énergie. Elle sentait bon le propre, avec une touche de parfum à la guimauve, et ses cheveux étaient doux comme ceux d'un ange. Sophie sentit les larmes lui monter aux yeux.

— Ah, enfin ! fit Rosita en surgissant de la chambre, son sac en main. Je n'en ai pas pour longtemps. Je veux juste m'assurer que ce petit coquin de Joachim se porte bien. Bonjour, Sophie.

— Bonjour, Rosita.

Sophie fut surprise de l'accueil chaleureux que lui réservait Rosita. Les deux femmes échangèrent des propos en espagnol, et Rosita les quitta sans demander son reste.

— De quoi avez-vous parlé ? demanda Sean.

— Tu ne parles pas espagnol ?

Il haussa les épaules.

— Je sais dire « grand-mère », « médicament » et « merci beaucoup ».

Sophie se moqua gentiment de lui.

— Viens, mon écureuil, dit Sean en voulant la récupérer. Je suis sûr que Sophie en a assez de te porter.

Michaela s'agrippa au cou de Sophie.

— Non. Sophie, tu veux bien jouer avec moi ?

— Michaela, je pense que ton papa veut que tu ailles avec lui.

— Oh ! non. J'ai tellement passé d'heures à jouer avec elle. Je te laisse ce plaisir. Je vais en profiter pour prendre une douche. Ensuite, ce sera ton tour, si tu veux.

Sophie le vit lui sourire comme la fillette nichait son visage dans son cou. Elle se sentait submergée par un bonheur auquel elle avait toujours aspiré, tout en sachant qu'il ne lui appartiendrait jamais. Mais elle ne faisait que voler à Sean ces quelques instants d'amour. Cette mascarade finirait bientôt.

Lorsque Sean sortit de la douche, une demi-heure plus tard, il passa la tête par la porte du salon pour voir comment Sophie s'en sortait avec sa fille, laquelle était constamment habitée d'une énergie débordante.

Il fut surpris de constater que Michaela dormait paisiblement dans les bras de Sophie, sur le canapé.

Cela l'inquiétait que Michaela se soit aussi vite attachée à Sophie. Sa fille se trompait rarement sur ses sentiments à propos des gens ; soit elle les aimait, soit elle les repoussait, une fois pour toutes. Il ne s'attendait pas à ce que la fillette lui demande chaque jour des nouvelles de Sophie.

Cette dernière avait posé sa tête sur celle de Michaela et avait les yeux clos. Il approcha doucement et vit qu'elle avait pleuré. Une étrange douleur s'insinua dans sa poitrine. Il voulait essuyer ces larmes. Non. Il avait plutôt envie de les sécher par ses baisers. Son désir s'éveilla.

« Elle ressemble par trop à Cindy », s'admonesta-t-il. Mais cela ne suffit pas à chasser son désir. Alors que Sophie ne rencontrait Michaela que pour la seconde fois, toutes deux partageaient un moment de tendresse tel que Cindy n'en avait jamais connu.

Sophie ouvrit les yeux et ils se regardèrent longuement. Sean ne parvenait à deviner ses pensées, mais il songeait à elle, nue dans son lit, quand il tentait d'effacer de ses baisers la douleur que contenait chacune de ses blessures, chacun des actes de cruauté qui lui avaient laissé d'horribles cicatrices.

— Tu veux la mettre au lit ? murmura-t-elle.

Il acquiesça mais ne fit aucun mouvement ; il tâchait de reprendre le contrôle de lui-même. Sophie rougit en remarquant son trouble.

Elle parcourut du regard son torse nu, puis baissa les yeux vers son entre-jambe tandis qu'il prenait Michaela dans ses bras.

— Va donc te doucher, lui dit-il. Utilise la salle de bains de ma chambre. Tu y seras à ton aise.

Sophie se leva du canapé et caressa le dos de Michaela d'un geste maternel. Sean en fut ému.

— Pourquoi as-tu pleuré ? murmura-t-il.

— Elle est… si parfaite, si belle.

Sa voix se brisa. Sean se sentit frustré. Il aurait voulu connaître ses pensées, ses peurs, ses souhaits les plus secrets.

— Sophie…

Son regard était empreint de crainte. Il se pencha pour embrasser délicatement ses lèvres. Elle les entrouvrit et émit un léger soupir de plaisir. Tenant toujours Michaela dans ses bras, il intensifia son baiser.

Seules leurs lèvres étaient en contact, mais Sean sentait sa présence le submerger. A cet instant, leurs âmes furent en parfaite communion.

Ce baiser représentait leur plus intime échange, car il ne traduisait pas seulement un désir physique, mais aussi une sincère émotion.

Sophie rompit le charme en se dégageant.

— Je ferais mieux d'aller me laver, dit-elle en prenant le sac blanc et rose contenant ses vêtements.

Sean demeura là, caressant le dos de Michaela, tandis que Sophie disparaissait dans sa chambre.

Elle n'avait pas été insensible à ce baiser, il en était certain. Aussi grands que soient ses doutes quant à sa réelle motivation, il savait que, tout comme lui, elle luttait avec l'énergie du désespoir contre leur attirance réciproque.

Quand Sophie sortit de la chambre de Sean, vêtue de jolis dessous de soie rose, du petit haut sans manches et du pantalon en lin beige que Vicki était allée lui acheter, Rosita était de retour tandis que Sean arpentait le salon d'un air préoccupé.

A son entrée, il leva les yeux et son regard brilla d'une lueur de satisfaction.

— Bien. Te voilà prête.

— La nuit sera longue, je le sens, se plaignit Rosita. Vous avez laissé Michaela faire la sieste trop longtemps. Elle va se réveiller en pleine nuit.

— Laissez-la dormir jusqu'à notre départ, répondit Sean. Vous lui direz que son papa sera de retour demain matin. Elle s'est bien dépensée en jouant avec Sophie.

Rosita regarda Sophie avant d'acquiescer.

— Allons-y, Sophie. Cette attente se prolonge un peu trop à mon goût. Je dois voir mes hommes et prendre des nouvelles de la santé de Carlos.

— Je pourrais rester avec Michaela et Rosita…

— Non. Je te l'ai déjà dit : tu ne me quittes pas d'un pas.

Sean attrapa son blouson et son arme, puis invita Sophie à le suivre sans plus attendre.

Ils parcoururent la distance les séparant de la propriété de Carlos en un temps record. A la grille, il interrogea le gardien, lequel n'avait rien de particulier à lui signaler. Il venait à peine de se garer que son portable sonna.

— Mettez-moi en ligne. Tout de suite !

Les ravisseurs rappelaient, enfin ! Sophie sentit son cœur s'emballer. Sean bondit hors de son pick-up et courut vers la maison. Sophie s'élança à sa suite.

Sean écoutait déjà la conversation lorsqu'ils déboulèrent dans le bureau de Carlos.

Le vieil homme semblait plus mal en point que la dernière fois où Sophie l'avait vu. Son angoisse pour sa fille le vidait peu à peu de ses forces.

— Je veux savoir si ma fille va bien, disait-il, la voix tremblante d'émotion.

Le regard de Sean ne présageait rien de bon tandis qu'il écoutait la réponse des ravisseurs. Il secoua la tête à l'intention de Botero.

Le vieil homme comprit le sens de son signe.

— Non ! s'exclama-t-il. Je ne coopérerai que quand j'aurai la preuve que ma Sonya est en vie.

Javier se tenait près de Carlos, la main sur son poignet afin de contrôler son pouls.

— Cela ne me suffit pas. Laissez-moi parler à ma fille ou allez au diable !

Carlos raccrocha furieusement le combiné.

— Je ne crois pas ce que ce soit une bonne idée, monsieur Botero, fit Sean d'un ton prudent.

Sophie joignit les mains en une prière silencieuse. Les épaules de Sean s'étaient contractées, trahissant sa tension. Carlos leva un regard sombre vers son responsable de la sécurité.

— Je sais ce que je fais, Sean. Ils vont rappeler. S'ils ne me la passent pas, ils n'auront pas un centime de ma part.

— Je dois donner un calmant à M. Botero, intervint Javier.

— Viens, Sophie. Allons prendre un café.

Dès qu'ils furent hors du bureau, elle lui bloqua le passage.

— Tu penses que Sonya est morte, n'est-ce pas ?

Sean se passa la main sur le visage.

— Je n'en sais rien. Tout dépend du bon-vouloir des ravisseurs. S'ils ont besoin d'argent, Sonya sera certainement épargnée. Si, en revanche, ils n'ont d'autre motivation que de tenir DeLeon éloigné des prochaines élections au Lareda…

— Tu te fais beaucoup de soucis pour M. Botero, n'est-ce pas ?

— Je travaille pour lui depuis plus de dix ans. Il me fait entièrement confiance. Il s'imagine que je peux tout régler.

Sean secoua la tête et se massa la nuque.

— Eh bien, tu le peux, n'est-ce pas ?

Il la regarda et lui sourit ; son expression s'adoucit.

— Tu as fait grande impression à Michaela, dit-il.

Son brusque changement de sujet la surprit, et les larmes lui montèrent aux yeux.

— Elle est… merveilleuse.

— Pourquoi as-tu pleuré ?

Sophie sentit son cœur cogner dans sa poitrine.

— Je te l'ai dit, murmura-t-elle, évitant son regard.

— Sophie ? insista-t-il.

Elle se mordit la lèvre et poussa un profond soupir.

— Je suis désolée, Sean. Je ne voulais pas qu'elle voie mes larmes, mais, pendant que nous jouions, elle a aperçu la cicatrice sur mon épaule. Alors, elle m'a…

Sa voix se fêla ; elle déglutit et prit une grande inspiration.

— Elle m'a demandé qui m'avait fait ça, et… elle a embrassé ma cicatrice.

Sean prit son visage entre ses mains et chassa une larme de sa joue du bout de son pouce.

— Ma fille est très émotive.

« Tout comme toi, Sean. » Sophie se remémora la douceur avec laquelle il avait embrassé une à une chacune de ses cicatrices. Puis elle revit Sean allongé sur elle, la regardant droit dans les yeux tandis qu'il la menait à l'extase.

Une nouvelle larme roule sur sa joue.

Le portable de Sean se mit à sonner.

Les ravisseurs.

Il fonça dans le bureau. Sophie sécha ses larmes et le suivit.

Carlos semblait avoir repris confiance. De ses doigts secs, il se saisit du combiné tandis que Sean se connectait depuis son portable.

— Sonya ! *Mi corazón ! Cómo estás ?* Tu es blessée ?

— Papa, répondit-elle d'une voix à peine audible, je vais bien. J'ai…

— Ça suffit, intervint une voix grave que Sean reconnut pour être celle de la dernière conversation.

Les salauds !

— Voilà, vieil homme. Tu as pu te rendre compte que ta fille était en vie.

— *Si*. Je l'ai bien entendue.

Sean s'approcha de Carlos et lui tapota l'épaule. Il devait conserver son sang-froid. Sean ne voulait aucune interférence dans la négociation. D'après le son de la communication, il ne pensait pas que Sonya soit au même endroit que les ravisseurs.

Il craignait qu'elle se trouve au Lareda, ce qui signifierait que les ravisseurs n'avaient pas l'intention de la rendre à son père. Son employeur ne verrait pas sa fille, pas aujourd'hui, du moins.

— Que voulez-vous ? reprit calmement Carlos.

— Vous abusez de notre patience, vieil homme. Vous avez nos quatre millions ?

— Oui.

— Bien. On se retrouve dans deux heures.

— Où cela ? demanda Carlos en se mettant à trembler.

Sean sortit un stylo de sa poche pour prendre des notes.

— Il y a un entrepôt abandonné sur les quais de West Street. Entrez à l'intérieur avec votre véhicule et attendez-nous. Venez seul.

Sean tapota de nouveau l'épaule de Carlos, cette fois pour lui rappeler leur accord. Il ne devait pas oublier de leur signaler qu'il ne pouvait conduire et qu'il serait accompagné de son chauffeur.

— Je suis en fauteuil roulant. Je ne peux donc ni marcher ni conduire. Mon chauffeur me conduira. Je serai assis à l'arrière de ma voiture avec l'argent.

— Vous mentez ! Je ne veux pas de chauffeur. Nous allons exécuter votre fille, monsieur Botero.

Le visage de Carlos perdit instantanément toute couleur.

— *Señor,* je vous dis la vérité. Je ne pense qu'à revoir ma fille. Nous procéderons ainsi ou l'échange ne se fera pas. C'est la seule façon de récupérer votre argent.

Après un long silence, la voix se fit entendre.

— Bien. Vous et votre chauffeur. Pas une personne de plus.

— Vous avez ma parole.

— Deux heures. Quatre millions de dollars. La moindre embrouille et votre fille est exécutée sur-le-champ.

— Vous l'amènerez avec vous ?

L'homme avait déjà raccroché.

11

Sophie accompagna Sean quand il alla chercher les quatre millions de dollars. Ils empruntèrent la limousine de Carlos afin de loger les deux larges valises dans le coffre spacieux.

Sophie se tenait auprès de Sean comme les gardes transféraient les valises à l'aide d'un imposant chariot en métal.

— Cet appel a épuisé M. Botero, dit-elle. Il n'a pas la force de s'acquitter de cette mission.

— Il lui suffira d'être présent, rétorqua Sean. Un de mes hommes, un tireur d'élite, sera avec nous et interviendra au moment propice. Je dois le récupérer en te ramenant à la propriété Botero.

Sophie avait remarqué la présence d'un chapeau et d'un manteau noirs sur la banquette arrière de la limousine.

— Cette tenue, au beau milieu de l'été, ne risque pas de sembler suspecte ?

— Depuis son AVC, Carlos ne se déplace plus que dans cette tenue. Tu connais sa réputation. Il est bien connu de la communauté hispanique de Miami. C'est un homme fier qui n'a pas envie d'apparaître faible et malade. C'est la raison pour laquelle il utilise cette espèce de déguisement. Par discrétion.

— Tu penses que Sonya est détenue dans cet entrepôt ?

Sean ne répondit pas et ferma le coffre. Alors qu'il ouvrait la portière à Sophie, son portable sonna.

Sophie n'aurait su dire qui était son interlocuteur, mais le visage de Sean pâlit affreusement.

— Quand ? Tout juste à l'instant ? Comment va-t-il ? Appelle une ambulance. Pas de sirène.

Il raccrocha et donna un coup de pied dans l'un des pneus de la limousine.

— Sean, qu'est-ce qui ne va pas ?

— Les ravisseurs ont rappelé. Ils ont avancé l'horaire d'une heure.

— On devait s'y attendre.

Il la dévisagea en fronçant les sourcils.

— Laisse tomber… Quelle est cette histoire d'ambulance ?

— Carlos a eu une attaque, quelques minutes après notre départ. Javier dit que ce n'est pas trop grave, mais il est tout de même paralysé du côté gauche. Bon sang, on va manquer de temps !

— Laisse-moi prendre sa place.

Sean lui adressa un regard noir.

— N'y pense même pas.

— De combien de temps disposons-nous ? Pouvons-nous nous rendre à temps à l'entrepôt ?

— Il ne nous reste que dix minutes. J'irai seul.

— Cela ne fonctionnera pas. M. Botero est hors du coup, à présent. Je porterai sa tenue et me dissimulerai à l'arrière.

Sean l'attrapa fermement par le bras.

— Est-ce que tu me refais le coup de l'excitation face au danger ? Je te préviens, Sophie, ce n'est vraiment pas le moment.

— Ecoute-moi bien. Je peux le faire. Je suis en fait un agent d'une division du Département de la Sécurité nationale, connue sous le nom de Miami Confidentiel. Mariage pour la Vie n'est qu'une couverture.

Sean vacilla, puis la saisit par les épaules.

— Serais-tu devenue folle ? Bon sang, mais de quoi parles-tu ?

— Tu dois me faire confiance. Je suis entraînée pour ce genre de mission. Avant d'appartenir à Miami Confidentiel, je travaillais à la CIA, au bureau de New York.

Sean frappa le toit de la limousine du plat de la main.

— Nom d'un chien ! Ne me prends pas pour un imbécile, Sophie. Il est question de vie et de mort, pas de…

— Sean ! s'écria-t-elle. Je ne peux pas te prouver maintenant ce que j'avance, mais, si tu veux sauver Sonya, tu dois me faire confiance. Il est temps de nous mettre en route.

*
* *

Sean dévisageait Sophie, fasciné. Il tentait, sans succès, de digérer ses dernières paroles. Elle était un *agent du gouvernement*. Mariage pour la Vie n'était qu'une *couverture*. Elle avait appartenu à la *CIA*. Tout cela lui paraissait incroyable.

Elle soutint son regard sans défaillir, levant la tête d'un air de défi qu'il commençait à bien connaître.

Il n'avait d'autre choix que de suivre son plan. La vie de Sonya en dépendait, de même que celle de Carlos, car Sean ne doutait pas que, si sa fille venait à disparaître, le vieil homme en mourrait.

— Monte dans la voiture, lâcha-t-il.

Ni une ni deux, Sophie s'installa à l'arrière de la limousine et se glissa dans les vêtements de Carlos.

— As-tu une arme ? demanda-t-elle comme il rejoignait la circulation.

— Une arme ?

Leurs regards se croisèrent dans le rétroviseur.

— Oui, Sean. Une arme. Un revolver. Nous allons rencontrer des criminels dans un lieu désert. Nous devons tous deux être armés.

— Mais ton poignet…

Elle lui adressa un sourire entendu.

— Je sais tirer des deux mains.

De mieux en mieux.

— Regarde dans l'accoudoir.

Elle s'exécuta et dénicha un 9 mm dissimulé dans un compartiment.

— Beau jouet, commenta-t-elle en introduisant une balle dans la culasse. A combien sommes-nous de l'entrepôt ?

— A peu près quatre kilomètres. J'appelle Montoya. On aura besoin de renforts.

— Dis-lui que je t'ai mis au parfum à propos de Miami Confidentiel, et demande-lui de positionner des hommes tout autour du bâtiment. Les ravisseurs ont certainement posté des sentinelles.

Sean composa le numéro de Montoya.

— C'est Majors. La remise de la rançon aura lieu dans quelques minutes… Non, nous n'avons pas le temps. Sophie m'a dit pour Miami Confidentiel. Pouvez-vous nous envoyer des renforts au 2497 West Street ? Oui, il s'agit d'un entrepôt désaffecté.

Il écouta un moment.

— Qui sait ? Ils auront certainement des hommes postés tout autour du bâtiment... Nous ne serons que Sophie et moi. Carlos a eu une nouvelle attaque. Grouillez-vous, Montoya, nous sommes déjà en retard... Oui, nous avons pris la limousine de Botero... Donnez comme consigne à vos hommes de n'intervenir que s'ils entendent des coups de feu. Je ne veux pas laisser ces hommes s'échapper... Oui, je protégerai Sophie.

Sean raccrocha et tourna dans l'avenue menant aux quais. *Protéger Sophie.* Sophie semblait pourtant être en mesure d'assurer seule sa protection.

Il n'avait plus le temps d'analyser ses sentiments pour elle, ni ce qu'il ressentait pour les employés de cette fichue société d'organisation de mariages qui n'avaient fait que lui jouer la comédie. Depuis le début, il savait bien que quelque chose ne tournait pas rond dans cette affaire.

Une division du Département de la Sécurité nationale... c'était plutôt vague comme information.

Il jeta un coup d'œil à Sophie dans le rétroviseur. Elle semblait vulnérable dans les vêtements trop amples de Carlos. Elle avait dissimulé son arme dans la manche du manteau.

Leurs regards se croisèrent et elle lui sourit. Ses grands yeux bleus brillaient de détermination.

A partir de cet instant, il la considéra différemment. Elle lui apparaissait telle une professionnelle aguerrie. Toute trace de la jolie blonde en quête d'excitation face au danger avait disparu de son expression.

Il se souvint alors d'elle, plongeant et roulant sur le sol, tentant de saisir son arme au creux de ses reins. Il fut pris d'un violent désir de lui faire l'amour à l'arrière de la limousine.

« Calme-toi, mon gars », s'admonesta-t-il. Ce n'était pas le moment de se laisser aller à des fantasmes érotiques avec sa mystérieuse partenaire.

— Nous y sommes, dit-il en s'engageant dans le chemin menant à l'entrepôt.

Le lourd battant métallique était suffisamment ouvert pour laisser entrer la limousine. Ils avancèrent au pas dans la pénombre.

Les phares de la limousine s'allumèrent automatiquement,

ainsi que les veilleuses à l'intérieur du véhicule, le baignant d'une lumière tamisée.

— Tu vois quelque chose ? murmura Sophie.

Devant eux se trouvait une structure composée d'une multitude de piliers de bois qui pouvait fournir de nombreuses cachettes pour des guetteurs ou des snipers.

Sean chargea son revolver.

— De quoi parlais-tu, tout à l'heure, à propos de ton rôle exact dans toute cette histoire ? demanda-t-il d'une voix rude.

— Rachel Brennan dirige Miami Confidentiel. Nous travaillons de concert avec le Département de la Sécurité nationale sur des dossiers nécessitant la plus grande discrétion.

Sean eut un petit rire.

— Discrétion ? C'est le terme que tu emploierais ?

Son ton était amer.

— Je n'avais pas l'intention de te mentir.

— Et pourtant tu ne t'en es pas privée.

— J'ai suivi les instructions de Rachel.

— Ah oui ? fit-il en se retournant.

Ses sourcils froncés et le pincement de ses lèvres lui firent de la peine. Il lui en voulait, visiblement, et ne semblait pas enclin à lui pardonner de l'avoir ainsi trompé.

— Jusqu'où est prêt à aller un agent de Miami Confidentiel pour mener à bien sa mission ?

— Sean, je sais ce que tu penses…

— J'en doute fort.

Elle déglutit péniblement et ferma les yeux. Puis elle fit ce dont elle ne se serait jamais crue capable ; le cœur battant la chamade, elle se confia à lui :

— J'étais sincère, la nuit que nous avons passée ensemble.

Il ne broncha pas.

Elle se couvrit la bouche d'une main pour ravaler un sanglot. « Arrête ça, Sophie. Concentre-toi sur ta mission. »

De nouveau, elle scruta l'intérieur de l'entrepôt. Cela lui fut plus facile, car ses yeux s'étaient entre-temps adaptés à la pénombre. Rien ne bougeait.

— Et à propos de tes cicatrices ? Je suppose que tu m'as menti aussi ? Que s'est-il réellement passé, Sophie ?

Elle serra les dents.

— Je t'ai dit la vérité.

— Je n'ai décidément aucune psychologie avec les femmes. J'avais placé toute ma confiance en ma femme, puis je me suis aperçu qu'elle me mentait depuis le premier jour de notre mariage. Y compris au sujet de sa grossesse.

Sophie sentit ses yeux la piquer.

— Sean…

— J'ai même douté que Michaela soit bien ma…

Il se tut.

— Oh non ! Ta femme t'a dit que Michaela n'était pas ta fille ? C'est horrible, et tellement cruel. Ce n'est pas vrai ! Elle a tes yeux. Ton visage. Ce même regard déterminé.

Sean scruta à son tour l'intérieur du hangar, puis se tourna vers elle.

— Je t'ai posé une question.

Sophie soupira.

— Tu veux entendre la triste vérité ?

— On n'a rien d'autre à faire pour l'instant.

— D'accord. Mais tâche de bien écouter, car je n'ai jamais raconté mon histoire à qui que ce soit, et je ne me répéterai pas.

Elle prit une grande inspiration.

— On m'a trouvée sur le parvis d'une église catholique alors que je venais tout juste de naître. Personne n'a jamais su d'où je venais, ni qui j'étais. La bonne du prêtre, Lourdes Ruiz, venait tout juste d'accoucher, aussi a-t-elle accepté de s'occuper de moi. Je l'ai très vite appelée Mamou. Mais il s'est avéré que j'étais une enfant un peu différente, difficile. Et Mamou était très sévère. Je me suis sauvée de la maison quand j'avais dix-sept ans. Je pensais que mon petit copain était l'homme le plus merveilleux au monde. Je me suis donnée à lui et suis tombée enceinte. J'ai perdu mon enfant et mon copain le même jour. Puis j'ai remonté la pente et décidé d'apprendre à m'en sortir par moi-même. Et, me voilà, aujourd'hui.

Sophie était surprise d'être parvenue à lui raconter toute son histoire sans craquer. Elle avait gardé un ton neutre, dépourvu d'émotion, ainsi qu'elle l'avait espéré.

Elle sentit des sanglots se former dans sa poitrine, mais s'interdit de pleurer en sa présence. Elle retint son souffle.

Dans le regard de Sean brillait une étrange lueur.

« Surtout pas, eut-elle envie de lui crier. Je ne veux surtout pas de ta pitié ! »

— Alors, toutes ces cicatrices proviennent des mauvais traitements que cette femme t'a infligés ?

Sophie ne se sentait pas le courage d'en dire plus. C'était par trop humiliant, trop douloureux.

— Sophie ? Je sens que tu es encore en train de me mentir…

Elle grimaça. Que fichaient ces maudits ravisseurs ? Elle aurait préféré qu'une fusillade éclate à cet instant, plutôt que de poursuivre cette douloureuse conversation.

— D'accord. Tu veux l'intégralité de l'histoire de la pauvre petite Sophie ? Tu veux te sentir supérieur et te venger en me forçant à te livrer tous les détails, y compris les plus sordides ? Très bien.

Sa colère lui faisait du bien ; elle lui donnait de la force. Elle la laissa s'emparer d'elle.

— Tu veux d'autres preuves que je n'ai rien à faire dans ta vie ou dans celle de ta fille ? Tu penses que je n'ai pas remarqué que tu détestais la voir dans mes bras ? Que vous êtes tous les deux trop bien pour moi ?

— Sophie, surtout ne va pas…

— Eh bien, sache que j'en suis tout à fait consciente. Je ne voulais pas tomber sous ton charme. Je t'ai supplié de ne pas me toucher. Je n'ai jamais cherché à rencontrer Michaela, ni à jouer avec elle. Je n'ai pas la fibre maternelle. Je n'ai pas eu de vie de famille. J'étais très satisfaite de ma vie avant de te rencontrer. Je sais qui je suis et d'où je viens.

Elle déposa son arme sur ses cuisses pour se détendre les doigts.

— Non, mes cicatrices ne proviennent pas toutes des maltraitances de ma mère adoptive. Les plus moches, y compris celle sur mon épaule, sont le résultat des coups que m'a donnés le père de mon enfant. Disons qu'il n'était pas particulièrement enchanté que je sois tombée enceinte.

— Sophie…

— Non ! fit-elle en reprenant son arme pour en frapper le canon contre l'accoudoir. Je ne veux pas de ta pitié. Tu as ce que tu voulais, mais tu n'as aucun droit de me juger du haut de ta petite vie parfaite avec ta magnifique petite fille.

— Je ne voulais pas…

L'entrepôt s'illumina soudain.

Sophie sursauta. Sean s'était figé. Sophie arma le chien de son revolver. Le cliquetis résonna dans le silence. Elle abaissa le rebord de son chapeau afin de dissimuler son visage.

La sonnerie du portable de Sean retentit ; il marmonna un juron en décrochant.

— Oui ? Je suis son chauffeur, répondit Sean. M. Botero m'a demandé de répondre à sa place. Il m'a chargé de vous dire qu'il était pressé d'en finir avec cette histoire.

Il se tut pour écouter la réponse des ravisseurs et se tourna vers Sophie.

— M. Botero, je dois vous informer qu'une arme est pointée sur votre tête.

Ne sachant à quelle distance se trouvaient les ravisseurs, elle eut l'idée de prendre une voix enrouée.

— Dites-leur que je ne suis pas impressionnée par leur petite mise en scène et que je me soucie peu de ma propre vie. Je ne pense qu'à une chose : la sécurité de ma fille.

Sean lui adressa un regard contrarié.

Sophie remua la tête, comme pour lui dire : « Aie confiance en moi. » Elle lui montra qu'elle tenait son arme bien en main.

Sean répéta ses paroles aux ravisseurs et continua de la regarder tandis qu'ils lui répondaient.

— Non, pas encore. Montrez-vous les premiers. Ayez les *cojones* de vous présenter devant le père de la pauvre fille que vous détenez contre son gré.

Sophie parcourut l'entrepôt du regard ; toujours aucun mouvement à signaler.

— Qu'ont-ils dit ?

— Rien. Ils ont raccroché. Je sors, dit-il en détachant sa ceinture de sécurité.

— Non, Sean. Tu vas leur offrir une cible parfaite.

Sophie fit sauter la boucle de sa ceinture de sécurité.

— Je leur ai demandé de se montrer. Je dois faire le premier pas. Garde ton calme et tiens-toi prête.

Il plongea son regard dans le sien.

— Jure-moi que tu m'as dit la vérité et que tu sais te servir d'une arme.

Sophie soutint son regard.

— Je le jure. Je ne te laisserai pas tomber, Sean, pas plus que je ne laisserai tomber Michaela.

Il cligna des yeux et, baissant la visière de sa casquette afin de masquer son visage, sortit du véhicule. Sophie remarqua alors du mouvement au fond du bâtiment. Un homme d'origine hispanique, vêtu de noir, avançait vers eux en bombant le torse. Deux hommes surgirent derrière lui. Les trois avaient une arme à la main.

Sophie resserra son emprise sur la crosse de son 9 mm. Ils seraient bientôt assez près pour qu'elle puisse les atteindre. Elle viserait tout d'abord l'homme qui venait en tête.

Comme il s'approchait, elle distingua la cicatrice au-dessus de son arcade. Il s'agissait de l'homme masqué de l'ascenseur. C'était apparemment lui le chef.

Sur sa droite et derrière elle, lui parvint le son caractéristique d'un fusil dont on arme la culasse. Il devait s'agir du sniper dont avait parlé l'homme au téléphone.

— Arrêtez-vous, dit Sean d'une voix calme.

Le chef lui sourit et fit crânement quelques pas de plus.

— Ainsi, le *señor* Botero laisse son chauffeur mener la danse ? Où sont donc ses *cojones* ?

L'homme pencha la tête pour s'adresser à Sophie.

— Eh, vieil homme ! Peut-être les avez-vous perdues quand on vous a enlevé votre fille ? Nous sommes désolés de vous savoir en mauvaise santé. Nous allons régler cette affaire rapidement et proprement.

Il donna un coup de pied dans le pare-chocs avant de la limousine.

— Sors de la voiture, vieil homme. Montre-toi.

Sean était fou d'inquiétude pour Sophie. Il regrettait de ne pas avoir son arme déjà en main, car il aurait pu descendre les trois hommes sans leur laisser le temps de broncher, mais elle se trouvait dans la poche de veste. Et puis, comment savoir s'il n'y avait pas d'autres hommes en embuscade ?

— Hé, vous autres, fit l'homme à ses complices. Allez aider le *señor* Botero à sortir de la voiture.

Sean plongea la main dans sa poche pour serrer la crosse de son arme.

— Ne bougez pas, fit-il. M. Botero ne peut pas marcher, je vous l'ai déjà dit. C'est avec moi que vous devez traiter.

— J'ai l'impression que vous n'avez pas saisi la situation, monsieur le chauffeur. Ce n'est pas vous qui décidez, ni le *señor* Botero.

L'homme eut un sourire carnassier. Sean remarqua alors la cicatrice sur son arcade ; c'était l'homme qui avait suivi Sophie. Son pouls s'accéléra.

— C'est moi le patron, ici, ajouta l'homme en donnant un autre coup de pied contre le pare-chocs.

Sean sentit ses muscles se contracter. Il se préparait à passer à l'action. Il serra la mâchoire et se contraignit à respirer lentement.

— Sors de cette voiture, vieil homme !

L'homme à la cicatrice fit un signe à l'un de ses complices, lequel leva le cañon de son arme et avança vers la limousine.

Sean entendit alors la portière s'ouvrir.

Non, Sophie ! Qu'est-ce qui lui prenait ? Elle ne pourrait pas parler, à cause du timbre de sa voix, ni montrer son visage. Ils allaient rapidement comprendre qu'il ne s'agissait pas de Botero.

Un voix de fond de gorge sortit de l'arrière de la limousine et emplit le bâtiment désert.

— Une minute, s'il vous plaît.

Cette voix était crédible ; elle aurait pu appartenir à un vieil homme épuisé.

Le complice hésita.

Durant un bref instant, personne ne bougea, puis la voix se fit de nouveau entendre.

— Où est ma fille ?

— Arrêtez de gagner du temps, fit l'homme à la cicatrice. Où se trouve l'argent ?

— Dans le coffre, répondit Sean.

— Bien entendu. C'est le seul endroit où ranger une si grande somme. J'espère que vous ne nous y avez pas tendu un piège ?

— Il n’y a aucun piège, rétorqua Sean en déclenchant l’ouverture à distance du coffre.

— Où est ma fille ? répéta Sophie dans un râle.

— Le ferme, vieil homme ! Tu ne reverras jamais ta fille vivante.

— Fuentes !

La voix jaillit de derrière Sean.

— Fuentes ! *En el coche. Ese no es Botero !*

Sean comprit le message : « Ce n’est pas Botero. » Avant qu’il puisse réagir, un coup de feu retentit, immédiatement suivi par le bruit d’un impact dans la carrosserie.

Il se jeta à terre et sortit son arme.

— Sophie ! Baisse-toi.

« Mon Dieu, pourvu qu’elle ne soit pas touchée ! »

Les trois hommes firent feu et Sean riposta. En un instant, les balles se mirent à fuser et à ricocher en tous sens.

Sean perçut des tirs en provenance de la limousine. C’était Sophie. Elle n’était pas blessée !

Il prit une grande inspiration et se leva, faisant feu de toutes ses cartouches en direction des ravisseurs. Il entendit l’un d’eux geindre et sut qu’il l’avait atteint. Il ressentit alors une douleur dans le bras gauche et s’élança à couvert, derrière l’aile avant de la limousine.

Il voulut se relever afin de tirer, mais se sentit étrangement lourd, et ralenti.

D’autres coups de feu partirent depuis le siège arrière de la limousine. Le tireur embusqué à l’arrière du véhicule fit feu sur lui et la balle vint s’incruster dans le toit, à quelques centimètres de sa tête.

Lorsqu’il put enfin se relever, l’homme à la cicatrice braquait son arme sur la tête de Sophie, laquelle, pour sa part, le tenait en joue en le visant au ventre.

— Ne fais pas ça ! cria Sean.

Sa main gauche ne lui était plus d’aucune utilité ; en fait, il ne la sentait plus. Il allongea le bras en s’appuyant sur le toit de la limousine et visa l’homme à la tête.

— Tu peux toujours la descendre, mais tu mourras aussitôt.

— Tes complices sont à terre, salopard, renchérit Sophie. Je suis sûre que tu ne veux pas finir comme eux. Faisons un marché : tu me dis où se trouve Sonya et je ne te tuerai pas. On est à deux contre un.

Sean contourna la limousine, se déplaçant avec difficulté. Il réalisa alors qu'il avait reçu une balle.

— Pas de marché, Sophie. Je vais tuer cette ordure.

Il se plaça derrière l'homme et lui tordit le bras dans le dos, appliquant le canon de son revolver contre sa tempe.

— Il a assassiné Johnson. Je vais lui faire exploser la cervelle.

L'homme ne bougea pas.

Sean savait que l'homme avait le temps de tuer Sophie avant de mourir. Il espérait que le criminel soit plus attaché à sa vie à qu'à son désir de vengeance.

Il s'agissait là d'un pari risqué. L'homme n'ignorait pas que Sophie était en mesure de l'identifier et qu'il était perdu, quelle que soit sa décision. Soudain, on entendit au loin hululer des sirènes.

— Ne le tue pas encore, dit Sophie. Je veux savoir son identité et le rôle qu'il a joué dans le kidnapping de Sonya. Ces informations peuvent se révéler capitales ; proposons-lui de les négocier.

— Tu n'as pas l'intention de négocier, n'est-ce pas ? Allez, dis-moi que non, cracha Sean en armant le chien de son revolver.

— D'accord, fit l'homme en lâchant son arme.

Une détonation retentit et l'homme s'écroula au sol.

— Sophie ! Dans la voiture ! cria Sean.

Avec l'énergie du désespoir, Sean s'accroupit et vida son chargeur en direction du tireur, puis il se pencha sur l'homme à la cicatrice.

— Fuentes, Fuentes ! C'est bien ton nom, n'est-ce pas ?

— Sonya, balbutia l'homme.

Sean l'agrippa par le col de sa chemise.

— Qu'as-tu à dire à propos de Sonya ? Sais-tu où elle est ?

L'homme eut une quinte de toux ; du sang s'écoula de sa bouche.

— Sonya… elle est…

Une ambulance entra en trombe dans l'entrepôt.

— … Lareda… Base militaire…

L'homme toussa de nouveau et des petites bulles rouges apparurent au coin de sa bouche.

— Pour qui travailles-tu ?

Les infirmiers se précipitèrent auprès de Fuentes.

— Sale blessure, fit l'un d'eux.

— A ce point ? demanda Sean.

— Il a reçu une balle dans le poumon. Il nous faut l'évacuer au plus vite.

Sean se releva et un voile rouge descendit devant ses yeux. Il chancela.

— Ne le laissez pas mourir. Il détient des informations qui peuvent sauver une vie.

12

Rachel Brennan remercia le commissaire pour la quatrième fois au moins, espérant ainsi clore la communication et commencer enfin sa réunion.

— Bien, Rachel, je dois, moi aussi, assister à une réunion, fit le commissaire à l'autre bout du fil. Je vous laisse. Encore merci.

— Au revoir.

Elle raccrocha en poussant un soupir de soulagement et se tourna vers ses collaborateurs.

— Le commissaire nous remercie de notre concours dans l'arrestation du meurtrier de Johnson.

— La personne qu'il devrait remercier ne se trouve pas parmi nous, observa Samantha.

— Sophie est chez elle. Je l'ai obligée à prendre quelques jours de repos.

— Toujours est-il que nous n'avons aucune nouvelle de Sonya Botero, dit Montoya.

Rafe donnait l'impression d'être détendu, cependant Rachel le connaissait bien : il s'évertuait à masquer son inquiétude. Ses doigts ne cessaient de tambouriner sur la table.

— Le commissaire en est bien conscient, tout autant que moi, répondit Rachel. Mais, grâce à Sophie et à Sean Majors, nous savons à présent que l'homme qui t'a agressée, Samantha, est le même qui a assassiné Johnson. Hélas, il est décédé dans l'ambulance.

Rafe jura en espagnol.

— Surveille ton langage, Rafe, s'il te plaît. Nous savons qu'il se nommait Jose Fuentes. Il avait été embauché à l'hôpital quelques semaines avant le kidnapping. Néanmoins, l'information la plus importante est que Sean est parvenu à découvrir où se trouve Sonya.

Rachel sentit la tension chez ses interlocuteurs monter d'un cran ; elle se campa sur ses jambes et croisa les bras.

— Elle est en vie ? Je suis tellement heureuse de l'apprendre, fit Samantha, dont les yeux s'emplirent de larmes.

Julia Garcia, la meilleure amie de Sonya, étouffa un petit cri de joie, et Rachel comprit combien la jeune femme avait dû s'inquiéter de sa disparition.

— Où est elle ? demanda Rafe.

— Je n'ai pas d'informations suffisamment précises, repartit Rachel. Samantha, Julia, Ethan : c'est tout ce que je peux vous dire pour le moment. Merci à tous pour l'excellent travail que vous avez fourni.

Les trois intéressés se levèrent et sortirent.

Isabelle et Rafe lancèrent un regard interrogatif à Rachel.

— Rafe, Isabelle, restez, s'il vous plaît. Il y a un point dont j'aimerais discuter avec vous.

Rachel s'assit et joignit les mains sur la table.

— Qu'y a-t-il, Rachel ? fit Rafe.

— Sean est parvenu à arracher trois mots à Fuentes : « Lareda », et « base militaire ».

— Le Lareda ne compte pas plus de trois ou quatre bases militaires, mais toutes sont nichées dans les montagnes.

— Je me doutais que vous auriez ce genre d'information, Rafe. Savez-vous où elles se trouvent exactement ?

— Non, mais je peux rapidement le savoir.

Il plongea la main dans sa poche pour prendre son portable.

— Attendez, dit Rachel en l'arrêtant d'un geste.

Puis elle reporta son attention sur Isabelle, laquelle observait Rafe avec une pointe d'admiration. Rachel s'était demandé s'ils avaient une liaison. Une petite enquête dans le service avait prouvé qu'il n'en était rien. Cependant, leur attirance l'un pour l'autre était flagrante.

Il était paradoxal qu'Isabelle soit l'agent le plus performant pour accompagner Rafe au Lareda. Ce matin, Rachel avait longuement réfléchi avant de décider de les envoyer ensemble sur cette mission dangereuse. Elle avait pris cette décision en se basant uniquement sur leurs qualités professionnelles.

— Rafe, vous avez vécu en Amérique du Sud. Vous connaissez bien la région, ainsi que les réseaux des trafiquants de drogue.

Elle s'adressa à Isabelle, dont les yeux brillaient d'une lueur d'excitation.

— Isabelle, en qualité de porte-parole de Mariage pour la Vie, il est tout à fait logique que vous vous rendiez au Lareda avec Rafe. Vous serez en liaison avec la presse et vous vous assurerez que le mariage DeLeon-Botero fasse toujours la une des journaux. Vous rencontrerez la famille de Juan DeLeon et leur promettrez que Sonya sera bientôt retrouvée, saine et sauve.

Isabelle lui adressa un sourire gênée.

— Je ne peux pas l'accompagner.

— Comment cela ? se récria Rafe. C'est pourtant une excellente idée.

— Mais, Rachel, si je vais là-bas avec lui, tout le monde va penser que nous…

— Tout à fait. C'est un bon plan, répliqua Rafe. Tu attireras l'attention avec tes conférences de presse pendant que je rechercherai Sonya.

Rachel se leva et quitta tranquillement la salle de réunion, laissant les deux collègues régler leur différend. Elle gagna le bureau de Vicki et lui demanda de procéder aux réservations d'hôtel et de billets d'avion.

En les choisissant pour cette mission délicate, elle espérait avoir fait le bon choix.

Sophie se servit une tasse de café et se mit à errer dans son salon. Il y avait çà et là des morceaux de bande adhésive ayant servi à délimiter la scène de crime, et l'on voyait partout des traces de poudre à empreintes.

Elle n'avait pas fermé l'œil de la nuit. Elle avait tenté de trouver le sommeil en écoutant de la musique, puis en lisant un roman policier, en prenant un bain chaud ; tout cela en vain. Chaque fois qu'elle fermait les yeux, elle voyait Sean, dans son T-shirt blanc maculé de sang, disparaître à l'intérieur de l'ambulance.

Lorsqu'elle avait réalisé qu'il avait reçu une balle, lorsqu'elle l'avait vu vulnérable, affaibli, en danger de mort, elle avait été contrainte de regarder la vérité en face.

Elle l'aimait.

Cet amour était stupide, car il était voué à l'échec. Elle se sentait la seule responsable de tout ce gâchis. Elle lui avait permis de l'approcher et l'avait séduit.

Elle l'aimait et n'envisageait pas de vivre sans lui.

Dieu merci, il s'en était sorti.

Elle s'assit sur le canapé et regarda la petite pendule sur la table basse. 9 heures. Il s'était probablement levé à 6 heures, avait pris son petit déjeuner avec Michaela, s'était habillé, puis s'était rendu à l'hôpital pour prendre des nouvelles de Carlos.

« Oh ! Sophie, arrête de te lamenter. »

Elle ne pouvait pas passer ses journées à s'interroger sur ses faits et gestes. Il était parti. Il avait disparu de sa vie. Elle ne verrait plus Michaela.

Elle se mit à pleurer.

La sonnette retentit.

Elle sursauta et renversa du café sur la table.

C'était certainement la police qui venait recueillir sa déposition.

Elle se leva et regarda son reflet dans le miroir du salon. Elle ne portait qu'un pantalon de pyjama en coton et un petit haut sans manches. Elle attrapa un gilet qui traînait là pour se couvrir les bras.

Elle entrouvrit la porte.

Sean !

Dans son jean et son T-shirt « Miami Heat », il semblait particulièrement en forme pour quelqu'un qui avait reçu une balle.

— Est-ce que je peux entrer ?

Elle demeura pétrifiée un instant, puis, se ressaisissant, ouvrit grand la porte.

Lorsqu'il passa devant elle, elle capta les effluves de son corps, auxquels se mêlaient des senteurs de musc et de citron. Ces senteurs l'enveloppèrent et la firent vaciller.

Sean se retourna et elle l'observa mieux. Il ne semblait pas aussi alerte qu'elle l'avait cru tout d'abord. Sa bouche était pincée en une grimace de contrariété et un bandage apparaissait dans l'encolure de son T-shirt.

— Comment te sens-tu ? demanda-t-elle.

— Ça va. La blessure n'était que superficielle. Et toi ?

— Je vais bien.

Ils étaient là, face à face, ne sachant quelle attitude adopter.

— Comment…

— Est-ce que…

Ils s'étaient exprimés au même instant. Sean lui sourit et l'invita à parler la première.

— Comment se porte Carlos ?

Le sourire de Sean disparut.

— Il se remet. Sa dernière attaque n'était pas sérieuse, mais il s'affaiblit de jour en jour. J'ai peur qu'il ne perde espoir.

— Il ne doit pas. Nous *allons* retrouver Sonya.

Il acquiesça.

— Il te reste du café ?

— Bien sûr.

Tout en le servant, elle prit conscience qu'elle en savait très peu à son sujet, excepté qu'il était un homme d'honneur et qu'il aimait sa fille plus que tout au monde. Et qu'il lui avait fait l'amour avec une passion telle que Sophie était certaine qu'il était épris d'elle.

— Je ne sais même pas comment tu aimes ton café, dit-elle tristement.

— Noir.

Elle lui tendit sa tasse et tous deux restèrent un bon moment silencieux.

Que venait-il faire chez elle ? Il ne semblait pas avoir envie de parler, ou peut-être était-il aussi mal à l'aise qu'elle l'était…

— Tu voulais me dire quelque chose ?

Il but une gorgée et la regarda, avant de baisser les yeux.

— Oui.

Sophie attendit, mais il restait là, debout, à siroter son café.

— Je suppose que Rachel t'a tout raconté au sujet de Miami Confidentiel.

Il opina.

— Ecoute, Sean, je suis désolée pour toute cette histoire. Je te jure que…

Il s'approcha de la table basse et y déposa sa tasse d'un geste brusque. Sophie tressaillit et s'éloigna de lui.

— Bon sang, Sophie, murmura-t-il. Je ne vais pas te faire de mal.

Elle croisa les bras et le dévisagea.

— Que me veux-tu ?

Il se tenait à distance, les bras ballants, et Sophie baissa la tête, luttant pour ne pas fondre en larmes. Croiser son regard l'aurait à coup sûr fait craquer. Elle songea un instant à le ficher à la porte mais se ravisa ; elle devait d'abord écouter ce qu'il était venu lui dire.

— Je n'avais pas vraiment l'intention de venir te voir.

Elle ferma les yeux et attendit qu'il poursuive.

— Sophie, regarde-moi.

Elle rouvrit les yeux et une larme roula sur sa joue.

— Michaela demande après toi.

— Mi… ?

Les mots lui manquèrent.

— Elle dit qu'elle veut jouer avec So-phie. Elle m'a fait promettre de te supplier de revenir la voir.

Sophie ne put contenir son émotion et fondit en larmes.

Cela ne marchera pas entre nous, dit-elle en lui tournant le dos. Tu as raison depuis le début. Je suis le même genre de femme que ton ex. Pire, même. J'ai pris de la drogue alors que j'étais enceinte, mais je ne savais pas que je portais cet enfant en moi…

Elle frissonna.

— Oui, j'ai fait pire que ta femme. Elle a peut-être abandonné Michaela, mais elle savait que sa fille serait en sécurité avec toi, alors que moi, j'ai tué mon enfant.

Elle craignait que son aveu tempère l'ardeur de Sean, et c'est malheureusement ce qui se produisit. Il demeura sous le choc un long moment, immobile et silencieux. Sophie sentait sa présence dans son dos, et entendait sa respiration entrecoupée.

— C'est ce que tu penses ? dit-il enfin. Que tu as tué ton bébé ?

— Il n'y a pas d'autre mot pour qualifier mon geste. Je me suis laissé entraîner dans la drogue et j'ai perdu mon bébé.

— Tu m'as dit que cette grossesse n'était pas désirée ; est-ce la vérité ?

Elle hocha la tête.

— Tu n'avais que dix-sept ans, reprit-il. Tu n'étais qu'une enfant.

Elle se cacha le visage entre ses mains.

— Je devais être enceinte de trois, quatre semaines, et je ne le savais pas.

— As-tu repris de la drogue depuis cette époque ?

— Jamais.

Il s'approcha et lui caressa l'épaule.

— Tu n'as pas connu d'autres hommes depuis cette tragédie, n'est-ce pas ? A part moi…

Elle se dégagea et se retourna.

— Que veux-tu savoir de plus ? demanda-t-elle, soudain sur la défensive. Tu sais déjà que ma mère m'a abandonnée, que ma mère adoptive me battait, et que j'ai causé la mort de mon enfant.

Le regard de Sean se fit menaçant.

— Je suis venu te voir pour qu'on mette les choses à plat entre nous, mais tu es manifestement trop apitoyée sur toi-même pour entendre raison.

Elle lui jeta un regard noir.

— Tu es fâchée, là ? Bien. Je déteste te voir pleurnicher sur ton sort.

Il lui prit les mains et, lorsqu'elle voulut se libérer, resserra son étreinte.

— Maintenant, tu vas m'écouter. Je me suis trompé à ton sujet. En fait, c'est moi qui m'apitoyais sur mon sort et ne cessais de me trouver de bons prétextes pour te repousser.

De nouveau, elle tenta de se soustraire à son étreinte.

— Arrête de lutter. Je veux te tenir les mains et te regarder droit dans les yeux pendant que je te parle. Sophie Brooks, tu es la plus belle femme qu'il m'ait été donné de rencontrer… et la fille la plus têtue aussi, juste après Michaela. Peut-être aussi après Rosita, qui n'est pas mal dans le genre.

Sophie ne put s'empêcher de sourire.

Sean l'attira à lui et la prit dans ses bras.

— J'ai la nette impression que ma fille et ma gouvernante aimeraient t'avoir plus souvent à la maison.

— Je croyais que tu étais venu pour mettre les choses à plat entre nous, rétorqua Sophie.

Il lui sourit et se pencha pour l'embrasser tendrement. Son baiser la fit frémir de désir.

Alors qu'il relevait la tête, elle se hissa sur la pointe des pieds pour qu'il l'embrasse encore. Il fit glisser son gilet de ses épaules et promena sa langue dans le creux de son cou puis le long de son épaule, jusqu'à sa vilaine cicatrice qu'il embrassa alors avec ferveur.

— Sais-tu à quel point tu es merveilleuse, courageuse, et spéciale dans ton genre ? murmura-t-il en déposant de petits baisers entre ses seins.

— Sean, arrête, je t'en prie. Je ne suis pas faite pour ce genre de relation occasionnelle.

Il posa son index sur ses lèvres pour la faire taire.

— Sophie, accepterais-tu d'envisager de te marier avec moi ?

Se marier ? Abasourdie, Sophie le dévisagea.

— Je n'ai jamais pensé que je me marierais un jour.

Le calme de sa réponse cachait bien le tumulte de ses émotions. Néanmoins, son cœur battait la chamade.

— Cela fait longtemps que je ne t'ai pas vue dans tes bas noirs, dit Sean en la gratifiant d'un sourire canaille.

Sophie éclata de rire.

— Mes bas noirs ? Ils tiennent bien trop chaud, particulièrement en été. Non, désormais, je porterai des robes amples et des pantalons en lin, bien confortables.

— Tu pourras toujours porter tes bas dans l'intimité de notre chambre.

Sophie rougit et Sean l'embrassa, glissant les mains sous son haut pour lui caresser les seins.

— A propos de chambre, et si nous allions nous coucher ? Le futur jeune marié est impatient de commencer sa nuit de noces.

Le regard de Sean brillait de convoitise tandis qu'il lui souriait.

Alors, avec un petit clin d'œil coquin, il la prit par la main pour la mener sur la voie du bonheur.

Prologue

Dans l'église de Clearwater Beach, Celia Stevens contempla son reflet dans le miroir du petit salon réservé aux futures mariées. Elle lissa le satin de sa robe couleur ivoire et ajusta son voile en tulle d'une main tremblante.

Elle avait acheté cette robe — la première qu'elle avait essayée — sur un coup de tête, chez un couturier très en vogue. Mais, pour finir, cette folie n'avait pas été une erreur, se dit-elle. Quelques mois plus tôt et sous le coup d'une impulsion similaire, elle avait fait l'acquisition d'une librairie, Les Châteaux de Sable. Or, son affaire prenait déjà le chemin de la réussite. Plus récemment, elle avait cédé avec la même confiance spontanée au souhait de Darren, son fiancé, d'avancer la date de leur mariage au mois d'octobre — alors que celui-ci était initialement prévu en juin, ainsi qu'elle en avait toujours rêvé. Elle se jetait toujours la tête la première dans les eaux tumultueuses de l'existence. Et, jusqu'ici, cette façon de faire lui avait été favorable.

Alors, pourquoi avait-elle l'étrange impression que la chance, aujourd'hui, était sur le point de la quitter ?

— Que se passe-t-il ? Tu ne te sens pas bien ? lui demanda Tracey Morris, sa meilleure amie et première demoiselle d'honneur, qui se tenait derrière elle.

Celia surprit l'expression inquiète de son amie dans le miroir.

— Si. Très bien, repartit-elle avec aplomb.

Cependant, elle n'osait pas croiser son propre regard dans la glace. Elle tenta de se rassurer en se disant que sa nervosité était normale, puisqu'elle était sur le point de marcher jusqu'à l'autel pour y rejoindre son fiancé.

— Je vais me marier. C'est le plus beau jour de ma vie ! affirma-t-elle.

— Vraiment ? insista Tracey.

Celia se tourna brusquement vers son amie.

— Bien sûr.

Cependant, elle ne parvenait pas à s'en convaincre tout à fait et elle voyait bien que Tracey ne la croyait pas.

— Je vais épouser un homme qui m'aime, qui est gentil, attentionné…

— Qui fait battre ton cœur et qui te fait tourner la tête dès l'instant où il apparaît dans une pièce ? ajouta Tracey avec douceur.

— Oh, arrête un peu avec ces histoires de contes de fées, la pria Celia. Darren et moi ne sommes plus des enfants, mais deux adultes raisonnables qui ont décidé d'associer leurs efforts pour construire quelque chose ensemble…

— Balivernes ! marmonna Tracey. Il s'agit de ton mariage, Celia, et non pas d'un contrat d'affaires. Est-ce que tu l'aimes ?

— Il existe plusieurs sortes d'amour…, argua la jeune femme. Et j'aime Darren, même si ce n'est pas de cette façon follement romantique qui paraît si importante à tes yeux.

Soudain, elle se laissa tomber sur la chaise la plus proche avec lassitude. Tracey et elle avaient eu cette discussion à plusieurs reprises — et, chaque fois, elle avait supplié son amie de ne plus aborder ce sujet. Cependant, comment aurait-elle pu blâmer le scepticisme de cette dernière… alors qu'elle nourrissait elle-même certains doutes concernant son union avec Darren Walker ? Car, depuis le jour où son père et sa mère avaient péri dans cet horrible accident de voiture, elle avait été en proie à un terrible sentiment de solitude. Si bien que lorsque Darren était entré dans sa vie, lorsqu'il lui avait proposé de l'épouser et de fonder une famille avec lui, elle avait accepté son offre avec un peu trop d'empressement. Parce que la perspective d'avoir un foyer, un mari et des enfants avait représenté à ses yeux autant de promesses de combler l'affreux vide laissé par la récente disparition de ses parents.

Les questions de Tracey ne faisaient donc qu'alimenter sa propre incertitude. Et plus l'heure de la cérémonie approchait, plus Celia doutait d'avoir fait le bon choix. Mais elle était allée trop loin, à présent, pour reculer. L'église était déjà remplie d'invités, dont la plupart des cadeaux avaient été ouverts. Le Yacht Club avait été spécialement décoré pour la réception qui suivrait la cérémonie religieuse. Et, d'ici quelques minutes, Darren l'attendrait au pied de l'autel.

— Ecoute, Tracey, tu as toujours été ma meilleure amie…, assura-t-elle.

L'intéressée baissa les yeux sur sa robe de demoiselle d'honneur rose avec une grimace dépitée, avant de renchérir en souriant :

— Et moi, je n'aurais accepté de porter une couleur aussi détestable pour personne d'autre que toi.

Puis Tracey redevint soudain sérieuse.

— Mais je pense que tu commets une terrible erreur, Celia. Dis-toi qu'il est encore temps de tout annuler.

Durant un instant, la jeune femme faillit en convenir. Cependant, elle se dit que Darren était trop gentil pour qu'elle l'abandonne au pied de l'autel comme dans un mauvais film.

— J'épouserai Darren, un point c'est tout, décréta-t-elle, autant pour rassembler son courage qu'à l'intention de son amie.

Celle-ci eut un hochement de tête résigné, après quoi elle se dirigea vers la porte.

— Je vais chercher nos bouquets, dit-elle. Lorsque je reviendrai, ce sera le moment d'y aller.

Une fois seule, Celia serra les mains sur ses genoux afin d'en faire cesser le tremblement. Faisait-elle le bon choix ? se demanda-t-elle pour la centième fois. Ce doute la taraudait depuis le jour où elle avait accepté d'épouser Darren. Mais elle s'était toujours arrangée pour l'écarter de son esprit, en se concentrant sur les aspects positifs de cette union. Darren était séduisant, sain, bien élevé et cultivé… Elle passa une fois de plus en revue les qualités de son fiancé, comme si elle récitait un mantra, dans l'espoir de contenir la panique grandissante qui l'envahissait.

Tout à coup, elle sursauta en se rendant compte qu'elle n'était plus seule dans la pièce. Une femme d'une cinquantaine d'années, vêtue d'un tailleur à la coupe raffinée et coiffée avec distinction, se tenait sur le seuil de la porte. D'après sa mise élégante et les bijoux qu'elle portait, Celia supposa qu'il s'agissait de l'une des invités de Darren.

La jeune femme se leva et hasarda :

— Si vous cherchez l'entrée de la chapelle…

— C'est vous que je cherche, affirma l'inconnue. Vous êtes Celia Stevens, n'est-ce pas ?

Elle acquiesça d'un hochement de tête, avant de demander :

— Et vous, qui êtes-vous ?

— Mon nom importe peu. Le temps presse. Je suis venue vous dire que vous ne pouvez pas épouser cet homme.

— Darren ?

La femme eut une grimace dégoûtée.

— Ah ! s'exclama-t-elle. C'est ainsi qu'il se fait appeler, à présent ?

— Que voulez-vous dire ?

Sa mystérieuse interlocutrice se rapprocha d'elle et affirma :

— Lorsqu'il a épousé ma fille, il prétendait se nommer David Weller.

Saisie d'un vertige, Celia eut l'impression de basculer dans une autre dimension. Cette femme paraissait trop raisonnable et trop sûre d'elle pour être folle, songea la jeune femme. Ce qui ne l'empêcha pas d'objecter :

— Voyons, Darren n'a jamais été marié !

Du moins, c'était ce qu'il lui avait dit… sans jamais lui fournir aucune raison d'en douter, tenta de se dire la jeune femme, l'esprit soudain assailli de pensées confuses.

Son interlocutrice hocha tristement la tête.

— Bien sûr, c'est ce qu'il vous a fait croire.

Elle prit l'élégante pochette en cuir qu'elle serrait sous son bras, l'ouvrit et en sortit une coupure de journal.

— Lisez vous-même.

Celia prit le document que la femme lui tendait et se dirigea vers la fenêtre afin de l'examiner à la lumière du jour. Elle découvrit alors la photographie d'un couple de jeunes mariés surmontée du titre suivant : « L'union Seffner-Weller ».

Si l'homme qui s'y trouvait représenté n'était pas Darren… c'était assurément son double, se dit-elle.

Sentant ses genoux se dérober sous elle, elle balbutia :

— Il doit s'agir d'une erreur.

— C'est vous qui êtes sur le point de commettre une très grave erreur, affirma sa visiteuse.

Totalement désorientée, Celia secoua la tête avec incrédulité et se laissa tomber sur le canapé.

— Cet homme ne peut pas être Darren, protesta-t-elle.

— Je vous assure que si. Je viens de le voir entrer dans le bureau du pasteur. C'est bien lui.

— Votre fille et lui ont donc divorcé ?

— Non.

— Vous voulez dire que Darren est toujours marié ! s'exclama Celia.

A ce moment-là, elle vit un profond chagrin assombrir le regard de sa mystérieuse informatrice.

— Il est veuf, répliqua cette dernière. Ma fille est décédée.

Tout en sentant le soulagement l'envahir à l'idée qu'au moins, Darren n'était pas bigame, Celia murmura :

— Oh ! Je suis navrée.

— Vous le serez plus encore si vous épousez cet homme. Car il a assassiné ma fille.

A ces mots, Celia sentit une violente nausée l'envahir.

— Vous devez vous tromper, s'insurgea-t-elle. Si Darren avait fait une chose pareille, il serait en prison à l'heure qu'il est.

— Il est bien trop malin pour cela. C'est un assassin terriblement habile, doublé d'un redoutable escroc.

— Ecoutez, madame Seffner, encore une fois, je suis navrée pour votre fille, mais…

— C'est vous qui allez m'écouter, mademoiselle. Car, si ma fille l'avait fait, elle serait encore en vie aujourd'hui. Avez-vous signé un contrat de mariage avec cet homme, stipulant la séparation de vos biens ?

Celia secoua la tête et marmonna :

— Cela m'a semblé inutile. Darren est beaucoup plus riche que moi…

— C'est parce qu'il a hérité de la fortune léguée à ma fille par son grand-père paternel, expliqua Mme Seffner avec un rictus amer. Malgré mon insistance, David — Darren si vous préférez — avait refusé de signer le contrat que j'avais fait établir par mon notaire. Et ma malheureuse fille était alors trop entichée de lui pour s'en inquiéter. Mais, quelques semaines après leur mariage, elle a été retrouvée noyée sur la plage de notre propriété, suite à un prétendu accident de bateau. C'est Darren qui a alerté les autorités en affirmant qu'il venait de retrouver son cadavre sur la grève. Et bien que les circonstances du décès de ma fille soient demeurées suspectes, jusqu'à maintenant, personne n'a pu prouver la culpabilité de cet homme.

— Quand cela est-il arrivé ?

— Il y a tout juste six mois. David a disparu dès le lendemain des funérailles et je suis moi-même à sa recherche depuis ce jour-là.

Chancelant sous le choc de cette nouvelle révélation, Celia se rappela que Darren était entré dans sa vie cinq mois plus tôt, très peu de temps après la mort de ses parents. Elle se souvint également de l'insistance avec laquelle il avait voulu l'aider à régler les démarches relatives à leur succession, et de l'intérêt qu'il avait porté à l'héritage qui lui revenait. Une insistance qu'elle avait alors prise pour de la gentillesse. Cependant, en y réfléchissant mieux…

Une chose était sûre, en tout cas : l'article de journal que venait de lui montrer cette femme était la preuve que Darren lui avait menti. Pourquoi son fiancé ne lui avait-il jamais parlé de son précédent mariage ? s'interrogea-t-elle. Et qu'avait-il omis de lui dire d'autre ?

Mme Seffner s'avança vers elle et lui releva le menton du bout du doigt pour la forcer à la regarder.

— Je sais que vous avez récemment perdu votre mère, dit-elle avec douceur. En son nom, je vous conjure de ne pas épouser cet homme. Je vous en supplie, prenez au moins le temps de vous renseigner sur ce que je viens de vous apprendre.

Puis elle repoussa une mèche de cheveux du front de Celia, en un geste qui lui rappela tellement sa mère que la jeune femme sentit les larmes lui monter aux yeux.

Après quoi sa mystérieuse visiteuse pivota brusquement sur ses talons hauts et sortit de la pièce.

Une fois seule, Celia sentit le doute semé dans son esprit grandir en elle. Les bribes de certaines de ses conversations avec Darren se mirent à défiler dans sa tête, soudain chargées d'une teneur plus inquiétante. Son fiancé avait affirmé ne pas avoir de famille. Et il s'était toujours montré très évasif concernant son travail. « Je gère certains investissements, avait-il déclaré. Rien qui puisse t'intéresser. » Il disait se déplacer si fréquemment dans le cadre de ses activités qu'il n'avait pas de domicile fixe. Et la plupart de ses amis — eux-mêmes en voyage d'affaires, avait-il prétendu — ne pourraient pas assister à leur mariage. Elle avait tout avalé, les justifications de Darren, ses prétextes... sans jamais mettre sa parole en doute.

Etreinte par la panique, la jeune femme eut soudain l'impression d'étouffer entre les murs du petit salon. Elle eut envie de s'enfuir de cette église, de courir droit devant elle et de mettre le plus de distance possible entre Darren et elle. Guidée par cette impulsion, elle se rua hors du parloir et sortit du bâtiment par une porte latérale. Puis, sa robe de mariée relevée jusqu'aux genoux et son voile flottant dans le vent, elle traversa le parking à toutes jambes, se faufila entre les voitures qui encombraient la rue principale, puis contourna le Yacht Club. Après quoi elle dévala le sentier qui menait à la marina et courut jusqu'à l'extrémité du ponton auquel était amarré le voilier de son père, un Morgan de neuf mètres.

Les mains tremblantes, elle détacha les amarres et sauta à l'intérieur du bateau. Quelques minutes plus tard, elle avait démarré le moteur de son voilier et dirigeait celui-ci vers le chenal.

Soudain, la voix du capitaine du port, qui la connaissait depuis qu'elle était enfant, retentit dans les haut-parleurs de la marina.

— Rentrez au port, Celia ! Nous avons reçu une annonce de tempête.

Elle hésita. Mais n'avait-elle pas déjà essuyé plusieurs tempêtes sans grand dommage sur ce voilier ? Tandis que, si elle faisait demi-tour, elle se trouverait confrontée à Darren, un assassin potentiel — ainsi qu'aux regards curieux d'une cinquantaine d'invités. Revenir en arrière la contraindrait également à faire face aux accusations sinistres de Mme Seffner. Et, surtout, à reconnaître qu'elle avait été sur le point d'épouser un homme qu'elle n'aimait pas.

Une tempête. C'était peut-être exactement ce dont elle avait besoin, songea Celia. D'un grand vent qui balaierait d'un seul coup tous ses soucis.

Sa décision prise, elle engagea le Morgan dans le chenal et hissa aussitôt les voiles. Après quoi elle mit le cap sur le sud, en direction du golfe du Mexique... et de la tempête imminente.

1

— Elle est morte ?

Une grosse voix masculine empreinte d'un fort accent du Sud pénétra lentement dans la conscience de Celia. Morte ! Ce mot résonna dans son esprit avec une absurdité angoissante. Elle ne pouvait pas être morte, se dit-elle. Car les morts n'éprouvaient plus aucune sensation. Or, elle sentait son cœur cogner contre ses côtes endolories. Elle sentait le sang pulser trop rapidement à l'intérieur de ses membres et le soleil lui brûler la peau.

Quelqu'un se pencha au-dessus d'elle. L'ombre de sa silhouette fit écran à l'assaut implacable du soleil et la fraîcheur soudaine de la brise arracha un frisson à la jeune femme.

Puis des doigts se posèrent doucement sur son cou, comme pour y chercher son pouls, pressant un peu plus sa joue contre le sable. Elle grimaça en sentant le sel des vagues qui venaient mourir à ses pieds piquer ses chevilles éraflées.

Elle voyait des ombres indistinctes danser sous ses paupières alourdies, mais une immense fatigue l'empêchait d'ouvrir les yeux. Elle aurait également voulu se couvrir les oreilles pour faire taire le bruit assourdissant du ressac, mais ses mains refusaient de lui obéir. Vaincue par l'épuisement, elle s'enfouit plus profondément dans le sable chaud et sombra de nouveau dans l'inconscience.

— Il va d'abord falloir lui enlever cette planche des mains, monsieur Alex.

La voix à l'accent traînant arracha une nouvelle fois la jeune femme au néant.

— C'est se raccrocher à ce morceau de bois qui a dû la sauver de la noyade, affirma l'homme.

A ce moment-là, une autre voix au timbre grave et masculin, empreinte, celle-ci, d'un accent britannique, s'exclama :

— Pourquoi diable a-t-il fallu que la mer rejette cette femme sur notre plage ?

Au même moment, elle sentit des mains se poser sur les siennes.

— Prenez garde à ne pas lui faire mal, Noah, s'inquiéta le second individu tandis que le premier forçait sur les doigts de la jeune femme afin d'en détacher quelque chose.

Celia poussa un cri de douleur et se mit à trembler violemment. Quelqu'un — était-ce l'Anglais ? — enroula un vêtement autour de ses épaules et elle sentit aussitôt ses frissons s'espacer. Puis l'homme la souleva dans ses bras puissants et, dès qu'elle sentit la chaleur de son corps ferme contre le sien, elle cessa tout à fait de trembler.

— Laissez-vous aller, mademoiselle. Nous allons prendre soin de vous, assura-t-il.

La douceur de sa voix et les battements réguliers de son cœur contre sa joue la réconfortèrent plus encore que ses paroles. Elle se détendit légèrement et ouvrit les yeux. Sa vision s'ajusta alors lentement sur une mâchoire puissante, une bouche généreuse, un nez aquilin et de grands yeux couleur ambre. Le tout réuni dans un si beau visage qu'elle en eut le souffle coupé et tressaillit légèrement.

Alerté par sa réaction, l'inconnu baissa les yeux vers elle. La tendresse bienveillante qui brillait dans son regard achevant de la rassurer, elle voulut lui demander qui il était. Cependant, avant qu'elle n'en ait le temps, il s'adressa à l'autre individu, qu'il appelait Noah.

— Je vais emmener cette femme auprès de Mme Givens afin qu'elle s'occupe d'elle, dit-il. Mais, après cela, je ne veux plus la voir. Au besoin, enfermez-la dans sa chambre.

Celia eut du mal à associer l'inexplicable dureté de ces paroles à la chaleur qui émanait un instant plus tôt du regard de son sauveur. Et pour quelle raison celui-ci souhaitait-il qu'on l'enferme ? s'interrogea-t-elle. Il devait pourtant bien voir qu'elle était trop faible pour nuire à quiconque.

— Ne vous inquiétez pas, mademoiselle. Vous allez être très

bien ici, affirma le prénommé Noah, un grand sourire rassurant fendant ses traits afro-américains.

Après quoi, bercée par le pas régulier de l'homme qui la portait dans ses bras, et la caresse de l'air frais soulageant sa peau brûlée par le soleil, Celia sombra de nouveau dans l'inconscience.

Celia émergea lentement de l'obscurité, ouvrit les yeux et regarda autour d'elle. Elle se trouvait seule, couchée dans un lit moelleux et dans une chambre qu'elle ne connaissait pas. Elle sentit sous ses doigts des draps doux et frais, qui sentaient la citronnelle et le soleil. La pièce qui l'entourait était haute de plafond, avec de grosses poutres apparentes. Sur le mur opposé au lit, elle remarqua une porte-fenêtre, ouverte sur une véranda.

Au-dehors, le jour déclinait. Une brise tiède et fortement iodée faisait onduler les rideaux de mousseline blanche et un autre parfum, riche et lourd, flottait dans l'air. C'était celui des branches de laurier-rose arrangées dans le vase qui se trouvait posé sur la commode.

Un silence oppressant régnait dans la chambre, plongée dans la pénombre du crépuscule.

Où diable son incorrigible impulsivité l'avait-elle menée, cette fois ? se demanda Celia. Elle se souvint s'être enfuie à bord du voilier de son père une dizaine de minutes avant la célébration de son mariage. Suite à quoi elle avait essuyé une terrible tempête et fait naufrage. Et, pour couronner le tout, elle venait de reprendre conscience dans un endroit inconnu d'elle. Pourquoi fallait-il qu'elle fasse toujours tout de travers ? se lamenta-t-elle.

A cet instant, elle perçut un bruit de pas à l'extérieur de la chambre, accompagné du bruissement d'une jupe. Puis la porte s'ouvrit brusquement et une petite femme à la silhouette corpulente, aux cheveux gris et à l'air affairé fit irruption dans la pièce. Elle était vêtue d'une robe en coton couleur lavande surmontée d'un tablier blanc, et portait un plateau de nourriture. Lorsqu'elle posa ses yeux verts sur Celia, un sourire bienveillant illumina son regard.

— A la bonne heure ! s'exclama-t-elle. Je vois que vous allez mieux. Je suis Mme Givens, la gouvernante. Attendez, je vais vous aider à vous redresser.

La vieille dame glissa un bras potelé derrière Celia et remonta les oreillers dans son dos.

— Où suis-je ? s'enquit aussitôt la jeune femme, désorientée.

— Sur une île, au sud-ouest de la côte de la Floride, ma chère.

— Et mon voilier ?

— Hélas, il n'en reste rien. Vous avez dû faire naufrage, car nous vous avons trouvée à demi morte sur la plage, parmi les débris de votre bateau.

Le souvenir d'une effroyable tourmente envahit alors Celia d'une telle terreur que, trop épuisée pour y faire face, elle le repoussa.

— Quel jour sommes-nous ? demanda-t-elle d'une voix faible.

— Voyons… Nous sommes tellement loin de tout, ici, que je perds la notion du temps, marmonna Mme Givens.

Celle-ci plissa pensivement le front et compta sur ses doigts.

— Nous sommes mardi, finit-elle par dire.

Mardi ! s'étonna Celia.

Deux jours s'étaient donc écoulés depuis qu'elle avait réchappé de cette tempête. Elle écarta les couvertures et s'assit au bord du lit. Quelqu'un lui avait ôté sa robe et l'avait revêtue d'une longue chemise de nuit en coton. S'agissait-il du séduisant Anglais ou de Mme Givens ? s'interrogea-t-elle.

A l'idée que des inconnus l'avaient déshabillée alors qu'elle était inconsciente, elle sentit un étrange sentiment de vulnérabilité l'envahir.

— Où sont mes vêtements ? demanda-t-elle.

— Votre robe a été réduite en lambeaux lors du naufrage, lui expliqua Mme Givens. Mais, d'après ce qu'il en restait, celle-ci ressemblait étrangement à une robe de mariée, ajouta la vieille dame tout en se tapotant la lèvre supérieure d'un air circonspect.

Celia préféra ignorer la curiosité qui perçait dans la voix de la gouvernante. Pour l'instant, elle ne voulait penser ni à l'issue désastreuse de ses fiançailles ni à Darren Walker. Après avoir affronté la tourmente, après avoir vu son bateau démantelé par la tempête et avoir frôlé la mort d'aussi près, elle désirait d'abord savourer pleinement le fait d'être en vie.

— Mon nom est Celia Stevens, dit-elle. J'habite à Clearwater Beach.

Il fallait qu'elle rentre chez elle au plus vite afin de rassurer ses amis, songea la jeune femme. Car après la façon dont elle avait disparu, une dizaine de minutes avant son mariage, ils allaient certainement s'inquiéter à son sujet. Cependant, elle ne pouvait pas voyager, affublée d'une longue chemise de nuit de grand-mère.

— Pourriez-vous me prêter des vêtements ? demanda-t-elle. Après quoi, l'un des messieurs qui m'ont secourue sur la plage pourrait peut-être me ramener sur le continent.

— Sur le continent ! Grands dieux, non ! s'empressa de répliquer Mme Givens. Nous sommes plus près de Key West, ici, que du continent.

Key West ! songea Celia, étreinte par la stupeur.

Elle comprit que la tempête à laquelle elle avait miraculeusement survécu l'avait entraînée à des centaines de kilomètres au sud du golfe du Mexique. Si elle voulait regagner Clearwater Beach, elle allait donc devoir louer une voiture à Key West. Du moins, ce long trajet lui laisserait-il le temps de réfléchir à la meilleure façon de réparer le gâchis qu'elle avait laissé derrière elle, se dit la jeune femme. Si bien qu'elle assura :

— Key West sera parfait.

— M. Alexander…, commença la gouvernante.

— L'Anglais ?

Le séduisant mais très énigmatique inconnu qui avait ordonné qu'on l'enferme dans sa chambre ? s'interrogea Celia.

— M. Cameron Alexander, acquiesça Mme Givens avec un hochement de tête, n'est pas allé à Key West depuis plus de six ans et je doute qu'il accepte de vous y emmener.

— Pour quelle raison ?

La gouvernante se détourna vers la porte-fenêtre et contempla la mer sur laquelle étincelaient les derniers rayons du soleil couchant.

— Disons qu'il est malade, finit-elle par répondre sur un ton détaché.

Etrange, songea Celia. Cameron Alexander lui avait paru séduisant, viril… sans doute contrarié par la découverte d'une visiteuse inopinée sur sa plage, mais certainement pas malade.

Il lui avait surtout semblé merveilleusement gentil — jusqu'à ce qu'il parle de l'enfermer dans sa chambre, bien sûr.

— Et l'homme qui l'accompagnait — celui qui est afro-américain ? Ne peut-il pas m'y conduire ?

— Noah ? C'est impossible !

A ces mots, Celia sentit l'impatience l'envahir.

— Et pourquoi donc ? demanda-t-elle une nouvelle fois.

Elle devait absolument rentrer chez elle. Elle avait des cadeaux de mariage à renvoyer, des lettres d'excuses à rédiger, et elle devait également demander à la police de se renseigner concernant la véritable identité de Darren.

— Ce n'est pas le moment de vous soucier de votre retour, décréta Mme Givens. Pour l'instant, il faut que vous mangiez. Je vous ai apporté votre dîner. Et, étant donné que vous disposez ici de tout le nécessaire, vous n'avez aucun besoin de sortir de votre chambre. Je vous monterai votre petit déjeuner demain matin.

En plus de l'irriter, le refus de Mme Givens de discuter de sa situation alarma Celia. La gouvernante semblait dissimuler quelque chose. Malgré cela, la jeune femme regretta que celle-ci doive s'en aller et la laisser seule aux prises avec ses inquiétudes.

— La chambre de M. Alexander se trouve juste à côté de la vôtre, déclara Mme Givens. Cependant, il ne souhaite pas être dérangé, ajouta-t-elle. Reposez-vous et ne vous faites pas de souci. Vous êtes parfaitement en sécurité ici.

Sur ce, elle s'éclipsa et Celia entendit le bruit de ses pas décroître lourdement dans l'escalier. Suite à l'interdiction déguisée qu'elle venait de recevoir de quitter cette chambre, la jeune femme s'attendait à ce que la porte en soit fermée à clé. Toutefois, à sa grande surprise, lorsqu'elle s'en approcha à pas feutrés et en tourna la poignée, celle-ci s'ouvrit librement.

Elle décida alors d'attendre que la maisonnée soit endormie pour la parcourir, à la recherche d'un téléphone. Après quoi, l'estomac noué par la frustration, elle ignora le plateau déposé sur la commode par Mme Givens et alla s'asseoir sur son lit.

La nuit tomba avec une lenteur angoissante. Etreinte par le sentiment oppressant d'être prisonnière, Celia sortit sous la véranda. Les longues feuilles des palmiers agitées par la brise en frôlaient la balustrade avec un bruit de papier froissé. La jeune femme distingua un sentier étroit qui, au-delà d'une haie de lauriers-roses, serpentait à travers les dunes en direction de la plage. La lueur de la lune projetait un faisceau argenté sur la mer. Juste en dessous de sa chambre, un rectangle de lumière se découpait sur le sol du jardin à partir d'une des fenêtres du rez-de-chaussée. Le voyant disparaître brusquement, elle se dit que Mme Givens avait dû aller se coucher.

Elle regagna sa chambre. Le silence y était de plus en plus pesant. Une lampe à huile allumée sur la commode lui indiqua que la demeure n'était pas équipée de l'électricité. Qu'importe, se dit-elle. Elle pouvait se passer de ce confort. Tout ce dont elle avait besoin, c'était d'un téléphone. Ou, à défaut, d'un simple radioémetteur. Elle allait fouiller la maison à la recherche d'un de ces moyens de communication. Après quoi elle se débrouillerait pour faire venir un bateau de location qui la ramènerait chez elle. Car la meilleure façon d'oublier l'issue désastreuse de ses fiançailles serait de rouvrir sa librairie, et de retrouver son travail et ses clients.

Elle éteignit la lampe, traversa la chambre à pas feutrés, puis posa son oreille contre la porte. Au bout d'un instant, aucun son ne lui parvenant depuis le reste de la maison, elle ouvrit la porte et se glissa dans le couloir.

Comme elle était pieds nus, elle parvint à descendre l'escalier sans faire le moindre bruit. Une douleur sourde pulsait dans sa tête et une intense sensation de vertige la faisait chanceler sur ses jambes. Mais elle était déterminée à trouver un moyen d'appeler à l'aide.

Une fois au rez-de-chaussée, elle entra dans la première pièce sur sa droite, laquelle, éclairée par la faible lueur de la lune, se révéla être un bureau. Il y flottait un léger parfum de cuir, de savon glycériné et de tabac à pipe. Celia explora la surface du bureau à tâtons. Sans y trouver de téléphone. Elle inspecta ensuite les étagères des bibliothèques, mais n'y découvrit rien d'autre que des livres, des papiers et une boîte à cigares.

Déçue, la jeune femme regagna le hall. Les ronflements de Mme Givens résonnaient derrière la porte de la pièce suivante. Elle la dépassa sur la pointe des pieds, franchit une porte-fenêtre, puis s'engagea dans un passage couvert qui l'amena dans une vaste cuisine. La pièce était dominée par une énorme cuisinière à bois, dont les braises avaient été consciencieusement recouvertes pour la nuit. Privée d'électricité et de tout l'aménagement moderne, la vieille gouvernante ne devait pas ménager ses efforts pour diriger cette maison, songea Celia avec compassion.

Ne trouvant ni téléphone ni radioémetteur dans la cuisine, elle regagna discrètement le bâtiment principal. Elle inspecta la salle à manger, au mobilier en osier et en rotin typique des îles de la Floride. Sans plus de succès.

Il ne lui restait plus que la pièce du devant à découvrir et son espoir de trouver un moyen d'appeler à l'aide s'affaiblissait à chaque instant. Elle traversait le hall à pas de loup quand elle fut saisie par un violent vertige. Elle s'appuya aussitôt contre les lambris du mur. Mais la douleur dans sa tête s'intensifia, ses jambes vacillèrent sous elle et elle crut qu'elle allait s'évanouir. Son bon sens lui souffla alors de regagner son lit, mais le désir de trouver un téléphone la força à poursuivre ses recherches.

Une lumière filtrait par la porte entrouverte de la pièce principale. Sur le mur opposé à la porte, Celia aperçut un immense tableau surmontant une cheminée sur le manteau de laquelle était posée une lampe à huile. Il représentait une femme, très belle et vêtue d'une élégante robe noire, dont la main était posée sur l'épaule d'un garçonnet aux joues roses et au sourire espiègle. Attirée par l'éclairage invitant de la lampe ainsi que par l'expression aimable de l'enfant, la jeune femme entra dans la pièce.

Un canapé flanqué de fauteuils profonds, et dont elle ne voyait que le dossier de cuir fauve, faisait face à la cheminée. Elle remarqua que l'âtre était curieusement rempli d'une profusion de fougères et d'orchidées. La jeune femme fut intriguée par cet étrange arrangement, lequel semblait vouloir rendre hommage aux deux sujets du tableau. Si bien qu'elle contourna le canapé afin de mieux examiner ces personnages, en se demandant qui ils étaient.

C'est alors qu'un marmonnement inintelligible s'éleva derrière elle, la faisant sursauter. Elle se retourna d'un bond et découvrit un homme endormi sur le canapé. Lorsqu'elle reconnut Cameron Alexander, sa frayeur se transforma en surprise, puis en espoir.

Elle allait pouvoir le réveiller et le supplier de la ramener à Key West, se dit-elle.

Mais, au même instant, sa vision se brouilla, sa tête se remit à pulser douloureusement et un nouveau vertige l'envahit. Elle réussit à s'asseoir de justesse dans l'un des fauteuils. Puis, dès que sa sensation de vertige s'estompa, elle concentra son attention sur l'homme assoupi sur le canapé. Il était étendu sur le dos, un bras replié au-dessus de la tête. Ses cheveux épais et décolorés par le soleil évoquaient la crinière d'un lion, et sa chemise entièrement déboutonnée révélait les méplats de son torse puissant.

Une boucle de cheveux retombée sur son front adoucissait les lignes acérées de son beau visage. Mais sa bouche était crispée en un rictus douloureux et un profond sillon creusait son front, comme s'il faisait un cauchemar.

Le regard de Celia descendit jusqu'à ses cuisses musclées, puis jusqu'aux fines bottes de cuir dans lesquelles était enfoncé son pantalon. Son bras droit pendait en direction du sol et un verre à cognac vide reposait dans sa main entrouverte.

Cameron Alexander n'était pas vêtu d'un jean — ou d'un short — et d'un T-shirt, comme la plupart des propriétaires de bateaux qui résidaient sur l'archipel. Sa tenue vestimentaire semblait plus conçue pour l'équitation que pour la navigation, songea la jeune femme. Cependant, s'il vivait sur une île, il possédait *forcément* un bateau.

Elle se releva et posa une main sur l'épaule de son hôte. Elle s'apprêtait à le secouer doucement lorsqu'il lui saisit le poignet et ouvrit brusquement les paupières. Une lueur dangereuse étincela alors dans ses yeux couleur ambre et il la dévisagea avec une telle férocité qu'elle frissonna malgré la douceur de la température.

— Que faites-vous ici ? gronda-t-il d'une voix menaçante.

La jeune femme libéra son poignet de l'étreinte d'Alexander et recula d'un pas.

— Je suis désolée de vous avoir réveillé, s'excusa-t-elle. Mais il faut absolument que je téléphone sur le continent afin de louer un bateau. Possédez-vous un téléphone ou au moins un radioémetteur ?

— Non, répliqua Alexander d'une voix dure.

En même temps, il cilla, comme pour dissimuler une lueur de compassion.

— Dans ce cas, pouvez-vous m'emmener jusqu'à la côte de la Floride ? demanda Celia.

Elle le vit serrer les poings, comme s'il était la proie d'une lutte intérieure. Puis il secoua la tête avec fermeté et toute sympathie s'effaça de son regard.

— Certainement pas, dit-il. Key West est plus proche d'ici que les villes de la côte et, en six ans, je n'y ai pas mis les pieds une seule fois.

— Puisque vous dites que Key West est la ville la moins éloignée, emmenez-moi au moins jusque-là…

— Non, répéta son hôte.

Il détacha son regard de Celia, le reporta sur le tableau qui surmontait la cheminée et marmonna, comme s'il se parlait à lui-même :

— Je n'irai nulle part. Ni à Key West ni où que ce soit d'autre.

Saisie par un nouvel étourdissement, la jeune femme entendit à peine sa réponse.

— Il faut que je rentre chez moi…, affirma-t-elle dans un gémissement.

La douleur qui pulsait sourdement dans sa tête se transforma en violents coups de poignard, la pièce se mit à tourner autour d'elle et elle sentit ses genoux flancher.

Voyant cela et pour la seconde fois de la journée, Cameron la souleva dans ses bras et l'étendit en hâte sur le canapé. Il s'était pourtant juré d'éviter cette femme jusqu'à ce qu'elle ait quitté l'île. Mais son hôte inopinée n'avait pas été longue à le débusquer.

Il aurait dû aller réveiller Mme Givens et lui demander de s'occuper de la jeune femme. Cependant, tout en savourant le spectacle de sa beauté, il sentit sa détermination faiblir. Il eut soudain envie d'enfouir les mains dans ses cheveux auburn aux reflets éclaircis par le soleil et de caresser ses longs cils dorés. Ses yeux étaient dissimulés sous ses paupières fermées. Mais le regard qu'elle avait levé vers lui lorsqu'il l'avait prise dans ses bras ce matin lui avait révélé des yeux d'un bleu aussi profond que celui de l'océan.

Bien sûr, cela faisait six ans qu'il n'avait vu aucune autre femme que Mme Givens, se dit-il. Toutefois, et même s'il en avait rencontré plusieurs centaines chaque jour, celle qu'il contemplait en cet instant aurait continué à le captiver. De manière fugitive, il regretta de ne pas l'avoir rencontrée plusieurs années plus tôt, bien avant son mariage. Avant tous ses problèmes. Lorsqu'il avait décidé de venir vivre sur cette île, avec le sentiment d'avoir tout perdu, il avait alors eu l'impression que l'existence n'avait plus rien à lui offrir. Et rien n'aurait en effet pu prédire qu'une tempête déposerait un jour sur sa plage une femme telle que Celia Stevens. Une créature de rêve, dont il n'imaginait même pas qu'elle pouvait exister.

Charmante et superbe, même dans la détresse, et en même temps d'une fragilité bouleversante, elle réveillait tous ses instincts protecteurs. Il mourait d'envie de prendre personnellement soin d'elle. Cependant, et malgré cet intense désir, le plus prudent était de mettre autant de distance que possible entre lui et cette femme, songea Cameron avec un soupir.

Il ne pouvait pas non plus rompre la tranquillité de son exil pour la ramener sur le continent. Il allait tout simplement devoir l'éviter, se dit-il. Afin qu'il n'y ait plus jamais d'autre drame.

D'autres morts.

A cette pensée, il frissonna, envahi par les souvenirs horrifiants qu'il avait passé des années à tenter d'oublier. Tout en se jurant de se tenir à l'écart de Celia Stevens.

Mais, en même temps, il ne pouvait pas s'empêcher de contempler le merveilleux présent que lui avait offert l'océan.

Celia ouvrit les yeux, regarda le plafond et s'efforça de reprendre ses esprits. Elle entendit du verre tinter, tourna la tête et découvrit son séduisant hôte en train de verser un liquide ambré dans un verre à cognac.

— Vous vous sentez mieux ? demanda-t-il.

La tendre inquiétude qui marquait ses traits dans le faible éclairage de la lampe contrastait étrangement avec la dureté de son expression de tout à l'heure.

La jeune femme se redressa et se lova à l'angle du canapé. Puis, se rendant soudain compte qu'elle ne portait qu'une fine chemise de nuit en coton, elle ramena avec gêne ses jambes et ses pieds nus sous elle.

Cameron lui tendit un verre de cognac, avant de s'asseoir dans un fauteuil proche du sien. Après quoi il leva son verre à sa santé et vida celui-ci d'un seul trait.

— Buvez, mademoiselle Stevens. Cela vous revigorera et ramènera des couleurs sur vos joues.

Celia prit une première gorgée de cognac et sentit l'alcool lui brûler la gorge.

— Je n'avais jamais été prise d'un vertige aussi violent, affirma-t-elle. J'ai dû me cogner la tête pendant mon naufrage.

Cameron se pencha vers la jeune femme, puis il écarta délicatement ses cheveux afin d'examiner son crâne.

— Vous avez une méchante bosse, en effet, mais la blessure n'est pas ouverte, remarqua-t-il. Elle se résorbera d'elle-même assez vite.

Puis, avec douceur, il arrangea l'ordre de sa chevelure, en un geste à la fois réconfortant et troublant.

— Vous n'avez pas répondu à ma question, murmura Celia.

— Quelle question ?

La voix soudain redevenue tranchante, il riva ses yeux dans les siens.

— Voulez-vous bien m'emmener jusqu'à Key West ? insista la jeune femme.

Elle vit la méfiance étrécir le regard de son hôte, lequel sembla aussitôt se refermer sur lui-même.

— Non, je ne peux pas vous y emmener.

— Vous ne le pouvez pas ou vous ne le *voulez* pas ? demanda-t-elle, en sentant la colère monter en elle à mesure qu'elle recouvrait ses forces.

Elle doutait en effet que Cameron Alexander soit occupé au point de ne pouvoir trouver quelques heures pour la conduire en bateau jusqu'au continent.

Il se laissa aller contre le dossier de son fauteuil et fit rouler son verre entre ses mains.

— La seule personne qui pourra vous ramener à Key West est le capitaine Biggins, décréta-t-il. Il le fera volontiers et je me ferai quant à moi un plaisir de lui payer votre passage.

Sa concentration rendue difficile par les effets combinés des vertiges et du cognac, Celia demanda :

— Qui est le capitaine Biggins ?

— C'est l'homme qui nous ravitaille en provisions, répondit Cameron.

Il détourna le regard avant d'ajouter :

— Il était ici il y a à peine quelques jours et ne reviendra pas avant trois mois.

— Trois mois ! Mais… je ne peux pas rester ici *trois mois*, protesta la jeune femme. Je dois m'occuper de mon affaire, de ma maison… et mes amis vont s'inquiéter à mon sujet.

La bouche de Cameron s'amincit.

— Vous n'avez pas le choix, affirma-t-il.

— Mais je…, balbutia Celia, l'esprit embrumé par l'alcool.

— Je suis ravi de voir que vous avez recouvré un peu d'énergie depuis le jour où je vous ai ramenée de la plage dans mes bras, déclara son hôte d'un ton soudain amusé.

Elle était légèrement ivre. Mais pas au point de ne pas remarquer qu'il détournait volontairement la conversation.

— Le jour où vous avez ordonné qu'on m'enferme dans ma chambre, voulez-vous dire ? persifla-t-elle en retour.

Afin d'atténuer l'ironie de ses paroles, elle lui décocha aussitôt son plus charmant sourire — en pensant que son hôte serait peut-être plus enclin à l'aider à quitter cette fichue île si elle évitait de l'irriter.

Il lui rendit son sourire et elle sentit une étrange chaleur se diffuser dans sa poitrine. Elle avala alors une nouvelle gorgée de cognac dans le but de dissimuler son trouble.

— C'est en effet ce que j'avais demandé, convint Cameron. Mais Mme Givens semble avoir ignoré mes instructions.

Il considéra son verre comme s'il était surpris de le trouver vide. Puis il ramena ses yeux couleur ambre vers elle et elle vit une lueur de compassion traverser son regard.

— Vous étiez si faible et si éprouvée que nous craignions que vous ne surviviez pas. Vous avez l'âme résistante, affirma-t-il.

De nouveau, il sourit, et cette fois-ci Celia sentit une onde de chaleur l'envahir tout entière.

D'autorité, Cameron prit le verre des mains de la jeune femme, le remplit et le lui rendit. Leurs doigts se frôlèrent et il sentit une délicieuse brûlure là où ceux de Celia s'étaient posés. Il avait ressenti le même trouble à l'égard de Clarissa, au début, se rappela-t-il. Mais leur union s'était révélée un désastre. S'il en apprenait plus concernant son invitée, peut-être trouverait-il également celle-ci moins charmante, se dit-il.

— Que faisiez-vous, seule à bord de ce voilier, par un aussi mauvais temps ? demanda-t-il.

— Je pars souvent naviguer en solitaire, lui confia-t-elle. C'est là que je réfléchis le mieux.

Elle leva son regard vers lui et il eut l'impression de se noyer dans le bleu de ses yeux.

— Et à quoi réfléchissez-vous ?

Elle rougit légèrement et une veine pulsa délicatement à son cou.

— Au moyen de résoudre mes problèmes, le plus souvent.

Cameron sentit alors un étrange désir s'insinuer en lui. Celui de protéger Celia de tous les dilemmes qu'elle pourrait rencontrer.

— Et à quel genre de problèmes vous trouvez-vous… le plus souvent confrontée ? demanda-t-il encore.

Elle redressa le menton et étrécit les yeux.

— A aucun qui ne pourrait être résolu si je pouvais rentrer chez moi, repartit-elle avec vivacité.

Soudain étreint par un pincement de jalousie inexplicable, Cameron demanda :

— Quelqu'un vous attend-il… chez vous ?

La jeune femme rougit davantage.

— Pas vraiment. Mes parents sont morts et je n'ai pas d'autre famille.

— Vous ne manquerez donc à personne ?

Celia faillit acquiescer, mais se ravisa, de peur de se mettre en danger en le faisant. Alors qu'en réalité, ses amis allaient penser qu'elle se cachait en attendant que le scandale relatif à son mariage soit oublié. Quant à ses clients, ils imagineraient qu'elle était partie en voyage de noces comme elle le leur avait annoncé.

— Si je ne rentre pas au plus vite, certaines personnes vont s'inquiéter et se lancer à ma recherche, mentit-elle.

Cameron la transperça du regard, semblant deviner son mensonge, mais n'insista pas. Au lieu de cela, il demanda :

— Où vivez-vous ?

Celia hésita un moment. Toutefois, comme elle ne trouvait aucune raison valable de lui dissimuler cette information, elle finit par répondre :

— A Clearwater Beach.

— Clearwater Beach ?

— Cela se trouve au centre de la Floride, sur la côte.

Il haussa les sourcils avec surprise.

— Vous êtes très loin de chez vous ! remarqua-t-il.

— D'après votre accent, vous aussi, persifla la jeune femme.

Une lueur d'ironie étincela dans le regard de son hôte... Ou était-ce plutôt de la folie ? s'interrogea Celia. Elle était prisonnière d'un fou ! se dit-elle soudain, tout en réprimant un gloussement hystérique. Afin de se calmer, elle vida son second verre d'un trait.

Semblant percevoir sa détresse, Cameron posa son propre verre et affirma :

— Vous devez être épuisée. Vous feriez mieux de retourner vous coucher.

Cette remarque tout à fait raisonnable n'était pas celle d'un dément, songea la jeune femme. En fait, en dehors de son refus de la ramener sur le continent, son mystérieux hôte semblait parfaitement sain d'esprit. Si seulement elle n'avait pas bu autant de cognac, elle aurait été capable de mieux réfléchir, se reprocha-t-elle. Que lui arrivait-il ? Et pourquoi diable n'avait-elle pas gardé l'esprit clair pour affronter cette conversation ?

Avant qu'elle n'ait le temps de réagir, Cameron la souleva une fois de plus dans ses bras. Aussitôt rassurée par le contact de son corps chaud et ferme contre le sien, elle enroula ses bras autour de son cou, comme malgré elle.

Puis, l'alcool courant dans ses veines et la plongeant dans un état proche du rêve, elle se blottit davantage contre lui et laissa aller sa tête contre son épaule, tandis qu'il la portait dans l'escalier en direction de sa chambre.

Une scène d'*Autant en emporte le vent* traversa l'esprit embrumé de la jeune femme. Celle où Rhett Butler portait Scarlett O'Hara dans le grand escalier de Tara.

Chez elle. Il fallait absolument qu'elle rentre chez elle, songea

Celia. Au même moment, et tout en se disant qu'elle s'occuperait de cela le lendemain, elle sombra brutalement dans le sommeil.

Tandis qu'il ramenait sa protégée jusqu'à sa chambre, Cameron savoura la chaleur de son souffle contre son cou ainsi que la douceur de son corps contre le sien. Elle sentait le savon à la citronnelle que confectionnait Mme Givens. Cette odeur, mêlée au parfum naturel de la jeune femme, enivrait ses sens. Il enfouit son visage dans ses cheveux, puis, tout en la retenant d'une main contre lui, ouvrit la porte de la chambre de l'autre.

Après l'avoir déposée sur le lit, il resta là à la contempler, résistant à l'envie de caresser sa joue et son cou délicat.

Elle allait devoir rester ici jusqu'au retour du capitaine Biggins. Et, même si ses proches se lançaient à sa recherche, jamais ils ne dénicheraient cette île parmi toutes celles qui longeaient la côte ouest de la Floride, songea Cameron. Car, malgré les cartes et les indications précises fournies par le capitaine Biggins, il avait lui-même failli ne pas la repérer, la première fois qu'il y était venu.

De plus, les trois mois à venir lui donneraient le temps de convaincre Celia de garder son secret, espéra-t-il. Et, surtout, de savoir s'il pouvait lui faire confiance.

Elle bougea et gémit légèrement dans son sommeil. Il s'écarta alors vivement du lit, craignant qu'elle ne se réveille et ne le trouve penché au-dessus d'elle.

Au moment où il ramena son regard vers le lit, l'image de la jeune femme se brouilla. Et elle fut soudain remplacée par celle, ensanglantée, de Clarissa.

Effrayé, Cameron enfouit le visage dans ses mains afin de repousser cette vision cauchemardesque. Et, lorsqu'il leva de nouveau les yeux, il fut soulagé de reconnaître Celia, bien vivante et paisiblement endormie. Il remonta alors doucement les couvertures sur la jeune femme, se redressa et sortit de la pièce.

Une fois dans sa chambre, il parcourut longuement celle-ci d'un pas nerveux, en proie à un cruel dilemme. Car, s'il ne pouvait pas prendre le risque d'attirer l'attention sur lui en ramenant Celia à Key West, la garder ici pouvait à l'inverse représenter une réelle menace pour elle.

Au moment où il parvint enfin à fermer les yeux et à s'endormir, les premières lueurs de l'aube illuminaient déjà la véranda du premier étage.

Lorsque Celia se réveilla, le soleil inondait presque entièrement sa chambre. Sa violente migraine de la veille s'était réduite à une douleur sourde — sans doute les effets combinés de la blessure qu'elle avait reçue à la tête et des trop généreuses doses de cognac offertes la nuit dernière par Cameron Alexander. Elle repensa à la conversation qu'elle avait échangée avec lui et celle-ci lui fit l'effet d'un rêve. Sans doute dormait-elle déjà à poings fermés lorsqu'il l'avait ramenée dans son lit. Car elle ne se souvenait de rien après le moment où il l'avait portée dans l'escalier.

Quoi qu'il en soit, elle se trouvait toujours confrontée au même problème : il fallait qu'elle parvienne à s'échapper de cette île.

Elle se lava le visage au-dessus de la bassine qui se trouvait sur la commode de sa chambre, près d'une cruche d'eau. Après quoi elle examina les vêtements vraisemblablement déposés à son intention par Mme Givens sur une chaise. Elle découvrit qu'en plus d'être immenses, ceux-ci étaient totalement dépourvus d'élégance. Il s'agissait d'une longue jupe et d'un chemisier informes, ainsi que d'une immense culotte en coton.

Ne se trouvant toutefois pas en situation de se montrer difficile, elle ôta sa chemise de nuit et enfila la culotte dont elle resserra le cordon autour de sa taille. Elle remarqua alors les minuscules points qui y étaient cousus à la main. Mme Givens semblait confectionner elle-même chacun de ses vêtements, jusqu'à ses dessous. Le maître des lieux ne laissait sans doute pas la pauvre femme quitter l'île pour faire des emplettes, imagina Celia. Etreinte par la perplexité, elle se dit que plus vite elle regagnerait le continent et plus vite elle échapperait à ce cauchemar absurde.

Elle se glissa ensuite dans la jupe qui lui descendait jusqu'aux chevilles. Puis dans le chemisier — assez grand pour deux — dont elle noua les pans au niveau de sa taille, avant d'en rouler les manches jusqu'à ses coudes.

Puis, après avoir coiffé ses cheveux en une natte relâchée, elle se hâta en direction de la cuisine. Déterminée à trouver Cameron Alexander et à le contraindre — par tous les moyens en sa possession — à la ramener à Key West.

2

La maison paraissait plus grande à la lumière du jour et il y régnait une fraîcheur agréable. La brise matinale y entrait par les portes-fenêtres ouvertes aux deux extrémités du hall ainsi que dans chacune des pièces. Et le toit de la véranda protégeait les ouvertures du soleil. Lorsqu'elle emprunta le passage couvert qui menait dans la cuisine, Celia constata que la bâtisse était érigée sur des pilotis — comme l'étaient la plupart des demeures de Clearwater Beach — afin de laisser l'air et l'eau circuler librement.

Au moment où la jeune femme entra dans la cuisine, Mme Givens détourna les yeux du gâteau qu'elle s'apprêtait à enfourner et la considéra avec une surprise manifeste. Son regard alla de ses pieds nus à sa taille, jusqu'à l'échancrure profonde de la chemise dont elle avait retourné le col montant pour plus de fraîcheur.

— Même dans ces vieux oripeaux, vous êtes absolument ravissante, ma chère ! s'exclama la gouvernante.

— Merci, repartit Celia. Et merci aussi de m'avoir prêté ces vêtements.

— Je vous en prie. Même si votre robe de mariée avait été encore mettable, vous n'auriez pas pu la porter par cette chaleur, n'est-ce pas ? dit la vieille dame.

Celia vit la curiosité étinceler une nouvelle fois dans le regard de la gouvernante. Elle n'avait pas envie de parler de son mariage raté ni même d'y songer. Mais, à cette évocation, les accusations de Mme Seffner à l'encontre de Darren résonnèrent en elle comme un lointain cauchemar qu'elle aurait préféré oublier. Elle se demanda comment Darren avait réagi en se voyant abandonné au pied de l'autel. Avait-il pris la fuite à son tour, envahi par l'humiliation ? Ou bien s'était-il inquiété pour elle et avait-il organisé des recherches ?

Ou encore, si c'était véritablement un assassin ainsi que l'affirmait Mme Seffner, Darren allait-il chercher à la retrouver pour se venger ? se demanda la jeune femme en frissonnant.

— Asseyez-vous, dit Mme Givens. Votre petit déjeuner est prêt.

Tandis que Celia s'installait à une extrémité de la grande table de bois, la gouvernante lui versa une tasse de café brûlant à partir d'un pot émaillé. Puis elle lui servit une assiette d'œufs brouillés, avant d'approcher d'elle un panier de petits pains tout juste sortis du four, ainsi qu'un pot de miel et une coupe contenant de fines tranches de mangue.

Celia découvrit alors que son appétit était revenu. De plus, elle allait avoir besoin de forces pour trouver un moyen de quitter cette île. Tout en mangeant, elle regarda par la porte ouverte de la cuisine. L'île semblait se réduire à une étroite bande de terre, laquelle donnait à l'ouest, au-delà des dunes, sur le golfe du Mexique et, au nord et à l'est, sur une baie parsemée d'îles qui s'étendaient en direction de la masse brune du continent.

Exposée à tous les vents, la maison risquait d'être entièrement ravagée lors d'une tempête aussi violente que celle qui avait détruit son voilier, se dit-elle. A ce souvenir, elle sentit son souffle se bloquer dans sa poitrine. Elle avala une gorgée de café brûlant, laquelle suffit à apaiser sa panique et lui permit de respirer.

— Quel est le nom de cette île ? demanda-t-elle, pressée de chasser ces réminiscences terrifiantes de son esprit.

— Elle n'est nommée sur aucune carte, mais M. Alexander l'appelle l'île de la Solitude, répondit la gouvernante.

Celia sentit un frisson la parcourir. Ce nom, digne d'un lieu de légende oublié du monde et où le temps serait suspendu, lui parut terriblement approprié pour désigner cet endroit au calme dérangeant.

— J'avais espéré qu'après avoir vécu six ans sur cette île, M. Alexander serait prêt à regagner l'Angleterre, soupira Mme Givens.

Une ombre passa dans son regard tandis qu'elle versait des œufs dans un saladier, qu'elle commença à mélanger à l'aide d'une cuillère de bois à du beurre fondu.

— Mais plus le temps passe et plus il semble déterminé à rester ici. J'ai peur que son exil ne dure toujours, se lamenta-t-elle.

Tout en écoutant parler la gouvernante, Celia visualisa le beau visage de Cameron Alexander, ainsi que son corps semblable à celui d'un dieu grec. Elle se demanda ce qui pouvait pousser un homme au physique aussi agréable, aux moyens financiers et au niveau social apparemment élevés, à vivre en reclus sur une île déserte. Quoi qu'il en soit, elle avait besoin d'en savoir plus le concernant si elle voulait le convaincre de l'aider à mettre fin à sa propre réclusion.

— Que faisait M. Alexander en Angleterre ? demanda-t-elle à la gouvernante.

Celle-ci leva brusquement la tête et ses yeux verts s'étrécirent.

— Qu'a-t-il fait ? Que voulez-vous dire ?

— Quel métier exerçait-il ?

Quelle qu'ait pu être son activité, Cameron devait avoir réussi pour pouvoir s'offrir une île au large de la Floride, estimée sans doute à plusieurs millions de dollars sur le marché immobilier.

Mme Givens eut un petit rire nerveux avant de déclarer :

— Il était propriétaire terrien. Et il possédait également des fermes et plusieurs mines.

De telles occupations ne semblaient pas dangereuses au point de faire fuir un homme aussi loin de son pays, songea Celia. Mais peut-être la maladie à laquelle Mme Givens avait fait allusion la veille était-elle la cause de cette retraite anticipée.

— Et pour quelle raison a-t-il laissé tout cela derrière lui ? demanda-t-elle encore.

Les traits soudain déformés par la souffrance, la gouvernante posa brutalement le saladier sur la table et interrompit sa tâche, avant de déclarer :

— M. Alexander m'a fait jurer de ne pas parler de cela et vous devez cesser de m'interroger à ce sujet.

— Pourtant, hier, vous m'avez fait comprendre qu'il était malade, insista la jeune femme.

En réalité, Cameron lui avait paru tout à fait robuste et sain d'esprit la nuit dernière… en dehors, bien sûr, de son étrange insistance à ce qu'elle reste sur cette île.

— C'est vrai. Disons que sa maladie est de celles qui concernent le cœur et restons-en là. J'ai déjà trop parlé, conclut Mme Givens.

Cameron Alexander souffrirait donc d'une affection cardiaque ?

s'interrogea Celia. Il devait plutôt s'agir d'une maladie mentale… s'il pensait pouvoir la garder en otage sur cette île durant trois mois.

Ou encore, puisque Mme Givens avait parlé d'une maladie affectant le cœur, se pouvait-il qu'un amour malheureux ait brisé le lien de Cameron avec la réalité ? Il fallait alors qu'il s'agisse d'une grande passion pour qu'il s'isole ainsi du monde, en renonçant en bloc à son confort et à ses privilèges, imagina la jeune femme.

Elle mourait d'envie d'en savoir plus. Toutefois, la bouche pincée de la gouvernante fit comprendre à Celia que continuer de l'interroger était inutile.

La jeune femme acheva rapidement son déjeuner, après quoi elle laissa Mme Givens à ses préparations culinaires. Elle allait trouver Cameron Alexander et le sommer de la ramener à Key West, se dit-elle. Même si elle devait pour cela le soudoyer avec de l'argent.

Elle sortit sous la véranda. Le soleil tropical frappait à présent sans merci sur le toit de tôle de la maison, que seuls les fins branchages des palmiers ombrageaient. Puis elle se dirigea vers la plage et scruta l'horizon. Une chaleur accablante épaississait l'air et aucune trace des nombreux avions qui reliaient Miami au reste du monde ne souillait le bleu parfait du ciel. Le nom de Solitude s'adaptait décidément parfaitement à cette île, songea la jeune femme.

Tout en marchant en direction du rivage, elle découvrit un empilement de bois flottés, de feuilles de palmier mortes et de débris d'épaves apparemment ramassés sur la grève. Elle se rappela alors avoir vu une boîte d'allumettes sur l'une des étagères de la cuisine. Si Cameron refusait de la conduire à Key West, elle attendrait qu'un bateau passe et elle allumerait un grand feu afin d'attirer l'attention. D'innombrables voiliers de plaisance et de nombreux bateaux de pêche croisaient au large de la Floride. L'un d'eux finirait bien par réagir et par l'arracher à cette maudite île, se dit-elle.

Soudain, elle sentit une main se poser sur son épaule et sursauta. Elle n'avait pourtant entendu personne approcher. Mais elle découvrit Noah juste à côté d'elle, sa silhouette sombre se découpant dans la lumière du soleil.

— Comment ça va, mademoiselle ? Je vous ai vue là, toute

seule. Et je me suis souvenu qu'au début, on se sent vraiment perdu dans cet endroit.

Durant un instant, Celia lut une tristesse similaire à celle qu'elle éprouvait dans les doux yeux bruns de l'homme.

— Alors j'ai pensé que vous aimeriez bavarder un peu, ajouta-t-il. Et je serais aussi très fier de vous montrer mon jardin.

— Vous avez raison. Je me sentais *vraiment* seule, avoua la jeune femme.

Réconfortée à l'idée d'avoir un peu de compagnie, elle retraversa la plage en sens inverse au côté de Noah. Lorsqu'ils atteignirent l'allée menant à la maison, Cameron était toujours invisible. En revanche, Celia aperçut Mme Givens qui étendait du linge sur une corde tendue entre deux palmiers à l'arrière de la cuisine.

Au même moment, elle crut voir la demeure se fondre puis disparaître parmi les frondaisons. Elle cligna des yeux avec incrédulité, puis les ferma un instant afin de dissiper l'effet de ce nouveau vertige. Lorsqu'elle les rouvrit, la bâtisse était de nouveau solidement implantée devant elle. Avec ses bardeaux en cyprès décolorés par le soleil et les bougainvilliers qui s'enroulaient autour de ses pilotis ainsi que le long de ses balustrades, arrondissant ses formes rectilignes. En fait, la maison semblait faire si naturellement partie du paysage que l'illusion de sa disparition s'expliquait sans doute par le simple jeu du soleil et de la chaleur, songea la jeune femme. Comme un mirage dans le désert.

Décidément, s'il souhaitait s'éloigner du monde, Cameron Alexander avait bien choisi le lieu de sa retraite, se dit-elle. Car, depuis un bateau passant au large, la demeure devait se confondre parfaitement avec la végétation luxuriante de l'île.

Elle contourna le bâtiment à la suite de Noah, jusqu'à ce qu'il désigne son jardin potager d'un geste fier. Celui-ci regorgeait de légumes divers, d'ananas et de papayers. Des orangers aux feuilles foncées et brillantes chargés de fruits cuivrés, ainsi que des manguiers et des avocatiers formaient une barrière protectrice contre le vent du nord. De l'autre côté du jardin, une petite dépendance abritait une vache et des poules couvant leurs œufs.

La brise bruissait dans les palmiers. Des mouettes criaient joyeusement au-dessus de leurs têtes et les vagues léchaient doucement les racines des palétuviers qui bordaient l'est de l'île.

En d'autres circonstances, l'île de la Solitude lui aurait semblé un véritable paradis, songea Celia. Mais, pour l'heure, elle devait trouver le moyen de quitter cet endroit.

— Noah, accepteriez-vous de m'accompagner jusqu'à Key West ? demanda-t-elle au jardinier. Le voyage ne doit pas être très long et je vous dédommagerai généreusement.

Une lueur de frayeur étincela dans le regard de l'intéressé.

— Non, mademoiselle. Je ne peux pas aller à Key West.

— Pourquoi ?

— Je ne peux pas, c'est tout.

Comme il évitait son regard, elle comprit qu'à l'instar de Cameron, Noah avait lui aussi ses secrets. L'homme avait une stature si imposante et il se dégageait de lui une telle puissance qu'elle ne voulut pas risquer de le contrarier en lui posant des questions indiscrètes.

— Il faut absolument que je rentre chez moi le plus vite possible, se lamenta-t-elle au lieu de cela. Pensez-vous que je puisse convaincre M. Alexander de m'y emmener ?

Noah secoua fermement la tête en signe de dénégation.

— M. Alex n'ira jamais là où il y a des gens.

A ces mots, Celia sentit la frustration l'envahir. Sa librairie allait rester fermée en pleine saison touristique, dans une rue grouillante de passants, songea la jeune femme. Mais personne ne s'inquiéterait d'elle. Ses clients habituels penseraient simplement qu'elle était en voyage de noces. Et, maintenant que ses parents étaient morts, elle n'avait plus aucune famille proche susceptible d'avertir les gardes-côtes de sa disparition. Quant à Tracey, celle-ci savait qu'elle partait souvent naviguer en solitaire plusieurs jours d'affilée. Son amie ne s'alarmerait donc pas tout de suite. Surtout après la façon embarrassante dont Celia s'était enfuie, quelques minutes avant la cérémonie de son mariage. Tracey allait sans doute imaginer qu'elle ne reviendrait qu'une fois ce scandale apaisé.

— Ça ne servira pas à grand-chose, affirma Noah. Mais demandez toujours à M. Alex.

— Sauf que je n'arrive pas à le trouver ! s'exclama Celia. Où diable peut-il se cacher sur une aussi petite île ?

Noah désigna une trouée dans les palétuviers, par laquelle

elle aperçut un ponton qui s'avançait dans la baie. Plus loin sur la mer, elle vit étinceler la voile blanche d'un bateau, lequel tirait des bords en direction de l'île. Elle redressa alors les épaules et se dirigea vers le ponton, tout en se préparant à affronter son mystérieux hôte.

Cameron tourna son bateau en direction de l'île de la Solitude, vers laquelle ses pensées avaient été attirées toute la matinée malgré ses efforts pour leur échapper. D'habitude, ses excursions dans l'archipel l'aidaient toujours à se ressourcer et à vider son esprit des souvenirs qui le hantaient. Mais tout avait changé depuis la tempête qui avait amené Celia Stevens sur sa plage. Et le semblant de quiétude qu'il avait retiré de six longues années d'exil lui semblait perdu à jamais.

Car l'image de la jeune femme occupait son esprit à chaque instant. Les eaux bleues du golfe étincelaient comme ses yeux. Il entendait sa voix mélodieuse murmurer dans la brise. Le doux balancement des grands palmiers imitait le mouvement de ses hanches et les herbes qui bordaient les dunes brillaient du même éclat que ses cheveux. De plus, la conversation qu'il avait eue avec elle la veille avait suffi à lui révéler l'intelligence qui se dissimulait derrière sa beauté. Bon sang ! grommela-t-il. Cette femme apparemment parfaite ne lui offrait aucune arme pour lui résister.

Pourtant, il devait résister — durant trois longs mois. Jusqu'à ce que le capitaine Biggins revienne et emmène Celia avec lui. Toutefois, elle ne pourrait repartir qu'après lui avoir juré de tenir son lieu de résidence secret. Ceci en vue de leur sécurité à tous deux.

Il songea brièvement à demander à Noah de la raccompagner à Key West. Mais il ne pouvait pas faire courir un tel danger à un homme qui l'avait servi aussi loyalement. Si Noah était arrêté et incarcéré, son esprit s'étiolerait et il mourrait. Quant à lui, Dieu sait qu'il aurait aimé accompagner personnellement la jeune femme. Cependant, le risque d'être lui aussi repéré était trop grand.

Sans compter la menace qui pourrait alors peser sur Celia.

Cameron continua à se débattre avec sa conscience tandis qu'il réglait la voile de son bateau. Non, décidément, Celia Stevens était bien plus en sécurité sur l'île de la Solitude, avec Mme Givens et Noah pour la protéger, que seule en mer avec lui, songea-t-il.

Mais comment allait-il pouvoir vivre durant trois mois à son côté, alors qu'elle lui rappelait si cruellement tout ce à quoi il avait renoncé ?

Il dirigea son voilier vers le banc de sable le plus proche, jeta l'ancre, puis plongea tout habillé par-dessus bord, dans le vain espoir de noyer l'angoisse qui le consumait.

De son côté, Celia descendit l'allée qui menait au ponton. Puis, de crainte que son étrange hôte ne reprenne la mer sur-le-champ s'il l'apercevait, elle se dissimula à l'ombre des palétuviers en attendant son arrivée.

Le sloop, sa voile blanche étincelant dans le soleil, glissait paisiblement sur les eaux calmes du golfe. Le bateau vira de bord et la voile se déplaça, révélant Cameron à la barre, les cheveux au vent et une expression de pur plaisir illuminant son beau visage offert aux rayons implacables du soleil. Cette image effaça tout à coup celle du malheureux reclus à l'esprit dérangé qui avait habité la jeune femme tout au long de la matinée.

Il se dégageait au contraire de l'homme qu'elle observait à son insu une puissance extraordinaire. Solidement campé sur ses jambes et sa chemise ouverte révélant les muscles hâlés de son torse, il semblait ne faire qu'un avec les éléments qui l'entouraient. Celia sentit alors son assurance décliner à l'idée de tenter de contraindre un être aussi dynamique à agir contre son gré.

Comme le voilier approchait du ponton, Cameron affaissa sa voile et le bateau glissa silencieusement sur l'eau en direction de la petite plate-forme. Avec la grâce d'une longue expérience, il lança d'abord une amarre autour d'un poteau. Puis il accosta parallèlement au ponton, sur lequel il se hissa à la force de ses bras musclés avant d'y attacher plus solidement son bateau.

La jeune femme choisit cet instant pour sortir de sa cachette et s'avancer silencieusement derrière lui. Sa tâche achevée, Cameron se redressa, la dominant de sa haute stature. Même de dos, il lui parut alors encore plus impressionnant que tout à l'heure. Malgré cela, elle rassembla son courage et l'appela :

— Monsieur Alexander, il faut que je vous parle.

Il se retourna si brusquement qu'elle tressaillit.

— Vous devriez éviter de surprendre les gens de la sorte, gronda-t-il d'une voix menaçante.

Sans se démonter et ignorant la chaleur du bois qui lui brûlait les pieds, Celia fit un pas vers lui. S'il croyait pouvoir l'intimider, il allait être surpris. Elle redressa les épaules et marcha vers le géant qui la toisait de ses yeux couleur topaze.

— J'avais prévenu Mme Givens que je souhaitais ne pas être dérangé, dit-il d'une voix tranchante.

Celia hésita, en se demandant où était passé l'homme doux et bienveillant qui l'avait portée jusque dans son lit la nuit précédente. Cette altération radicale de la personnalité n'était-elle pas la preuve que Cameron Alexander souffrait d'une maladie mentale ? s'interrogea la jeune femme.

Elle s'arrêta à moins d'un mètre de lui, assez près pour lui bloquer le passage sans devoir trop lever la tête pour le regarder. En même temps, elle lui décocha son plus charmant sourire afin de percer une faille dans le mur d'hostilité qu'il semblait vouloir ériger entre eux. Mais les traits de son hôte ne s'adoucirent pas pour autant.

Décidant alors de changer de tactique, elle opta pour une attitude plus distante et plus officielle.

— Mme Givens m'a bien fait part de vos instructions, dit-elle. Et c'est justement ce dont je souhaite vous entretenir.

Cameron ne répondit pas. Les poings serrés contre ses hanches, il se dressait devant elle sous l'assaut implacable du soleil, tel un colosse.

Celia sentit un filet de sueur couler entre ses seins. Mais elle n'allait pas le laisser l'intimider. Elle avait trop à perdre.

— Je dois rentrer chez moi sur-le-champ, affirma-t-elle. Et je vous serais reconnaissante de bien vouloir m'emmener sur votre voilier jusqu'à Key West.

— Non, rétorqua-t-il.

La froideur implacable de son ton la déstabilisa plus encore que ses vociférations de tout à l'heure.

— Pourquoi ? Je ne demande pourtant rien d'impossible,

argua la jeune femme, tout en espérant que sa voix ne révélerait pas le tremblement intérieur qui l'agitait.

L'expression de Cameron devint glaciale.

— Je suis désolé, mais je ne vous dois *aucune* explication. J'ai dit non et c'est non.

Il fit un pas vers elle, mais elle ne recula pas.

— Si vous souhaitez vraiment ne pas être dérangé, vous devriez sauter sur l'occasion de vous débarrasser de moi, objecta Celia.

Elle attendit en vain une réponse de son hôte — dont les yeux étaient rivés non pas sur son visage, mais sur le fin coton de son chemisier, plaqué par le vent sur sa poitrine dénudée. L'étrangeté de son expression la fit rougir. Embarrassé à son tour, il reporta son regard sur un point au-delà de l'épaule de Celia.

Cameron était peut-être fou, mais c'était avant tout un homme, songea-t-elle alors en frissonnant. Un homme qui n'avait pas vu d'autre femme que Mme Givens depuis plusieurs années. Raison de plus pour quitter cette île dans les plus brefs délais. Tout en s'efforçant de conserver un ton neutre, elle assura :

— Croyez bien que j'apprécie votre hospitalité, mais je ne veux pas en abuser trois mois durant. Et une rapide traversée jusqu'à Key West résoudrait nos problèmes respectifs.

— Mademoiselle Stevens, je vais le répéter une fois de plus afin que vous en soyez enfin convaincue, répliqua son interlocuteur d'une voix blanche. Je ne vous emmènerai pas à Key West.

— Alors demandez à Noah de le faire, insista Celia.

— Vous pourrez vous y rendre dans trois mois, lorsque le bateau qui nous livre nos provisions repartira.

— Comme je vous l'ai dit, je ne peux pas attendre…

— Je suis désolé, mais c'est ainsi, décréta Cameron, intraitable.

Soudain exaspérée, Celia perdit son sang-froid et se mit à l'invectiver :

— Vous êtes l'homme le plus arrogant, le plus obstiné, le plus égoïste…

— Egoïste ? releva son hôte. Je vous offre le gîte et le couvert pendant plusieurs mois. Personnellement, j'appelle plutôt cela de l'hospitalité.

— Appelez cela comme vous voudrez, mais vous ne me

rendez nullement service, s'insurgea la jeune femme en sentant des larmes de colère lui monter aux yeux.

Elle les essuya du dos de la main, furieuse de laisser Cameron percevoir sa détresse et plus furieuse encore de constater que celle-ci ne l'émouvait pas.

— Je n'ai rien d'autre à vous dire, décréta-t-il, les traits toujours aussi imperturbables. Maintenant, laissez-moi passer.

Comme elle s'écartait brusquement, une écharde arrachée à l'une des planches du ponton se planta dans son pied droit et elle poussa un cri de douleur.

Effrayé, un oiseau s'envola du palétuvier sur lequel il était perché. Celia retourna son pied afin d'en extraire la longue écharde, perdit ainsi l'équilibre et tomba soudain à la renverse dans la mer. Se sentant alors engloutie par les eaux, la panique l'envahit au souvenir de son récent naufrage. Toutefois, sa terreur fut de courte durée. Car ses pieds heurtèrent aussitôt le sol et, lorsqu'elle se redressa, l'eau lui arrivait à peine à hauteur de la poitrine. Elle sentit ses orteils s'enfoncer dans la vase, toussa, cracha, puis repoussa ses cheveux trempés de son visage.

Cameron l'observait depuis le ponton avec un rictus qui ressemblait vaguement à un sourire. Il lui tendit une main secourable, qu'elle accepta. Puis il la hissa sur le ponton comme si elle avait été une plume. La vase rendant ses pieds glissants, elle retomba malencontreusement contre lui et il referma ses bras sur elle pour la retenir.

Celia sentit alors un long frisson la parcourir, pareil à une onde électrique. Puis, recouvrant ses esprits, elle voulut s'arracher à l'étreinte de Cameron, mais celle-ci se resserra. Elle pressa alors ses mains contre son torse pour le repousser, bouleversée par le feu qu'elle voyait briller dans son regard.

Que lui arrivait-il ? se demanda la jeune femme. Ce n'était pas parce que cet homme l'avait secourue et accueillie chez lui qu'elle devait se laisser émouvoir de la sorte — surtout alors qu'il refusait de la ramener chez elle.

Elle secoua la tête afin de chasser son trouble et Cameron finit par la lâcher. L'eau dégoulina alors de ses vêtements, formant une flaque autour d'elle sur le ponton.

Son hôte la fixa longuement avec un regard assombri par la

douleur, comme ensorcelé. Le temps sembla se suspendre tandis qu'elle plongeait elle aussi les yeux dans les siens. Puis, soudain, il se détourna et s'en alla le long du ponton, rompant brutalement le charme.

Quelques instants plus tard, Celia entendit une porte claquer et Cameron disparut à l'intérieur de la maison. Plus que jamais, elle souhaita quitter cette île au plus vite, avant de se trouver piégée dans une situation qu'elle pourrait ne plus contrôler.

Cette nuit-là, de nouveau affublée de l'immense chemise de nuit de Mme Givens, Celia regardait la pluie s'abattre sur la plage, appuyée à la rambarde de la véranda donnant sur sa chambre. La gouvernante avait emporté ses vêtements trempés et souillés de vase afin de les laver, mais, avec ce temps, ils n'étaient pas près de sécher, songea la jeune femme. La lune était dissimulée par de gros nuages noirs et une pluie torrentielle tambourinait sur le toit de tôle au-dessus d'elle, couvrant le grondement du ressac.

Soudain, un éclair aveuglant déchira le ciel, si près de la maison qu'il fut immédiatement suivi du tonnerre. Surprise, Celia recula d'un bond, le cœur battant. Le souvenir de la tempête dans laquelle elle avait failli périr lui revint alors par flashs. Envahie par les images de vagues gigantesques et terrifiantes, elle sentit sa respiration se bloquer.

Elle devait souffrir d'un choc post-traumatique, se dit-elle. Car, à chaque coup de tonnerre, elle revivait l'horreur de cette expérience. Elle avait pourtant affronté de nombreuses tempêtes auparavant. Une fois, elle avait même fait naufrage. Mais rien n'avait jamais égalé la terreur qui s'était emparée d'elle ce jour-là, au moment où elle avait senti son bateau se briser sous elle, puis les eaux grises et profondes l'engloutir. Avec le tonnerre qui grondait dans toutes les directions autour d'elle.

S'agrippant de toutes ses forces à la balustrade, la jeune femme ferma les yeux afin de repousser ces souvenirs. Mais, soudain, un nouveau coup de tonnerre éclata, faisant trembler la maison sur ses bases.

Dans le but d'endiguer la panique qui menaçait de la submerger, Celia s'imagina dans sa librairie, avec ses grandes fenêtres ensoleillées donnant sur la rue encombrée de voitures. Elle arrivait presque à sentir l'odeur d'encre des livres neufs, celle du thé infusant dans la théière et celle des chocolats qu'elle conservait dans un panier à l'intention de ses clients. Elle percevait le murmure de leurs voix, elle les entendait tourner les pages. Elle entendait même le cliquetis des clés sur la caisse enregistreuse.

Ces sensations familières l'aidèrent à se calmer. Le rythme de sa respiration et les battements de son cœur s'apaisèrent lentement. Sa panique avait disparu... pour faire à présent place à une douloureuse nostalgie.

Peu à peu, la tempête s'éloigna en direction du large et le silence revint, brisé seulement par la musique irrégulière des gouttes qui retombaient du toit sur les branches des palmiers. Celia sentit l'air nocturne, rafraîchi et lavé par la pluie, s'engouffrer dans sa chemise de nuit, la gonflant comme une voile.

Elle fixa l'endroit sur la plage où elle avait remarqué la présence d'une grosse pile de bois. Même si un bateau passait cette nuit à proximité de l'île, celui-ci serait trop mouillé pour brûler, à présent. Elle avait caché sous son matelas quelques allumettes dérobées dans la cuisine pendant que Mme Givens avait le dos tourné. Afin de se rassurer, elle se dit que le bois finirait par sécher et qu'elle aurait alors sa chance.

Soudain, elle se tendit en entendant un bruit dans la chambre contiguë à la sienne. L'instant d'après, une flaque de lumière apparut sous la véranda, juste à côté d'elle. La porte-fenêtre de Cameron s'ouvrit brusquement et, durant un instant, elle craignit qu'il ne sorte lui aussi sous la véranda.

Puis elle vit son ombre se profiler sur les planches de la véranda. Il se déshabillait. Elle vit les contours de ses larges épaules qui s'effilaient jusqu'à ses hanches minces. Elle distingua même les muscles puissants de son torse lorsqu'il retira sa chemise. Il se pencha pour souffler la flamme de la lampe, après quoi elle entendit les ressorts de son lit grincer. Il s'était couché. A cette pensée, Celia sentit son pouls s'accélérer. Elle frissonna en sentant sur sa peau la fraîche caresse de la brise, encore chargée de pluie.

Mais cet effet ne provenait-il pas plutôt du souvenir du corps de Cameron contre le sien ? s'interrogea la jeune femme. Jamais elle n'avait été bouleversée de la sorte par Darren, même lorsque celui-ci avait proclamé son amour pour elle. Pourquoi son corps réagissait-il ainsi au contact d'un homme dont tout laissait à penser qu'il avait l'esprit dérangé ? se demanda-t-elle avec perplexité.

A la première occasion, elle allumerait ce feu sur la plage, se dit-elle. Et, si personne ne venait à son aide, elle déroberait s'il le fallait le voilier de Cameron Alexander afin de regagner Key West. Une chose était sûre, en tout cas : elle ne pouvait rester plus longtemps sur cette île, au risque de succomber à la dangereuse et grandissante attirance que cet homme exerçait sur elle.

Doutant de parvenir à fermer l'œil si elle se couchait, elle alla prendre le fauteuil à bascule qui se trouvait dans sa chambre et transporta celui-ci sous la véranda. Après quoi elle s'y assit, ramena les genoux sous elle et commença à se balancer doucement, dans l'espoir que cela l'aiderait à trouver le sommeil.

Lorsque Celia ouvrit les yeux, il faisait jour et le soleil se levait déjà sur la mer, teintant celle-ci de tons rose et or iridescents. Les mouettes affamées poussaient des cris stridents et le battement soyeux de leurs ailes emplissait l'air frais du matin.

La jeune femme se leva et s'étira, détendant ses muscles endoloris par cette nuit passée à la belle étoile et repliée sur elle-même dans le fauteuil à bascule. Les portes-fenêtres de Cameron étaient restées ouvertes, mais aucun son ne lui parvint depuis l'intérieur de sa chambre. Comme elle se tournait pour regagner la sienne, son regard fut attiré par un mouvement sur la plage.

Baigné dans la lueur délicate des premiers rayons du soleil, Cameron marchait nu sur le sable en direction de la mer, ses muscles se découpant tels ceux d'une statue de marbre contre le ciel azuré. Dès qu'il atteignit l'eau, il plongea avec grâce au cœur des vagues, qu'il pourfendit de puissants mouvements de bras tout en se dirigeant à vive allure vers l'horizon.

Fascinée par ce spectacle, Celia le regarda s'éloigner de plus en plus vite de la grève.

C'est alors qu'elle remarqua un point blanc, au loin. C'était un navire de croisière, qui progressait lentement dans le golfe du Mexique en direction du nord.

Avec à son bord des sauveurs potentiels ! songea aussitôt la jeune femme.

Effrayée par l'étrange attirance que son mystérieux hôte exerçait sur elle, elle éprouvait à présent le besoin encore plus pressant et plus intense de s'éloigner de lui que celui de rentrer chez elle.

Galvanisée par ce désir, elle se rua à l'intérieur de sa chambre et chercha à tâtons les allumettes dissimulées sous son matelas. Puis, son précieux butin serré dans son poing, elle dévala l'escalier, franchit la porte d'entrée et courut en direction de la plage.

Il fallait absolument qu'elle signale sa présence à l'équipage ou aux passagers de ce bateau avant que celui-ci ne disparaisse. Par malheur, le sable ralentissait sa progression.

Tremblante d'émotion, elle atteignit enfin la pile de bois. Elle chercha aussitôt un objet à la surface suffisamment rugueuse pour pouvoir y enflammer une allumette. Repérant un gros coquillage qui semblait satisfaire à cette exigence, elle y gratta une première allumette.

Mais rien ne se passa.

Saisie par la panique, elle recommença encore et encore, sans résultat.

« Mon Dieu, aidez-moi à allumer ce feu afin que je puisse rentrer chez moi », supplia-t-elle, avant de jeter l'allumette d'un geste dégoûté.

Elle en essaya une seconde. Par bonheur, celle-ci s'enflamma instantanément. Elle l'approcha alors d'une main tremblante des feuillages entremêlés aux morceaux de bois. Encore légèrement humides après la pluie de la nuit passée, ceux-ci commencèrent à se consumer avec lenteur au lieu de s'enflammer, en produisant très peu de fumée. Celia s'empara alors d'une branche de palmier qu'elle agita afin d'attiser son feu. Au bout d'un moment, celui-ci finit par prendre.

La jeune femme fixa alors l'horizon à la recherche du navire de croisière, tout en accélérant le mouvement de sa main afin que les flammes s'élèvent plus vite vers le ciel.

Au même moment, elle se sentit projetée sur le côté par des mains puissantes et tomba à genoux sur le sable qui lui vola dans les yeux.

Elle se redressa péniblement et se retourna en se frottant les yeux. Pour voir Cameron, vêtu d'un simple jean qu'il n'avait pas pris le temps de boutonner, jeter des pelletées de sable sur son feu à l'aide d'une planche.

— Non ! hurla-t-elle en lui agrippant le bras. Laissez ce feu.

Il la poussa une fois de plus afin de poursuivre sa tâche. Mais elle se positionna entre lui et la pile de bois.

— Vous n'avez pas le droit de faire ça ! vociféra-t-elle.

— Otez-vous de là ! gronda-t-il.

Ignorant la menace qui perçait dans sa voix, elle tenta d'éliminer le sable à mesure qu'il en recouvrait le feu. Mais ses efforts se révélèrent vains face à la puissance de son adversaire. Car, à chaque poignée de sable qu'elle enlevait, il en versait dix fois plus.

Lorsque Cameron eut éteint jusqu'à la plus petite flammèche de son feu, il jeta la planche au loin. Puis, après s'être épousseté les mains, il se tourna vers elle, la colère étincelant dans son regard.

— Mettez-vous cette idée dans le crâne une fois pour toutes, mademoiselle Stevens. Vous quitterez cette île lorsque je l'aurai décidé et pas avant.

Sur ces mots, il lui arracha des mains les quelques allumettes qui lui restaient et les enferma dans son poing. Elle enroula alors instinctivement les doigts autour des siens pour tenter de les récupérer, mais l'expression féroce de Cameron la força à s'arrêter. Il se détourna brusquement d'elle et regagna la maison d'un pas furibond, la laissant seule sur la plage dans sa chemise de nuit gonflée par le vent. Tremblante de déception et étreinte, pour la première fois, par la terreur.

Car elle n'était désormais plus une simple invitée sur l'île de la Solitude, comprit Celia. Mais bel et bien une prisonnière.

3

Celia demeura debout sur la plage, le regard désespérément rivé sur le navire de croisière, jusqu'à ce que celui-ci disparaisse au-delà de l'horizon. Tous ses espoirs s'envolant alors avec lui, elle reprit le chemin de la maison. Le sable entravait chacun de ses pas, comme si la terre elle-même voulait l'enchaîner à cette île.

Lorsqu'elle atteignit le sentier qui traversait les dunes, elle croisa Noah qui se dirigeait vers la plage, une pelle sur l'épaule.

— Bonjour, mademoiselle Celia.

Il lui sourit, mais son regard était empli de tristesse et elle se demanda s'il se sentait lui aussi prisonnier de cette île, comme elle.

— Vous sortez tôt ce matin, remarqua-t-elle. Vous allez ramasser des palourdes ?

— Non, mademoiselle. Maintenant que vous le dites, j'aimerais bien manger une de ces soupes aux palourdes que prépare Mme Givens, remarqua le jardinier d'un air songeur. Mais M. Alex m'a ordonné d'enterrer cette grosse pile de bois, sur la plage. Il dit qu'il ne veut pas qu'elle attire l'attention sur l'île.

— Je vois, repartit Celia, son sourire se figeant soudain sur ses lèvres tandis que Noah reprenait sa route.

Lorsqu'elle arriva à la maison, Cameron était assis sur les marches de la véranda, appuyé en arrière sur les coudes. Il avait enfilé une chemise, mais son torse et ses pieds étaient toujours dénudés et ses cheveux, qui commençaient à sécher, avaient l'aspect d'une masse sauvage et désordonnée. N'importe quel autre homme à sa place aurait eu un aspect négligé. Hélas, cette tenue légèrement débraillée le rendait au contraire plus attirant, se lamenta la jeune femme en son for intérieur.

Elle le vit se lever d'un bond à son approche. Cependant, ayant eu sa dose de brutalité pour la journée, elle passa devant lui sans le regarder et commença à gravir les marches vers la porte d'entrée.

— Mademoiselle Stevens, je vous en prie, l'implora-t-il en se levant.

Le désespoir qu'elle perçut dans sa voix la força à s'arrêter et à se retourner.

— Quoi encore ? Vous voulez me fouiller afin de vous assurer que je n'ai plus une seule allumette ? gronda-t-elle, en concentrant toute sa fureur et toute sa frustration dans sa riposte.

Cependant, les yeux au même niveau que ceux de Cameron, elle ne put s'empêcher de lire l'émouvante supplique qui brillait dans son regard.

Il écarta les mains en un geste pacificateur.

— Je vous prie de me pardonner, dit-il. Je n'ai pas voulu vous rudoyer tout à l'heure, sur la plage. Mais il fallait que j'éteigne ce feu au plus vite, comprenez-vous ?

Celia sentit sa colère céder soudain la place à une immense lassitude.

— Quel mal cela aurait-il fait, si l'équipage de ce bateau avait aperçu ce feu et qu'ils étaient venus me chercher ? demanda-t-elle, d'une voix d'où toute dureté avait disparu.

Le cœur lourd, elle se laissa tomber sur les marches. Puis, les coudes posés sur les genoux et le menton dans les mains, elle rassembla son énergie pour répéter une fois de plus :

— Je n'aspire qu'à une chose : retrouver ma maison, mes amis et ma librairie.

Elle avait énoncé cette requête si souvent que celle-ci commençait à ressembler à une litanie. Des larmes lui montèrent aux yeux, qu'elle s'efforça de refouler, mais celles-ci roulèrent sur ses joues malgré elle.

Cameron se rassit à côté d'elle. Puis il passa un bras autour de ses épaules et l'attira contre lui. Ce personnage soudain doux et aimable ne ressemblait en rien à l'homme qui l'avait brutalisée quelques instants plus tôt, alors qu'elle s'évertuait à allumer ce feu. La maladie à laquelle Mme Givens avait fait allusion le concernant consistait-elle en un dédoublement de la personnalité ? se demanda Celia.

— Je vous en prie, ne pleurez pas, murmura-t-il d'une voix à la fois chaude et caressante.

— Je ne pleure pas.

Elle essuya ses larmes du dos de la main et s'écarta de lui.

— Est-ce à cause de l'homme que vous deviez épouser que vous souhaitez tant rentrer chez vous ? demanda-t-il.

Cette question stupéfia Celia. Car la dernière personne qu'elle avait envie de revoir était Darren Walker. Cependant, puisque Cameron avait ses secrets, elle aussi pouvait avoir les siens, songea-t-elle. Si bien qu'elle répliqua :

— J'ignore à quoi vous faites allusion.

Il sourit.

— J'avoue que ma situation peut paraître étrange, concéda-t-il. Mais pas plus que la vôtre. Car rares sont les femmes qui partent naviguer en solitaire, vêtues d'une robe de mariée.

Embarrassée, Celia fixa silencieusement la mer.

— A quel moment êtes-vous partie ? insista Cameron. Avant ou après votre mariage ?

— En quoi cela vous intéresse-t-il ? rétorqua-t-elle avec violence.

Comme il haussait les épaules avec une nonchalance exaspérante, elle demanda sur un ton acerbe :

— Si je vous réponds, me laisserez-vous partir pour autant ?

Le sourire de son hôte disparut brusquement.

— Je vous ai déjà dit que vous partirez d'ici avec le capitaine Biggins.

— Mais le capitaine Biggins n'arrivera pas ici avant plusieurs mois ! Et pourquoi est-il le seul à pouvoir me ramener à Key West ? Que cherchez-vous à cacher, bon sang ?

Cameron la dévisagea comme s'il n'avait pas entendu sa question.

— Vos yeux ont la couleur des eaux du golfe, dit-il soudain d'une voix étrangement songeuse. Mais, lorsque vous êtes en colère, ils étincellent comme le reflet du soleil sur la mer.

A ces mots, Celia sentit sa rage se transformer en crainte. Cet homme était bel et bien fou !

— Vous éludez ma question, protesta-t-elle. Pourquoi Biggins…

— Vous m'avez demandé ce que je cherchais à cacher. La réponse est évidente.

— Pas pour moi…

— Je me cache moi-même.

— Pourquoi ?

Les traits de Cameron se durcirent.

— Cela ne vous regarde pas. Mais je m'efforce depuis des années de tenir mon lieu de résidence secret. Biggins est la seule personne à savoir où je me trouve.

— Vous devez avoir une grande confiance en cet homme, dit la jeune femme.

— Tant qu'il restera discret, Biggins vivra très confortablement. Tandis que, s'il divulgue ma présence sur cette île, il cessera de toucher son argent. C'est aussi simple que cela, affirma Cameron.

Celia eut envie de lui demander de nouveau pourquoi il se cachait, mais elle ravala sa question. Car en savoir trop risquait d'être dangereux, se dit la jeune femme. D'autant que de manière indirecte, Cameron venait de lui indiquer que, le jour où elle quitterait l'île de la Solitude, deux personnes au lieu d'une sauraient désormais où il se cachait. S'il la laissait partir, songea-t-elle. Or ses doutes à ce sujet augmentaient à chaque instant.

Quoi qu'il en soit, elle n'avait pas l'intention d'attendre l'arrivée du capitaine Biggins pour le savoir. Elle se promit de regagner le continent à la nage, si nécessaire. En tout cas, elle refusait de passer une autre nuit sur cette île.

Tout ce qui concernait Cameron Alexander était étrange et, en même temps, tout cela l'attirait de manière inexplicable. Cependant, ayant échappé de justesse à un mariage désastreux, elle n'avait aucune envie de s'engager aussi vite dans une nouvelle relation sentimentale — de surcroît guère plus prometteuse que la première. Par conséquent, plus vite elle s'éloignerait de l'île de la Solitude et de son propriétaire énigmatique et mieux elle se porterait.

Forte de cette certitude, elle se redressa brusquement et commença à gravir les marches de la véranda. Mais son hôte lui agrippa la main, son expression de nouveau radoucie.

— Ne partez pas, dit-il avec un sourire attristé.

— Il faut que j'aille m'habiller.

— Mais vous ne m'avez pas encore pardonné de vous avoir malmenée tout à l'heure. Je suis navré.

Cameron imaginait-il qu'il pouvait se comporter en mufle, puis tout arranger en s'excusant ?

— Je vous pardonnerai le jour où vous me libérerez de la prison que vous avez vous-même érigée autour de vous, décréta Celia.

Elle arracha sa main à l'étreinte de Cameron. Après quoi, relevant sa longue chemise de nuit jusqu'à ses genoux, elle s'engouffra en hâte dans la maison, puis dans l'escalier menant à sa chambre.

Elle découvrit la jupe et le chemisier qu'elle portait la veille, soigneusement pliés sur son lit. Elle les contempla avec un soupir, en se disant qu'il fallait à tout prix qu'elle s'échappe de cette île. Ne serait-ce que pour trouver des vêtements à sa taille… ainsi qu'une paire de chaussures.

La voix de Cameron la fit se retourner brusquement. Il se tenait debout, sur le seuil de sa porte.

— Excusez-moi, dit-il.

— Que voulez-vous ?

— Noah a trouvé un sac à dos un peu plus loin sur la plage. J'imagine qu'il provient de votre voilier. Il contenait quelques vêtements, que Mme Givens a pris la liberté de laver et de repasser.

Il lui tendit alors les habits de rechange qu'elle conservait en permanence sur son bateau : un short en jean, un T-shirt, un slip, un soutien-gorge et une paire de chaussures de tennis.

— Merci, dit-elle sèchement, en les lui prenant des mains.

— Si vous avez besoin de quoi que ce soit d'autre, nous ferons de notre mieux pour vous le fournir.

— Qu'est-ce que c'est que cette maison ? Une prison quatre étoiles ? rétorqua la jeune femme avec sarcasme.

Les traits soudain durcis, Cameron se détourna sans répondre et s'en alla. Celia regretta aussitôt de l'avoir offensé alors qu'il cherchait simplement à se montrer gentil. Toutefois, elle ne pouvait pas non plus se laisser attendrir par son charme. Car, qui que soit le séduisant Cameron Alexander, il était avant tout son geôlier.

Elle lava le sable de son corps, puis revêtit la jupe et le chemisier de Mme Givens. Après quoi elle peigna ses cheveux emmêlés et, tout en les nattant, sortit sous la véranda.

Sur la plage, Noah creusait un immense trou dans le sable, pareil à un fossoyeur penché sur sa tâche.

Ce spectacle fit frissonner la jeune femme, renforçant sa

décision de quitter l'île le jour même. Elle se dit alors qu'il était temps pour elle d'échafauder un plan.

Au moment où Celia entra dans la cuisine, Mme Givens examinait un coupon de tissu vert tendre. La gouvernante leva les yeux et dit sur un ton engageant :

— Je me disais qu'il faut que nous vous confectionnions quelques vêtements, ma chère. Car vous ne pouvez pas porter mes vieilles hardes éternellement.

— Eternellement ? releva Celia, qui s'apprêtait à se servir une tasse de café.

Elle interrompit son geste et fixa la vieille dame.

— C'est juste une façon de parler, repartit cette dernière un peu trop vite. Bien qu'à votre jeune âge, trois mois puissent paraître une éternité.

La justification de la gouvernante lui parut acceptable. Malgré cela, Celia ne parvint pas à repousser l'étrange malaise que chacun des habitants de cette île lui inspirait. Leur refus concerté de la laisser partir — en dépit de ses plus vives protestations — l'effrayait au plus haut point.

Plus résolue que jamais à s'enfuir, elle termina sa tasse de café et se servit une part généreuse de flocons d'avoine, accompagnée de plusieurs toasts. Elle allait avoir besoin de forces afin de mener son plan à bien, songea-t-elle. Ainsi que de vivres…

— Madame Givens, auriez-vous le temps de me préparer un en-cas, s'il vous plaît ? demanda-t-elle. J'avais l'intention de passer la journée sur la plage afin d'y ramasser des coquillages.

Elle étala de la confiture sur un toast, tout en s'efforçant de dissimuler le trouble et l'agitation que lui causait ce mensonge.

— Avec plaisir, ma chère, répondit la gouvernante. Le capitaine Biggins nous a apporté un délicieux jambon fumé lors de sa dernière visite, et j'ai justement fait du pain ce matin.

— Pourriez-vous y ajouter une bouteille d'eau et une Thermos de thé, s'il vous plaît ? Cette chaleur me donne soif.

— Tout ce que vous voudrez. Je suis si heureuse de vous faire plaisir, assura Mme Givens avec un sourire radieux.

Celia se demanda si la joie de la gouvernante — laquelle

préparait déjà les victuailles nécessaires à sa fuite — provenait de son apparente réconciliation avec son sort de prisonnière. Toutefois, elle lui rendit son sourire et répliqua :

— Vous êtes un ange, madame Givens.

A ce moment-là, Cameron entra dans la pièce et le sourire de la jeune femme disparut. Mais il regarda au-delà d'elle, comme si elle n'était pas là. Il avait peigné sa tignasse embroussaillée, s'était rasé et avait enfilé des vêtements propres. Avec son pantalon serré enfoncé dans des bottes étincelantes et sa chemise blanche au col ouvert, il avait si fière allure qu'elle sentit une vague de regret la traverser à l'idée de n'avoir pas pu le rencontrer en d'autres circonstances.

— Apportez-moi mon déjeuner dans mon bureau, s'il vous plaît, demanda-t-il à la gouvernante. Et assurez-vous que je ne sois pas dérangé. Je souhaite mettre mes notes à jour, ce matin.

Avant même que Mme Givens n'ait eu le temps de répondre, il était déjà reparti. Celia prit une dernière bouchée de toast, puis elle débarrassa son couvert.

— Votre pique-nique sera prêt dans quelques petites minutes, lui promit la vieille dame.

Celia sortit de la cuisine et se dirigea vers la petite cabane qui faisait office de toilettes.

« Mon Dieu, aidez-moi à m'échapper d'ici, supplia-t-elle, et je jure qu'à l'avenir, je considérerai toujours l'eau chaude et les salles de bains comme un merveilleux privilège. »

Avant d'entrer dans la cabane, elle vérifia qu'une mygale ou un serpent venimeux ne s'y était pas introduit.

Lorsqu'elle en ressortit, elle lança un coup d'œil en direction du ponton et fut aussitôt soulagée de constater que le voilier de Cameron était amarré à sa place habituelle.

Jusque-là, tout se passait bien.

Elle regagna la cuisine et s'empara du panier garni très généreusement par Mme Givens. Après quoi elle passa devant le bureau de Cameron sur la pointe des pieds et monta jusqu'à sa chambre. Là, elle ôta la jupe et le chemisier de la gouvernante et enfila son short, son T-shirt et ses chaussures de tennis. Depuis sa fenêtre, elle vit Noah qui continuait à creuser ce trou sur la plage.

Celia reprit son panier, puis elle dévala l'escalier, dépassa furtivement le bureau où s'était retiré Cameron et franchit la porte d'entrée.

Elle entendit Mme Givens qui chantonnait dans la cuisine tout en travaillant. Elle traversa alors le jardin au pas de course et se dirigea à la même allure vers le ponton. La marée était haute, ce qui lui permit de monter facilement sur le pont du voilier, puis de détacher les amarres avec la même aisance.

Elle écarta en hâte le bateau du ponton, hissa la voile, puis dirigea aussitôt l'embarcation vers un chenal formé par l'île de la Solitude et un autre îlot. La prise au vent était bonne, si bien que le voilier glissa rapidement hors de l'angle de vue des occupants de la maison ou de Noah. Dès qu'un nouvel îlot la dissimula entièrement aux regards, la jeune femme mit le cap sur l'ouest, en direction du golfe de Floride.

Bien que Cameron et Mme Givens aient tous deux affirmé que Key West était la ville la plus proche, Celia ne pouvait en être certaine. Sans boussole ni aucun instrument de navigation, si elle barrait vers le sud, elle craignait de dériver trop à l'ouest et d'arriver à Cuba ou bien jusqu'à la presqu'île du Yucatán.

En revanche, et même si l'île de la Solitude se trouvait au sud extrême de la Floride, une journée de navigation le long de la côte en direction du nord devrait l'amener au moins aussi loin qu'Everglades City, songea-t-elle. Une fois là, elle pourrait payer quelqu'un pour ramener son voilier à Cameron et, surtout, louer une voiture afin de rentrer chez elle.

Elle paniqua un instant en pensant qu'elle n'avait ni argent ni carte de crédit sur elle. Mais elle respira mieux en se rappelant que sa banque possédait des agences dans toute la Floride et qu'il lui suffirait de fournir le code confidentiel de son compte pour pouvoir retirer de l'argent. Rassérénée, elle renversa la tête en arrière et s'imprégna de la chaleur du soleil, de l'odeur du sel, de l'air marin et du goût savoureux de la liberté. Après les multiples épreuves qu'elle avait traversées, tout allait enfin bien se passer, se dit-elle.

Au pire, même si Cameron tentait de la poursuivre à bord de la barque qu'elle avait vue le long de la plage, il se dirigerait vers le sud, en pensant qu'elle cherchait à gagner Key West. Et le temps qu'il comprenne qu'elle avait pris la direction opposée, elle serait déjà sur l'autoroute 75, à mi-chemin de Clearwater Beach.

Elle maintint son cap sur le nord, tout en longeant la côte à distance respectable afin d'éviter les bancs de sable. Après avoir hissé le foc, elle se réinstalla à la barre, qu'elle tint d'une seule main tandis qu'elle attrapait une mangue bien mûre dans le panier préparé par Mme Givens. Si le vent persistait, elle pourrait atteindre la civilisation juste avant la nuit, songea la jeune femme.

Ses seuls compagnons étaient les mouettes — lesquelles piquaient régulièrement en direction du pont dans l'espoir de dérober une miette de son en-cas —, les frégates qui évoluaient en cercles dans les courants aériens, ainsi qu'un trio de marsouins qui jouaient dans le sillage du bateau. Après avoir récemment frôlé la mort et enivrée par une intense sensation de liberté, le ciel lui paraissait plus bleu, la mer plus claire et les poissons et les oiseaux plus gracieux que jamais.

Apaisée par la splendeur de la nature qui l'environnait, elle réfléchit aux raisons qui l'avaient incitée à fuir Clearwater Beach quelques jours plus tôt, ainsi qu'au meilleur parti à prendre concernant Darren.

Pour finir, elle décida que, dès son arrivée, elle contacterait la police et leur ferait part des accusations de Mme Seffner le concernant. En attendant, elle ne pouvait qu'espérer que son ex-fiancé ne l'attendrait pas devant sa porte, en exigeant une explication.

Ou, pire, qu'il ne préparait pas sa vengeance pour avoir été humilié et, surtout, privé de l'héritage qu'il avait éventuellement convoité. A présent, elle se souvenait de certains accès de violence qu'il était parvenu à contrôler au cours de leurs fiançailles. Elle espéra alors que la façon dont elle l'avait abandonné au pied de l'autel, quelques minutes avant la célébration de leur union, ne l'avait pas poussé à bout.

A cette pensée, Celia sentit sa joie s'évanouir, en comprenant qu'elle fuyait un problème pour se jeter directement dans un autre.

Elle se souvint de Cameron et de l'émoi qu'elle avait éprouvé lorsqu'il l'avait tenue contre lui la veille, sur le ponton. Darren ne l'avait jamais bouleversée de la sorte. Ce qui l'avait attirée chez lui, c'était son côté apparemment rassurant et prévisible.

Alors que Cameron Alexander n'était ni l'un ni l'autre.

Peu importe, se dit Celia. Puisque de toute façon, elle ne tarderait pas à oublier chacun de ces hommes. Car Cameron demeurerait cloîtré sur son île, tandis que Darren serait éliminé une fois pour toutes de son existence — du moins l'espérait-elle. Après un palmarès aussi désastreux, peut-être devrait-elle rester vieille fille, porter un chignon, des lunettes et consacrer sa vie à sa librairie, songea la jeune femme. Et adopter un gros chat grincheux pour compléter le tableau.

Soudain, le vent tourna, faisant claquer la voile et manquant faire chavirer le bateau. Avant tout, elle devrait peut-être se concentrer sur le pilotage de son bateau, se morigéna Celia.

Le soleil se rapprochait de plus en plus de l'horizon. Elle avait terminé les victuailles préparées par Mme Givens et bu toute l'eau et le thé. Mais elle n'apercevait toujours aucun signe de civilisation. Ce qu'elle voyait, en revanche, la remplissait d'appréhension. Le ciel avait viré au gris et s'était rempli de gros cumulus annonciateurs de mauvais temps. Un grain se préparait. En Floride, le mois d'octobre était la saison la plus propice à de dangereuses perturbations. Elle n'avait pas entendu de bulletin météorologique depuis plusieurs jours et les nuages qu'elle voyait s'amonceler au-dessus d'elle pouvaient aussi bien indiquer l'imminence d'une tempête tropicale… que celle d'un ouragan.

Elle vira de bord afin de se rapprocher de la côte, dans l'espoir d'apercevoir un petit port de pêche où elle pourrait s'abriter.

Sentant alors la colère monter en elle, elle hurla dans le vent grandissant :

— Soyez maudit, Cameron Alexander ! Si vous m'aviez emmenée jusqu'à Key West comme je vous le demandais, je serais assise dans une voiture à l'heure qu'il est, et sur le chemin de ma maison, au lieu d'être prise dans une tempête.

Tout en scrutant la côte à la recherche d'un endroit où se réfugier, elle continua de décharger sa rage, criant par-dessus le claquement des voiles :

— Vous n'aviez même pas besoin de descendre à terre. Vous auriez très bien pu me déposer et repartir aussitôt. Quel problème cela aurait-il pu vous causer, espèce de…

A cet instant, une violente rafale se prit dans les voiles. Le bateau se pencha complètement sur un de ses flancs et Celia fut soudain projetée par-dessus bord, au cœur des eaux turbulentes.

Cameron avait du mal à se concentrer sur la rédaction de son journal. Il ne l'avait plus ouvert depuis le jour où il avait découvert Celia Stevens inanimée sur la grève. Et il ne parvenait ni à effacer son joli visage de son esprit ni à nier l'admiration que lui inspiraient son cran et son courage. Après les épreuves qu'elle avait traversées, toutes les femmes qu'il avait connues à Londres auraient gardé le lit durant plusieurs semaines. Au lieu de cela, elle avait redressé les épaules et refusé de s'admettre vaincue. Allait-elle finir par se résigner à sa réclusion jusqu'à l'arrivée du capitaine Biggins ou bien allait-elle résister jusqu'au bout ? se demanda-t-il.

Soudain, la porte de son bureau s'ouvrit à la volée et Mme Givens fit irruption dans la pièce, l'air affolé.

— Que se passe-t-il ? Nous sommes découverts ? La police est ici ? s'inquiéta Cameron.

— C'est Celia ! repartit la gouvernante, le visage si rouge qu'il craignit qu'elle ne soit victime d'une attaque.

— Asseyez-vous et reprenez votre souffle, suggéra-t-il.

Il s'approcha de la vieille dame et la guida jusqu'au fauteuil de cuir qui se trouvait près de la fenêtre.

— Maintenant, expliquez-moi tout.

— Elle est partie ! balbutia Mme Givens, à bout de souffle.

— Partie ? Mais où diable voulez-vous qu'elle aille ? Elle n'a aucun moyen de quitter l'île.

— Elle y a pourtant réussi, monsieur. Elle a pris votre bateau.

— Quoi ? s'exclama Cameron en sentant la colère l'envahir, en même temps qu'il comprenait qu'il avait sous-estimé la jeune femme.

— Je jetais un coup d'œil par la fenêtre de la cuisine lorsque j'ai vu votre voilier s'éloigner du ponton avec Celia à la barre, expliqua Mme Givens d'une voix haletante tout en s'éventant avec son tablier. J'ai couru jusque-là, en espérant la convaincre de revenir, mais, le temps que j'arrive, le bateau avait déjà disparu derrière les îles.

Décidément, il était poursuivi par l'adversité, songea Cameron. Mais peut-être pouvait-il encore triompher d'elle...

— Dites à Noah de sortir la voile de rechange, ordonna-t-il. Je vais l'installer sur la barque et tenter de rattraper Celia avant qu'elle n'atteigne Key West.

Cependant, au lieu d'obtempérer, Mme Givens resta assise en secouant la tête d'un air affolé.

— Non, non.

— Vous préférez qu'elle s'échappe ? gronda Cameron.

— Elle n'a pas pris la direction de Key West. Elle a mis le cap sur le nord.

Malgré la colère et la frustration qui habitaient Cameron, l'ingéniosité de Celia lui arracha un sourire.

— Elle espérait brouiller les pistes, murmura-t-il.

Il se précipita sous la véranda, cria à Noah de le rejoindre devant la remise et s'y rendit aussitôt en courant. Ensemble, ils rassemblèrent la voile et les cordages et les transportèrent jusqu'à la plage, où ils gréèrent en hâte la petite embarcation.

Les mains de Cameron tremblaient tandis qu'il œuvrait. Celia avait pris tellement d'avance qu'il risquait de ne jamais la rattraper. La retrouver le long de la côte sauvage de la Floride, laquelle s'étendait sur plusieurs centaines de kilomètres, relèverait du miracle.

Malgré cela, il devait essayer. Il ne pouvait pas la laisser dévoiler leur cachette. De plus, si quoi que ce soit arrivait à la jeune femme, il ne se le pardonnerait jamais. Car, s'il n'avait pas refusé de l'emmener à Key West, elle ne se serait pas enfuie.

Mme Givens vint déposer un panier de vivres dans l'embarcation. Après quoi Cameron prit la mer et mit le cap sur le nord-ouest afin de longer le littoral.

Au bout d'un moment, la lumière commença à décliner et de gros nuages noirs se mirent à assombrir le ciel. Malgré cela, il s'enfonça obstinément dans l'obscurité, en espérant encore apercevoir une voile blanche devant lui. Mais, avec les milliers d'îlots qui longeaient le littoral, il pouvait aussi bien passer à quelques centaines de mètres de Celia sans la voir.

Si elle se perdait dans le dédale de ces îles et mourait de faim, de soif et d'épuisement, il aurait une nouvelle mort sur la conscience.

Et même la rigueur de son exil volontaire ne lui permettrait alors pas d'expier ce crime. Il continua d'avancer dans la nuit, réduisant ses voiles pour tenir tête à la tempête qui menaçait, tout en scrutant toutes les plages et toutes les criques à la recherche d'un voilier. A deux reprises, incapable de sonder la profondeur de l'eau dans l'obscurité, il sentit son bateau s'échouer sur des bancs de sable. Chaque fois, il sauta à l'eau et parvint à le dégager pour repartir dans la tourmente.

Il était sur le point de s'avouer vaincu lorsqu'un violent éclair illumina le ciel. Cameron aperçut alors une forme blanche qui flottait sur l'eau, partiellement dissimulée par la pointe d'un îlot. Il plissa les yeux afin de mieux distinguer ce qui se passait et, son cœur sombrant dans sa poitrine, reconnut son voilier.

Mais aucune trace de Celia.

4

Dans une obscurité totale et avec la mer déchaînée qui malmenait sa minuscule embarcation, Cameron contourna difficilement le petit îlot pour rejoindre son voilier échoué à quelques mètres du rivage. Il ne l'aurait jamais aperçu si cet éclair n'en avait pas révélé un instant plus tôt la voile déchiquetée.

Lorsqu'il arriva près de l'épave, il posa ses mains autour de sa bouche, en guise de porte-voix, et hurla :

— Mademoiselle Stevens ! Mademoiselle Stevens !

Les mugissements du vent avalèrent ses cris et un violent coup de tonnerre acheva de les couvrir. S'il souhaitait localiser la jeune femme, il allait devoir attendre la fin de la tempête, comprit Cameron.

Il attrapa l'une des écoutes du voilier à l'aide d'une gaffe et y attacha sa barque. Puis il ferla sa voile, jeta l'ancre et se prépara à affronter la tempête qui s'abattait sur lui.

A chaque instant qui s'écoulait, ses espoirs de retrouver Celia vivante diminuaient et sa conscience le taraudait davantage. Car, ainsi qu'elle l'en avait si justement accusé, il s'était montré égoïste à son égard.

Bien sûr, elle ignorait que c'était cet égoïsme qui l'avait maintenu en vie au cours des six années passées, mais ce raisonnement ne lui apporta aucun réconfort. Car, en l'espace de quelques jours, il s'était profondément épris de la jeune femme amenée jusqu'à sa plage par le destin, et l'idée qu'elle ait pu périr noyée lui était insupportable.

A la fin de la nuit, la tempête finit par s'apaiser et, dans la pâle lueur de l'aube, Cameron distingua un fragment de voile, emporté un peu plus loin par le vent jusque dans les palétuviers qui bordaient la plage. Il leva l'ancre et rama dans cette direction. Puis, après avoir tiré la barque sur le sable, il marcha jusqu'aux arbres, tout en craignant — s'il parvenait à retrouver Celia — de devoir enterrer son cadavre.

A mesure qu'il s'en approchait, il remarqua que le morceau de toile s'était posé à cheval sur une branche, y formant une sorte de tente. Puis soudain, il entendit un claquement, suivi d'un juron.

— Maudits moustiques ! grommela alors la voix rageuse de Celia. Ils vont finir par me dévorer vivante.

Cameron sentit son cœur bondir dans sa poitrine et un immense soulagement l'envahir.

— Ohé ! appela-t-il.

Tout d'abord, seul le silence lui répondit. Mais, au bout d'un moment, la jeune femme pointa le nez hors de son abri. Il vit la joie illuminer brièvement son regard, puis une grimace crispa ses traits.

— Ah, c'est vous, dit-elle, visiblement déçue.

Il regarda autour de lui et ouvrit les bras, embrassant d'un geste leur environnement désert.

— En de pareilles circonstances, j'aurais imaginé que vous seriez heureuse de me voir, observa-t-il.

Celia rampa hors de son refuge. Elle épousseta le sable de ses jambes et de ses vêtements avant de répliquer :

— Je m'évertuais au contraire à vous fuir.

— Si vous préférez que je m'en aille…

— Non ! s'écria-t-elle, la panique perçant soudain dans sa voix.

Cameron ne put s'empêcher de sourire. Non seulement de bonheur, en voyant la jeune femme saine et sauve, mais aussi à cause de l'ironie de sa situation.

— Décidément, vous n'avez guère de chance avec les voiliers, persifla-t-il.

Elle le toisa d'un œil glacé.

— Je n'ai aucun problème avec les voiliers, repartit-elle. Ce sont les tempêtes qui semblent s'acharner contre moi. Même le meilleur des navigateurs n'aurait pas été de taille à affronter celle de la nuit dernière.

Cameron le lui concéda d'un bref hochement de tête. Puis il demanda :

— Que comptez-vous faire, à présent ?

Celia étrécit les yeux et l'observa avec circonspection.

— Maintenant que je suis arrivée jusqu'ici, ne pourriez-vous pas m'emmener jusqu'à Everglades City ?

Il secoua la tête.

— Non.

Elle eut un soupir offusqué.

— Ecoutez, dit-elle, je jure de ne parler de vous à personne. Et je serais bien incapable de retrouver votre île, même si je le souhaitais. Si bien que votre refuge restera secret.

— Je ne peux pas prendre ce risque.

— Dites plutôt que vous ne le voulez pas.

Ils en revenaient toujours à la même discussion. Une discussion dont Cameron n'avait pas l'intention de la laisser sortir gagnante.

— Avez-vous soif ? Ou faim ? demanda-t-il afin d'éluder ce sujet.

Elle passa une ravissante langue rose sur ses lèvres.

— Je suis à court de vivres depuis hier après-midi.

Sans un mot, il se dirigea vers la barque et y prit une bouteille d'eau, ainsi que le panier préparé par Mme Givens et une couverture, maintenus au sec sous sa voile repliée. Après quoi il étendit la couverture sur le sable et invita Celia à s'asseoir à côté de lui.

— De toute façon, nous ferions aussi bien d'attendre, dit-il.

Elle le dévisagea avec suspicion.

— Attendre quoi ?

— Que la marée monte. Je pourrai alors dégager le voilier de ce banc de sable, le remettre à flot et changer la voile.

La jeune femme s'assit sur la couverture, les jambes croisées, et il lui tendit la bouteille d'eau. Pendant qu'elle buvait, il disposa le contenu du panier sur une serviette et prit un sandwich au jambon.

— Vous avez de la chance, vous savez, dit-il entre deux bouchées.

— Vraiment !

Elle le dévisagea comme s'il avait perdu l'esprit.

— Me retrouver de nouveau captive sur une île déserte, vous parlez d'une chance.

— J'aurais très bien pu ne pas vous voir, avec cette tempête. Combien de temps pensez-vous que vous auriez survécu sur cet îlot, sans eau, sans nourriture et sans un abri décent ?

Au lieu de répondre, Celia saisit un biscuit et mordit rageusement dedans.

— Tâchez de voir les choses du bon côté, suggéra Cameron. Et dites-vous que, d'ici trois mois, vous pourrez rentrer chez vous.

Elle lui décocha un regard signifiant qu'elle ne le croyait pas un instant, puis reporta son attention sur son biscuit.

Une fois rassasié, Cameron se laissa aller en arrière, appuyé sur les coudes. Celia ne paraissait toujours pas disposée à lui parler, mais, en dépit de son silence glacial, il ne s'était pas senti aussi détendu ni aussi satisfait depuis très longtemps — depuis le jour où il était arrivé sur l'île de la Solitude, en réalité. Il attribua ce bien-être à la présence de la ravissante jeune femme assise auprès de lui. En quelques jours, celle-ci avait rendu sa vie enfin intéressante.

L'estomac rempli et ses inquiétudes concernant Celia à présent apaisées, il fut tenté de s'abandonner au sommeil, jusqu'à ce que l'image de la jeune femme s'enfuyant à bord de sa barque le fassc sc redresser brutalement. Il remarqua alors que la marée était montée. Avec un soupir, il ôta ses bottes, roula son pantalon jusqu'à ses genoux et pataugea dans l'eau jusqu'au voilier.

Celia resta assise sur la couverture tout en regardant Cameron se démener pour dégager son bateau. Elle aurait pu l'aider, mais elle était trop furieuse pour cela. D'autres sentiments se bousculaient également en elle — en premier lieu, la frustration d'avoir raté son évasion, cependant mêlée au soulagement d'avoir été secourue.

De son côté, son geôlier ne semblait être la proie d'aucun tiraillement, nota la jeune femme avec exaspération. Il sifflotait gaiement, alors même qu'il se débattait durement contre les voiles mouillées. Et pourquoi diable fallait-il, en plus de cela, qu'il soit aussi irrésistiblement séduisant ? se demanda-t-elle, tout en contemplant le mouvement des muscles puissants de son torse et de son dos nus dans le jeu de la lumière. A regret elle fut contrainte de reconnaître qu'elle n'avait jamais vu un homme aussi beau ni aussi attirant. Mais sa mauvaise humeur l'aiderait à garder ses distances avec lui.

Elle avait déjà eu suffisamment de malchance auprès des

hommes — en s'apprêtant à en épouser un susceptible de vouloir l'assassiner pour son argent — pour souhaiter tomber amoureuse d'un étrange reclus tel que Cameron Alexander. Même s'il se trouvait être l'homme le plus fascinant qu'elle ait jamais rencontré.

Remettre le voilier en état prit presque l'entière journée à Cameron. Après quoi Celia fut soulagée de quitter l'îlot et d'échapper à la horde de moustiques qui commençaient à s'abattre sur elle en quête de leur repas du soir. Lorsque Cameron la porta dans ses bras jusqu'au bateau, elle sentit la colère qu'elle avait soigneusement entretenue tout au long de l'après-midi s'estomper comme par magie. Tant elle fut bouleversée par le contact de son corps contre le sien.

Une fois sur le voilier, elle détourna son esprit de cette dangereuse sensation en observant la barque qu'il attachait à l'arrière du bateau. Elle vit une petite voile en simple toile, enroulée autour d'un mât de fortune. Puis elle remarqua un gouvernail, dont la présence expliqua comment Cameron avait réussi à la rattraper si vite. Cependant, seul le plus averti des marins aurait pu diriger une aussi petite embarcation dans la tempête qui avait sévi la nuit dernière. De toute évidence, Cameron était un excellent navigateur, en conclut la jeune femme.

Lorsqu'il la rejoignit dans le cockpit, elle s'assit en retrait et lui tourna le dos, redoutant de lui faire face tant qu'elle n'aurait pas rassemblé ses esprits et repoussé l'attirance qu'il exerçait sur elle. Pour mieux y parvenir, elle se força à penser qu'il la ramenait sur l'île de la Solitude, où elle allait vivre comme une prisonnière durant les trois mois à venir.

Si ce n'était pour toujours.

Puis, dès que le vent gonfla les voiles et que le bateau prit de la vitesse, la jeune femme marmonna un chapelet d'invectives à l'encontre de son geôlier et concernant son évasion ratée. Mais, au lieu de réagir, Cameron demeura silencieux et aussi insondable que les profondeurs de l'eau.

Evitant volontairement son regard, elle observa alors le littoral que l'obscurité commençait à envelopper, le doux mouvement des vagues le long de la grève, les tons pastel projetés par le soleil couchant sur les nuages — tout sauf l'expression satisfaite de l'homme qui se tenait à la barre.

Très haut au-dessus d'eux résonnaient les cris d'une volée de courlis qui regagnaient leur colonie pour la nuit. Cameron leva la tête pour les regarder, puis il détourna vivement les yeux lorsqu'il croisa ceux de Celia. Il fit rouler ses épaules et son cou et elle comprit qu'ils devaient être endoloris par les longues heures qu'il avait passées à lutter contre la tempête afin de maintenir sa minuscule barque à flot, puis par cette journée occupée à réparer son voilier.

Elle sentait elle-même sa peau la brûler à cause d'une trop longue exposition au soleil et au vent. Et ses yeux la piquaient à force d'avoir fixé le soleil et la mer.

Elle scruta la vaste étendue d'eau qui les entourait à l'affût d'un Jet-Ski, d'une planche à voile ou d'un cruiser de tourisme — quelqu'un susceptible de l'arracher aux griffes de Cameron et de l'aider à rentrer chez elle. Mais leur voilier et la barque qui y était attachée étaient les seuls bateaux visibles sur toute la surface du golfe.

Ils naviguaient depuis près d'une heure lorsque Celia trouva enfin le courage de parler. Puisqu'elle se trouvait contrainte à rester avec Cameron, autant conserver un minimum de politesse à leur relation, se dit-elle. Si bien qu'elle l'appela par-dessus le claquement des voiles et le choc des vagues contre la coque du bateau.

— Je ne vous ai pas remercié d'être venu me secourir, dit-elle. Je vous suis très reconnaissante.

Elle ne mentait pas. Car, même si Cameron la mettait en rage en refusant de la ramener sur le continent, c'était tout de même lui qui l'avait soustraite à une mort certaine, alors qu'elle se trouvait seule et sans vivres sur cet îlot désert.

Il la dévisagea de ses étranges yeux couleur ambre, sans qu'elle parvienne à définir leur expression, dans la lumière déclinante du jour.

— Vous n'avez pas besoin de me remercier, répliqua-t-il. Tout est ma faute, en fin de compte.

La jeune femme acquiesça d'un hochement de tête. C'était tout à fait exact, se dit-elle, avant de reporter son attention sur la côte. Le paysage était monotone et inchangé depuis qu'ils avaient entamé leur voyage de retour. Les grands palétuviers qui bordaient les plages cédaient invariablement la place, plus à l'intérieur, à des zones boisées hérissées de palmiers. A ce spectacle, la jeune femme sentit une immense solitude la submerger.

Afin de repousser ce sentiment, se décidant de nouveau à parler, elle se tourna vers Cameron et demanda :

— Comment avez-vous fait pour me retrouver ? J'avais espéré que vous prendriez la direction de Key West.

Le vent était tombé et le bruit des voiles s'était calmé, si bien qu'elle n'avait plus besoin de hurler pour qu'il l'entende.

Il cala le gouvernail sous son bras et sortit une pipe et une blague à tabac de sa poche.

— J'étais assis à mon bureau, hier matin, lorsque Mme Givens m'a annoncé que vous aviez pris la fuite à bord de mon voilier. Je rédigeais mon journal. C'est une tâche que j'avais eu tendance à négliger depuis votre arrivée sur l'île.

Celia se demanda si elle devait s'en sentir flattée ou bien s'excuser d'avoir détourné Cameron de ses occupations. Mais elle craignit qu'il ne s'enferme de nouveau dans le mutisme si elle l'interrompait. Après avoir rempli le fourneau de sa pipe et en avoir approché une allumette, il poursuivit son récit, tout en tenant la barre d'une main et sa pipe de l'autre. Il lui raconta comment Mme Givens avait fait irruption dans son bureau, comment Noah et lui avaient rapidement équipé la barque et comment il s'était aussitôt lancé à sa poursuite dans l'espoir de la rattraper, malgré l'avance qu'elle avait prise.

— J'ai craint tout du long de ne jamais parvenir à vous retrouver.

La jeune femme frissonna en mesurant l'inébranlable détermination de Cameron à la retenir sur l'île de la Solitude.

Elle scruta son visage dans l'obscurité, tout en s'interrogeant sur les motifs qui l'avaient poussé à s'engager à sa poursuite. Etait-ce parce qu'il s'était inquiété de son sort ? Ou bien était-ce dans le seul but de retrouver son bateau et de garder son lieu d'habitation secret ?

Peu à peu, la nuit se referma autour d'eux, simplement éclairée par la lueur de la lune décroissante, par celle d'une myriade d'étoiles et par la phosphorescence verte de la mer. Le feulement rauque d'une panthère résonna dans la forêt obscure, au-delà de la côte. Plus loin, un chat sauvage gronda et Celia frissonna une nouvelle fois, en se demandant ce qui lui serait arrivé si Cameron ne l'avait pas retrouvée.

— Au moment où je suis arrivé par ici hier soir, la tempête s'était déjà déclenchée, expliqua ce dernier. J'ai alors failli perdre espoir.

Puis il marmonna quelque chose à voix basse, dont elle crut néanmoins saisir le sens et qui lui fit dresser les cheveux sur la tête : « Si vous aviez péri dans cette tempête, j'aurais eu une autre mort sur la conscience. »

Une autre mort ?

Qui donc était mort et pour quelle raison Cameron s'en sentait-il responsable ? se demanda la jeune femme avec effroi. Ces questions lui brûlaient les lèvres, mais elle les garda prudemment pour elle.

Le vent se rafraîchit soudain, transportant une bouffée d'automne avec lui. Sentant le froid s'insinuer peu à peu jusqu'à ses os, Celia commença à avoir la chair de poule et à claquer des dents. Elle se replia sur elle-même et rêva d'une tasse de café brûlant.

— Mademoiselle Stevens.

La jeune femme leva la tête et vit Cameron qui lui faisait signe de venir s'asseoir à côté de lui. Elle avait si froid, tout à coup, qu'elle le rejoignit sans hésiter. Il l'attira à lui et enroula son bras libre autour d'elle, tout en continuant de diriger le voilier de l'autre.

— Vous vous sentez mieux ?

Elle opina silencieusement de la tête, puis laissa celle-ci aller contre la poitrine de Cameron afin de mieux s'imprégner de sa chaleur. Elle ne put alors s'empêcher de sentir l'enivrant parfum d'iode, de soleil et de musc qui se dégageait de lui. Elle sentait également son cœur battre contre son oreille, sous les muscles puissants de son torse. Au-dessus d'eux, les voiles sur lesquelles se reflétaient les couleurs de la nuit claquaient doucement dans le vent.

A cet instant, des vers de Shakespeare jaillirent spontanément de ses lèvres.

— « Pourpres étaient les voiles et si parfumées que les vents étaient malades d'amour pour elles. »

— *Antoine et Cléopâtre ?* demanda Cameron.

— Oui.

— Vous aimez la littérature ?

— J'adore les livres. C'est pour cela que j'ai acheté une librairie.

— Je les aime aussi, lui confia son compagnon.

La proximité de Cameron éveillant en elle des émotions qu'elle préférait ignorer, Celia lui fit une suggestion en guise de diversion :

— Jouons à un jeu, proposa-t-elle. L'un d'entre nous fait une citation relative à la mer et à la navigation et l'autre doit deviner le titre de l'œuvre, ainsi que le nom de son auteur.

— D'accord. C'est à moi, donc, décréta Cameron.

Il réfléchit un instant.

— « Et jusque-là, je voguerai, comme un rat en déroute… »

— C'est trop facile, protesta la jeune femme. C'est dans *Macbeth*. En voici une autre : « Et tout ce à quoi j'aspire est un grand et haut navire et une étoile pour le guider. »

— *La Fièvre de la mer*, répondit instantanément Cameron, de John Masefield.

Elle avait eu son navire et son étoile, elle avait tenté de s'enfuir et elle avait échoué, songea Celia avec amertume. Et, malgré tous les attraits de son sauveur, elle était toujours sa prisonnière. Frustrée par ce constat et épuisée par les épreuves qu'elle avait endurées, elle ne parvint pas à contenir un sanglot.

Cameron resserra alors son étreinte autour d'elle et elle laissa libre cours à ses larmes contre son épaule.

Après cela, elle s'endormit et n'ouvrit les yeux qu'une seule fois au cours de la nuit : lorsque son compagnon repoussa doucement ses cheveux de son front et y pressa ses lèvres — à moins qu'elle n'ait rêvé.

— Celia, l'avait-elle entendu murmurer. Que m'avez-vous fait ? Et que vais-je pouvoir faire de vous ?

Lorsque Celia se réveilla, l'après-midi qui suivit leur retour sur l'île de la Solitude, la période de trois mois qu'elle allait devoir passer en cet endroit se profila comme une éternité devant elle, et les questions qui la tourmentaient se mirent à se bousculer dans sa tête. Pourquoi Cameron était-il venu se cacher sur cette île déserte ? Etait-il un proscrit ? Fuyait-il la justice ?

Elle s'efforça toutefois de chasser ces pensées négatives de son esprit. Car à part son insistance à la garder prisonnière et son bref accès de colère, le jour où elle avait allumé ce feu, son hôte s'était toujours montré aimable et courtois à son égard et il ne lui paraissait pas dangereux. Mme Givens avait insinué qu'il avait l'esprit dérangé, mais, pour sa part, elle ne parvenait pas à le considérer comme un malade mental.

Elle soupira. Quoi qu'il en soit, elle allait avoir tout le temps d'en apprendre plus concernant Cameron Alexander. Fouiller dans ses secrets lui procurerait une occupation au cours des trois longs mois à venir. Résignée momentanément à sa réclusion, elle se lava au-dessus de la bassine qui se trouvait sur la commode. Puis elle revêtit les vêtements prêtés par Mme Givens — les siens se trouvant imprégnés de sable et de sel. Après quoi elle gagna le rez-de-chaussée. Elle trouva la gouvernante dans le salon, en train d'en cirer le mobilier.

Celle-ci repoussa une boucle grise de son front et lui sourit.

— Ah, vous voilà réveillée ! J'ai laissé quelque chose pour vous sur la table de la cuisine. Cela devrait vous faire tenir jusqu'au dîner.

Soulagée que la gouvernante ne lui reproche pas sa tentative d'évasion, Celia la remercia avant de se diriger vers la cuisine.

Lorsque Cameron et elle étaient arrivés sur l'île, aux aurores, Mme Givens n'était pas encore levée.

— N'essayez plus de vous enfuir, l'avait avertie son hôte tandis qu'ils traversaient le jardin enveloppé de brume en direction de la maison.

Celia n'aurait pas su dire s'il s'agissait d'une menace ou d'une supplique. Après cela, il l'avait laissée seule et elle ne l'avait plus revu depuis. Elle était montée se coucher en titubant et s'était endormie tout habillée.

En entrant dans la cuisine, elle trouva l'assiette laissée à son intention par Mme Givens, recouverte d'un torchon et contenant des petits pains garnis de jambon, accompagnés de tranches d'ananas frais. Elle prit un petit pain, puis sortit par la porte arrière de la cuisine à la recherche de Cameron. Mais elle ne l'aperçut nulle part.

Elle vit Noah, en revanche, qui arrachait des mauvaises herbes à l'aide d'une binette dans le jardin potager.

— Vous voulez de l'aide ? offrit-elle.

Il leva un regard surpris, s'appuya d'un bras sur son outil et essuya la sueur de son visage à l'aide de sa manche.

— Oh non, mademoiselle. Le soleil tape trop dur et ce travail est bien trop salissant pour une dame. Mais je serais content d'avoir de la compagnie, ça oui. Bavarder un peu m'aidera à avancer plus vite.

Celia s'installa sur une grosse souche située à proximité, tout en supposant qu'on utilisait celle-ci pour fendre du bois. Puis elle mordit dans son petit pain et en avala une première bouchée avant de demander :

— Depuis combien de temps travaillez-vous pour M. Alexander, Noah ?

— Depuis qu'on est arrivés ici, il y a six ans.

— Etes-vous venu d'Angleterre avec lui ?

Les questions de la jeune femme étaient loin d'être anodines. En réalité, elle espérait que le jardinier lui fournirait un indice concernant les raisons qui avaient poussé Cameron à quitter l'Angleterre. Cependant, cette quête de renseignements n'était pas motivée par le seul souci de sa propre sécurité. Son intérêt était également stimulé par l'étrange impact que le maître de ces lieux exerçait sur elle. Car, depuis l'instant où elle ouvrait les yeux en s'éveillant jusqu'à celui où elle les refermait au moment de s'endormir, celui-ci hantait chaque jour davantage ses pensées. Et c'était lui qu'elle cherchait lorsqu'elle entrait dans une pièce.

Sans soupçonner ses intentions, Noah lui répondit avec complaisance :

— J'ai rencontré M. Alexander à Key West, expliqua-t-il. Je viens de la Caroline du Sud, mais je travaillais depuis plusieurs années dans l'archipel des Keys sur un gros bateau de pêche.

— Pourquoi êtes-vous venu ici ?

Le regard de Noah s'assombrit.

— Il y a eu une bagarre sur le bateau où je travaillais. Un homme en a étripé un autre. Je n'y étais pour rien. Mais, je ne sais pas pourquoi, les autres gars m'ont accusé. Quand on est arrivés au port, ils ont appelé la police et je me suis enfui en courant. Comme je connaissais le capitaine Biggins, je suis allé me cacher sur son bateau. Et c'est là que j'ai rencontré M. Alexander.

— Et c'est pour cela que vous ne pouvez pas partir d'ici ?

Le jardinier hocha tristement la tête.

— Si la police m'attrape, c'est ma parole contre celle des autres. Je ne veux pas aller en prison. Je mourrai si je ne peux pas respirer le bon air du dehors.

En entendant le récit de Noah, Celia sentit son appétit disparaître. Elle émietta le restant de son pain à l'intention des mouettes.

— Vivre en reclus sur cette île ne correspond pas à l'idée que je me fais de la liberté, observa-t-elle.

— Où voulez-vous que je me cache, sinon ? demanda le malheureux homme. Et comment je gagnerais ma croûte ? Quand j'ai raconté tout ça à M. Alex, il m'a proposé de travailler pour lui et j'ai vite dit oui. On est partis le jour même pour venir ici.

La jeune femme considéra le vaste jardin potager ainsi que l'imposante pile de bois dont la double responsabilité incombait à Noah.

— Vous travaillez dur, ici, n'est-ce pas ?

Un large sourire fendit la face du jardinier.

— Oh, ce n'est pas le travail qui me fait peur, mademoiselle Celia. Et puis, quand on est arrivés ici, M. Alex a sué sang et eau, comme moi, pour construire cette maison. Même maintenant, il continue à travailler. Il pêche pour nous nourrir et il coupe même du bois. M. Alex est un homme très gentil.

Tout en soupesant cette remarque avec un pincement de doute, Celia regarda les dunes qui s'élevaient entre elle et la mer.

— Mais le plus beau, c'est que toutes les semaines, M. Alex me donne ma paye et que, depuis que je suis ici, j'ai presque tout économisé, ajouta Noah. Ce qui fait que, quand je serai trop vieux pour travailler, je m'en irai au Canada ou en Afrique, là où la police de Key West ne pourra pas me trouver. Finalement, j'ai de la chance.

Noah avait en effet de la chance d'avoir évité l'arrestation et l'emprisonnement suite à de fausses accusations. Cependant, sous son enthousiasme apparent, Celia percevait une profonde détresse. Car, même s'il était reconnaissant d'être libre, le pauvre homme devait se sentir seul et très isolé, sur cette île déserte.

Dans ce lieu privé du confort moderne auquel la jeune femme était habituée, le travail semblait remplir l'entière existence de

Mme Givens et de Noah. Mais la façon dont Cameron occupait son temps demeurait en revanche un mystère pour elle.

— Et que fait M. Alexander de ses journées ? demanda-t-elle.

— M. Alex étudie beaucoup.

— Il étudie… dans des livres ?

— Cela arrive, oui. Il en a tout un tas dans son bureau et le capitaine Biggins lui en apporte tout le temps des nouveaux. Mais M. Alex étudie surtout les plantes, les fleurs et aussi les animaux.

— C'est donc un scientifique ? Un naturaliste ?

Noah haussa les épaules.

— Je ne sais pas. Je crois simplement qu'il les aime. Et il les laisse là où il les trouve. Il ne les enferme pas dans des cages et il ne les tue pas pour en faire…

Le jardinier se gratta la tête.

— Je ne me souviens plus du mot.

— Des spécimens ?

— Oui, c'est ça. Il croit que les hommes sont les gardiens de la terre.

— Il a raison, Noah, affirma Celia.

Elle se leva et brossa les miettes de pain qui se trouvaient sur sa jupe, avant d'ajouter :

— Si nous ne prenons pas soin de notre planète, d'ici une centaine d'années, tout cela pourrait bien disparaître.

Noah rejeta la tête en arrière et éclata de rire.

— Allons, mademoiselle Celia. Il y a bien assez de terre et d'eau ici pour durer jusqu'à la fin des temps.

« C'est en effet ce qu'imaginent de trop nombreuses personnes », grommela la jeune femme en son for intérieur tout en regagnant la maison.

Sa conversation avec Noah lui en avait appris davantage concernant Cameron. Elle lui avait dévoilé certains points très positifs à son sujet, lesquels venaient contrebalancer la rudesse qu'il affichait la plupart du temps envers elle depuis son arrivée sur l'île. Et, surtout, elle avait appris qu'il possédait un trésor qu'elle aurait aimé partager avec lui : un bureau rempli de livres.

Au moment où elle rentra dans la maison, Mme Givens chantait dans la cuisine, tout en préparant le dîner. Le maître des lieux, quant à lui, était toujours invisible.

Celia se glissa discrètement dans le bureau en quête de quelque chose à lire et referma la porte derrière elle. Elle regarda par la porte-fenêtre, laquelle donnait sur le sentier qui menait à la plage, mais ne décela toujours aucun signe de Cameron.

Les murs étaient recouverts d'étagères encombrées d'ouvrages. Et des piles de livres parsemaient également le sol. La jeune femme remarqua un fauteuil tendu de cuir marron, installé à portée de main des rayonnages et flanqué d'un coffre surmonté d'une carafe remplie de whisky et de quelques verres. La forme du corps de Cameron s'était incrustée dans les vieux coussins du fauteuil. Elle s'y assit, s'y coulant comme dans un moule, et fut soudain assaillie par des pensées très intimes concernant son propriétaire.

Troublée par le tour que prenait sa rêverie, Celia se leva d'un bond et reporta son attention sur les livres. Elle découvrit alors des ouvrages sur la météorologie, l'astronomie, l'ornithologie, la botanique, l'horticulture et la zoologie. Sur le mur opposé se trouvaient une anthologie des œuvres de Shakespeare, plusieurs volumes de poésie, quelques romans de littérature classique et des dizaines de best-sellers d'édition récente. Elle en étudia les titres, sans que ces derniers lui fournissent d'indication précise concernant la personnalité de Cameron — à part le fait qu'il avait des goûts littéraires éclectiques.

Consumée par la curiosité, elle se tourna vers le grand bureau en acajou qui dominait la pièce. Elle s'installa sur la chaise de Cameron et examina les objets disposés sur la surface du bureau : un râtelier à pipes, une boîte à cigares, des stylos et quelques crayons. Puis elle remarqua une pile de cahiers recouverts de cuir — sans doute les journaux que tenait Cameron depuis son arrivée sur l'île. Elle ouvrit le premier sur la pile, à peine étreinte par un pincement de culpabilité. A la date de la veille, un bref résumé du temps et des marées y était reporté dans une écriture simple et déliée. Un bref coup d'œil aux autres cahiers lui révéla des descriptions d'oiseaux, d'animaux marins, de plantes, ainsi que diverses observations de la vie sauvage.

Sa curiosité aiguisée par le peu qu'avait pu lui apprendre Noah, elle ouvrit le tiroir supérieur du bureau et y trouva des dossiers. Le premier ne contenait que des factures, ainsi que divers reçus de marchandises. Le second, en revanche, qui était rempli de vieux articles de journaux, attira davantage l'intérêt de Celia. Elle le sortit du tiroir et une coupure de presse jaunie voleta jusqu'au sol.

Elle la ramassa. C'était un article du *Times* de Londres, daté de huit ans plus tôt. Intriguée par son titre : « Une riche héritière et son fils sauvagement assassinés », la jeune femme s'intéressa au contenu du texte qui suivait :

La police a découvert hier les cadavres de Clarissa Wingate Alexander, héritière de l'empire minier des Wingate, et de son fils Randolph, dans leur propriété du Devon. Bien que les autorités n'aient fourni aucun détail concernant ces meurtres, cette mère et son enfant semblent avoir été sauvagement assassinés. La police ne détient pour l'instant aucun suspect. Cameron Alexander, leur malheureux époux et père…

A ce moment précis, Celia entendit un bruit de pas sous la véranda. Elle replaça vivement l'article dans le dossier et enfouit ce dernier dans le tiroir, qu'elle referma en hâte. Puis elle se précipita vers les étagères les plus proches, s'empara du premier ouvrage à sa portée, l'ouvrit et fit semblant de lire.

Lorsque la jeune femme releva les yeux, elle découvrit Cameron qui la dévisageait, appuyé contre l'embrasure de la porte-fenêtre. Elle ne put déchiffrer l'expression de son visage dissimulé par le contre-jour, mais l'irritation qui perça dans sa voix était sans équivoque :

— Vous cherchez quelque chose ? s'enquit-il.

5

Cameron s'avança vers Celia, laquelle était figée devant la bibliothèque comme une enfant prise en faute. De toute évidence, elle avait fouiné dans ses affaires, comprit-il. Mais avait-elle découvert quoi que ce soit ? Et la rougeur de ses joues provenait-elle de son embarras ou bien d'un coup de soleil résultant de sa récente tentative de fuite ?

Il la vit baisser les yeux sur le livre qu'elle tenait à la main, puis le retourner en se rendant compte qu'il était à l'envers.

Décidément, elle avait du cran ! se dit-il, tout en réprimant un sourire. Alors qu'il venait de la surprendre en train de fureter dans les étagères de son bureau, elle avait déjà repris contenance et lui faisait face, la tête haute, le menton levé et les yeux emplis d'innocence. Jamais il n'avait vu une femme aussi intrépide. Une femme capable, par exemple, et après avoir frôlé la mort quelques jours plus tôt, de braver de nouveau l'inconnu sur un bateau qu'elle n'avait jamais piloté. Luttant contre l'attendrissement que lui inspirait son courage, il se répéta qu'il devait à tout prix éviter sa présence. Car elle exerçait sur lui une trop dangereuse fascination.

— Je cherchais quelque chose à lire, dit-elle d'une voix égale, en lui tendant le volume qu'elle avait à la main.

Cameron se rapprocha d'elle. Puis, tout en s'efforçant de dissimuler à la fois sa suspicion et son attirance pour elle, il considéra brièvement le titre de l'ouvrage.

— *Le Paradis perdu*. Un choix intéressant, remarqua-t-il.

— J'espère que vous ne me tenez pas rigueur de m'être ainsi introduite dans votre bureau.

Elle le défia du regard et il dut faire appel à toute sa détermination pour conserver son sang-froid, alors qu'il n'avait qu'une envie :

arracher ce livre des mains de la jeune femme et l'attirer à lui afin de sentir une nouvelle fois la douceur de sa peau contre la sienne.

— Au contraire, repartit-il. Prenez tous les livres que vous voudrez. Ce sont d'excellents compagnons.

Avec un détachement qu'il était loin d'éprouver, il s'éloigna de Celia ainsi que du parfum troublant qui émanait d'elle. Puis il se dirigea vers son bureau, prit la petite clé qu'il avait laissée sur son plateau et en verrouilla les tiroirs. Un jour, il en partagerait le contenu avec son hôte inopinée, mais pas encore. Car, avant cela, il devait gagner sa confiance et s'assurer de sa loyauté.

— J'espère que votre mésaventure d'hier ne vous a pas occasionné de troubles désagréables, ajouta-t-il d'un ton détaché.

Puis, tout en continuant de résister à la tendresse que lui inspirait sa protégée, il enfouit la clé dans la poche de sa chemise. Celia était une femme intelligente, se dit-il. Elle persisterait à chercher des explications concernant sa réclusion forcée, jusqu'à ce qu'elle les découvre. Toutefois, il devait la faire attendre aussi longtemps que possible avant de pouvoir lui dévoiler la vérité.

Cela pour leur sécurité à tous les deux.

Elle secoua la tête et affirma :

— Aucun trouble, rassurez-vous, à part un bon coup de soleil.

Cameron mourait d'envie de profiter de la compagnie de sa belle invitée, mais, redoutant ses propres réactions, il jugea plus sûr de s'en aller. Il se tourna donc vers la porte-fenêtre avant de répéter :

— Prenez tous les livres que vous voudrez.

Puis, sur ces mots, il se rua hors de la pièce et repartit en direction de la plage.

Il avait besoin de solitude pour parvenir à chasser de son esprit les questions qui, lui aussi, le taraudaient. Comme celle de savoir pourquoi Celia portait une robe de mariée, le jour où lui et Noah l'avaient découverte inanimée sur la grève. Que fuyait-elle, alors ? Se détournait-elle d'une union qui, soudain, ne lui convenait plus ? Ou bien s'enfuyait-elle au contraire dans le but de se marier ? Mais, surtout, pourquoi le statut marital de la jeune femme l'intéressait-il tant ? fut-il contraint de se demander.

*
* *

Celia regarda Cameron s'éloigner, bouleversée par ce qu'elle venait de découvrir dans cet article de presse. A présent, elle voyait son hôte avec un œil nouveau. Tout d'abord, elle comprenait enfin pourquoi il avait choisi de se retirer sur une île déserte. Avoir perdu sa femme et son fils en des circonstances aussi horribles avait dû anéantir le malheureux homme. Et elle comprenait aussi pourquoi il avait interdit à Mme Givens d'en parler. Car tout rappel de cette tragédie n'aurait sans doute fait que raviver son chagrin.

Le désir de le suivre, de l'entourer de ses bras et de tenter de le réconforter la traversa. En même temps, elle devina qu'il ne se laisserait pas consoler aussi facilement. Puis, tout à coup, une autre pensée la fit se figer. Si c'était à cause de ce drame que Cameron s'était retiré du monde, pourquoi tenait-il si obstinément à garder son lieu de résidence secret ?

Tant qu'elle n'aurait pas trouvé une réponse satisfaisante à cette question, elle ferait mieux de se tenir à distance de lui, songea la jeune femme.

Les jours suivants, elle ne le vit que très peu. Elle passa le plus clair de son temps en compagnie de Mme Givens, laquelle s'était mis en tête de lui confectionner une garde-robe digne de ce nom.

Chaque matin, après le déjeuner, elles débarrassaient donc la grande table de la cuisine afin d'y découper des patrons. A cet effet, la gouvernante avait sacrifié plusieurs coupons de tissu lui appartenant. L'un d'eux était d'un joli vert tendre, un autre bleu nuit et le troisième, jaune pâle. Celia avait d'abord refusé, en sachant que Mme Givens conservait ces toiles de coton pour son propre usage, mais celle-ci avait vivement repoussé ses protestations.

— Nous allons vous confectionner des vêtements de tous les jours, mais il vous faut également quelques robes un peu plus élégantes, affirmait à présent la vieille dame.

Elle considéra brièvement les habits trop grands que portait Celia.

— Car, même dans ces régions reculées et sauvages, nous devons nous efforcer de rester civilisés, ajouta-t-elle.

Doutant de la véritable utilité de ces robes sur cette île déserte, mais sachant que son vieux short et son unique T-shirt ne tarderaient pas à rendre l'âme, Celia s'essaya avec soin au maniement du fil et de l'aiguille. A sa grande surprise, elle se rendit compte qu'elle était capable de faire des points petits et réguliers et se mit à apprécier la couture.

Après avoir mesuré chaque centimètre de son anatomie, Mme Givens lui coupa des sous-vêtements dans des draps de coton très fins, que Celia cousit pendant que la gouvernante préparait des patrons pour les robes, les shorts et les chemises.

Ces heures passées auprès de la vieille dame représentaient des oasis de joyeuse camaraderie dans les longues journées solitaires de Celia. La lourde chaleur automnale avait cessé le jour où Cameron l'avait ramenée sur l'île suite à son évasion ratée. Si bien qu'avec les portes-fenêtres ouvertes à la brise marine, les matinées passées dans la cuisine étaient agréables.

Des odeurs alléchantes de biscuits ou de pain au gingembre embaumaient constamment la pièce. Et Mme Givens, qui conservait toujours une bouilloire sur le feu, remplissait régulièrement la tasse de Celia de thé bien chaud. Si la jeune femme n'avait pas ressenti le pincement permanent de la nostalgie, si elle ne s'était pas inquiétée de son futur sort… et si elle n'avait pas éprouvé l'intense désir de passer plus de temps avec Cameron, elle aurait pris encore plus de plaisir à ces paisibles travaux domestiques.

Mme Givens bavardait sans cesse tout en travaillant. Elle lui raconta sa jeunesse à Liverpool, la tragique disparition en mer de son époux, survenue trente ans auparavant, ainsi que l'enfance de Cameron.

— J'ai commencé à travailler pour les Alexander aussitôt après la mort de mon mari. M. Alexander — Cameron — venait de naître et sa mère était très souffrante, si bien qu'il avait réellement besoin de moi. Et, moi aussi, j'avais besoin de lui. J'étais tellement brisée par la mort de mon Arthur.

— Et vous êtes restée à son service depuis tout ce temps ?

— Oui. J'ai été sa nourrice durant ses premières années. Puis, lorsqu'il a eu quatre ans et que sa pauvre mère est morte, je me suis occupée de la maison.

— Son père est-il toujours en vie ? demanda Celia.

— Il est lui-même décédé quand Cameron avait quinze ans, suite à une chute de cheval. Cette nouvelle perte a bien failli anéantir le malheureux garçon.

— Cameron était-il très proche de son père ?

— Oui. Et il le vénérait littéralement. Après sa disparition, il est devenu comme fou. J'avais espéré que son mariage avec Clarissa…

Mme Givens s'interrompit brusquement, se leva et alla prendre la bouilloire sur la cuisinière. Puis elle s'affaira à remplir la théière, en évitant le regard de Celia.

— Il s'est donc marié ? demanda la jeune femme avec une innocence feinte. Le portrait qui se trouve dans le salon est-il celui de Clarissa ?

La gouvernante reposa la bouilloire sur le feu. Puis elle se dirigea vers la porte ouverte et lança un regard en direction du ponton, comme pour s'assurer que le voilier de Cameron n'était toujours pas rentré. Après quoi elle alla s'installer dans son fauteuil près du feu.

— Vous ne devez jamais prononcer son nom dans cette maison, l'avertit-elle alors.

— Pourquoi donc ? s'enquit Celia avec candeur, tout en se sentant honteuse d'avoir fouillé dans les papiers de Cameron.

— C'est un sujet trop douloureux pour M. Alexander.

— Vous voulez dire que son épouse est morte, elle aussi ?

Mme Givens hocha lentement la tête et ses yeux s'emplirent de larmes.

— Ainsi que le petit Randolph, que j'avais élevé depuis sa naissance, comme son père.

— Oh, je suis navrée, dit la jeune femme.

— C'était horrible ! Simplement horrible.

Les lèvres de la vieille gouvernante tremblèrent et les larmes se mirent à inonder ses joues.

Celia remplit de thé la tasse de Mme Givens auquel elle ajouta du lait et du sucre ainsi que cette dernière l'aimait, puis la lui apporta.

— Je suis désolée. Je n'aurais pas dû parler de cela… je ne voulais pas vous faire de peine, s'excusa-t-elle.

La gouvernante prit une gorgée de thé. Puis elle mit sa tasse de côté et se moucha bruyamment dans un mouchoir en dentelle.

— Ça va aller, ma chère. Il se passe souvent plusieurs jours sans que je pense à eux. Puis, tout à coup, les souvenirs m'assaillent et c'est comme si cela s'était passé hier.

— Je comprends que vous ne vouliez pas qu'on y fasse allusion devant M. Alexander. Cela a dû être un choc terrible pour lui, affirma Celia.

Mme Givens leva brusquement la tête et transperça la jeune femme du regard.

— Que savez-vous exactement de cette histoire ? demanda-t-elle avec une froideur soudaine.

— Rien, balbutia Celia en rougissant. Rien d'autre que ce que vous venez de me dire.

— Dans ce cas, restons-en là. Leur disparition était un affreux… accident et il vaut mieux que nous n'en reparlions jamais.

Un accident ? releva Celia en son for intérieur.

Elle mourait d'envie de continuer à interroger Mme Givens, mais ce sujet bouleversait tellement la vieille dame qu'insister aurait été cruel. Peut-être le terme « assassinat » paraissait-il trop sinistre à la gouvernante pour qu'elle parvienne à le prononcer, songea-t-elle.

Elle reprit sa couture et Mme Givens l'imita, apportant les touches finales à la robe bleue. Un fourreau sans manches avec un décolleté échancré, qui serait à la fois léger et confortable sous le climat tropical. Sauf que Celia se demandait quelle occasion elle aurait de la porter. Tout ce dont elle avait réellement besoin ici, c'était de shorts et de chemises. Car, à part lorsqu'elle se promenait sur la plage, elle passait son temps soit dans la cuisine, soit dans sa chambre avec un livre. Or aucune de ces activités ne requérait à son sens le port d'une robe.

D'autant qu'espérer séduire son insaisissable hôte grâce à l'un de ces vêtements était inutile. Car, chaque matin, Cameron emportait de quoi déjeuner sur son bateau, sur lequel il passait la majeure partie de la journée. Après quoi il dînait toujours seul, soit dans son bureau, soit dans la salle à manger, tandis que Mme Givens servait Celia dans la cuisine, où elles prenaient leurs repas ensemble.

Cameron persistait à l'éviter, à tel point que Celia se demandait s'il ne l'avait pas vue fouiller dans ses papiers et s'il n'affichait de la sorte sa désapprobation.

Quoi qu'il en soit et même si Celia appréciait la compagnie de Mme Givens, sa vie à Clearwater Beach lui manquait. Les soirées en ville entre amis, l'agitation de sa boutique, les discussions amicales avec ses clients, les potins inoffensifs qui avaient fait son quotidien… tout cela lui manquait. Sa maison au bord de la plage lui manquait, ainsi que ses petites habitudes. Et, chaque fois qu'elle y pensait, la nostalgie qui l'étreignait réveillait le chagrin causé par la mort de ses parents. Plus que tout, elle aspirait à quitter cette île et à rentrer chez elle.

La seule personne qui ne lui manquait pas était Darren Walker.

Car elle comprenait à présent qu'elle était tombée amoureuse de lui pour les mauvaises raisons. Elle avait été tellement anéantie par la disparition de ses parents qu'elle avait été trop pressée de trouver une épaule sur laquelle se reposer pour être en mesure de faire un choix judicieux. Cette prise de conscience lui fournissait d'autant plus de raisons de contenir son attirance pour Cameron et de souhaiter quitter l'île de la Solitude le plus rapidement possible. Mais, lorsque le voilier ou la barque n'étaient pas utilisés par Cameron ou par Noah, ils étaient à présent attachés au ponton par une chaîne verrouillée à l'aide d'un cadenas. Si bien qu'elle n'avait plus aucun moyen de s'échapper.

Une routine lancinante régissait les journées de Celia. Elle se levait tôt, bien que ce ne soit jamais assez tôt pour surprendre Cameron lors de son bain matinal. Le temps qu'elle rejoigne Mme Givens dans la cuisine, il avait déjà quitté l'île. Elle cousait alors jusqu'à l'heure du déjeuner. Puis, l'après-midi, elle se promenait sur la plage où elle ramassait des coquillages et contemplait les multitudes d'oiseaux marins. Parfois, si Cameron et Noah s'étaient tous deux absentés en bateau, elle ôtait ses vêtements et nageait dans l'eau chaude et transparente jusqu'à ce qu'elle tombe de fatigue et s'endorme après cela à l'ombre d'une dune.

Une fois, lors de l'une de ces baignades, comme elle se retournait en direction de la maison et s'allongeait dans l'eau pour se délasser, elle crut voir Cameron qui l'observait depuis la véranda du premier étage. Surprise, elle plongea sous l'eau et, lorsqu'elle remonta à la surface, il avait disparu. Elle se demanda alors si elle avait rêvé.

Mais le plus dur, c'était la nuit. Le chagrin et la solitude l'envahissaient alors totalement. Entre la fin du dîner et le moment où elle s'endormait, elle tuait le temps en dévorant les livres de Cameron, achevant parfois un ouvrage en une nuit.

Une semaine après sa tentative de fuite, il y eut une vague de froid et il plut une journée entière. Malgré cela, elle aurait pu aller marcher sous la bruine. Mais, le courage lui manquant, elle resta à l'intérieur de la maison à errer d'une pièce à l'autre comme une âme en peine. Elle essaya de lire, mais ne parvint pas à se concentrer, tenta de dormir, mais n'y arriva pas non plus. Pour finir, elle rejoignit Mme Givens dans la cuisine. Celle-ci l'accueillit avec son enthousiasme habituel.

— Ah, vous voici, ma chère ! Venez donc prendre une tasse de thé avec moi.

Interrompant sa couture, la gouvernante commença à disposer le service à thé sur la table avant d'annoncer :

— Votre robe bleue est terminée et, dès demain, je pourrai en commencer une autre. Il faut dire que c'est un véritable plaisir que de faire des vêtements pour une silhouette aussi parfaite que la vôtre.

Puis elle enfila son tablier sur ses larges hanches et découpa une tranche généreuse dans un énorme gâteau.

A l'instant où Celia prenait l'assiette que Mme Givens lui tendait, la foudre s'abattit à une trentaine de mètres de la maison, enflammant les frondaisons d'un palmier. Le violent coup de tonnerre qui éclata presque simultanément lui rappela soudain l'horrifiante tempête qui l'avait amenée sur la plage de Cameron. Elle sentit alors son cœur se mettre à battre frénétiquement, sa poitrine se serra et la pièce se mit à tourner autour d'elle.

Dans un brouillard, elle entendit Mme Givens demander :

— Que vous arrive-t-il, mon petit ?

Incapable de répondre, Celia laissa échapper l'assiette qu'elle tenait à la main, laquelle s'écrasa au sol. Puis elle chercha son souffle, luttant contre la panique qui la submergeait.

Mme Givens lui saisit le poignet afin de prendre son pouls et posa une main sur son front.

— Vous n'avez pas de fièvre, assura-t-elle. Mais votre pouls est terriblement rapide.

Derrière le sang qui battait à ses tempes, Celia entendit la vieille dame se déplacer dans la cuisine. Puis elle perçut le bruit caractéristique d'une bouteille qu'on débouche.

— Tenez, mon ange, buvez cela, ordonna Mme Givens, en la forçant à se redresser et en approchant une tasse de ses lèvres.

La jeune femme avala une gorgée d'un breuvage amer.

— Allez, encore un peu. Buvez tout. Voilà, c'est bien.

Après quoi la gouvernante mit la tasse de côté et approcha une chaise de celle de Celia. Puis, un bras passé autour de ses épaules, elle lui tapota le dos de manière rassurante.

Oppressée par une angoisse incontrôlable et incapable de respirer, la jeune femme repoussa Mme Givens. Puis elle s'écarta de la table et laissa tomber sa tête entre ses genoux, en cherchant bruyamment son souffle et en s'efforçant d'éloigner la sensation de vertige qui l'étreignait.

— Vous faites une crise de nerfs, tout simplement, expliqua la gouvernante, tout en continuant à lui maintenir les épaules avec fermeté. Ce n'est pas étonnant, après ce que vous avez enduré : deux naufrages successifs, ajoutés au fait de vous trouver isolée sur une île déserte en compagnie d'inconnus.

Celia voulut lui assurer que cela allait passer, mais elle ne parvint pas à rassembler assez d'air dans sa poitrine pour parler.

— Je vous ai donné un peu de mon remède à base d'herbes, dit Mme Givens. Son effet calmant ne va pas tarder à se faire sentir, assura-t-elle. Mais, avant cela, il vaut mieux que je vous accompagne jusqu'à votre lit.

La jeune femme tenta de se lever, mais ses jambes se dérobèrent sous elle.

Au même moment, elle entendit la voix grave de Cameron résonner dans la pièce, mais ne parvint pas à ouvrir les yeux pour le regarder.

— Que se passe-t-il, ici ? demanda-t-il.

L'instant d'après, elle se sentit soulevée une nouvelle fois dans ses bras, la joue pressée contre son torse, les narines emplies de son parfum viril et enivrant. Sa panique s'apaisa aussitôt. Sans qu'elle sache si cela provenait de l'étreinte rassurante de Cameron ou du « remède » de Mme Givens.

Il la porta jusqu'au premier étage comme si elle avait été une plume et la déposa sur son lit. Puis, avec douceur, il lui enleva ses chaussures et remonta la couverture sur elle. Elle commençait à sombrer lourdement dans le sommeil lorsqu'elle l'entendit sortir de la chambre.

Au même instant, elle perçut la voix empreinte de colère de Mme Givens, dans le couloir :

— Cameron Alexander ! gronda la gouvernante. Ne voyez-vous pas qu'en plus de s'ennuyer à mourir, cette malheureuse jeune femme est morte de peur ?

— Et que voulez-vous que j'y fasse ? rétorqua son hôte d'un ton qui ne trahissait aucune émotion.

— Ah ! s'exclama la vieille dame. Il m'arrive de désespérer à votre sujet. De désespérer *réellement* !

— Calmez-vous, madame Givens, et dites ce que vous avez à dire.

— Ce que j'ai à dire, c'est que, si vous persistez à vouloir garder cette pauvre fille ici, vous devez la traiter avec plus d'égards, répondit la gouvernante. Sinon, je vous assure que j'avertirai personnellement les autorités. Et vous serez bien avancé, alors.

Luttant contre l'endormissement afin de saisir le sens de ce curieux échange, Celia voulut écouter la réponse de Cameron. Mais, à ce moment précis, Mme Givens et lui s'éloignèrent dans le couloir, et elle n'entendit plus rien. Plus tard dans la nuit, elle ouvrit brièvement les yeux et aperçut un homme, debout au pied de son lit, qui la regardait. Suite à quoi elle bascula de nouveau dans le néant.

Lorsque Celia ouvrit les yeux, tard le lendemain matin, elle se demanda si elle avait réellement vu cette silhouette masculine dans sa chambre ou si elle avait rêvé. Elle doutait qu'il puisse s'agir de Cameron, lequel, au bout du compte, ne semblait aimer que sa solitude et ne s'intéresser qu'à lui-même. Quant à Noah, celui-ci logeait dans une cabane à l'autre extrémité du jardin et elle imaginait mal ce brave homme s'introduisant dans sa chambre au beau milieu de la nuit.

Quoi qu'il en soit, son état dépressif et sa terreur de la veille avaient disparu ce matin, comme par enchantement. Le seul effet résiduel de sa crise, probablement dû au remède « miracle » de Mme Givens, était une impression cotonneuse dans la bouche, assez désagréable. Elle s'habilla rapidement et descendit aussitôt jusqu'à la cuisine afin d'y trouver quelque chose à boire.

Au moment où elle entra dans la pièce, Mme Givens prenait un fer à repasser en fonte sur la cuisinière. Elle en testa la température du bout de son doigt mouillé, puis commença à repasser la robe bleue de Celia.

— Ah, s'exclama-t-elle avec son enthousiasme coutumier. Vous vous sentez mieux, ma chère ?

— Beaucoup mieux, à part le fait que j'ai la bouche comme du coton et que je suis assoiffée, répondit la jeune femme.

Puis elle se servit un grand verre d'eau qu'elle but d'un seul trait.

— C'est l'unique effet indésirable de mon traitement pour l'anxiété. Cela ne tardera pas à passer, promit la gouvernante.

Elle désigna l'étagère qui surmontait le garde-manger.

— Ce sont toutes mes décoctions d'herbes. Je tiens ce savoir de ma grand-mère.

Celia examina les bocaux et les bouteilles remplis de divers fluides, de poudres et d'herbes étranges, tout en se réjouissant d'être jeune et en bonne santé. Car ces remèdes populaires semblaient devoir remplacer à la fois le médecin et le pharmacien, dans cet endroit reculé et isolé du monde.

— Je n'avais jamais expérimenté une crise comme celle d'hier et j'espère ne jamais recommencer, affirma-t-elle.

— Ce ne sera bientôt qu'un mauvais souvenir, assura Mme Givens.

Elle reposa le fer sur la cuisinière, puis elle secoua la robe et la replia soigneusement sur le dossier d'une chaise avant de dire :

— Cette robe sera parfaite pour ce soir.

— Pourquoi ? s'étonna la jeune femme. Que doit-il se passer, ce soir ?

— Ce soir, M. Alexander souhaite célébrer votre présence sur l'île et il m'a demandé de préparer un bon dîner en votre honneur. Ce qui fait que je n'aurai pas le temps de coudre, aujourd'hui.

Celia laissa la gouvernante s'affairer dans la cuisine. Cette dernière paraissait aussi excitée que si la reine d'Angleterre était venue dîner en personne. De son côté, la jeune femme ne pouvait s'empêcher de se demander si le brusque changement d'attitude de son hôte était motivé par un simple revirement d'humeur.

Ou bien par les menaces qu'elle avait surprises la veille dans la bouche de Mme Givens.

Munie d'un célèbre roman de Daphné Du Maurier déniché dans la bibliothèque de Cameron, et avec l'impression d'être elle-même le personnage de l'un de ces textes à la fois romantiques et inquiétants, elle marcha jusqu'à la plage. Puis, abritée du soleil à l'ombre d'une dune, elle commença à lire. Mais elle était trop préoccupée par le sort qui la retenait prisonnière ici pour y parvenir.

Cela faisait quinze jours qu'elle était arrivée malgré elle sur l'île de la Solitude et elle allait devoir attendre encore deux mois et demi le retour du capitaine Biggins. Et elle pouvait s'offusquer tant qu'elle voulait de sa situation, ses protestations n'y changeraient rien. Elle se dit alors que le temps passerait peut-être plus vite si elle considérait sa réclusion comme des vacances. Nombreux étaient les plaisanciers qui lui auraient envié le site où elle se trouvait. Et Mme Givens et Noah la traitaient en amie, faisant tout leur possible pour qu'elle se sente chez elle.

Cependant, tout en dessinant du bout du doigt des cercles paresseux dans le sable, elle fut contrainte d'admettre que le plus grand attrait de cette île était Cameron Alexander, son mystérieux hôte. Elle se rappela la gentillesse avec laquelle il était venu la secourir sur cet îlot, après sa tentative de fuite. Et elle se souvint du baiser qu'il avait déposé sur son front durant leur voyage de retour. En dépit de son tempérament solitaire et de son insistance à ne pas être dérangé, elle percevait chez lui le même besoin d'amour et d'amitié que celui qui l'habitait. Bien sûr, elle était encore trop blessée par les mensonges de Darren pour songer à l'amour. Mais elle espérait qu'au cours des semaines à venir, elle et Cameron deviendraient au moins des amis.

Au même instant, la voix grave de Cameron la fit sursauter. Elle ne l'avait pas entendu approcher.

— Bonjour, mademoiselle Stevens, lança-t-il.

Il s'agenouilla près d'elle sur le sable, son regard dissimulé par le rebord de son chapeau.

— Comment vous sentez-vous, aujourd'hui ?

Embarrassée par sa crise spectaculaire de la veille, Celia hocha silencieusement la tête avant de répliquer :

— Beaucoup mieux, merci.

— J'avoue m'être montré un hôte très négligent jusqu'ici, s'excusa Cameron.

Il regarda la mer, tout en jouant avec une herbe de la dune.

— Vous vous êtes montré tout à fait hospitalier…, objecta Celia.

— Pas autant que j'aurais dû l'être, mais j'ai l'intention de me rattraper, promit-il. Mme Givens m'a dit que vous aviez une nouvelle robe.

Comme il tournait de nouveau son regard vers elle, la jeune femme vit un feu étrange y briller. Puis, un sourire irrésistible aux lèvres, il demanda :

— Accepteriez-vous de la porter pour moi, ce soir ?

Tout en sentant son pouls s'accélérer, Celia se rappela ses récentes réflexions concernant l'amour et l'amitié. Et elle aurait également aimé comprendre pourquoi, après avoir ignoré si longtemps sa présence, son hôte se décidait finalement à reconnaître son existence.

— Rejoignez-moi sous la véranda de la salle à manger au coucher du soleil, suggéra ce dernier. Nous prendrons un verre, après quoi Mme Givens nous servira un des festins dont elle a le secret.

Sur ces mots, il bascula sur ses talons, ramena le rebord de son chapeau sur ses yeux et lui décocha un autre sourire éblouissant.

Celia sentit la caresse de la brise sur sa joue, elle entendit le chant d'un courlis au-dessus de sa tête… et contempla, devant elle, l'homme le plus fascinant qu'elle ait jamais rencontré. Elle aurait voulu graver cette scène dans sa mémoire afin de pouvoir revivre la perfection de cet instant, beaucoup plus tard, lorsqu'elle serait de retour chez elle.

— Avec plaisir, finit-elle par répondre.

Cameron eut un petit hochement de tête. Puis il se leva et s'éloigna en direction de la plage.

A la fin de l'après-midi, Noah monta un grand tub en cuivre, ainsi que plusieurs jerricans d'eau chaude dans la chambre de Celia. Elle passa un long moment à savourer les bienfaits du bain avant de se laver les cheveux avec le savon à la citronnelle fabriqué par Mme Givens. Tout en regardant sa nouvelle robe déployée sur le lit, elle se sentait étreinte par la même excitation qu'une adolescente se préparant pour un premier rendez-vous galant.

Elle tenta de se convaincre que son émoi provenait de la rupture que cette soirée apportait à la monotonie de son existence sur l'île. Cependant, elle ne pouvait oublier la flamme qu'elle avait vue briller dans le regard de Cameron lorsqu'il lui avait fait part de son invitation. Pas plus que la façon dont elle avait alors senti son cœur battre la chamade.

Mme Givens frappa à la porte de la chambre au moment où la jeune femme enfilait ses sous-vêtements.

— Je venais voir comment vous allait votre robe.

Celia se glissa dans le fourreau, lequel épousait parfaitement la forme de sa poitrine et celle de ses hanches.

— Elle est ravissante et vous, vous êtes une magicienne. Merci, madame Givens.

Celle-ci serra les mains l'une contre l'autre de contentement.

— Vous êtes absolument éblouissante, ma chère ! Aucun homme ne résisterait à ce spectacle.

Surprenant la lueur spéculatrice qui brillait dans le regard de la gouvernante, la jeune femme s'interrogea sur la motivation de cette dernière à vouloir transformer aussi avantageusement son apparence.

— Allez donc vous regarder dans le miroir qui se trouve dans la chambre faisant face à la vôtre, suggéra Mme Givens. Je vous assure que vous êtes une autre femme que celle que nous avons découverte sur la plage il y a quinze jours.

Celia traversa le couloir et observa son reflet dans le miroir indiqué par Mme Givens. Les vilains hématomes, les éraflures et les piqûres d'insectes consécutifs à ses mésaventures s'étaient tous entièrement résorbés. Et la couleur bleu nuit de sa robe, dont la coupe soulignait la minceur de sa silhouette, contrastait agréablement avec la teinte hâlée de sa peau, ainsi qu'avec celle de ses cheveux éclaircis par le soleil. Quant aux souliers, elle allait devoir se contenter de ses vieilles chaussures de tennis, songea la jeune femme. Tout en espérant que son apparence serait suffisamment plaisante pour encourager le revirement positif de Cameron.

Au moment où elle le rejoignit sous la véranda, le soleil

embrassait déjà l'horizon. Il la dévisagea un moment en silence et le regard dont il l'enveloppa faillit la faire défaillir.

— Mademoiselle Stevens, vous êtes superbe, s'exclama-t-il enfin.

Puis, lorsqu'il lui tendit un petit bouquet d'orchidées aux pétales blancs et délicats tigrés de pourpre, elle eut soudain tellement de mal à respirer qu'elle bénit la souplesse du tissu de sa robe.

Cameron avait lui aussi fait d'agréables efforts vestimentaires. Il portait une veste en fin cuir noir sur une chemise blanche, et un pantalon serré dans des bottes de cavalier. Cette tenue, qui rehaussait la largeur de ses épaules ainsi que la puissance des muscles de ses cuisses, rappela à Celia le spectacle de son corps dénudé plongeant dans les eaux du golfe.

Elle n'était pas prude, mais ce souvenir, alors qu'elle se trouvait en tête à tête avec lui, la fit rougir. S'efforçant de ramener ses pensées sur un terrain moins dangereux, elle suggéra :

— Puis-je vous demander quelque chose ?

Il remplit un verre de vin blanc et le lui tendit.

— Bien sûr, mademoiselle Stevens.

— Appelez-moi Celia, voulez-vous ? Nous autres, Américains, nous ne sommes pas accoutumés à tant de formalités.

— *A Rome…*, cita son hôte, tout en levant son verre afin de porter un toast. A Celia, donc. Santé et bonheur.

Elle imita son geste, puis prit une gorgée de vin.

— Puisque vous préférez que je vous appelle par votre prénom, vous devez le faire vous aussi, remarqua-t-il.

— D'accord… Cameron.

— Venez. C'est presque l'heure.

— L'heure… ? demanda Celia, intriguée.

Il désigna l'horizon. L'existence s'écoulait si paisiblement sur l'île de la Solitude que le coucher du soleil était le moment culminant de la journée. Ils s'appuyèrent donc contre la balustrade et regardèrent l'orbe écarlate se glisser derrière un voile de nuages, puis plonger dans les eaux irisées d'or du golfe.

Lorsque le dernier rayon de soleil disparut, Celia sentit Cameron se tendre légèrement à son côté.

— Tant pis, soupira-t-il, avant de vider le reste de son verre de vin.

Elle lui décocha un regard interrogateur tandis qu'il approchait deux fauteuils en rotin de la balustrade. Lorsqu'ils furent installés l'un près de l'autre, face à la mer, il expliqua :

— Peu après mon arrivée ici, j'ai été le témoin d'un étrange phénomène. Ce jour-là, il avait plu tout l'après-midi, et le ciel était couvert. Au moment où le soleil s'est couché, on n'apercevait qu'une fine bande de ciel entre les nuages et la mer.

— C'est un spectacle très fréquent, remarqua Celia, sans comprendre l'enthousiasme manifeste de son hôte.

— Bien sûr, mais ce que j'ai vu ensuite était tout à fait extraordinaire. Et cela ne s'est jamais reproduit depuis.

Il se pencha en avant et fit rouler son verre entre ses mains avant de continuer :

— Au moment où le soleil a disparu derrière l'horizon, j'ai vu une phosphorescence verte emplir le ciel à l'endroit exact où il s'était couché. C'était un spectacle sidérant. Comme si le soleil était tombé dans un lac immense dont l'eau verte était venue éclabousser les cieux.

— Il doit s'agir de la « lumière verte » dont parle D. McDonnald dans son ouvrage sur les phénomènes naturels observés en Floride, remarqua Celia.

Tout en parlant, elle visualisa l'emplacement précis de cet ouvrage sur les rayonnages de sa librairie.

— McDonnald est l'un des plus prestigieux auteurs scientifiques de la région.

— Il faut absolument que je demande au capitaine Biggins de me trouver ce livre, dit Cameron.

— Je pourrai vous l'envoyer dès mon retour à Clearwater Beach, proposa spontanément la jeune femme.

Au lieu de réagir favorablement à son offre, son hôte garda le silence et la dévisagea avec un regard insondable qui la mit mal à l'aise. Comment pourrait-elle se fier à cet homme, se demanda-t-elle. Alors qu'en réalité, elle ignorait ses véritables projets la concernant ?

Puis, comme si de rien n'était, il reprit la parole et Celia s'efforça de chasser cette pensée dérangeante de son esprit.

— Je regarde le ciel tous les soirs dans l'espoir de revoir cette étrange lumière, lui confia-t-il.

— J'ai moi-même longtemps cherché à l'apercevoir, sans succès. Dans son livre, McDonnald explique que c'est un phénomène tout à fait exceptionnel. Peut-être ne le reverrez-vous plus jamais.

— Peut-être. Je devrai alors me contenter de ces étranges lueurs vertes que j'aperçois parfois sur la mer au milieu de la nuit.

— Cette fois, j'ignore ce dont il pourrait s'agir… à moins que vous ne fassiez allusion à la phosphorescence du plancton marin, particulièrement visible lors de violentes tempêtes.

Le souvenir des gigantesques vagues fluorescentes qui avaient submergé son voilier juste avant qu'il ne chavire fit frissonner la jeune femme. Elle s'empressa de repousser cette réminiscence de son esprit, de peur d'être victime d'une nouvelle crise de nerfs.

— Vous devez avoir raison, car j'ai en effet vu ces lumières étinceler sur les eaux du golfe la nuit qui a précédé votre arrivée ici, remarqua Cameron, comme s'il avait lu dans ses pensées.

Il avait donc observé la tempête qui l'avait entraînée jusqu'à l'île de la Solitude, songea Celia. Cette pensée lui rappela cruellement son statut de prisonnière dans cet endroit. Cependant, et puisqu'elle devait y demeurer captive, elle s'efforcerait dorénavant de tirer le meilleur parti de la situation… lequel s'incarnait assurément en la personne séduisante de l'homme assis à son côté.

6

Ils restèrent un long moment assis face à la mer, tout en finissant leur verre de vin et en regardant le rougeoiement du ciel s'approfondir, puis disparaître peu à peu à l'horizon. Ils ne parlaient pas, se contentant de contempler en silence le spectacle qui s'offrait à eux. Cependant, tout du long, la proximité de son hôte troubla intensément Celia.

L'attitude paisible et détendue de Cameron contrastait de manière si frappante avec son comportement renfrogné des jours précédents qu'elle fut contrainte de s'interroger une fois de plus sur la cause de ce brusque revirement. Etait-ce la pitié de la savoir bloquée sur cette île, loin de ses amis et de son cadre familier, qui animait son hôte ? Ou bien était-ce les menaces proférées la veille par Mme Givens ? se demanda-t-elle. Sans toutefois comprendre en quoi le fait que la gouvernante prévienne les autorités devait inquiéter Cameron.

Enfin, elle se demanda si son hôte ne ressentait pas tout simplement à son égard la même attirance irrésistible que celle qu'elle éprouvait pour lui. Ce qui l'inciterait à rechercher soudain sa compagnie.

Incapable de trouver une réponse à ces interrogations, elle espérait que cette soirée lui apporterait certains éclaircissements concernant les motivations de son hôte.

Dès que les premières étoiles apparurent dans le ciel, il l'invita à le suivre dans la salle à manger. La pièce était illuminée par la douce lumière de deux grands candélabres. Un vase argenté rempli de fleurs de bougainvilliers trônait sur la table recouverte d'une nappe blanche et aux deux extrémités de laquelle étaient dressés deux couverts en porcelaine ornée d'un filet d'or. Si bien que, sans la brise tropicale qui faisait onduler les rideaux des portes-fenêtres, Celia se serait crue dans le décor d'un manoir anglais.

Cameron retint sa chaise tandis qu'elle s'asseyait, avant de s'installer en face d'elle. Mme Givens apparut aussitôt, arborant pour l'occasion un tablier en dentelle d'un blanc immaculé. Elle déposa une soupière en argent sur la desserte, puis remplit deux assiettes d'un potage à l'arôme alléchant.

Après quoi, les mains croisées sur son tablier, elle sembla attendre l'opinion de Celia concernant son œuvre.

— Ce potage est divin ! s'exclama la jeune femme. Madame Givens, vous êtes une fée.

— C'est une bisque de crustacés. L'une de mes spécialités, précisa la gouvernante avant de s'éclipser en direction de la cuisine.

Cameron posa sa cuillère et sourit.

— Etant donné que vous allez rester sur l'île plusieurs semaines, j'ai pensé que vous vous y sentiriez mieux si nous faisions plus ample connaissance. Voulez-vous bien me parler un peu de vous, Celia ?

Puis elle vit son regard couleur ambre s'assombrir et il posa la main sur la sienne.

— J'ai cru comprendre que vos parents étaient décédés, ajouta-t-il avec douceur. Et je sais à quel point perdre un être cher est douloureux.

Il pressa doucement ses doigts entre les siens avant de demander :

— Mais avez-vous d'autres parents proches ? Des amis ? Quelqu'un qui attende votre retour ?

Celia était si troublée par le contact de sa main sur la sienne qu'elle répondit spontanément :

— Non, je n'ai pas d'autre famille. Quant à mes amis et aux clients de ma librairie, ils doivent avoir abandonné tout espoir de me revoir, à l'heure qu'il est.

Elle s'interrompit avant d'en dire plus. Car, si elle donnait l'impression que personne ne cherchait à la retrouver, Cameron risquait de l'empêcher de quitter l'île, même après le retour du capitaine Biggins, songea la jeune femme.

— Et votre fiancé ? demanda-t-il alors sur un ton détaché.

— Mon fiancé ?

Elle n'avait aucune envie de parler de Darren. Car plus vite elle effacerait le souvenir de cet homme de sa mémoire et mieux elle se porterait.

— Mais peut-être êtes-vous déjà mariée ? hasarda Cameron, voyant qu'elle ne répondait pas.

Celia secoua la tête.

— Non. A la dernière minute, j'ai paniqué en me rendant compte que je me mariais pour de mauvaises raisons. C'est alors que j'ai pris la fuite à bord de mon voilier et que j'ai fait naufrage.

— Et, aujourd'hui, vous regrettez de vous être enfuie ?

L'insistance manifeste avec laquelle Cameron observa sa réaction la troubla.

— Tout ce que je regrette, c'est d'avoir laissé cette relation aller aussi loin, dit-elle. Seulement, j'étais encore sous le choc du décès de mes parents et je n'arrivais pas à réfléchir clairement.

A ce moment-là, et au grand soulagement de la jeune femme, Mme Givens entra avec le plat de résistance : un magnifique mérou grillé au four, accompagné de pommes de terre du jardin, de carottes et de haricots verts. Elle déposa le plat devant Cameron, qui se chargea de préparer le poisson puis de les servir, tandis que la gouvernante repartait dans la cuisine chercher du pain. Stupéfaite par la compétence de la vieille dame, Celia se demanda comment celle-ci parvenait à élaborer des mets aussi raffinés dans une cuisine à ce point rudimentaire et tout en disposant d'aussi peu de provisions.

— Vous vivez plutôt bien, sur votre île déserte, remarqua-t-elle avec un sourire à l'intention de son hôte.

— *Bis vivit qui bene vivit*, repartit-il, en faisant une citation latine.

— C'est exactement ce qu'affirmait Milton : « Celui qui vit bien vit deux fois », renchérit Celia.

— Vous avez donc réellement lu Milton ? demanda Cameron avec un sourire ironique.

La jeune femme mit un instant avant de comprendre qu'il faisait allusion à la scène survenue dans son bureau la semaine précédente. Puis elle se sentit rougir en se rappelant qu'il l'avait surprise tenant *à l'envers* entre ses mains le plus grand chef-d'œuvre de cet auteur.

Par chance, Cameron sembla ignorer son trouble.

— Milton faisait preuve d'une grande sagesse, en pensant que la qualité de l'existence importait plus que sa durée, reprit-il. Mais il m'arrive pour ma part d'en douter.

Quand il eut prononcé ces mots, une ombre passa dans son regard et sa main trembla légèrement tandis qu'il portait son verre à ses lèvres. Celia se demanda alors s'il pensait au décès prématuré de sa femme et de son fils.

Puis, soudain, la tristesse fugitive de ses traits disparut et il sourit. Elle comprit alors que la versatilité de Cameron ne relevait aucunement de la folie, ainsi qu'elle l'avait soupçonné au début. En fait, chaque fois que ses émotions remontaient à la surface, il les dissimulait aussitôt derrière un masque, gardant ainsi une certaine part de lui secrète. Comme si un autre homme l'habitait. Un homme qui effrayait la jeune femme aussi sûrement que le premier l'attirait.

— Votre érudition me stupéfie, remarqua-t-il soudain avec douceur. Vous comprenez le latin, vous lisez Milton. J'ignorais que les Américains connaissaient si bien leurs classiques.

Celia, qui n'avait qu'une idée en tête, abattre les défenses de Cameron et en apprendre davantage le concernant, répondit sur un ton distrait :

— J'ai simplement vécu entourée de livres depuis ma plus tendre enfance.

Puis, cédant à son envie d'en savoir plus, elle suggéra :

— Mais parlons de vous, à présent. Noah m'a dit que vous étiez naturaliste.

— C'est surtout un passe-temps, expliqua Cameron. J'explore la vie des marais, ainsi que celle des fonds sous-marins, après quoi je reporte mes observations dans mon journal. Vous seriez surprise par la richesse et la diversité de la faune et de la flore locales.

— N'oubliez pas que je suis née en Floride, remarqua la jeune femme.

— Oui, bien sûr. Mais, moi, je n'avais jamais vu des cyprès hauts de quarante mètres, des érables rouges ni des arbres à pain ou des papayers.

— Ils sont certainement très différents des arbres que l'on trouve en Angleterre, concéda Celia.

Elle regarda Cameron. Les traits détendus et le regard illuminé par l'enthousiasme, il était plus séduisant que jamais.

— Observer les fougères tropicales ou encore les centaines d'espèces d'orchidées qui fleurissent dans ces régions — pour ne nommer qu'elles — est pour moi un émerveillement de chaque instant, lui confia-t-il.

La jeune femme considéra le petit bouquet qu'il lui avait offert, en mesurant tout à coup la valeur de ce présent dans l'esprit de son hôte.

— Sans parler des dizaines de sortes de plantes aquatiques, continua-t-il. Les nénuphars, les utriculaires…

Elle grimaça.

— Les utriculaires, quel vilain nom !

Il s'interrompit et lui sourit d'une manière si émouvante qu'elle sentit son désir de mieux le connaître s'intensifier. Soudain étreinte par l'envie de l'entendre parler de son passé, elle demanda :

— Votre passion pour la botanique est-elle récente, ou vous y intéressiez-vous déjà lorsque vous viviez en Angleterre ?

Elle vit le sourire de Cameron disparaître d'un coup.

— Non, je ne m'y intéressais pas du tout, répondit-il sèchement.

Déstabilisée par ce brusque changement d'humeur, Celia ramena la conversation sur le présent, dans l'espoir de voir le sourire de son hôte réapparaître.

— Prenez-vous également plaisir à étudier la vie animale ?

Cameron se pencha vers elle, son enthousiasme retrouvé comme par magie.

— Le parc naturel des Everglades regorge d'une profusion d'oiseaux splendides — des cigognes des bois, des pics-verts, des hérons, des aigrettes, ainsi que différentes variétés de chouettes. J'ai également pu observer des panthères et des loups rouges, des ours noirs, des cerfs, des lynx, des écureuils ou des ratons laveurs… la liste est infinie.

— Vous chassez ces animaux ? s'enquit Celia.

Il eut l'air embarrassé, comme pris en faute.

— Je n'y arrive pas. Ils sont si beaux que les tuer me paraît monstrueux. Et les poissons que je pêche suffisent largement à nous nourrir.

— J'aimerais voir tout ce que vous décrivez de mes propres yeux, dit-elle.

Gagnée par la passion contagieuse qui animait son compagnon, elle hasarda :

— Peut-être accepteriez-vous de m'emmener avec vous, un de ces jours ?

Les Everglades avaient un attrait certain, songea la jeune femme. Cependant, l'homme qui l'y guiderait rendait la perspective d'une telle excursion encore plus fascinante.

Une expression indéfinissable traversa le visage de Cameron, sans qu'elle sache si c'était de l'étonnement ou de la répugnance. Quoi qu'il en soit, même si l'intérêt de son hôte pour la faune et la flore était authentique, elle devinait qu'il utilisait son savoir afin de la tenir à distance et d'éviter toute conversation trop personnelle.

De nouveau armé de son sourire charmeur, il éluda sa question à l'aide de sujets anodins, tandis qu'ils achevaient le plat préparé avec tant d'attentions par Mme Givens. Mais, sous son apparence trompeuse, Celia percevait une certaine réserve chez Cameron, comme s'il avait peur d'elle. Sans toutefois parvenir à saisir la raison de cette crainte.

La gouvernante leur servit ensuite sa pièce de maître — un magnifique gâteau, fait de couches de génoise aussi légère que l'air, et entre lesquelles s'intercalaient de fines tranches de fruits exotiques. Le tout surmonté de crème Chantilly.

— Mes compliments, madame Givens ! la félicita Cameron après avoir terminé sa part de gâteau.

Il posa sa serviette à côté de son assiette.

— Vous vous êtes surpassée, ce soir.

— Quand il est si bien apprécié, l'ouvrage est un plaisir, répliqua la gouvernante, rayonnante de bonheur.

Puis, tandis que la vieille dame commençait à ôter leurs assiettes, Celia eut l'impression gênante que celle-ci les observait sous ses paupières volontairement baissées. Mais qu'espérait-elle surprendre ? se demanda la jeune femme.

Ils la laissèrent finir de débarrasser la table et se rendirent dans le salon, où Cameron se servit un cognac. Se rappelant l'effet que l'alcool avait eu sur elle le soir de leur rencontre, Celia refusa de l'accompagner. Elle espéra toutefois que ce verre délierait enfin la langue de son hôte et fissurerait les barrières derrière lesquelles il se dissimulait. Car, au moment du dessert, il avait parlé du temps et de la politique britannique, en se gardant d'aborder le moindre sujet personnel.

Son regard attiré par le tableau qui surmontait la cheminée et sans mesurer la portée de sa question, elle demanda :

— Ils vous manquent, n'est-ce pas ?

— Randolph me manque, oui, murmura Cameron.

La jeune femme nota qu'il n'avait pas fait allusion à Clarissa. En revanche, lorsqu'il avait prononcé le prénom de son fils, ses traits avaient exprimé une souffrance aussi intense que si elle lui avait planté un couteau dans le cœur. Ignorant ce qu'elle aurait pu dire sans aggraver son chagrin ou alimenter sa colère, elle garda le silence.

C'est alors qu'il lui sourit et, de manière imprévisible, demanda :

— Vous savez danser, Celia ?

De façon détournée, son hôte lui signifiait son refus de s'étendre sur le sujet qu'elle venait d'aborder, comprit la jeune femme.

— Un peu, répondit-elle. Je faisais partie d'un quadrille, quand j'étais au lycée.

En réalité, elle avait détesté ces après-midi passés à faire tapisserie en attendant que des adolescents aux mains moites viennent l'inviter à danser. Sa mère prétendait que cela lui enseignerait la grâce et les bonnes manières. Mais, au lieu de cela, elle avait passé le plus clair de son temps dans les vestiaires de la salle de bal et avait développé une certaine aversion pour la danse, bien plus qu'elle n'avait pratiqué cette activité.

Cameron reposa son verre de cognac intouché. Il souleva une grosse boîte de bois posée sur un guéridon — un Gramophone, devina Celia. Puis, celui-ci calé sous le bras, il prit la jeune femme par la main et l'entraîna à sa suite.

— Venez, dit-il.

Frissonnant de plaisir au contact de sa peau contre la sienne, elle se demanda s'il éprouvait la même sensation qu'elle. Il posa le Gramophone sur la table de la véranda, tourna la clé qui se trouvait sur son côté et en ouvrit le couvercle.

Les accords graciles d'une valse emplirent alors l'air nocturne, se mêlant au doux ressac de la plage et au bruissement du vent dans les palmiers. C'était une nuit faite pour les amants, songea Celia. Tout en comprenant brusquement qu'elle était en train de tomber amoureuse de Cameron Alexander.

Il lui ouvrit ses bras.

— Venez danser, Celia.

Elle posa sans hésiter une main dans la sienne et l'autre sur son épaule. Puis, avec une grâce naturelle, il commença à l'entraîner dans une valse lente d'une extrémité à l'autre du large porche, en traversant successivement les grands rectangles de lumière projetés à travers les portes-fenêtres sur le bois usé du sol.

A mesure que les notes argentines du Gramophone s'élevaient vers le ciel étoilé, la jeune femme sentait l'empreinte de plus en plus brûlante de la main de son partenaire sur sa taille. Il ne la serrait pas contre lui, mais la tenait à bout de bras, si bien qu'elle pouvait observer son visage tandis qu'ils tournoyaient au rythme paisible de la musique.

— Cameron…

— Ne dites rien, murmura-t-il. Ne gâchons pas cet instant.

Elle mourait d'envie de comprendre ce qui se passait dans la tête de cet homme énigmatique, de connaître ses rêves et d'identifier les démons qu'il combattait. Toutefois, gardant ses questions pour plus tard, elle se contenta d'examiner son visage. Et elle vit toute une gamme d'émotions le traverser : de la souffrance, mais aussi de l'amusement et même du désir.

Ils s'interrompirent juste le temps de remonter le Gramophone, puis ils s'enlacèrent de nouveau et reprirent leur danse étourdissante.

Au bout d'un moment, la musique s'arrêta et l'horloge du salon sonna. Bien qu'ils se soient immobilisés, Cameron retint Celia dans ses bras et il l'attira contre lui. Elle inclina la tête et leva légèrement la bouche vers la sienne. Il se pencha alors vers elle et elle sentit son souffle se bloquer dans sa poitrine. Mais, soudain, il s'écarta. Puis, emprisonnant ses mains dans les siennes, il y pressa sa bouche avec ferveur.

— Bonne nuit, dit-il d'une voix rauque, en se redressant et en lâchant ses mains.

Suite à quoi il se détourna et laissa la jeune femme seule sous la véranda.

Lorsqu'elle eut enfin recouvré ses esprits, elle gagna pensivement le hall. Comme elle s'arrêtait devant la porte du salon, elle vit Cameron prostré sur le sofa. L'air abattu, il contemplait le tableau surmontant la cheminée, son verre de cognac vide serré dans la main.

Elle monta jusqu'à sa chambre, ôta sa jolie robe bleue et s'effondra sur son lit. Elle s'attendait à ne pas parvenir à fermer l'œil, mais, au lieu de cela, elle s'endormit presque instantanément. Elle rêva qu'elle dansait avec un homme au visage torturé, sur un plancher où était peint un immense portrait de sa défunte épouse.

7

Celia se réveilla le lendemain matin en proie à des émotions contradictoires. Une part d'elle se languissait toujours de retrouver ses amis, sa maison et sa librairie. L'autre, cependant, ne désirait plus qu'une seule chose : passer le restant de ses jours sur l'île de la Solitude auprès de Cameron. Le soir précédent, elle avait décelé une étincelle de désir dans son regard et elle espérait que le temps transformerait cette étincelle en flamme. Tout en s'habillant, elle chantait, ce qu'elle n'avait pas fait depuis son arrivée sur l'île.

Elle trouva Mme Givens dans la cuisine, le nez dans sa tasse de thé et la mine renfrognée.

— J'espère que le travail que vous a occasionné la soirée d'hier ne vous a pas trop fatiguée, s'inquiéta la jeune femme.

— Pardon ? balbutia la gouvernante, en levant un regard absent vers elle.

— Vous ne vous sentez pas bien, madame Givens ?

Cette dernière se leva et alla remplir sa tasse avant de se rasseoir, et Celia remarqua que ses mains tremblaient.

— Ce n'est rien, ma chère. C'est juste mon sixième sens qui me joue des tours, ce matin, expliqua la vieille dame.

Elle tenta de sourire, mais son rictus vacilla sur ses lèvres et Celia craignit qu'elle ne fonde en larmes.

— Votre sixième sens ?

— C'est une sorte de don qui m'a été transmis par ma grand-mère maternelle. Elle était capable, en regardant simplement les gens dans les yeux, de lire leur destin comme dans un livre.

— Et vous avez hérité de ce don ? s'étonna Celia.

Elle s'efforçait de dissimuler son scepticisme afin de ne pas froisser la gouvernante, laquelle paraissait déjà suffisamment contrariée.

— En partie seulement. Mais ma grand-mère voyait l'avenir si clairement qu'elle avait su prédire la date de la fin de la Seconde Guerre mondiale. Ainsi que le jour et l'heure exacts de la mort du roi d'Angleterre.

— C'est en effet un don extraordinaire. Et vous, aviez-vous prévu mon arrivée sur cette île ?

— Hélas, je ne suis pas aussi talentueuse que mon aïeule. Pour ma part, je ne distingue que des images confuses, sans toujours parvenir à deviner qui elles concernent.

Celia ne croyait pas à ces histoires, mais, cherchant à ménager la susceptibilité de Mme Givens, elle demanda complaisamment :

— Et aujourd'hui, si je comprends bien, vous voyez quelque chose de particulier ?

Les épaules de la vieille dame frémirent.

— La dernière fois que j'ai eu une aussi forte prémonition, c'est le jour où Clarissa et Randolph sont partis pour le Devon…, répondit-elle.

Visiblement horrifiée d'avoir osé prononcer leurs noms, elle appliqua aussitôt une main sur sa bouche.

— Ce que vous ressentez est peut-être simplement lié à un phénomène naturel, hasarda Celia, en tentant d'apaiser les inquiétudes de la gouvernante. Comme une chute brutale du baromètre ou l'imminence d'un cyclone.

Mme Givens secoua la tête avec fermeté.

— Non. Les sensations qui m'assaillent sont trop violentes et les couleurs que je vois, bien trop sombres…

Même si Celia ne croyait pas aux prémonitions, le ton funèbre de la vieille dame lui donna la chair de poule. Semblant soudain percevoir son malaise, celle-ci se pencha vers elle et lui tapota la main de façon rassurante. Puis, d'une voix redevenue normale, elle déclara :

— J'espère que vous avez raison, ma chère — bien que la perspective d'un cyclone s'abattant sur cette île minuscule me terrorise. La mer risquerait de nous emporter et ce serait ma fin, car je ne sais pas nager.

— Je peux vous apprendre, si vous voulez, offrit spontanément Celia, pressée d'échapper aux histoires de prémonitions de Mme Givens.

— Vous voulez m'apprendre à nager ? s'exclama l'intéressée. Une vieille femme comme moi ?

— Cela vous ferait du bien. La mer est encore délicieuse à cette période de l'année et l'iode vous tonifierait.

La gouvernante renifla avec circonspection.

— Je n'ai pas le temps pour ce genre d'amusement, dit-elle.

Battant en retraite, Celia acheva son déjeuner en silence. L'entrée inopinée de Cameron dans la cuisine lui fit oublier en un clin d'œil les sombres présages de Mme Givens.

— Souhaitez-vous toujours tout voir de vos propres yeux ? demanda-t-il à l'adresse de la jeune femme.

— Tout voir ? balbutia-t-elle, en pensant qu'il faisait allusion à la façon dont elle avait fouillé son bureau, quelques jours plus tôt.

— Oui. J'ai pensé que vous prendriez peut-être plaisir à explorer les Everglades en bateau, aujourd'hui.

Celia se souvint alors de leur conversation de la veille et du désir qu'elle avait émis de visiter les Dix-Mille-Iles et leurs marécages. Puis elle se rappela le spectacle de Cameron prostré devant le portrait de sa femme et de son fils à la fin de la soirée. Son invitation signifiait-elle qu'il commençait à se détacher de son passé ? se demanda-t-elle, avec une lueur d'espoir.

Mme Givens se détourna de sa vaisselle et les regarda, les yeux brillants. La jeune femme ressentit alors un pincement de culpabilité à l'idée de laisser la gouvernante assumer toutes les tâches de la maison pendant qu'elle jouerait les touristes.

— Nous avons de la couture à terminer, dit-elle, et je dois aider Mme Givens dans son travail.

— Ne vous tracassez surtout pas pour moi, ma chère, protesta l'intéressée. Je vais vite vous préparer un repas froid pour deux.

— Voilà une excellente idée, approuva Cameron. Vous êtes notre bonne fée, madame Givens, ajouta-t-il de sa voix grave et masculine qui fit courir un délicieux frisson dans le dos de Celia.

Moins d'une heure plus tard, un panier rempli de victuailles à la main et le chapeau de paille de Mme Givens protégeant son visage du soleil, la jeune femme descendit le chemin qui menait au ponton en compagnie de son hôte.

En chemin, ils aperçurent Noah qui balayait le sable de l'allée devant sa cabane.

— Je vais prendre la barque, aujourd'hui, monsieur Alex, annonça ce dernier. Il faut que je trouve de l'herbe pour la vache, mais je rentrerai avant la nuit, ça c'est sûr.

— Faites attention à vous, Noah, et surtout prenez garde à ne pas croiser une patrouille maritime, l'avertit Cameron.

— Ne vous inquiétez pas pour le vieux Noah, répondit celui-ci avec un grand rire. Je garderai les yeux grands ouverts, pour sûr.

Après quoi Cameron grimpa sur le voilier. Il prit le panier des mains de Celia et le rangea dans le cockpit. Puis il la souleva par la taille. Elle sentit sa peau la brûler si délicieusement à l'endroit où ses mains la touchaient qu'elle eut un pincement de regret lorsqu'il la déposa sur le pont du bateau et la lâcha.

Le voilier s'éloigna ensuite silencieusement de l'île de la Solitude, de Mme Givens et de ses sombres prémonitions. Celia s'installa confortablement dans le cockpit et savoura les bienfaits du grand air en offrant son visage aux rayons du soleil.

Cameron la regarda, un sourire énigmatique aux lèvres.

— Pourquoi souriez-vous ? demanda-t-elle.

— Parce que vous êtes si singulière.

— Que voulez-vous dire ?

— La plupart des femmes que j'ai connues…

Son sourire disparut et il s'interrompit.

— Eh bien ?

— Elles s'inquiétaient toujours pour leur teint, leurs vêtements ou leur coiffure et je ne sais quoi d'autre encore…

A ces mots, Celia éprouva une légère gêne, en se demandant si ses manières décontractées d'Américaine ne la faisaient pas paraître un peu commune et grossière. Elle tapota ses cheveux, puis dissimula ses chaussures de tennis usées sous la longue jupe de Mme Givens, tout en s'efforçant de paraître plus féminine.

— Ne faites pas ça, dit Cameron.

— Quoi donc ? demanda-t-elle vivement, peu habituée à se sentir aussi gauche et maladroite.

— Ne changez rien à ce que vous êtes. Soyez simplement vous-même, car je n'ai jamais rencontré une femme aussi fraîche ni aussi naturelle que vous.

Son hôte n'ayant vu en l'espace de six ans *aucune* autre femme qu'elle et Mme Givens, Celia ne put s'empêcher de douter de la véritable valeur de ce compliment.

Quoi qu'il en soit, elle n'allait pas passer une aussi belle journée à s'inquiéter, alors que le ciel était d'un bleu éclatant et qu'une douce brise gonflait les voiles. Depuis sa tentative de fuite, elle n'avait pas quitté une seule fois l'île de la Solitude. Si bien qu'elle se sentait grisée par un extraordinaire sentiment de liberté.

En l'observant, elle vit que Cameron éprouvait la même émotion qu'elle. En mer, il devenait un autre homme. Sa raideur et sa réserve disparaissaient comme par magie. Il lui était difficile d'associer le personnage qu'elle avait aperçu la nuit dernière, prostré sur le canapé du salon, au libre esprit qui, les cheveux ébouriffés par la brise, guidait à présent son voilier sur les flots. Elle aimait bien davantage cet homme-ci que le premier. Elle l'aimait même plus que celui qui lui avait embrassé les mains sous la véranda, la veille au soir.

Il vira de bord et dirigea le bateau entre les centaines de petits îlots qui longeaient la côte. Celia n'avait jamais été très douée en géographie. Mais elle situa l'île de la Solitude quelque part au sud de cap Romano, dans la réserve aquatique des Dix-Mille-Iles, l'un des derniers grands espaces sauvages et préservés de la Floride.

Ils naviguèrent durant presque deux heures dans un dédale de petites baies, de chenaux et d'îles.

— Comment arrivez-vous à retrouver votre chemin dans ce labyrinthe ? demanda-t-elle.

— Je connais ces îlots comme ma poche, répondit Cameron. Chacun d'eux est différent.

Il baissa la voile et immobilisa son bateau le long d'une sorte de banc de sable émergeant à fleur d'eau, et sur lequel poussaient quelques jeunes palétuviers.

— C'est ainsi que se forment tous ces îlots, expliqua-t-il. Les courants venant du nord ramènent du sable qui se dépose au fond de l'eau parallèlement à une côte. Et, à mesure que celui-ci s'élève vers la surface de l'eau, les huîtres viennent y former des colonies.

Celia se pencha par-dessus la glissière du bateau et examina l'eau transparente.

— On le voit particulièrement bien ici, ajouta Cameron.

Il s'approcha de la jeune femme et lui passa un bras autour des épaules afin de la maintenir en équilibre, avant de désigner un point sous l'eau.

La jeune femme se força à inspecter les couches sédimentaires qui avaient formé l'îlot, mais elle avait du mal à se concentrer. Elle sentait son pouls s'accélérer au contact de la main de Cameron sur son épaule, tandis que son parfum masculin taquinait ses sens. Il la lâcha trop tôt à son goût, afin de saisir une longue cosse qui flottait à la surface de l'eau.

— Voici une plantule de palétuvier, dit-il. Elle a d'abord été transportée jusqu'ici par la marée et finira tôt ou tard par s'enraciner dans ces sols calcaires.

Celia observa un des arbres chétifs dont les racines élégamment recourbées s'étendaient dans le sable comme les pattes d'une immense araignée.

— Le nom donné aux palétuviers par les Indiens Séminoles était : « les arbres qui marchent ». A cause, sans doute, de la forme étrange de leurs racines qui leur donne l'air d'avancer dans l'eau, poursuivit Cameron.

L'enthousiasme passionné de son compagnon pour la nature qui l'entourait avait un effet contagieux sur la jeune femme. Il était si bon pédagogue qu'il lui semblait que personne ne pourrait passer une journée dans cet archipel avec lui sans en revenir transformé. Cameron lui dévoilait ainsi une nouvelle facette de sa personnalité qui la fascinait.

Il dégagea le bateau du banc de sable, leva la voile et reprit sa route en direction du sud. Peu après, ils approchèrent d'une île à la végétation très dense, avec une plage de sable fin ombragée par des arbres aux longs troncs minces, recouverts de minuscules feuilles vertes. Cameron tourna le bateau, affaissa de nouveau la voile, puis il immobilisa son embarcation contre le sable, juste sous les frondaisons des arbres.

Celia leva alors la tête et s'exclama :

— Ces arbres sont magnifiques. Et si majestueux !

— Ce sont aussi des palétuviers, précisa son compagnon.

— Pourtant, ils sont beaucoup plus grands que ceux que nous venons de voir. Leurs troncs sont parfaitement droits, contrairement aux autres, et ils ne s'enracinent pas non plus dans l'eau.

— Ce sont des palétuviers noirs. Ceux-ci poussent plutôt dans des zones protégées du vent et des vagues. Descendez du bateau, nous les verrons mieux.

— Vous me trouviez singulière, mais vous l'êtes tout autant, remarqua-t-elle en riant. Je n'avais jamais rencontré quelqu'un passionné à ce point par les palétuviers.

Les yeux de braise de Cameron se rivèrent dans les siens.

— Et pour quoi d'autre devrais-je me passionner, d'après vous ? demanda-t-il avec une douceur taquine.

Pour *moi*, eut envie de répondre la jeune femme.

Elle fut la première à détourner le regard, doutant de ce qu'elle lisait dans la profondeur de celui de Cameron.

Puis, comme il ôtait ses souliers et roulait son pantalon jusqu'à ses genoux, elle regarda ses tennis, les seules chaussures qu'elle possédait. Elle aurait voulu éviter de les abîmer dans l'eau de mer, mais craignait de se blesser les pieds sur les coquilles d'huîtres si elle les enlevait.

Comme s'il avait lu dans ses pensées, Cameron suggéra :

— Il vaut mieux que vous gardiez vos chaussures.

Au même moment, Celia se sentit soulevée dans ses bras puissants. Elle enroula spontanément les siens autour de son cou et vit un sourire ourler ses lèvres.

Elle éprouva alors un désir si irrésistible d'y presser les siennes qu'elle craignit d'être tombée irrévocablement amoureuse du mystérieux Cameron Alexander.

Il la porta jusqu'à la plage et, lorsqu'il l'y déposa, elle lâcha son cou à contrecœur. S'il avait éprouvé un trouble similaire au sien, il n'en laissa rien paraître. Peut-être que son amour pour Clarissa le prémunissait contre toute autre attirance, songea la jeune femme. Car, en dehors du baiser qu'il avait déposé une nuit sur son front et de la façon dont il lui avait embrassé les mains la veille au soir, Cameron ne s'était jamais comporté autrement qu'en hôte hospitalier. Un hôte simplement plus agréable à certains moments qu'à d'autres.

— Venez, je vais vous montrer le reste de l'île, dit-il d'une voix dont la tranquillité contrastait de manière frappante avec les battements affolés du cœur de Celia.

Ils traversèrent de larges zones de sable fin entre les arbres, jusqu'à une petite éminence au sommet de laquelle Cameron désigna ce qu'il nomma des palétuviers blancs. Ces différenciations de couleur — rouge, noir et blanc — déconcertaient la jeune femme. Car, pour elle, tous ces arbres avaient le même tronc grisâtre et les mêmes feuilles vertes.

— Celui-ci, continua son guide en désignant un nouvel arbre, n'est pas un palétuvier. Cependant, il résiste également très bien au sel marin et pousse souvent dans les zones marécageuses.

Après quoi ils se faufilèrent entre des fourrés luxuriants pour s'enfoncer davantage à l'intérieur de l'île. Celia reconnut des buissons de myrte, des figuiers, ainsi que des palmistes. Cameron identifia pour sa part des gombos, des épiphytes, des bromélies et des arbres à baies rouges. Par moments, il la prenait par le bras pour lui éviter de se blesser au contact des ronces et des cactus ou pour l'empêcher de trébucher sur une racine. Toutefois, Celia ne voyait chaque fois dans son geste qu'une courtoisie bienveillante.

— Comment avez-vous appris tout cela ? demanda-t-elle.

Dans les livres que m'a apportés le capitaine Biggins.

— Vous devriez en écrire un vous-même, suggéra-t-elle.

En disant cela, elle pensa à la multitude de touristes qui se pressaient en permanence dans sa libraire à la recherche de plus amples renseignements concernant la faune et la flore locales.

— Il est vrai que j'ai noté la plupart de mes observations dans des cahiers, dit Cameron. Si bien que, lorsque je serai trop vieux pour ce genre d'excursions, il se peut que je les réunisse sous la forme d'un livre.

— Pourquoi attendre ?

— Pour tout vous dire, je crains que des hordes de gens, une fois renseignés sur les splendeurs cachées de ces îles, ne viennent les visiter et les saccager.

Il fronça les sourcils à cette perspective désagréable avant de dire :

— Mais ne traînons pas ici. J'aimerais vous montrer d'autres endroits.

Il rebroussa chemin et guida Celia jusqu'au bateau, en s'arrêtant de temps en temps pour lui signaler la présence de gastéropodes aux coquilles bigarrées ou celle de diverses espèces de crabes.

Ils virent même un raton laveur qui dévorait l'un de ces crustacés en guise de déjeuner.

Une fois sur la grève, il la prit de nouveau dans ses bras pour la porter jusqu'au voilier. Sauf que, cette fois-ci, avant de la déposer sur le pont, il riva son regard dans le sien.

— Celia…

La jeune femme retint son souffle, espérant qu'il allait lui dévoiler ses sentiments pour elle.

— Tout à l'heure, j'ai remarqué que vous hésitiez à abîmer vos chaussures — la seule paire que vous possédez, dit-il. Cela m'a contraint à penser à tout ce dont vous avez été privée depuis votre arrivée ici. A vos amis, auxquels vous devez manquer, à votre librairie, qui a dû rester fermée tout ce temps.

Captivée par l'intensité qui brillait dans les yeux couleur ambre de Cameron, Celia fut incapable de répondre.

— Je me suis montré terriblement égoïste, affirma-t-il. Je n'ai pensé qu'à moi et à mon désir de demeurer à l'écart du monde. Mais j'ai l'intention de me racheter.

Elle attendit, suspendue à ses lèvres. Dans l'attente d'un mot, d'un signe indiquant qu'il commençait à s'éprendre d'elle.

— Afin de vous prouver que je ne suis pas aussi égocentrique que vous devez le penser, et que je suis capable de placer votre bien-être au-dessus du mien…, poursuivit Cameron.

Il s'interrompit et elle s'efforça de lire ses émotions dans son regard.

— … dès demain, je vous raccompagnerai à Key West, ainsi que vous le désirez, décréta-t-il.

Après avoir déposé Celia sur le bateau, Cameron remit celui-ci à flot, puis sauta à son tour sur le pont. Elle s'assit silencieusement en face de lui, en proie à des émotions contradictoires. Car une part d'elle souhaitait rentrer à Clearwater Beach. Mais, à présent, une autre aspirait plus ardemment encore à rester auprès de Cameron sur l'île de la Solitude.

Sans remarquer le trouble qui l'habitait, il hissa la voile et mit le cap sur l'ouest.

De son côté, Celia s'interrogeait sur le brusque revirement

de son compagnon. Celui-ci se repentait-il réellement de son égoïsme ? se demanda-t-elle. Ou bien souhaitait-il plutôt retrouver la tranquillité dont il jouissait avant son arrivée sur l'île ? A cette pensée, la jeune femme sentit son humeur s'assombrir en même temps que ses espoirs s'effondrer. Alors qu'elle éprouvait pour lui une admiration grandissante, alors qu'elle commençait à réellement apprécier son style de vie, Cameron trouvait-il pour sa part sa présence importune ? Au point d'être soudain prêt à interrompre son si précieux exil, ceci à seule fin de se débarrasser d'elle ?

La beauté des plages et des îles entre lesquelles le voilier se faufilait aida Celia à distraire son esprit de ces conjectures. Des mulets argentés, leurs écailles étincelant dans le soleil, bondissaient hors de l'eau et des dauphins ne tardèrent pas à suivre le sillage du bateau dans le but de les attraper et d'en faire leur repas.

A un moment, elle leva les yeux et découvrit Cameron qui l'observait. Sous le coup d'une impulsion, elle décida alors de tout lui dire :

— Je voudrais ne jamais repartir, déclara-t-elle.

Il sourit.

— Je comprends ce que vous ressentez. Il m'arrive moi-même de passer plusieurs jours dans les Everglades sans vouloir en repartir. Je ne rentre qu'afin de rassurer Mme Givens avant qu'elle n'envoie Noah me chercher.

— Je voulais dire que je n'avais pas envie de quitter l'île de la Solitude, précisa Celia.

A ces mots, Cameron la dévisagea avec une telle intensité qu'elle finit par détourner le regard sans qu'il lui ait répondu.

Quelques instants plus tard, comme ils approchaient du golfe du Mexique, il mouilla l'ancre près d'un îlot bordé par une plage de sable blanc. Il prit le panier contenant leur pique-nique, ainsi qu'une voile enroulée sur elle-même et une couverture, et transporta le tout sur les dunes qui s'étendaient au-delà de la plage. Puis il revint chercher Celia.

Lorsqu'il la souleva dans ses bras, elle fit glisser ses mains le long de ses épaules musclées avant d'enrouler ses bras autour de son cou. Et au moment où il la déposa sur la plage, au lieu de relâcher son étreinte, elle attira le visage de Cameron vers le sien et l'embrassa, en s'abandonnant totalement contre lui.

D'abord, elle le sentit tressaillir de surprise. Puis, l'instant d'après, il referma sa bouche sur la sienne avec ardeur. Elle goûta le sel de ses lèvres, savoura le contact de son corps ferme contre le sien et sentit son pouls battre si fort à ses tempes qu'il couvrit le bruit du ressac.

Si Cameron s'en tenait à sa décision de la ramener à Key West le lendemain, elle garderait au moins le souvenir de cette journée, songea la jeune femme.

Tout à coup, il s'écarta d'elle et, tout en continuant de la maintenir par la taille, il l'avertit :

— Ne faites pas ça, Celia.

Elle lut un chagrin inexplicable dans son regard et ne put s'empêcher de murmurer :

— Je crois que je suis en train de tomber amoureuse de vous, Cameron.

Il la lâcha brusquement et la dévisagea un moment avec une expression indéchiffrable. Ensuite, il suivit du bout du doigt la courbe de sa joue et celle de ses lèvres. Puis, soudain, il se détourna d'elle et s'éloigna en direction des dunes.

Décidément, les réactions de Cameron étaient si contradictoires que Celia ne savait plus quoi penser. Elle sentait bien qu'il éprouvait à son égard la même attirance que celle qu'il exerçait sur elle. Mais, alors, pourquoi rejetait-il ses avances ? Et pourquoi semblait-il si pressé de la ramener à Key West ?

Elle le suivit jusqu'aux dunes et l'observa tandis qu'il attachait la voile entre trois palmiers, formant ainsi un abri contre les rayons du soleil. Après quoi il étendit la couverture à l'ombre, puis y déposa le panier.

— Vous avez faim ? demanda-t-il.

Plus parlante que des mots, la neutralité de sa voix suggérait à Celia de ne pas se laisser dominer par ses émotions.

Désorientée, elle s'agenouilla sur la couverture et commença à déballer le repas préparé par Mme Givens, duquel se dégageait un parfum alléchant. En dépit du trouble qui l'agitait, elle sentit que leur excursion de la matinée lui avait aiguisé l'appétit.

Cameron s'assit en tailleur à côté de la jeune femme, qui lui tendit un sandwich enveloppé dans une serviette en lin avant d'en prendre un pour elle. Ils étaient confectionnés d'épaisses tranches de pain beurrées et garnies de moutarde, de fromage et de feuilles de laitue croquante.

Tout en mangeant, Celia fit le point. Il était clair, à présent, qu'elle ne souhaitait plus quitter l'île de la Solitude. Et que la cause de ce revirement se tenait juste à côté d'elle. Il fallait donc qu'elle en apprenne davantage concernant Cameron, si elle voulait parvenir à le convaincre de la laisser rester.

Elle échafauda une série de questions, en espérant amener peu à peu la conversation sur un plan plus personnel.

— La vie au grand air vous a-t-elle toujours plu à ce point ? demanda-t-elle en premier lieu.

Cameron se laissa aller en arrière, s'appuya sur les coudes et fixa les eaux vertes du golfe. La brise marine repoussa alors de son front une mèche blondie par le soleil, révélant une longue cicatrice à la racine de ses cheveux, qu'elle n'avait jamais vue auparavant.

— Lorsque j'étais enfant, les vacances d'été étaient ma période favorite de l'année, dit-il. Nous quittions Londres où mon père avait ses affaires pour nous rendre dans le Devon, où il possédait un manoir et des fermes. Je m'amusais des journées entières sur la plage à escalader les rochers et à explorer les grottes.

Celia se rappela l'article de journal qui expliquait que Clarissa et Randolph avaient été assassinés dans le Devon. Elle fut alors frappée par l'ironie tragique qui faisait que cet endroit où Cameron semblait avoir été si heureux avait également été le théâtre de son plus grand malheur.

Tandis qu'il continuait de fixer la mer, le regard perdu dans ses souvenirs, elle eut envie de voir des photographies de lui enfant. Ressemblait-il alors au petit Randolph, dont elle avait vu le portrait dans le salon ? Etait-il aussi beau et aussi charmant, avec ce même sourire malicieux ?

— Je faisais semblant d'être un redoutable pirate qui enterrait ses butins dans les recoins sombres de ces grottes, poursuivit Cameron avec un sourire. Explorer ces endroits m'était évidemment interdit, précisa-t-il.

— C'était dangereux ? demanda Celia.

— Bien sûr. J'aurais pu m'y égarer ou m'y trouver bloqué par la marée montante.

— N'aviez-vous pas peur ?

Il renversa la tête en arrière et eut un grand rire qui chassa un héron de son perchoir. L'oiseau s'enfuit en direction de la plage en poussant des cris rauques.

— L'interdit et le danger rendaient au contraire l'aventure d'autant plus excitante, répondit-il. Et, comme les enfants s'imaginent toujours invulnérables, je n'ai jamais vraiment cru qu'il pourrait m'arriver quoi que ce soit.

— Mme Givens a dû se faire bien du souci à cause de vous.

Le visage de son compagnon s'assombrit.

— La malheureuse a en effet eu plus que son lot de souffrance avec moi. Malgré cela, elle m'a toujours soutenu et aimé comme l'aurait fait une mère.

— Le travail que vous faisiez en Angleterre ne vous manque-t-il pas ? demanda ensuite Celia sur un ton détaché, tout en sachant qu'elle commençait à s'aventurer sur un terrain dangereux.

Avant de répondre, Cameron acheva la dernière bouchée de son sandwich et sortit une orange du panier.

— Je détestais ce travail, qui consistait à gérer les exploitations minières de mon père. Je passais toutes mes journées enfermé dans un bureau, à traiter une tonne de problèmes fastidieux et à diriger des centaines de gens qui cherchaient souvent à en créer plutôt qu'à les résoudre.

Fascinée par la beauté de ses mains, Celia le regarda éplucher l'orange, puis mordre à pleines dents dans le fruit juteux.

— Vous occupiez-vous aussi des fermes de votre père ? demanda-t-elle.

Avant de répondre, il prit un dernier quartier d'orange, s'essuya la bouche avec sa serviette, puis creusa un trou dans le sable afin d'y enterrer l'écorce odorante.

— J'aurais largement préféré cela, lui confia-t-il. Mais ces fermes étaient déjà habilement dirigées par des familles de métayers installées là depuis plusieurs générations. Et l'entreprise minière absorbait tout mon temps.

— N'étiez-vous pas un peu trop jeune pour assumer d'aussi lourdes responsabilités ?

— Je n'avais pas le choix. A la mort de mon père, je me suis trouvé seul responsable de ses affaires. J'ai commencé à travailler depuis le jour où j'ai quitté Oxford et je n'ai jamais plus arrêté jusqu'à…

Cameron se tut subitement.

Rassemblant son courage, Celia posa alors la question qui lui brûlait les lèvres depuis le début :

— Elle vous manque ?

— Qui ? demanda-t-il sans la regarder.

Il s'allongea sur le dos et mit son avant-bras sur les yeux.

Tout en regrettant de ne pas pouvoir lire sa réaction dans son regard, la jeune femme répondit :

— Clarissa.

— Je ne parle jamais d'elle, dit-il.

Elle savait qu'elle avançait sur un terrain de plus en plus glissant. Mais, avec la perspective de quitter l'île de la Solitude le lendemain et poussée par le sentiment de n'avoir plus rien à perdre, elle insista :

— Parler de la perte des êtres que nous avons autrefois chéris peut parfois nous aider.

— Cela m'est *impossible*, rétorqua Cameron, la voix soudain tremblante de colère.

Au même moment, Celia vit une larme rouler jusqu'à sa joue. Navrée de l'avoir blessé et comprenant qu'elle n'en apprendrait pas davantage, elle abandonna cette conversation et commença à rassembler les restes de leur repas.

L'amour de Cameron pour Clarissa et le chagrin que lui causait encore aujourd'hui sa disparition lacéraient le cœur de la jeune femme. Elle aurait tout donné pour qu'il l'aime *elle aussi*, avec une telle constance.

Lorsqu'elle eut tout rangé à l'intérieur du panier, Cameron était toujours étendu sur le dos, le bras sur les yeux. Le rythme paisible et régulier de sa respiration lui indiqua qu'il s'était endormi. Elle resta alors assise un long moment à le regarder, en s'imprégnant de son image afin de la graver pour toujours dans sa mémoire.

L'appel modulé d'un pic-vert au-dessus d'elle l'arracha soudain à sa rêverie et ramena son attention sur le paysage qui l'entourait. Elle regarda les euphorbes et les cactus qui s'élevaient entre elle et le sable blanc de la plage. Les fleurs des arbres à boutons et les herbes hautes qui retenaient le sable de la dune, le parsemant de touches multicolores. Et elle eut le sentiment d'être une étrangère au paradis.

La chaleur accablante du soleil l'incitait à s'assoupir. Elle reporta son regard sur Cameron. La fin de son séjour auprès de lui approchait à grands pas et, d'ici là, elle avait envie d'en profiter au maximum. Elle ôta ses chaussures, puis s'allongea à côté de lui. Il se tourna sur le côté dans son sommeil, lui faisant face. Alors, et aussi naturellement que s'ils avaient été amants, elle se lova contre lui, enroula le bras de son compagnon autour d'elle et s'endormit.

Beaucoup plus tard, les rayons obliques du soleil se glissèrent sous l'abri de la voile et commencèrent à brûler le visage de Celia. La jeune femme s'éveilla en sursaut et découvrit qu'elle était seule. Elle se redressa, regarda autour d'elle et aperçut le voilier, à la même place que tout à l'heure. Mais elle ne voyait Cameron nulle part.

Elle enfila ses chaussures de tennis, puis suivit les empreintes de son compagnon incrustées dans le sable en direction de la plage. Elle le trouva assis au sommet d'une dune. Les coudes sur les genoux, il regardait la mer. Lorsqu'il la vit, il se leva, brossa le sable de ses vêtements et vint à sa rencontre.

Elle courut jusqu'à lui et il la souleva dans ses bras. Puis il l'embrassa avec la même ardeur que lorsqu'ils étaient descendus du bateau. Savourant la puissance de son étreinte, elle enfouit ses mains dans ses cheveux et s'abandonna alors tout entière à son baiser.

Celui-ci s'interrompit trop tôt à son goût. Mais il avait été si intense qu'elle leva vers Cameron un regard empli de défi et déclara, sur un ton triomphant :

— Osez dire que vous ne m'aimez pas, à présent !

Les yeux de braise de son compagnon se rivèrent dans les siens.

— C'est vrai, Celia, je vous aime.

Il la serra une fois de plus contre lui, puis, son souffle caressant ses cheveux, il murmura :

— Mais l'amour ne suffit pas toujours à nous sauver.

Effrayée par la solennité de son ton, elle s'écarta de lui et scruta son visage.

— Que voulez-vous dire ?

— Vous devez fuir cet endroit le plus vite possible, repartit Cameron. Fuir pour votre propre salut… tant que j'ai encore la force de vous laisser partir.

— Je ne comprends pas, balbutia la jeune femme.

— C'est parce que je vous aime que j'ai pris la décision de vous ramener à Key West dès demain. Vous devez m'oublier, Celia.

Elle resserra ses doigts autour du bras de Cameron et le secoua.

— Je ne veux *pas* vous oublier ! s'écria-t-elle, soudain agitée par de violents sanglots. Je ne comprends pas. Puisque vous m'aimez, pourquoi me renvoyez-vous ?

— Vous devez partir, pour votre propre sécurité, affirma Cameron.

— Que voulez-vous dire ?

Il évita son regard sans répondre.

— Je suis plus en sécurité ici que n'importe où au monde, protesta-t-elle.

Soudain, il s'écarta d'elle, gagna la grève et commença à avancer parmi les vagues. Sans plus se soucier du sel qui risquait d'abîmer ses chaussures, Celia le suivit tout en continuant de l'implorer.

— Je vous en supplie, Cameron, laissez-moi rester. Je suis prête à partager votre exil.

Il demeura immobile un long moment, le regard rivé vers l'ouest. Puis il se pencha en avant et s'aspergea le visage d'eau de mer comme pour s'éclaircir les idées. Enfin, il se décida à parler, d'une voix mécanique et dénuée d'émotion :

— Il faut y aller, si nous voulons regagner l'île de la Solitude avant la nuit. Et vous devez vous coucher tôt. Nous partirons demain matin avant l'aube.

Puis il revint sur la plage, rassembla la voile qui leur avait servi d'abri, la couverture et le panier, et les porta jusqu'au bateau. Sa jupe et ses chaussures étant déjà trempées, Celia n'attendit pas qu'il l'aide à regagner le voilier. Elle grimpa à bord par ses propres moyens. Après quoi elle s'assit sur le pont arrière et se replia sur elle-même, se préparant à un long et dernier voyage vers l'île de la Solitude.

8

Cameron n'avait pas prévu qu'il tomberait amoureux de Celia, même s'il aurait dû percevoir ce danger le jour où il avait découvert la jeune femme sur sa plage. Car, depuis cet instant, sa beauté et son courage n'avaient cessé de l'émouvoir, réveillant une part de lui qu'il avait crue morte. Si bien que malgré tous ses efforts pour garder ses distances avec elle, il avait ressenti le désir chaque jour grandissant de passer du temps en sa compagnie.

Et, maintenant qu'il l'aimait, une seule issue s'offrait à lui : la renvoyer chez elle, songea-t-il à contrecœur.

Tout en évitant le regard de la jeune femme afin d'empêcher sa détermination de flancher, il mit le cap sur l'île de la Solitude. Jamais ses sentiments et sa raison ne s'étaient opposés aussi cruellement. Après de si longues années passées dans une sorte d'engourdissement désespéré, Celia l'avait ramené à la vie. Sans elle, sans sa vivacité enjouée, sans son sourire rayonnant et sans la musique mélodieuse de sa voix, son existence serait de nouveau vide.

Au bout d'un moment, elle vint s'asseoir à côté de lui, assez près pour ne pas avoir à crier par-dessus le bruit du vent dans les voiles, et demanda :

— Expliquez-moi pourquoi je ne serais pas en sécurité sur l'île de la Solitude.

Comme il ne pouvait pas lui dire la vérité, il s'efforça de trouver une réponse plausible à sa question :

— Nous y vivons trop isolés de tout. Si vous vous blessiez ou que vous tombiez malade…, marmonna-t-il.

— C'est un risque que vous et Mme Givens n'hésitez pas à prendre.

— Il s'agit d'un choix que nous avons fait tous les deux.

— Et si je choisis moi aussi de rester ?

— Je ne peux pas assumer cette responsabilité.

Elle scruta son visage, de ses yeux aussi beaux et aussi changeants que les eaux du golfe, puis corrigea :

— Dites plutôt que vous ne le *souhaitez* pas.

Combattant le désir qui l'étreignait de la prendre dans ses bras et de la garder pour toujours auprès de lui, Cameron détourna le regard, avant de répondre :

— Les deux.

— Mais, si vous m'aimez…

— C'est parce que je vous aime que je veux vous protéger.

— Je ne suis plus une enfant et je n'ai pas besoin qu'on me protège, affirma Celia. Je suis parfaitement capable de le faire moi-même.

Durant un instant, il eut envie de la croire. Puis il se souvint de Clarissa et de Randolph et sa détermination se renforça.

— J'ai pris ma décision et rien ne me fera changer d'avis, rétorqua-t-il d'une voix durcie par la frustration. Vous usez votre salive inutilement.

A ces mots, il la vit tressaillir. Tant mieux, songea-t-il, tout en sentant sa gorge se serrer. Car plus il se montrerait intraitable et plus elle partirait volontiers.

Or, il fallait qu'elle parte. Sa *vie* en dépendait.

Après cela, elle sembla abandonner la lutte et se refermer sur elle-même. Ils naviguèrent plusieurs heures dans l'extraordinaire dédale vert émeraude des chenaux qui serpentaient entre les îles. Toutefois, et étant donné le peu d'attention qu'ils portaient au paysage qui les entourait, ils auraient aussi bien pu avancer dans l'obscurité. Et un silence pesant s'était installé entre eux.

Tard dans l'après-midi, le vent tomba et Cameron dut tirer d'innombrables bords afin de les ramener jusqu'à l'île de la Solitude. La nuit tomba alors qu'ils avaient encore plusieurs milles à parcourir. Lorsqu'il amarra enfin son voilier au ponton, les étoiles parsemaient le ciel depuis un long moment.

Refusant son aide, Celia descendit du bateau par ses propres moyens. Un bruit de pas ébranla les planches du ponton et ils virent apparaître Mme Givens, telle une goélette toutes voiles dehors.

— Dieu soit loué ! s'exclama la gouvernante. Vous voilà enfin de retour.

Elle s'arrêta près de Celia et s'éventa le visage à l'aide de son tablier, tout en reprenant son souffle. Malgré l'obscurité, l'inquiétude qui déformait ses traits n'échappa pas à Cameron.

— Il ne fallait pas vous tourmenter de la sorte, madame Givens, la sermonna-t-il. Le vent est tombé et c'est ce qui nous a retardés.

— Ce n'est pas pour vous que je me fais du souci, repartit la vieille dame, mais pour Noah. Il aurait dû rentrer en début d'après-midi, or il n'a pas donné signe de vie.

— Peut-être a-t-il finalement décidé de regagner le continent, rongé par l'isolement et la solitude, suggéra Celia.

— Noah ? Quitter l'île et risquer ainsi d'être arrêté par la police ? s'exclama la gouvernante. Il n'aurait jamais fait cela. Je crains plutôt qu'il n'ait été intercepté par une patrouille… ou pire, qu'il soit blessé ou bien bloqué dans les marécages et incapable de revenir.

— Allez chercher une lanterne et de l'eau, ordonna Cameron. Je sais qu'il voulait ramasser du fourrage dans une vaste prairie située de l'autre côté de l'île, à quelques milles d'ici. Je vais partir à sa recherche.

Mme Givens se précipita aussitôt en direction de la cuisine et Cameron se rua lui aussi vers la maison.

Restée seule sur le ponton, Celia s'assit à son extrémité en attendant leur retour. Etreinte elle aussi par l'anxiété au sujet du brave Noah, lequel s'était toujours montré si gentil à son égard, elle imagina les multiples embûches qui avaient pu se dresser sur son chemin. Il avait pu être mordu par un serpent ou pris d'une fièvre soudaine, ou encore s'être blessé avec sa machette, s'être noyé ou bien avoir été attaqué par un animal sauvage… Et, à présent, Cameron allait lui-même s'aventurer dans la nuit et affronter les mêmes dangers.

Elle l'entendit revenir sur le ponton, se leva d'un bond et décréta :

— Je viens avec vous.

Mais il secoua la tête avec fermeté.

— Certainement pas. Vous ne ferez que me ralentir. Si Noah est blessé, plus vite je le retrouverai, plus vite je pourrai le secourir.

Elle mourait d'envie de l'accompagner — non seulement

dans le but de l'assister dans ses recherches, mais aussi afin de passer le plus d'instants possible auprès de lui avant de devoir le quitter pour toujours. Malgré cela, la détermination de son regard l'empêcha d'insister.

Il avait enfilé une veste de cuir, un chapeau à larges bords et des bottes. Il désigna un gros revolver enfoncé dans sa ceinture.

— Il y a une arme similaire à celle-ci, chargée et prête à l'emploi, dans le tiroir de mon bureau, dit-il. Ainsi qu'un fusil, accroché à un râtelier dans le salon. Si quiconque s'introduisait sur l'île en mon absence, n'hésitez pas à vous défendre.

Après quoi il monta sur son voilier. A cet instant, Mme Givens revint avec plusieurs bouteilles d'eau et une lanterne, qu'il rangea sur le pont arrière. Puis, sans se retourner, Cameron dégagea le bateau du ponton, leva la voile et s'enfonça dans l'obscurité en direction de l'ouest.

— A présent, je vais devoir m'inquiéter pour deux personnes au lieu d'une, soupira Mme Givens.

Etreinte par la même angoisse, Celia passa un bras autour des épaules de la vieille dame et elles regagnèrent la maison ensemble.

— Comment pouvez-vous être aussi certaine que Noah n'a pas décidé de partir de son plein gré ? demanda-t-elle.

— Vous souvenez-vous du pressentiment dont je vous ai fait part ce matin ? Cette vision n'aurait jamais été aussi sombre ni aussi intense si Noah avait simplement décidé de nous quitter. Je suis certaine qu'il est blessé.

Sans parvenir à croire aux prétendues prémonitions de Mme Givens, Celia insista :

— Mais vous êtes sûre qu'il n'a pas laissé un mot ou un signe indiquant qu'il avait choisi de s'en aller ?

La gouvernante secoua la tête.

— J'ai inspecté sa cabane jusque dans ses moindres recoins. Toutes ses affaires sont là.

Elles se rendirent dans la cuisine, où Mme Givens fit du thé avant de tenter de convaincre Celia de manger quelque chose. Mais la jeune femme était incapable d'avaler quoi que ce soit, tant l'appréhension lui nouait l'estomac. Bien sûr, elle s'inquiétait en premier lieu pour Noah et pour Cameron. Mais elle se lamentait également sur son propre sort. Car même si les événements inattendus de cette nuit risquaient de retarder son départ, dès le retour de Cameron, elle allait devoir quitter l'île de la Solitude pour toujours.

— Allez donc vous coucher, ma chère, suggéra Mme Givens au bout d'un moment. Vous avez l'air épuisé. Je promets de vous réveiller dès que M. Alexander rentrera.

Trop fatiguée pour refuser, Celia monta jusqu'à sa chambre, se déshabilla et enfila sa chemise de nuit. Toutefois, les souvenirs des événements de la journée se bousculaient si violemment dans son esprit qu'elle comprit qu'elle ne parviendrait pas à fermer l'œil. Elle sortit alors le fauteuil à bascule sous la véranda et commença à s'y balancer, en espérant que cela l'aiderait à s'assoupir. C'est alors que son attention fut soudain attirée par les portes-fenêtres de la chambre de Cameron, restées ouvertes. Elle quitta son fauteuil et s'introduisit dans la pièce, sa honte étouffée par son désir d'en apprendre toujours davantage concernant l'homme qui prétendait l'aimer.

Elle alluma la lampe à huile posée sur la commode, puis promena son regard autour de la chambre. La présence de Mme Givens s'y manifestait par de multiples détails — du tapis oriental fraîchement balayé aux meubles cirés avec soin et au vase rempli de fleurs fraîches placé sur un guéridon.

En revanche, elle ne décela que peu de traces de celle de Cameron — en dehors d'un long rasoir argenté posé sur la commode, et d'une brosse dans les soies de laquelle s'étaient pris quelques cheveux blonds. Elle inspecta le contenu des tiroirs du meuble et n'y trouva que du linge de corps et des chemises. Si bien que, lorsqu'elle eut achevé son examen, elle n'avait rien appris concernant son hôte qu'elle ne sache déjà.

Elle ouvrit alors la grande armoire opposée au lit et examina les costumes et les vestes qui y étaient suspendus. Pressant son visage contre les vêtements, elle s'imprégna de leur odeur de cuir et de tabac, mêlée au parfum naturel de Cameron. Deux rangées de bottes et de chaussures s'alignaient au bas du meuble, ainsi qu'une autre de chapeaux, sur l'étagère supérieure. La jeune femme s'apprêtait à refermer la porte de l'armoire lorsqu'elle aperçut le coin d'une boîte, dissimulée à l'arrière des couvre-chefs. Sa curiosité piquée, elle monta sur une chaise afin de l'attraper. En fait, c'était un grand coffret en cuir.

Elle alla s'asseoir sur le lit, y posa le coffret et l'ouvrit. A sa grande surprise, elle découvrit alors une robe de baptême en dentelle délicate, assortie d'un chapeau minuscule. Elle les souleva doucement et aperçut un gobelet en argent sur lequel était gravé le prénom de Randolph, ainsi qu'un jouet de bois et un pull-over d'enfant bleu foncé. Puis, au fond de la boîte, elle trouva une enveloppe blanche, non cachetée, recélant quelques boucles blondes.

Le cœur serré, Celia devina qu'il s'agissait des seuls souvenirs de son fils que possédait Cameron. Elle les rangea avec précaution dans leur coffret, puis replaça celui-ci où elle l'avait trouvé. Après cela, elle continua de fouiller la chambre à la recherche d'autres boîtes dans lesquelles serait dissimulé quelque trésor similaire. Mais elle ne trouva rien et, surtout, pas le moindre objet rappelant l'existence de Clarissa.

Abandonnant ses recherches, elle souffla la flamme de la lampe et regagna son fauteuil sous la véranda. Elle se demandait pourquoi Cameron, qui avait réuni de manière si touchante certains des effets ayant appartenu à son fils, n'avait conservé aucun souvenir de son épouse. Il avait toujours refusé de lui parler de Clarissa. Avait-il peur d'être infidèle à sa mémoire en aimant une autre femme et en lui parlant d'elle ? se demanda la jeune femme. Et était-ce la raison qui l'incitait à la chasser de l'île avec une telle hâte ?

Cameron demeurait un mystère pour elle. Un mystère qu'elle doutait d'avoir une autre chance de résoudre avant son départ. Et, même si elle parvenait à comprendre ce qui se passait dans la tête de cet homme, à quoi cela lui servirait-il ? se dit-elle avec un soupir. Puisqu'elle serait bientôt bannie à jamais de son existence.

— Celia ? appela soudain Mme Givens derrière elle, la faisant tressaillir.

La gouvernante posa aussitôt une main apaisante sur son épaule.

— Je ne voulais pas vous effrayer, ma chère. Je suis juste venue voir si vous alliez bien.

— Je crois que je n'arriverai pas à dormir tant que Cameron ne sera pas de retour, soupira la jeune femme.

— Dans ce cas, venez avec moi dans la cuisine, offrit

Mme Givens. J'ai fait du feu et préparé du thé. Autant attendre M. Alexander ensemble… et peut-être finirons-nous par nous endormir sans même nous en rendre compte.

Tourmentée par son inquiétude pour Cameron, par la perspective de la tempête qu'elle voyait approcher depuis la mer et affligée par celle de son départ imminent de l'île, Celia accueillit cette proposition avec gratitude. Elle enroula donc un châle autour de ses épaules et suivit la gouvernante dans l'escalier.

Pour cette longue nuit de veille, la cuisine se révéla être un lieu plus chaleureux et plus confortable que la véranda de sa chambre. Mme Givens et elle s'assirent ensemble autour de la cuisinière et cousirent tout en buvant du thé. La tempête grondait à présent au-dessus de la mer. Comme le vent d'ouest se renforçait, Mme Givens se leva et ferma les portes-fenêtres placées dans cette direction. Un instant plus tard, la pluie commença à s'abattre sur les vitres.

La gouvernante venait de se rasseoir lorsqu'elle poussa un cri, les yeux soudain agrandis par l'horreur. Celia suivit la direction de son regard. Dans la pénombre, elle distingua Noah, dressé sur le seuil de la porte de la cuisine, qui roulait les yeux avec affolement. Puis elle vit qu'il portait quelque chose de lourd sur ses épaules. Il s'avança vers la table de la cuisine, ployant sous l'effort, et y déposa son fardeau.

A la lueur vacillante de la lampe, la jeune femme reconnut alors le corps inanimé de Cameron.

Paniquée et le cœur battant, elle se précipita vers lui.

— Mon Dieu, que lui est-il arrivé ? s'exclama-t-elle. Est-il…

Incapable de prononcer l'odieux mot qui refusait de franchir ses lèvres, elle chercha le pouls de Cameron à son cou. Le soulagement manqua la faire défaillir lorsqu'elle le sentit battre sous ses doigts.

— Il est vivant, mais je crois qu'il est très malade, expliqua Noah. J'ai dû aller plus loin que d'habitude pour trouver de l'herbe. Je rentrais quand j'ai repéré le bateau de M. Alex dans le chenal, avec les voiles qui battaient dans le vent et lui qui était au fond du bateau, trop mal pour pouvoir bouger.

Celia posa une main sur le front de Cameron.

— Il est brûlant de fièvre, observa-t-elle. Nous ne pouvons

pas le laisser là. Noah, portez-le dans son lit. Et vous, madame Givens, apportez des couvertures supplémentaires.

La gouvernante n'avait pas bougé depuis l'instant où Noah était apparu dans la cuisine. Elle restait figée à l'autre extrémité de la pièce, le regard empli d'effroi.

— Mon Dieu, il ne va pas mourir ? gémit-elle.

— Pas si je trouve le moyen d'empêcher cela, assura Celia. Il faut envoyer Noah chercher un médecin.

— Non ! s'écria aussitôt Mme Givens. M. Alexander préférerait mourir…

— Ne soyez pas ridicule, protesta la jeune femme. Il a une fièvre de cheval. Il peut avoir contracté une pneumonie ou même la malaria, auquel cas nous ne parviendrons jamais à le soigner sans l'assistance d'un médecin.

— Avec l'aide de mes herbes et avec de l'aspirine, nous y arriverons, affirma Mme Givens. Mais il ne faut surtout pas faire venir de médecin ici. N'est-ce pas, Noah ?

Elle a raison, mademoiselle Celia, répondit tristement l'intéressé. M. Alex veut que personne ne sache qu'il habite ici.

Celia soupira avec lassitude.

— Dans ce cas, nous allons devoir le tirer de là par nos propres moyens, conclut-elle. Madame Givens, apportez-moi tout le nécessaire, s'il vous plaît.

Noah souleva Cameron dans ses bras puissants et Celia les suivit jusqu'à l'étage. Elle repoussa les couvertures du lit de Cameron et Noah étendit son maître sur les draps frais. Après quoi il lui ôta ses bottes, tandis qu'elle lui enlevait ses vêtements trempés par la pluie. Cameron tremblait si violemment sous l'effet de la fièvre qu'elle se hâta de remonter les couvertures sur son corps dénudé.

— Est-ce qu'il va s'en sortir, mademoiselle Celia ? demanda Noah.

— Si j'arrive à faire baisser la fièvre, il guérira, répliqua-t-elle courageusement, même si elle n'avait aucune idée de comment soigner le mal mystérieux de Cameron.

Malgré cela, elle lui jura silencieusement de le maintenir en vie, ne serait-ce que par sa seule volonté.

Mme Givens apparut à la porte, munie de couvertures et d'un

jerrican d'eau. Elle déposa son chargement sur la commode, puis rassembla les vêtements épars de Cameron.

Celia versa un peu d'eau fraîche dans une bassine et la passa délicatement sur le visage de Cameron à l'aide d'un linge.

Dans son délire, il appelait Clarissa.

— Non, c'est moi, Celia. Ne vous inquiétez pas, je vais vous soigner. Essayez de vous endormir.

Elle toucha une fois de plus son front brûlant et se tourna vers Mme Givens.

— Avez-vous apporté l'aspirine ?

Avec un rictus affligé, la gouvernante se détourna, avant de redescendre lourdement l'escalier. Noah avait lui aussi disparu. Trop terrifiée à l'idée que Cameron pourrait perdre la vie pour se soucier de leur absence, Celia abaissa les couvertures et appliqua son oreille contre son torse. Les poumons de Cameron n'étaient pas encombrés, ce qui semblait éloigner l'hypothèse de la pneumonie. Ce qu'il aurait fallu à Cameron, c'était un antibiotique à large spectre, songea la jeune femme. Cependant, et même si elle parvenait à envoyer Noah en chercher, ce dernier avait peu de chances d'en obtenir sans prescription médicale.

Les draps de Cameron étaient déjà trempés de sueur et un fin filet de sang coulait de sa narine droite. Il se redressa péniblement sur les coudes et vomit dans la bassine que Celia avait posée sur le lit. Quand il eut fini, elle lui essuya les lèvres avec un linge humide, puis remonta vite les couvertures sous son menton.

— Sortez de cette chambre, Celia, marmonna-t-il d'une voix si faible qu'elle dut se pencher vers lui pour l'entendre. Ma maladie est peut-être contagieuse…

— Chut, endormez-vous, murmura la jeune femme.

Comme elle repoussait doucement les cheveux du malade de son front, elle remarqua une nouvelle fois la longue cicatrice placée à la racine de ses cheveux. De nouveau, elle lui passa de l'eau fraîche sur l'ensemble du visage et sur les mains, tout en regrettant amèrement de ne même pas disposer de glace.

— J'ai si mal à la tête…, gémit Cameron, le visage aussi pâle qu'un linge.

Celia sentit son cœur se serrer.

— Mme Givens va remonter de l'aspirine, dit-elle. Cela vous soulagera un peu.

La souffrance déforma brusquement les traits de Cameron et il fut secoué par une nouvelle nausée. Effrayée à l'idée que sa survie repose entre ses seules mains, Celia maudit Mme Givens et Noah, lesquels refusaient de faire venir un médecin ou de transporter leur patron dans un hôpital où il aurait eu accès aux soins nécessaires. Mais, devant l'intransigeance de ces derniers, elle devinait qu'elle aurait aussi bien pu réclamer la lune.

Au cours des trois jours et des trois nuits qui suivirent, Celia ne cessa de se demander si Cameron allait survivre au mal mystérieux qui le terrassait. Sa fièvre refusait de baisser et il demeurait prostré dans son lit, à demi inconscient, et semblant lutter entre la vie et la mort. Ne pouvant se résoudre à quitter son chevet une seule minute et sans voir passer les heures, elle s'appliqua à faire baisser la fièvre à l'aide de compresses fraîches. Plusieurs fois par jour et avec l'aide de Mme Givens, elle changeait les vêtements imbibés de sueur du malade. Puis elle le forçait à ingurgiter un remède préparé par la gouvernante — de l'aspirine fondue dans du jus de fruits sucré auquel elle ajoutait un peu de sel. Un mélange de son invention, qu'elle espérait capable de combattre en même temps la fièvre et la déshydratation.

Et elle priait comme elle n'avait jamais prié auparavant.

Le deuxième jour, aidée par Noah qui soutenait Cameron, elle coupa ses cheveux emmêlés et mouillés par la sueur à l'aide des grands ciseaux de couture de Mme Givens. Elle espérait ainsi apporter un peu de fraîcheur et un meilleur confort à son protégé. Ce dernier était conscient, mais il était trop souffrant pour se rendre compte de ce qu'elle faisait.

Lorsqu'elle eut fini, Noah secoua la tête d'un air effrayé, tout en considérant la coupe presque rase de son employeur.

— Si M. Alex survit à son mal, il va vous demander des explications, ça c'est sûr, l'avertit-il.

— S'il survit, je me ferai un plaisir de les lui fournir.

Tout en parlant, Celia retira la serviette qu'elle avait posée sur le lit afin de recueillir les boucles blondes de Cameron. Mais avant de la remettre à Noah, elle en glissa subrepticement une dans sa poche. Elle se dit que cela lui ferait au moins un souvenir à emporter avec elle, le jour où elle quitterait l'île de la Solitude. Cela tout en s'efforçant de ne pas penser que, si la fièvre finissait par emporter Cameron, il ne lui resterait peut-être rien d'autre de lui.

— Il a quoi, à votre avis, mademoiselle Celia ? demanda Noah.

— Je l'ignore. Mais cela me paraît assez grave en tout cas, répondit la jeune femme, en refoulant ses larmes de crainte de ne plus pouvoir en arrêter le flot si elle leur laissait libre cours.

Ensuite, le jardinier s'en alla et Celia continua de veiller Cameron, en ne s'autorisant que de brefs assoupissements, de peur qu'il ne cesse de respirer pendant qu'elle somnolait.

Il s'agitait dans son sommeil et marmonnait souvent des paroles inarticulées. Elle commençait à s'endormir lorsque sa voix la réveilla.

— Je t'aime, crut-elle l'entendre dire. Je t'aimerai jusqu'à la fin de mes jours.

En même temps, il secouait violemment la tête de droite à gauche sur l'oreiller, comme s'il avait mal.

Croyant qu'il s'était réveillé, Celia se pencha vers lui, mais ses yeux étaient toujours fermés. Il rêvait. Elle arrangea son oreiller et posa une compresse fraîche sur son front.

— Clarissa, non ! gémit faiblement Cameron.

Découragée, la jeune femme regagna sa chaise, en se demandant par quel moyen elle pourrait rivaliser avec un fantôme. Cameron avait affirmé l'aimer. Pourtant, et bien que Clarissa soit morte depuis huit ans, c'était toujours elle qu'il appelait dans son délire.

— Ne me laisse pas !

— Je suis là, s'empressa de répondre Celia, même si elle ignorait s'il s'adressait à elle ou à sa défunte épouse.

Le troisième jour, Cameron était toujours brûlant de fièvre et il ne gardait aucun des liquides qu'elle s'efforçait de lui faire ingurgiter à la petite cuillère. Elle le savait robuste. Mais, en voyant son corps autrefois si puissant s'amaigrir davantage chaque jour, elle commençait à désespérer de le voir survivre à son mal. Son visage autrefois hâlé était à présent terriblement pâle. Sa peau était tendue de manière inquiétante sur ses pommettes et son souffle, constamment haletant.

En désespoir de cause, Celia doubla la dose d'aspirine. Puis, après l'avoir administrée au malade, elle le débarrassa de ses couvertures et, des heures durant, s'efforça de le rafraîchir à l'aide d'un grand éventail tressé par Noah dans des feuilles de palmier. Elle était prête à tout et même à affronter Dieu en personne, afin de sauver Cameron.

Vers le soir, la fièvre baissa enfin et, pour la première fois, la jeune femme sentit la peur qui lui serrait le cœur depuis plusieurs jours se relâcher.

Désormais familiarisée avec chaque millimètre de peau de son protégé, avec chaque muscle et chaque repli de son corps, elle le lava et le revêtit d'une longue chemise en coton. Il semblait aller mieux, mais il était terriblement faible. Une fois de plus, elle changea ses draps, puis elle alla baisser la flamme de la lampe sur la commode. Après quoi elle le laissa en compagnie de Noah et descendit au rez-de-chaussée afin de prendre son premier repas depuis trois jours.

Au moment où elle entra dans la cuisine, Mme Givens lui lança un regard apeuré, comme si elle craignait le pire.

— Je crois qu'il va s'en sortir, s'empressa d'affirmer Celia.

— Dieu soit loué ! s'exclama la vieille dame, tout en fondant en larmes. J'avais si peur qu'il ne survive pas.

Elle essuya ses larmes du dos de la main. Puis elle souleva le couvercle d'une casserole tenue au chaud sur la cuisinière et remplit une assiette de ragoût de pommes de terre à l'intention de Celia.

Il était délicieux, mais la jeune femme eut à peine le temps d'en avaler quelques bouchées avant de sentir la fatigue la submerger. Soudain incapable de tenir sa tête droite, elle la laissa aller sur la table.

— Montez vous coucher, lui ordonna Mme Givens. C'est moi qui veillerai M. Alexander cette nuit. Cela fait plus de trois jours que vous n'avez pas dormi.

Trop épuisée pour protester, Celia gravit péniblement l'escalier jusqu'au premier étage. Elle alla d'abord s'assurer que Cameron dormait toujours paisiblement, après quoi elle gagna sa chambre et se laissa tomber tout habillée sur son lit.

*
* *

Celia fut réveillée en sursaut au matin par le cri des mouettes. Elle se lava et s'habilla en hâte, puis se rendit aussitôt dans la chambre de Cameron. Elle le trouva assis dans son lit. Penché au-dessus de lui, Noah rasait la barbe de quatre jours qui ombrait sa mâchoire.

Elle posa une main sur le front du malade. Puis, soulagée de sentir qu'il n'avait plus de fièvre, elle s'apprêtait à s'écarter du lit, lorsqu'il lui saisit le poignet et y déposa un baiser.

Surprise par cette marque de tendresse inattendue, Celia sentit l'espoir affluer en elle à l'idée que Cameron avait peut-être renoncé à la renvoyer de l'île.

— Vous vous sentez mieux ? demanda-t-elle.

— Beaucoup mieux, oui. Grâce à vous, ajouta-t-il avec un regard de gratitude. Noah m'a expliqué que vous m'aviez veillé jour et nuit depuis que cette fièvre s'est emparée de moi.

— C'était le moins que je puisse faire, alors que vous m'aviez si généreusement accueillie après mon naufrage.

— Peut-être, mais vous héberger n'a pas mis mon existence en danger, alors que vous avez pris un grand risque en me soignant. Vous auriez pu attraper mon mal.

Il l'observa d'un air inquiet comme s'il cherchait à déceler des signes de maladie sur son visage.

— Je n'ai rien attrapé du tout et je suis en parfaite santé, assura Celia.

L'intense émotion qu'elle voyait briller dans le regard de Cameron lui donna envie de lui dire à quel point elle l'aimait. Cependant, se rappelant son insistance passée à ce qu'elle quitte l'île de la Solitude, elle se ravisa. Il avait survécu. Mais son propre avenir était toujours aussi incertain, songea-t-elle avec amertume.

— Vous devez avoir faim, dit-elle, en s'efforçant de chasser ces pensées de son esprit. Je vais vous apporter quelque chose.

Lorsqu'elle entra dans la cuisine, Mme Givens préparait déjà le déjeuner de Cameron. La gouvernante leva vers elle un regard embué de larmes et déclara :

— Je ne vous remercierai jamais assez pour la façon dont vous avez pris soin de M. Alexander.

— C'est surtout Noah qu'il faut remercier de l'avoir trouvé et ramené à temps à la maison afin que nous puissions le soigner...

En prononçant ces mots, la voix de Celia se brisa. A cet instant, elle comprit que l'île de la Solitude était devenue pour elle sa « maison », et Noah et Mme Givens, la seule famille qu'elle possédait. Quant à Cameron, elle le considérait tout simplement comme l'autre moitié d'elle-même et refusait d'envisager l'existence sans lui.

Quelques instants plus tard, après qu'elle eut partiellement maîtrisé ses émotions, elle monta un bol de bouillon à Cameron, accompagné de toasts et d'une tasse de thé.

— Je vous le rends. Il est tout à vous, maintenant, dit Noah à l'adresse de la jeune femme avec un grand rire joyeux.

Sur ces mots, il s'éclipsa et Celia posa le plateau sur les genoux de Cameron. Pendant qu'il mangeait, elle lui raconta comment le jardinier l'avait trouvé et ramené jusqu'ici. Elle savoura pleinement ce moment d'intimité partagé avec lui, ainsi que le plaisir de le voir recouvrer ses forces à vue d'œil, même s'il était encore très faible.

Lorsqu'il eut fini son repas, elle débarrassa le plateau. Puis elle tapota les oreillers et arrangea les couvertures de Cameron. Elle s'apprêtait à s'écarter du lit quand il lui prit les mains et la força à s'asseoir à côté de lui.

— Depuis que j'ai ouvert les yeux, je n'ai pas cessé de penser à vous et aux soins si dévoués que vous m'avez prodigués, dit-il.

Elle passa les doigts dans les cheveux ras et ébouriffés de Cameron et répondit spontanément :

— Je vous aime, Cameron. Si cette fièvre vous avait emporté...

Il posa ses doigts sur les lèvres de la jeune femme.

— Je vous en supplie, taisez-vous. Ce que j'ai à dire est déjà suffisamment difficile.

En voyant le regard désespéré de Cameron, le cœur soudain serré, Celia devina ce qu'il allait dire.

Et, ainsi qu'elle l'avait pressenti, il décréta :

— Dès que j'en aurai la force, je vous ramènerai à Key West. Comme prévu.

9

Cameron savait qu'il avait frôlé la mort de près et que, sans les soins dévoués de Celia, il n'aurait sans doute pas survécu à son mal. Rien ne semblait l'avoir arrêtée dans ses efforts pour le soulager, celle-ci allant jusqu'à lui raser quasiment la tête. Il se passa une main dans les cheveux et sourit. Après avoir éprouvé un léger choc lorsqu'il avait vu son reflet dans le miroir pour la première fois, il devait toutefois reconnaître qu'il aimait bien sa nouvelle coupe.

Devant la profondeur des sentiments que lui portait la jeune femme — et qu'il était le premier à partager —, s'en tenir à sa décision de la ramener à Key West lui était très pénible. Cependant, il n'avait pas le choix. Si elle l'aimait, Celia ne mettrait pas sa sécurité en péril en révélant sa présence ici. Et, en même temps, s'éloigner de lui et de l'île de la Solitude garantirait la sienne.

Bien qu'elle l'ait de nouveau supplié de la laisser rester, il avait tenu bon. Et, même lorsqu'il avait vu l'incompréhension — alors qu'il disait l'aimer — assombrir son regard, il n'avait pu lui fournir aucune explication. Car, s'il lui révélait son secret, l'amour qu'il lui inspirait risquait de se transformer en répulsion — et cela, il aurait été incapable de le supporter. La perdre à jamais était déjà suffisamment douloureux.

Cependant, avant de pouvoir se lancer dans la traversée du golfe du Mexique jusqu'à Key West, il fallait qu'il reprenne des forces. Il ignorait la nature de la maladie à laquelle il avait failli succomber — une encéphalite, la fièvre jaune, la malaria ou, au mieux, une très forte grippe — et observait constamment Celia, à l'affût de symptômes similaires aux siens. Le temps passant et la jeune femme paraissant en bonne santé, ses craintes s'étaient amenuisées. Si bien que ses journées étaient à présent habitées par le bonheur à la fois doux et amer de passer du temps en sa compagnie, en sachant que ce bonheur lui serait bientôt enlevé.

Comme si elle partageait son souhait de savourer chaque instant qui leur restait à passer ensemble, Celia restait auprès de lui du matin au soir. Elle lui avait d'abord fait la lecture jusqu'à ce qu'il soit assez robuste pour quitter son lit. Après quoi elle l'avait soutenu lorsqu'il avait fait ses premiers pas jusqu'à la véranda, sous laquelle ils avaient contemplé le spectacle changeant de la mer et du ciel. Le lendemain, ils étaient descendus au rez-de-chaussée et, le jour suivant, ils s'étaient aventurés jusqu'aux dunes.

Cameron avait senti son énergie lui être restituée progressivement de jour en jour. Si bien que, le quatrième matin, ils avaient poussé jusqu'à la plage, où Noah leur avait aménagé un véritable espace de vie en plein air. Il avait monté une sorte de tente pour les protéger de l'assaut du soleil, fabriquée à partir de troncs de cyprès et de feuilles de palmier, et dans laquelle il avait posé un tapis surmonté d'une table et de deux fauteuils.

Le rythme de leurs journées était lent et paisible. Malgré cela, Cameron les voyait défiler à toute allure. Car chaque instant le rapprochait trop vite du moment où Celia partirait.

Ses forces à présent rassemblées, au lieu de s'assoupir à tout moment, il lisait et remplissait son journal ou se contentait de fumer en regardant le paysage. Mais, quoi qu'il fasse, il sentait la douce présence de la jeune femme à son côté. Il savourait les accents mélodieux de sa voix lorsqu'elle lui faisait la lecture. Il se délectait de son sourire radieux et de son parfum délicat.

Dix jours après que sa fièvre fut tombée et vers la fin de l'après-midi, ils bavardaient tranquillement sous leur tente. Celia était assise à côté de lui, le vent jouant dans ses cheveux détachés et ses jambes hâlées étendues devant elle. Elégante et superbe, même dans les vêtements trop amples de Mme Givens.

— Après l'activité trépidante de Londres, vous accoutumer à la monotonie de cette existence a dû vous demander un grand effort d'adaptation, supposa-t-elle.

Cameron tira sur sa pipe et regarda un héron évoluer au-dessus des vagues. Comme chaque fois qu'il évoquait le passé, il choisit prudemment ses mots de crainte d'en dire trop :

— Depuis la mort de mon père, mon existence s'était transformée en une course effrénée. Il m'a fallu apprendre à diriger les exploitations minières et à contrôler le métayage des fermes. Je me levais tous les jours à 4 heures du matin et ne rentrais souvent pas chez moi avant minuit.

— Mais vous étiez si jeune ! Vous deviez bien trouver le temps de vous divertir un peu.

— Non. Même si je détestais mon travail, j'étais poussé par le désir de faire honneur à mon père en gérant ses affaires comme il l'aurait fait lui-même.

— Finalement, laisser tout cela derrière vous a plutôt été un soulagement.

Après une hésitation, Cameron répondit :

— Disons que j'ai échangé un fardeau pour un autre.

Celia demeura silencieuse, comme si elle attendait qu'il continue. Mais il ne pouvait pas lui en révéler davantage.

— Au moins, ici, vous vivez en paix. Loin du stress, finit-elle par dire d'une voix réconfortante.

Sa souffrance se lisait-elle à ce point sur son visage ? se demanda Cameron.

— La paix vient de l'intérieur et je ne la connais pas, affirma-t-il.

Il la vit scruter ses traits avec une curiosité inquiète. Mais, sans rien ajouter, il reporta son attention sur la mer. Il chercha alors les pélicans du regard, les hérons et les mouettes qui se rassemblaient habituellement sur la grève, peu avant le coucher du soleil.

— C'est bizarre, remarqua-t-il, soudain étreint par un mauvais pressentiment. Les oiseaux ont disparu, tout à coup.

Un calme étrange emplissait l'air.

— Monsieur Alex ! appela soudain Noah, tout en accourant dans leur direction. Le baromètre a complètement chuté. Il va bientôt y avoir un ouragan !

Cameron se leva de son fauteuil.

— Aidez-moi à rentrer les meubles à l'intérieur de la maison, Noah. Après quoi nous fermerons les volets et nous nous barricaderons à l'intérieur.

— Un ouragan ? s'exclama Celia. Comment le savez-vous ?

— Noah a travaillé toute sa vie dans le golfe de Floride. Il sait reconnaître les signes avant-coureurs d'intempéries.

— Et vous pensez que cet ouragan sera violent ? s'enquit la jeune femme.

Cameron aurait aimé lui répondre, mais il n'avait aucune idée de l'intensité de la tornade qui approchait. Il ignorait également si celle-ci allait s'abattre sur eux ou bien se diriger directement sur la Floride. Il avait entendu parler des ravages causés par le cyclone Andrew dans le sud de l'Etat, une dizaine d'années plus tôt. Et il se demanda s'ils pourraient survivre à pareille tourmente, avec la barrière fragile de l'île pour seule protection.

Mme Givens et Celia se chargèrent de rentrer les meubles qui se trouvaient sous la véranda. Puis elles allèrent remplir des jerricans d'eau à la citerne et cueillirent les légumes et les fruits mûrs dans le jardin afin de les mettre à l'abri dans le cellier. Pendant ce temps, Cameron et Noah sécurisèrent l'amarrage des bateaux, après quoi ils fermèrent tous les volets de la maison, ainsi que ceux de la cabane de Noah.

Le vent se leva avant qu'ils aient fini, faisant voler sur la plage des feuilles arrachées aux palmiers et soulevant le sable des dunes. Les arbres ployèrent leurs longs troncs graciles sous ces premiers assauts et une obscurité menaçante enveloppa rapidement l'île.

— Voulez-vous rester avec nous ? proposa Cameron à Noah.

Le jardinier secoua la tête.

— Je ne risque rien, dans ma cabane. Elle est solide et il faut que je reste là-bas pour surveiller les bêtes.

Cameron le regarda partir, tout en sachant que, si le logis de Noah était détruit par l'ouragan, la maison connaîtrait sans doute le même sort.

Suite à quoi Mme Givens leur servit un repas froid dans la salle à manger. Personne n'étant supposé s'aventurer dans le passage couvert tant que la tempête ne serait pas passée, la gouvernante avait apporté des provisions de la cuisine avant qu'ils ne ferment les volets.

Après le dîner, Cameron s'installa dans le salon en compagnie de Celia et de Mme Givens et ils attendirent. L'air était chaud et étouffant à l'intérieur de la maison barricadée. Mme Givens semblait regretter de ne pas pouvoir faire du thé, mais la chaleur d'un feu aurait été intolérable.

Cameron s'assit sur le canapé et prit un cognac, tout en

évitant de regarder le grand portrait de Clarissa et de Randolph qui surmontait la cheminée. Mme Givens sortit son nécessaire à couture et Celia se mit à feuilleter un vieux magazine. Mais ils étaient tous trop nerveux pour se concentrer sur quoi que ce soit d'autre que sur le hurlement grandissant du vent au-dehors.

Tout à coup, la pluie commença à s'abattre avec fureur sur le toit de la maison. Le tumulte qui s'ensuivit, joint aux grondements de la tempête, les empêchait de s'entendre parler. Comme l'eau commençait à s'infiltrer sous les portes, Cameron et Celia déplacèrent les meubles et roulèrent le tapis oriental afin de l'épargner. Pendant ce temps, Mme Givens s'efforçait de s'intéresser à sa couture.

10 heures sonnèrent à l'horloge posée sur le manteau de la cheminée. Cameron entendit à peine son carillon, étouffé par le vacarme du vent qui heurtait la maison et qui malmenait à tel point les volets qu'il craignit que ces derniers ne s'arrachent à leurs gonds. Un fracas de verre brisé retentit au premier étage et Mme Givens se leva d'un bond pour aller voir ce qui se passait.

— Laissez cela, Mme Givens, cria-t-il par-dessus le bruit du vent, tout en lui faisant signe de se rasseoir.

A cet instant, les rafales redoublèrent d'intensité et il vit Celia pâlir. Se rappelant la crise de panique dont elle avait été victime quelques jours après la tempête à laquelle elle avait miraculeusement réchappé, il alla vers elle. Il lui prit la main, l'entraîna vers le canapé et la força à s'asseoir à côté de lui. Puis, avec un sourire qu'il voulut rassurant, il enroula un bras protecteur autour des épaules de la jeune femme.

La tendre gratitude qu'il lut dans son regard faillit alors lui faire perdre son sang-froid. Si bien qu'il bénit la présence de Mme Givens dans la pièce, laquelle l'empêchait de céder à ses impulsions.

Une autre heure passa, après quoi le hurlement du vent diminua d'intensité. Les volets cessèrent peu à peu de s'entrechoquer et Cameron sentit Celia se détendre.

— Voilà, c'est fini, déclara Mme Givens en se levant.

Elle brossa sa jupe et rangea son fil et son aiguille.

— Je vais voir si tout va bien dans la cuisine et faire du thé, annonça-t-elle.

— Attendez, dit Cameron. Nous sommes peut-être dans l'œil du cyclone.

— L'œil du cyclone ? répéta la gouvernante avec une perplexité manifeste.

— Il y a toujours un moment de calme absolu entre le début et la fin d'un cyclone, expliqua Cameron. Si vous vous aventurez au-dehors à ce moment-là, vous risquez d'être prise tout à coup dans la tourmente, l'avertit-il.

— Cameron a raison, renchérit Celia. Je vous en prie, attendez que nous soyons certains que tout est vraiment fini.

La gouvernante reprit son siège et sa couture, tout en remuant avec impatience alors que le calme se prolongeait au-dehors. Lorsque l'horloge indiqua minuit, elle posa son ouvrage.

— J'ai absolument besoin d'une tasse de thé, décréta-t-elle, en les défiant tous deux du regard.

A cet instant, une nouvelle rafale d'une grande violence fit trembler la maison sur ses bases. Suite à quoi Mme Givens se rassit en hâte, sa soif apparemment oubliée.

Cameron se leva et remplit trois verres de cognac.

— Cela adoucira notre attente, assura-t-il.

Pendant que Celia buvait son verre à petites gorgées, il remarqua à quel point ses mains tremblaient. Il mourait d'envie de la prendre dans ses bras pour la réconforter, mais il se retint. Car, une fois l'ouragan passé, ils ne tarderaient pas à se dire adieu, et céder aujourd'hui aux désirs qui l'animaient ne ferait que rendre leur séparation plus pénible.

Soudain, l'ouragan redoubla de fureur et Cameron entendit les murs, puis la maison tout entière, gémir sous la pression du vent comme s'ils avaient pris vie. En même temps, l'avant-toit se souleva comme si les tôles allaient être arrachées à la charpente. Ils sursautaient tous trois régulièrement, alarmés par les cris furieux du vent et par le fracas d'objets divers que celui-ci projetait contre la maison. Mais, impuissants, prisonniers de la tempête, ils ne pouvaient rien faire d'autre qu'attendre.

Le cognac avait dû faire son effet car, malgré ses brusques tressaillements, Celia s'assoupit tout à coup, la tête contre l'épaule de Cameron. Il resta assis sans bouger sur le canapé par crainte de la réveiller, en même temps qu'il savourait sa proximité.

*
* *

Lorsque Celia se réveilla, la lumière grisâtre du jour filtrait à travers les volets du salon et Cameron et Mme Givens avaient disparu. Elle les trouva dans la chambre qui faisait face à la sienne, en train d'en examiner le plafond. Le toit avait été littéralement transpercé par l'un des chevrons de l'étable et la pluie qui continuait à tomber avait endommagé la plupart des meubles de la pièce.

— Le lit et la commode sont complètement fichus, se lamenta la gouvernante, le menton tremblant.

— Nous les remplacerons, affirma Cameron. Remercions plutôt le ciel que le vent n'ait pas arraché le toit.

Lorsque la pluie céda enfin la place au beau ciel bleu de la Floride, Celia et Cameron sortirent à l'extérieur. Ils virent Noah qui ramenait la vache à l'étable, laquelle n'avait perdu qu'une partie de son toit. Puis il rassembla les poules affolées et les dirigea à leur tour vers leur abri. Après quoi il entreprit de redresser les plantations rabattues par la tempête à l'aide de piquets.

Par bonheur, le cyclone était arrivé par l'est, épargnant ainsi l'île de la dévastation totale. Pour résultat, la citerne s'était remplie d'eau fraîche et, en dehors des dégâts constatés sur le poulailler et dans la chambre du premier étage, l'île de la Solitude avait survécu à la tempête sans grand dommage.

Ce soir-là, après une journée de dur labeur venant s'ajouter au manque de sommeil de la nuit précédente, Celia se coucha épuisée. Mais le cyclone, qui avait réveillé en elle des souvenirs pénibles, troubla ses songes.

Elle rêva qu'elle pilotait son voilier dans le golfe de Floride, comme elle l'avait fait lorsqu'elle avait fui Clearwater Beach quelques semaines plus tôt. Le ciel était d'un bleu éclatant, à part pour une fine volute de cirrus au-dessus de sa tête. Un vent persistant éloignait rapidement son bateau de la côte et, comme ce jour-là, elle sentit un immense sentiment de liberté l'envahir à la pensée d'avoir échappé à un mariage désastreux.

Le premier signe avant-coureur de malheur fut une étrange lumière verte qui se mit à danser comme un feu follet autour du mât et des haubans. Puis, soudain, la mer se mit à se soulever et à bouillonner autour d'elle. Elle s'éleva vers le ciel en une spirale grisâtre jusqu'à se confondre avec les nuages noirs et menaçants qui s'y étaient amoncelés. La jeune femme perdit alors le contrôle de son gouvernail. Elle s'agrippa de toutes ses forces au rebord du bateau pour éviter d'être happée par le mouvement centrifuge des eaux. Mais le voilier se mit à tourner sur lui-même de plus en plus vite. Contrainte de lâcher prise, elle bascula alors par-dessus bord, persuadée qu'elle allait périr noyée.

Puis, soudain, la voix grave de Cameron résonna à ses oreilles.

— Celia, réveillez-vous !

Assis à côté d'elle, il la serrait contre son torse dénudé.

— La tempête…, balbutia-t-elle.

— Ce n'est rien, chuchota-t-il en repoussant les cheveux de la jeune femme de son visage. Vous avez fait un cauchemar.

Elle comprit qu'elle ne rêvait plus, mais se trouvait au lieu de cela en sécurité dans sa chambre, en compagnie de Cameron. Il la souleva dans ses bras, la porta jusqu'au fauteuil à bascule et s'y assit. Puis, tout en la tenant sur ses genoux et en la berçant dans ses bras comme un enfant, il lui murmura des paroles réconfortantes.

— Racontez-moi votre rêve, suggéra-t-il.

Dans l'obscurité de la chambre, elle revécut la tempête dans laquelle elle avait véritablement failli périr. Elle décrivit alors à Cameron le souvenir qu'elle en avait dans ses moindres détails. Dans l'espoir, en le partageant avec lui, d'en purger à jamais son esprit. Par moments, sa voix tremblait et des larmes roulaient sur ses joues, mais, toujours serrée dans les bras de Cameron, elle poursuivit son récit jusqu'au bout. Lorsqu'elle eut fini, il lui prit le visage entre les mains et l'attira vers le sien.

— Mon Dieu, Celia, comment pourrai-je vous laisser partir ? murmura-t-il d'une voix rauque.

Sur ces mots, il pressa ses lèvres sur celles de la jeune femme.

Celia se sentit alors entraînée dans un nouveau tourbillon. Un tourbillon passionné, cette fois-ci, et délicieux. Savourant le contact du corps de Cameron contre le sien, elle lui rendit son baiser avec une ardeur inconnue d'elle.

Puis, lorsqu'il écarta ses lèvres des siennes, elle affirma d'une voix haletante :

— Vous ne pouvez *pas* me laisser partir. Je vous appartiens pour toujours.

— J'aurais dû vous accompagner à Key West tant que j'en avais encore la force, avant ce brusque accès de fièvre…

La bouche de Cameron prit de nouveau la sienne et elle sentit chaque parcelle de son corps épouser le sien. Elle posa ses mains sur son torse et sentit son cœur battre la chamade sous ses doigts. Il la porta alors jusqu'au lit et, avec un tendre empressement, lui ôta sa chemise de nuit. Dans la chambre éclairée par la douce lueur de la lune, elle vit le feu de la passion étinceler dans ses yeux tandis qu'il murmurait :

— Tu es si belle !

Elle lui ouvrit ses bras et il se dévêtit en hâte. Puis il se dressa entièrement nu devant elle, aussi beau et aussi sculptural que le premier matin où elle l'avait vu nager dans la baie.

Il embrassa son cou et sa poitrine, tandis que ses mains suivaient avec vénération les courbes de son corps, procurant à la jeune femme des frissons délicieux.

— J'ignorais que l'amour pouvait nous faire éprouver de pareilles sensations, dit-elle, le souffle court.

— Et, moi, je te désire terriblement, Celia, mais…

Elle posa ses doigts sur les lèvres de Cameron.

— Pas de *mais*. Pas de regrets.

Avec un grognement d'abandon, il l'embrassa une nouvelle fois et elle lui offrit sa bouche, mêlant son souffle au sien, goûtant pleinement sa saveur. Puis, le cœur battant frénétiquement, elle se cambra sous son étreinte. Il s'étendit alors au-dessus d'elle et, avec douceur mais fermeté, il la pénétra.

Elle hurla de plaisir et le serra davantage contre elle, oubliant tout sauf la danse primitive qui les reliait l'un à l'autre. Les yeux grands ouverts, elle s'imprégna de la beauté de son visage, dont elle s'efforça de mémoriser chaque détail. Malgré la passion qui la consumait, elle grava dans son esprit le souvenir de la douce lueur de la lune qui les enveloppait, la caresse de la brise tropicale sur leurs corps dénudés, la douceur des draps sous son dos. Elle savoura le parfum riche et masculin de Cameron, le poids délicieux de son corps sur le sien. Plus que tout, elle goûta pleinement l'abandon qui faisait voler en éclats tout sentiment de solitude et d'isolement, toute souffrance. Elle apprécia tout cela, en s'efforçant d'en capturer l'essence et d'en retenir à jamais les images.

Avec une tendresse sauvage, il cria son nom et son cri résonna dans la nuit. Puis, dans une explosion de sensations vertigineuses, Celia bascula dans une obscurité parsemée d'étoiles, où rien d'autre qu'eux deux n'existait.

Après un moment, Cameron s'étendit à côté d'elle et l'attira contre lui. Elle se coula avec délice dans la douceur de son étreinte, heureuse et comblée.

— Je t'aime tant, Celia, murmura-t-il alors d'une voix rauque. Epouse-moi.

10

Celia se redressa et fixa Cameron, envahie par le bonheur.

— Tu es sérieux ?

— Je n'ai jamais été aussi sérieux de ma vie.

Stupéfaite de cette réponse, la jeune femme demeura muette. Elle désirait plus que tout rester auprès de lui sur l'île de la Solitude. Cependant, son caractère changeant la déroutait, la contraignant à s'interroger sur ce nouveau revirement.

— Préfères-tu que je te ramène à Key West ? demanda-t-il.

Elle décela la déception qui perçait dans sa voix, sans parvenir à distinguer clairement son visage dans la pénombre.

— Non ! Je ne veux pas partir, s'empressa-t-elle de répondre.

Il posa ses mains sur ses épaules, puis les fit glisser doucement le long de ses bras. En écho à l'intimité qu'ils venaient de partager, cette simple caresse provoqua en elle un long frisson de plaisir.

— Si tu décides de vivre ici avec moi, il faut que ce soit par amour, affirma Cameron. Je ne supporterai pas que tu restes si tu ne m'aimes pas autant que je t'aime.

D'abord, Celia posa les lèvres sur les siennes. Puis, après un long baiser, elle s'écarta de lui et le regarda. Elle apprendrait à vivre avec les brusques changements d'humeur de Cameron, se dit-elle, avant d'assurer :

— Je t'aime autant que tu m'aimes. Et je suis prête à t'épouser demain si tu veux.

Il l'attira à lui, s'allongea contre elle et la serra dans ses bras.

— Alors dors bien, mon amour, murmura-t-il. Car nous allons avoir beaucoup de choses à faire… demain.

Celia se blottit contre lui et se laissa glisser avec délice vers le sommeil.

Mais, si elle avait su ce que l'avenir lui réservait, elle n'aurait sûrement pas fermé l'œil de la nuit.

Le lendemain matin au cours du déjeuner, lorsque Cameron annonça leur décision de se marier à Mme Givens, le sourire radieux de la gouvernante suffit à leur exprimer son approbation.

— Qui aurait cru que nous célébrerions un jour un mariage sur cette île déserte ? s'exclama joyeusement la vieille dame.

Après quoi elle se hâta de déposer la suite du repas sur la desserte et s'éclipsa discrètement, les laissant seuls à leurs projets dans la salle à manger.

Celia contempla le ciel d'un bleu parfait, aussi ensoleillé que son cœur. Le chant mélodieux d'un oiseau résonnait dans l'air matinal et une douce brise chargée d'un délicat parfum d'iode faisait onduler délicatement les rideaux.

— Cameron…

— Oui, ma chérie.

— Je pensais juste qu'en réalité, tu me connais très peu. Comment peux-tu être certain de vouloir m'épouser ?

Le sourire de Cameron la fit fondre sur place.

— Je sais que tu es belle, intelligente, courageuse et aimante. Quelles autres qualités un homme peut-il attendre d'une épouse ?

— Qu'elle ait le sens de l'humour ?

Il la dévisagea un instant avec surprise, puis s'esclaffa.

— Cela aussi, convint-il.

— Clarissa avait-elle le sens de l'humour ? demanda Celia.

Elle vit les traits de Cameron se durcir brusquement.

— Je ne veux pas parler d'elle.

— Mais, si je dois devenir ta femme…

— Tu es en tout point différente de Clarissa et c'est pour cela que je t'aime. Restons-en là, veux-tu ?

La sévérité avec laquelle il lui avait répondu empêcha Celia d'insister, mais elle regretta qu'il ne lui fasse pas davantage confiance. Abandonnant cependant ce sujet trop sensible, elle aborda celui qui l'occupait le plus :

— Comment allons-nous pouvoir nous marier, ici ? Sans l'intervention d'un prêtre ou au moins d'un représentant officiel ?

Cameron lui prit la main et embrassa sa paume.

— Nous prononcerons simplement nous-mêmes nos vœux de fidélité.

— Mais cela sera-t-il légal ?

— Je préparerai les documents que nous devrons signer et Mme Givens et Noah nous serviront de témoins.

— Pourquoi n'allons-nous pas plutôt nous marier à Key West ?

Cameron posa sa tasse de thé sur la table et s'essuya la bouche avec sa serviette avant de parler, donnant l'impression à Celia qu'il cherchait à gagner du temps.

— Puisque tu as décidé de rester sur cette île avec moi, nous rendre à Key West et signaler ainsi notre présence ici est tout à fait inutile.

— Très bien. Nous nous marierons donc ici, concéda Celia.

Elle était si aveuglée par l'amour qu'elle aurait accepté presque n'importe quoi.

— Et quand aura lieu la cérémonie ? demanda-t-elle.

— La semaine prochaine.

Ce délai surprit la jeune femme, alors que Cameron avait paru si pressé de l'épouser. Même si elle aimait cet homme plus que sa vie, décidément, elle ne le comprenait pas.

— Nous avons beaucoup de choses à préparer, expliqua-t-il.

— Quoi, par exemple ?

— Tout d'abord, nous devons chercher les vœux que nous allons devoir prononcer dans l'Ancien Livre des Prières qui se trouve dans mon bureau, et les apprendre par cœur.

Mémoriser quelques phrases n'allait tout de même pas leur prendre une semaine, songea Celia. Cameron avait dû remarquer sa perplexité, car il se leva et vint poser ses mains sur ses épaules.

— Mon amour, ce n'est pas parce que nous n'avons aucune église dans laquelle célébrer notre union que tu ne mérites pas une cérémonie de mariage digne de ce nom, affirma-t-il.

La jeune femme se rappela la cérémonie un peu trop élégante organisée en vue de son mariage avec Darren, quelques semaines plus tôt, et frissonna à ce souvenir.

— Mais, je ne veux surtout pas d'une grande…

Cameron se pencha vers elle et étouffa ses protestations par un baiser.

— Le ciel sera notre cathédrale et le bruit des vagues, notre orchestre, dit-il. Nous nous marierons sur la plage, au coucher du soleil. Qu'en dis-tu ?

Elle l'attira dans ses bras.

— Je t'aime tant ! s'exclama-t-elle en réponse.

A ces mots, le sourire radieux de Cameron effaça d'un seul coup tous les doutes qui pouvaient habiter la jeune femme concernant la légalité de leur mariage.

— Mme Givens nous préparera un festin, qui pourrait être servi sur la plage, sous la tente, suggéra-t-il.

— Tu oublies que l'ouragan l'a détruite.

— C'est vrai. Qu'à cela ne tienne, nous demanderons à Noah d'en construire une autre.

Il l'attira à lui, la souleva dans ses bras et la fit tourner autour de la pièce jusqu'à ce que le vertige la saisisse. Après quoi il s'arrêta et l'embrassa longuement.

— Je n'avais jamais imaginé que je pourrais être heureux, lui confia-t-il. Tu m'as insufflé cet espoir.

Sur ces mots et tout en sifflotant, il sortit de la salle à manger à la recherche du Livre des Prières qui se trouvait dans son bureau, tandis que Celia rapportait le plateau du déjeuner dans la cuisine.

— Je suis si heureuse pour vous deux, ma chère, affirma Mme Givens dès que la jeune femme entra dans la pièce.

Remarquant les yeux rouges de la gouvernante, elle se demanda si c'était à cause de la fumée de la cuisinière ou si elle avait pleuré. Elle lui exposa leurs projets concernant la cérémonie. Et, si Mme Givens les trouva peu orthodoxes, celle-ci garda son opinion pour elle.

La vieille dame offrit en tout cas son soutien enthousiaste à l'organisation du repas.

— Je vous confectionnerai le plus beau gâteau de mariage que vous puissiez imaginer, promit-elle avant de s'interrompre brusquement. Mais, j'y pense, qu'allez-vous porter ?

— La robe bleue…

— Dieu du ciel, non ! s'exclama la gouvernante. M. Alexander l'a déjà vue sur vous.

— Vous n'êtes pas superstitieuse, tout de même, madame Givens ?

— Oh, si, je le suis ! Un homme ne doit jamais apercevoir la robe de sa promise avant la cérémonie. Cela porte malheur. En revanche, votre robe jaune est presque terminée. Il nous suffira d'y apporter une touche particulière.

Bien que les craintes de Mme Givens fassent sourire Celia, elle approuva son idée. Car en y ajoutant une encolure en dentelle du même ton, ainsi que le suggéra la gouvernante, la robe en satin, dont le ton jaune pâle se rapprochait de la couleur de l'ivoire, conviendrait parfaitement pour un mariage. Elle ne ressemblerait bien sûr en rien à celle qu'elle avait achetée en vue de son union avec Darren Walker, songea la jeune femme. Mais Cameron ne ressemblait lui non plus aucunement à Darren.

Tout à coup, une autre pensée la traversa et elle éclata de rire, tout en se visualisant dans une robe de mariée, chaussée de sa vieille paire de tennis.

— Qu'y a-t-il ? demanda Mme Givens.

— Nous n'avons pas pensé aux chaussures. Les seules que je possède ne sont pas très appropriées pour ce genre de cérémonie.

La vieille dame parut réfléchir un instant.

— Noah conserve quelques peaux en cuir dans son établi, dit-elle enfin. Je pourrai y découper des semelles et vous confectionner des mules à l'aide d'un coupon de satin qui me reste.

— Madame Givens, vous êtes extraordinaire.

Après cela, pendant que la gouvernante préparait du pain pour la semaine, Celia fit la vaisselle. La perspective de son mariage imminent la remplissait de bonheur. Cependant, ses pensées ne cessaient de revenir malgré elle vers Clarissa.

— Avez-vous assisté au mariage de Cameron et de Clarissa ? demanda-t-elle alors à Mme Givens. Et, je vous en prie, ne me dites pas que vous ne pouvez pas me parler d'elle. Si je dois épouser Cameron, j'ai le droit de connaître son passé.

— C'est à M. Alexander de décider de ce qu'il souhaite vous révéler.

— Je ne vous demande pas de me divulguer ses secrets, insista Celia. Dites-moi seulement, de femme à femme, comment était leur mariage.

Mme Givens se gratta le nez tout en rassemblant ses souvenirs, y laissant une trace de farine.

— Ce fut le plus beau mariage de l'année, commença-t-elle. La cérémonie religieuse s'est tenue dans la cathédrale Saint-Paul de Londres, en présence de la moitié de la ville.

— Et comment était la robe de Clarissa ?

— Elle était de soie naturelle, entièrement recouverte de tulle et de dentelle de Bruges. Ainsi que son voile.

— Elle était blanche ?

— Non, mais elle était d'un joli gris argenté, assorti à ses yeux noirs et à son teint — Clarissa avait un teint de porcelaine, ainsi que vous avez peut-être pu le remarquer sur le tableau qui se trouve au-dessus de la cheminée du salon.

— Et Cameron ?

— Depuis son chapeau haut de forme jusqu'à ses chaussures, il était vêtu comme un lord, de la tête aux pieds.

— Ils devaient exulter de bonheur, tous les deux.

Mme Givens pétrit furieusement sa pâte un moment avant de lever de nouveau son regard vers Celia.

— Ils étaient l'un comme l'autre aussi malheureux que les pierres, voulez-vous dire.

La réponse de la gouvernante choqua la jeune femme, détruisant d'un seul coup l'image qu'elle se faisait du couple formé par Cameron et Clarissa.

— Pourtant, c'était le jour de leur mariage, balbutia-t-elle. Cela aurait dû être le plus beau jour de leur vie.

Mme Givens essuya ses mains couvertes de farine sur son tablier et fixa la jeune femme avec tristesse.

— Ils se connaissaient à peine. Le père de Clarissa était en fait l'associé de M. Alexander. Ce monsieur, qui se savait atteint d'une maladie incurable, tenait absolument à marier sa fille avant de quitter ce monde.

— Et Cameron, quelle était sa motivation ?

— Protéger ses investissements en unissant sa fortune à celle de son associé.

Cet arrangement froidement calculé écœura Celia.

— Mais, avec le temps, Cameron et Clarissa ont forcément dû apprendre à s'aimer, hasarda-t-elle.

La gouvernante vint vers elle et posa doucement une main sur son épaule avant de déclarer :

— La raison pour laquelle je me réjouis tant de vous voir épouser Cameron, ma chère, est que vous lui offrez ainsi une chance de connaître le véritable bonheur. Sur ce, restons-en là, voulez-vous ? Et ne troublons pas l'allégresse de cette journée par de trop nombreuses questions.

A cet instant, Cameron appela Celia depuis son bureau. Suite à quoi, prise dans l'effervescence des préparatifs, la jeune femme oublia le triste récit de Mme Givens concernant l'union de Cameron et de Clarissa.

Jusqu'à ce qu'il soit trop tard.

Le matin du mariage de Celia, le ciel était étrangement couvert et l'aube, pluvieuse. Sensibilisée malgré elle à la superstition par Mme Givens, la jeune femme interpréta cette manifestation de la nature comme un mauvais présage. Toutefois, et à mesure que la journée avançait, le ciel s'éclaircit et le soleil se mit à briller radieusement.

Noah, qui avait passé la matinée au centre de l'île, revint les bras chargés d'orchidées et de fougères sauvages, que Mme Givens arrangea en un bouquet retenu par un nœud en satin couleur ivoire.

Un superbe gâteau attendait sur la table de la cuisine, composé de trois couches de génoise fourrées aux raisins, aux noix et aux dattes, le tout recouvert d'un glaçage décoré à l'aide de feuilles d'oranger et de fleurs de frangipanier.

Vers la fin de l'après-midi, Celia prit un bain dans le tub de cuivre, après quoi elle natta ses cheveux, dans lesquels elle entrelaça des rubans couleur ivoire et des giroflées des dunes. Puis elle enfila sa robe et alla se contempler avec curiosité dans le grand miroir de la chambre qui faisait face à la sienne.

— J'espère que tu sais ce que tu fais, cette fois, lança-t-elle à l'adresse de son reflet.

Elle pensa à ses malheureux parents et regretta qu'ils ne puissent pas assister à son mariage. Plus qu'aucune autre jeune mariée, elle allait entamer une toute nouvelle vie, en choisissant de partager pour toujours l'exil de Cameron sur l'île de la Solitude. Désormais, elle ne pourrait plus retourner chez elle, songea-t-elle. Mais elle ferait de cet endroit son foyer, auprès de l'homme qu'elle aimait.

Elle glissa ses pieds dans les jolies mules en satin couleur ivoire confectionnées par Mme Givens et partit rejoindre son fiancé.

Mme Givens et Noah applaudirent de concert lorsqu'elle apparut au détour du sentier qui serpentait entre les dunes.

La gouvernante, vêtue de sa plus belle robe, se tenait fièrement auprès de la table dressée sous la tente. Avec en son centre l'énorme gâteau à trois étages, la table était agrémentée de fleurs tropicales, de verdure et de bougies protégées du vent par des lampes de navigation. Une variété de plats stupéfiante s'y déployait, rappelant les buffets luxueux habituellement servis sur les bateaux de croisière.

Cameron s'avança alors vers Celia et lui offrit son bras. Vêtu d'une chemise de soie blanche et d'un pantalon serré et enfoncé dans ses bottes étincelantes, il était plus séduisant que jamais. La jeune femme sentit aussitôt son cœur se gonfler de fierté à la pensée qu'un homme aussi fascinant puisse l'aimer.

Ils marchèrent ensemble jusqu'au rivage et tournèrent leur regard vers l'immense astre doré suspendu juste au-dessus de l'horizon. Puis, joignant leurs mains, ils se regardèrent dans les yeux et récitèrent les vœux de fidélité qu'ils avaient mémorisés.

Cameron passa au doigt de Celia une bague en or surmontée d'une émeraude carrée.

— Mon père avait offert ce bijou à ma mère le jour de ma naissance, déclara-t-il.

Tandis qu'il se penchait vers elle pour l'embrasser, elle surprit la brillance des larmes dans ses yeux. Puis, au moment où ils s'écartèrent l'un de l'autre, le soleil disparut derrière l'horizon et une explosion de lumière verte vint le remplacer dans le ciel.

— C'est un présage, affirma Mme Givens.

— Un heureux présage, renchérit Cameron en embrassant de nouveau Celia. Madame Alexander, vous faites de moi le plus chanceux et le plus heureux des hommes.

Transportée par la joie du moment, Celia interpréta elle aussi ce phénomène extraordinaire comme un symbole de bonne fortune.

Les semaines qui suivirent son mariage furent les plus heureuses que Celia ait jamais connues. Comme à son habitude, Cameron se levait tous les jours avant l'aube pour nager dans les eaux du golfe. Lorsqu'elle le rejoignait, une heure plus tard, afin de déjeuner en sa compagnie, la jeune femme trouvait toujours un petit présent à côté de son assiette. D'autres femmes à sa place auraient peut-être rêvé de parures ou de fleurs onéreuses, mais elle se réjouissait de ces cadeaux simples, dans lesquels elle voyait les témoignages de l'amour de Cameron.

Le premier jour, elle découvrit ainsi une énorme conque à l'intérieur rose vif aussi doux que du velours.

— Elle est magnifique ! s'exclama-t-elle tout en caressant sa surface à la fois soyeuse et irrégulière. Ce sera la pièce maîtresse de ma collection de coquillages.

— Tant que tu la gardes près de toi, dit Cameron.

— Si tu voulais que je la porte près de mon cœur, il fallait la choisir plus petite, remarqua Celia en riant.

— Ecoute ça, dit-il.

Il prit la conque entre ses mains, en plaça l'extrémité entre ses lèvres et souffla dedans.

Le puissant son de trompette qui en sortit fit aussitôt accourir Mme Givens depuis sa cuisine.

— Dieu du ciel ! s'exclama la gouvernante. J'ai cru que c'étaient les trompettes du Jugement dernier, haleta-t-elle avant de repartir vaquer à ses occupations.

— Tu vois l'efficacité de ce coquillage, commenta Cameron avec un sourire à l'adresse de Celia. Si tu as besoin de moi, souffle plusieurs fois dans cette conque, d'accord ?

Les matins suivants, la jeune femme découvrit des fleurs sauvages, des coquillages exotiques, une plume d'albatros, un morceau de bois flotté en forme de dauphin, ainsi qu'un livre de poèmes marqué à une page particulière.

— Cameron, tu me gâtes trop, protesta-t-elle. Je raffole de toutes les surprises que tu m'offres, mais je n'ai rien à te donner en retour.

— Rien, dis-tu ? Celia, tu ne comprends donc pas que tu m'as redonné *la vie* ?

Pareille affirmation aurait pu paraître emphatique, mais Celia avait remarqué que, depuis leur mariage, une nouvelle vitalité semblait en effet animer Cameron. Son pas était plus léger, il riait souvent et il avait abandonné sa manie de consommer plusieurs verres de cognac afin de trouver le sommeil.

Et il planifiait chaque journée comme une véritable aventure.

— Toutes les jeunes mariées ont droit à un voyage de noces, dit-il le premier matin, tout en rendant la conque à Celia et en attaquant son déjeuner.

— Un voyage de noces ? Où ça ? A Key West ? En Angleterre ?

— Je ne remettrai jamais les pieds en Angleterre, affirma-t-il sur un ton qui glaça la jeune femme.

— Je suis désolée, balbutia-t-elle. Je croyais…

— Nous devrons nous contenter d'excursions d'une journée. Aujourd'hui, j'avais envie de te faire découvrir les hautes herbes des prairies qui s'étendent au centre de l'île.

— Là où Noah va chercher du fourrage ?

— Oui, c'est un endroit magnifique… indescriptible. Il faut que tu voies ça de tes propres yeux.

— J'adorerais le faire, mais…

— Si tu ne souhaites pas que nous y allions, ce n'est pas un problème, assura Cameron.

Il posa son couteau et sa fourchette.

— Je ne veux que ton bonheur, ajouta-t-il.

— J'ai terriblement envie d'y aller, mais je n'ai pas de vêtements appropriés pour ce genre d'excursions, dit Celia.

Cameron sourit.

— Nous allons remédier à cela.

Un peu plus tard, vêtue de l'une des chemises de Cameron et de l'un de ses pantalons qu'elle avait serré autour de sa taille à l'aide d'une ceinture et roulé jusqu'à ses chevilles, la jeune femme rejoignit son époux sur le ponton. Ils hissèrent la voile et elle se blottit contre lui tandis qu'il prenait le gouvernail.

— J'ai repensé à ta suggestion de l'autre jour, dit-il, ses beaux yeux couleur ambre brillant d'excitation. Ton idée d'écrire un livre sur la faune et la flore des Dix-Mille-Iles m'inspire beaucoup. Et je pourrai toujours utiliser un pseudonyme afin de garder l'anonymat.

— C'est une lourde entreprise, observa Celia.

— Pas si tu m'aides.

Il pressa doucement son épaule et la caressa du regard.

— Nous pourrions travailler ensemble, en équipe, ajouta-t-il.

Celia lui exprima son approbation par un sourire, tout en s'imprégnant du spectacle de Cameron se détachant sur le ciel immaculé, avec le soleil étincelant dans ses cheveux. Il l'attira plus près de lui et l'embrassa, jusqu'à ce que le vent tourne, ramenant son attention sur le pilotage de son voilier.

— A ce rythme, écrire ce livre risque de prendre pas mal de temps, le taquina la jeune femme.

Jusqu'au soir et les jours suivants, elle parcourut les prairies mouillées et les marécages en compagnie de son époux, découvrant avec lui des trous d'alligators, des nids de hérons crabiers, d'aigrettes rousses et d'ibis, ainsi qu'une infinité de plantes exotiques. Cameron lui désignait celles dont les fleurs parsèmeraient l'herbe de la prairie au printemps. Ensemble, ils prirent de multiples échantillons de végétation et dessinèrent une multitude d'oiseaux, dont ils détaillaient les différentes couleurs et notaient les lieux de nidification ainsi que les habitudes alimentaires.

Cette vie au grand air convenait parfaitement à Celia et elle en goûtait pleinement chaque instant. Plus que tout, elle savourait la compagnie de Cameron.

Le soir, après le dîner, ils classifiaient leurs découvertes, pressaient des échantillons de plantes et de fleurs à l'intérieur des livres de Cameron et discutaient de la meilleure méthode pour organiser les informations qu'ils avaient rassemblées.

Une fois cette tâche accomplie, avant de se coucher, ils emportaient une couverture sur la plage et s'y allongeaient un long moment, en observant les étoiles et en s'amusant à les identifier.

Une nuit, ils virent une myriade d'étoiles filantes traverser le ciel au-dessus de leur tête. Celia fit alors le vœu d'être pour toujours aussi heureuse qu'elle l'était en cet instant au côté de Cameron. Comme s'il avait lu dans ses pensées, il l'attira contre lui et lui fit aussitôt l'amour sur le sable fin. Plus tard, elle s'endormit dans ses bras et, lorsqu'elle se réveilla, l'aube pointait sur la mer. Cameron prenait son bain matinal. Elle ôta ses vêtements et le rejoignit, en se demandant si Adam et Eve avaient connu un tel bonheur au paradis et, si c'était le cas, quelle horrible punition les en avait bannis.

Après cela, ils s'étendirent sur le sable en attendant que la brise matinale sèche leurs corps dénudés.

— J'ai promis à Mme Givens de lui ramener du poisson aujourd'hui, annonça Cameron, qui enfilait à présent ses vêtements. Tu veux venir avec moi ?

La journée s'annonçait torride. Et la perspective de passer plusieurs heures sur le pont du voilier, sous la chaleur écrasante du soleil, n'enthousiasma pas Celia.

— Tu m'en voudrais terriblement si je ne venais pas avec toi ? demanda-t-elle.

Cameron lui prit les mains et l'aida à se relever. Elle s'efforça de couvrir sa nudité à l'aide de ses vêtements épars, tandis qu'il affirmait :

— Pas le moins du monde. A vrai dire, cette sortie en mer ne me ravit pas non plus. Cependant, il nous faut trouver du poisson si nous ne voulons pas manger des haricots jusqu'à l'arrivée du capitaine Biggins.

Plus tard dans la matinée, le cœur étrangement lourd, Celia regarda Cameron s'éloigner à bord de son voilier. Elle ne s'était pas séparée de lui un seul instant depuis le jour de leur mariage. Si bien qu'au moment où elle vit son bateau disparaître tout à fait derrière un des îlots de l'archipel, elle eut l'impression de perdre une partie d'elle-même. Elle traversa le jardin potager en direction de la cabane de Noah. Assis sur les marches de sa véranda, celui-ci confectionnait un filet de pêche.

— Puis-je m'asseoir avec vous ? lui demanda-t-elle.

Il l'accueillit par un large sourire.

— Bien sûr, madame Celia.

La jeune femme s'installa à côté de lui et prit un petit pain aux raisins dans sa poche. Après l'avoir partagé en deux, elle en offrit la moitié au jardinier, lequel refusa d'un signe de tête.

— Merci. Il y a déjà longtemps que j'ai déjeuné.

Elle mordit dans le petit pain tout en le regardant faire un nœud dans sa corde, puis en couper l'extrémité à l'aide d'un grand couteau aussi aiguisé qu'un rasoir.

— M. Alex n'a plus l'air aussi solitaire depuis que vous êtes mariés, remarqua-t-il avec un petit clin d'œil.

— C'est vrai. Et je me demande encore pourquoi il est resté seul si longtemps, répondit Celia.

Noah passa sa corde dans le filet, avant d'y faire un second nœud.

— Quand M. Alex est arrivé ici, il était si malheureux qu'il faisait peine à voir, expliqua le jardinier. Je croyais que les hommes blancs, riches et instruits comme lui avaient tout pour être heureux. Mais je n'ai jamais vu une personne aussi triste que lui.

— Mais pourquoi, Noah ? Comme vous dites, il semble tout avoir. Qu'est-ce qui l'a rendu si malheureux ? demanda Celia, sa curiosité piquée.

Sa conscience la taraudait légèrement à l'idée d'espionner les secrets de son époux derrière son dos. Cependant et après tout, mieux elle le connaîtrait et plus elle serait en mesure de l'aimer comme il le méritait, se dit-elle.

Le front de Noah se plissa.

— Je crois bien que ça a à voir avec la mort de sa première femme et de son petit garçon, répondit-il.

Même si Celia éprouvait un amour inconditionnel pour Cameron, celui-ci était si secret qu'elle ignorait encore presque tout de son passé. Et, si Noah pouvait lui fournir le plus petit renseignement à ce sujet, elle serait trop heureuse de l'entendre.

— Avant mon arrivée, il a vécu seul sur cette île pendant plus de six ans. Pour un homme aussi jeune, endurer une si longue solitude n'est pas très… normal, remarqua-t-elle.

— Je sais, mais M. Alex a beaucoup pleuré les siens. C'est lui qui me l'a dit.

La jeune femme ressentit une pointe d'envie à l'idée que Cameron ait pu confier à Noah ce qu'il refusait de partager avec elle.

— Que vous a-t-il dit exactement ?

Le jardinier lâcha son filet, s'appuya en arrière sur les coudes et fixa l'horizon.

— Je m'en souviens comme si c'était hier. C'était le jour où tous les meubles sont arrivés. M. Alex m'a fait venir dans le salon et il m'a demandé de l'aider à ouvrir une caisse. Dans la caisse, il y avait un tableau. Celui qui est au-dessus de la cheminée, vous savez ?

Noah tourna son regard vers Celia avant de poursuivre :

— M. Alex a sorti le tableau et il l'a posé sur le dessus de la cheminée. Et puis il l'a regardé et alors il a gémi comme si on lui arrachait le cœur. Comme si on lui arrachait le cœur, madame Celia.

A cette évocation, la jeune femme ressentit un violent pincement de chagrin. Elle regretta de ne pas avoir été là pour tenter d'apaiser la souffrance de Cameron.

— A ce moment-là, il a fait un geste et j'ai compris qu'il voulait que je m'en aille, continua Noah. Et, en repartant, je l'entendais sangloter jusqu'ici.

— Mais il n'a rien dit de plus ?

Le jardinier secoua la tête.

— Non, mais il est resté enfermé dans le salon toute la journée. Quand je passais devant, je l'entendais se servir des verres de cognac et je savais bien qu'il essayait de noyer son chagrin dans l'alcool.

— A-t-il toujours beaucoup bu ?

— Oh, ça non. Tout le temps que nous avons construit ces deux maisons, M. Alex ne s'est pas soûlé une seule fois. La première fois que je l'ai vu boire, c'était ce jour-là — et il ne s'est plus jamais mis dans un pareil état.

Celia sentit la satisfaction l'envahir à la pensée que Cameron n'avait pas pris une goutte d'alcool depuis le jour de leur mariage. N'était-ce pas le signe qu'il était heureux ? songea-t-elle.

— Plus tard cette nuit-là, Mme Givens m'a demandé de porter M. Alex dans son lit, reprit Noah. Je suis entré dans le salon et je l'ai trouvé assis par terre devant ce tableau. Comme je ne savais pas qui étaient ces deux personnes, je l'ai demandé à M. Alex. Alors il m'a dit que c'étaient sa femme et son fils et puis il a ri d'une manière qui m'a donné la chair de poule.

Avant de poursuivre, Noah se frotta la nuque comme s'il éprouvait encore cette sensation désagréable.

— Je lui ai demandé s'il les avait laissés en Angleterre pour venir ici. Et il m'a répondu quelque chose de très bizarre.

— Quoi donc ?

— Il a dit : « On peut dire qu'ils sont restés en Angleterre, bien que Mme Givens affirme qu'ils sont au paradis. » Et puis il m'a regardé avec des yeux de fou et il a ajouté : « C'est à cause d'eux que je suis ici. »

Le jardinier frissonna malgré la chaleur du soleil.

— Comme je ne comprenais plus rien, j'ai dit : « Mais, si Mme Givens pense qu'ils sont au paradis, c'est qu'ils sont morts. »

Noah s'interrompit brusquement. Puis, comme le silence s'éternisait, Celia insista :

— Et qu'a répondu M. Alexander ?

Son interlocuteur la fixa avec des yeux agrandis par la tristesse.

— Ça, je ne l'oublierai jamais, madame Celia. Il a dit : « Oh, oui, Noah, ils sont bien morts. Je les ai tués. »

11

A ces mots, Celia sentit le sang se glacer dans ses veines. Avait-elle échappé à un premier assassin pour en épouser un second ? se demanda-t-elle, tout en sentant son cœur sombrer dans sa poitrine. Malgré cela, elle affirma :

— Cameron ne peut pas avoir fait une chose pareille. Vous avez dû mal interpréter ses paroles.

— J'ai très bien compris ce qu'il disait, objecta Noah. Mais vous avez raison, madame Celia. M. Alex ne ferait pas de mal à une mouche. C'est sûrement l'alcool qui l'a fait délirer.

Luttant contre l'horrible soupçon que Noah venait d'introduire dans son esprit, Celia regagna la maison. Puis, soudain, la culpabilité l'étreignit d'avoir pensé que Cameron ait pu assassiner Clarissa et Randolph. S'il avait été là, elle l'aurait aussitôt interrogé à ce sujet et l'aurait supplié de lui fournir une explication. Mais il était parti pour la journée et peut-être même jusque tard dans la nuit si le poisson se faisait rare. Or l'idée d'être rongée aussi longtemps par le doute lui était insupportable.

Se souvenant des articles de journaux qu'elle avait découverts dans le bureau de son époux plusieurs semaines auparavant, elle s'y précipita, dans l'espoir de purger son esprit de ces sombres interrogations. Par bonheur, Cameron avait laissé les clés des tiroirs sur son bureau. Les mains tremblantes, la jeune femme ouvrit le tiroir supérieur et en sortit le dossier contenant les coupures jaunies, qu'elle étala sur le bureau.

Ce qu'elle lut alors lui souleva le cœur.

D'après les divers articles, Clarissa et Randolph avaient été tués à coups de matraque dans leur manoir du Devon. Cameron, retrouvé inconscient auprès de leurs deux cadavres, avait lui aussi été grièvement blessé à la tête. Après quoi il avait lutté plusieurs semaines entre la vie et la mort sur un lit d'hôpital. Et, lorsqu'il avait repris connaissance, il avait affirmé ne se souvenir de rien.

La police ne détenant aucune piste ni aucun suspect, l'enquête avait piétiné. Les articles suivants soulevaient toutefois la question de savoir à qui aurait profité un tel crime. Rien n'avait été dérobé dans la maison et les enquêteurs n'avaient identifié personne susceptible de vouloir exercer une quelconque vengeance sur la famille Alexander. A Londres, la rumeur avait commencé à se répandre selon laquelle Cameron aurait lui-même assassiné sa femme afin d'hériter de la fortune que lui avait léguée son père. On murmurait que Clarissa aurait blessé son époux en tentant de les défendre, elle et son fils. Le dernier article expliquait que la police avait de nouveau interrogé Cameron. Puis qu'elle l'avait finalement relâché, faute de preuve tangible de sa culpabilité.

D'une main tremblante, Celia rassembla les coupures de presse et replaça le dossier dans le tiroir. Leur contenu n'ayant fait qu'alimenter ses soupçons, des émotions contradictoires se bousculaient en elle : la hâte de voir Cameron revenir, alliée à la peur de ce qu'il pourrait lui révéler. L'homme qu'elle croyait avoir épousé était incapable d'un acte aussi odieux. Mais le connaissait-elle vraiment ? se demanda la jeune femme. Se pouvait-il qu'elle se soit laissé éblouir par son physique séduisant et par la vie paradisiaque qu'il menait ici ? Se pouvait-il que la part secrète qu'elle sentait l'habiter abrite l'âme d'un meurtrier ?

Incapable d'attendre plus longtemps une réponse à ses interrogations, elle décida d'aller questionner Mme Givens.

— Auriez-vous déjà faim ? s'étonna la gouvernante en la voyant entrer si tôt dans la cuisine.

Celia s'affaissa sur une chaise.

— J'ai l'estomac trop retourné pour pouvoir avaler quoi que ce soit, dit-elle sombrement.

— Vous n'avez pas contracté cette horrible fièvre, j'espère ! s'écria Mme Givens tout en se précipitant vers la jeune femme pour toucher son front.

— Je ne suis pas malade, affirma Celia, en repoussant sa main. Mais je viens de lire les articles de journaux relatant les meurtres de Clarissa et de Randolph. Et certains d'entre eux insinuent que c'est Cameron qui les aurait tués.

A ces mots, elle vit tout un éventail d'émotions traverser le visage de la vieille dame. Après un silence, celle-ci demanda :

— Et *vous*, au fond de vous, qu'en pensez-vous ?

Celia passa une main tremblante sur son front.

— Mon cœur me dit qu'il ne peut pas l'avoir fait. Mais ma tête… oh, je ne sais pas, se lamenta-t-elle.

Mme Givens se dirigea vers la cuisinière et, se fiant au remède qu'elle utilisait en toute occasion, remplit la théière. Dans un silence insupportable, Celia la regarda servir deux tasses de thé. Puis, lorsque la vieille dame en eut déposé une devant elle et se fut enfin installée en face d'elle, elle n'y tint plus :

— Cameron les a-t-il assassinés, oui ou non ? demanda-t-elle. Vous devez me le dire.

— M. Alexander est le seul à pouvoir répondre à cette question. C'est à lui que vous devez la poser si vous voulez connaître la vérité.

— Etes-vous en train de me dire que vous l'ignorez ?

Mme Givens haussa ses épaules charnues.

— Je ne l'ai jamais demandé à M. Alexander et il ne m'en a jamais parlé. Mais je sais que le Cameron que j'ai élevé est incapable d'une telle violence.

Celia savait que l'homme qu'elle aimait en était également incapable. Mais elle se demandait si l'autre facette de Cameron, celle qu'il lui dissimulait, pouvait être encline à de telles horreurs. Elle se rappela son insistance à ce qu'elle ne quitte pas l'île, la façon dont il l'avait empêchée d'appeler à l'aide, ainsi que son refus systématique de parler de Clarissa. Un homme qui aurait la conscience tranquille agirait-il de la sorte ? se demanda la jeune femme.

Puis elle se souvint de ce qu'il lui avait dit, le jour où ils avaient pique-niqué sur cet îlot dans les Everglades : « Vous devez fuir cet endroit le plus vite possible, pour votre propre sécurité. »

Avait-il alors eu peur de lui faire du mal, alors, comme à son épouse et à son fils ?

Se rendant compte qu'elle en savait trop peu pour pouvoir tirer des conclusions raisonnables, elle supplia Mme Givens :

— Dieu sait que je veux croire à l'innocence de Cameron. Mais vous devez me dire tout ce que vous savez.

La gouvernante prit une gorgée de thé, fronça les sourcils, puis affirma :

— Je ne peux pas vous dire grand-chose. Je ne me trouvais pas dans le Devon, ce jour-là.

— Mais je croyais…

— Cela s'est passé durant mes congés annuels. Depuis que je travaille pour les Alexander, lorsque ceux-ci partaient dans le Devon, je passais chaque été la première semaine de juillet chez ma sœur, à Liverpool. Une femme de la ferme me remplaçait durant la journée et Clarissa s'occupait de Randolph le soir.

— Ils étaient donc tous les trois seuls, ce soir-là ? demanda Celia.

— Normalement, les domestiques auraient dû être là, mais, comme il y avait une fête au village, M. Alexander leur avait à tous accordé leur soirée. C'est la femme de chambre qui a découvert les corps le lendemain matin, au moment où elle est venue faire les lits.

— Et rien n'a été volé ?

— Rien. Lorsqu'ils l'ont trouvée, Mme Alexander — Clarissa — portait encore tous ses bijoux. Le portefeuille de M. Alexander était rempli de billets et la maison, intacte.

— Quelqu'un aurait-il pu souhaiter leur faire du mal ? insista Celia. Cameron avait-il des ennemis ?

Décidément, plus elle en apprenait et plus cette histoire la laissait perplexe.

— M. Alexander était habile en affaires et c'était un concurrent redoutable, mais il était honnête et juste. Si bien que la police n'a identifié personne susceptible de lui en vouloir à ce point, expliqua Mme Givens.

— Mais si quelqu'un s'était *imaginé* détenir des raisons de lui en vouloir…

— Ah, bien sûr, c'est toujours possible. Il existe également des psychopathes qui tuent pour le plaisir.

— Mais, pour finir, personne n'a été officiellement accusé de ces meurtres ? s'enquit Celia.

Elle retint sa respiration, craignant d'apprendre que Cameron s'était enfui suite à une inculpation judiciaire.

— Personne, affirma la gouvernante. Le capitaine Biggins nous apporte régulièrement les journaux londoniens et cela fait des années que je les consulte afin de savoir si le meurtrier a été arrêté. Mais aucun fait nouveau n'y apparaît jamais concernant cette affaire.

— Et, Cameron, que dit-il de tout cela ? demanda la jeune femme.

— M. Alexander n'en parle jamais et il nous a demandé de ne jamais mentionner cette tragédie. Depuis mon arrivée sur cette île, vous êtes la seule personne à avoir entendu les prénoms de Clarissa et de Randolph franchir mes lèvres.

Mme Givens termina sa tasse de thé et la posa sur la table.

— Ainsi que je vous l'ai dit, vous devrez interroger M. Alexander à ce sujet, répéta-t-elle. Cependant... quelle que soit sa réponse, n'oubliez pas qu'il s'agit de l'homme que vous aimez et que vous avez épousé.

Les informations fournies par la gouvernante n'apportèrent aucun réconfort à Celia. Au contraire, celles-ci la bouleversèrent davantage. Tout ce qu'elle apprenait soulevait de nouvelles interrogations dans son esprit.

— Il y a une chose que vous pouvez me dire, insista-t-elle. Cameron aimait-il Clarissa ?

L'expression tourmentée de Mme Givens lui fournit la réponse à sa question avant même que celle-ci n'ouvre la bouche.

— Non. On ne peut pas dire qu'il l'aimait. En réalité... il était plutôt près de la haïr, lui confia la vieille dame, avec une répugnance toutefois manifeste.

— De la haïr ? s'étonna Celia. Mais pour quelle raison ?

La gouvernante tordit nerveusement son tablier entre ses mains avant d'expliquer :

— Cameron n'a jamais été amoureux d'elle. Comme je vous l'ai déjà dit, leur union était un mariage de raison, destiné à faire perdurer une association financière.

— Je n'arrive pas à croire que Cameron ait pu être insensible au point de se marier pour des raisons d'argent.

— Il s'est laissé influencer par son associé, lequel avait été un véritable père pour lui depuis le décès de feu M. Alexander. De plus, Clarissa était très belle et son père a convaincu Cameron que l'amour viendrait… avec le temps.

— Mais ça n'a pas été le cas ?

Mme Givens secoua la tête.

— Leurs rapports ont empiré, au contraire.

— Je ne comprends toujours pas pourquoi.

— C'est encore quelque chose que seul M. Alexander pourra vous expliquer.

— Mais vous avez bien dû vous faire votre propre opinion concernant Clarissa, en dehors du fait qu'elle était très belle.

Cela, Celia s'en était rendu compte par elle-même. Car la beauté de Clarissa Alexander irradiait du portrait suspendu dans le salon.

— Je ne l'aimais pas, mais je craignais de ne pas être objective et de penser qu'aucune femme ne serait jamais assez bien pour Cameron. A présent, je sais que c'était faux.

— Que voulez-vous dire ?

— Je vous aime beaucoup, ma chère, et je suis convaincue que vous ferez une merveilleuse épouse pour lui. Si bien qu'aujourd'hui, j'ai compris que c'était réellement la personnalité de Clarissa qui me déplaisait.

La vieille dame se pencha vers Celia et pressa sa main.

— Vous devez avoir foi en Cameron et vous dire que les choses finissent toujours par s'arranger, suggéra-t-elle.

Celia aurait aimé partager l'optimisme de la gouvernante, mais elle ne parvenait pas à se débarrasser du désarroi qui l'étreignait. Elle avait hâte que Cameron rentre, hâte de sentir ses bras rassurants se refermer sur elle. Et, surtout, d'entendre ses explications — avec l'espoir que celles-ci la libéreraient des doutes qui la rongeaient.

Elle refusa le repas que lui proposait Mme Givens et retourna au lieu de cela dans le bureau de Cameron, où elle relut chacun des articles relatifs au drame à la recherche d'indices susceptibles de disculper son époux. Mais cette quête ne fit qu'alimenter son incertitude. Avec l'impression croissante que les murs de la maison se resserraient autour d'elle, la jeune femme se précipita brusquement à l'extérieur. Puis elle courut jusqu'à la plage et commença à arpenter la grève, tout en guettant l'apparition du voilier de Cameron.

Reconnaissant l'endroit où ils avaient étendu leur couverture la nuit passée, elle s'y assit. Là où ils avaient observé les étoiles. Là où ils avaient fait passionnément l'amour avant de s'endormir dans les bras l'un de l'autre. Ces images l'aidèrent à se calmer. Jusqu'au moment où elle songea que Cameron avait forcément connu des étreintes similaires avec Clarissa, puisqu'ils avaient eu un fils.

Et, aujourd'hui, le petit Randolph et sa mère étaient morts.

Avec le vain espoir, en plongeant dans les eaux du golfe, de laver son esprit des soupçons qui la tourmentaient, Celia ôta ses vêtements. Elle nagea jusqu'au banc de sable le plus éloigné, revint vers le rivage, puis refit plusieurs fois ce parcours jusqu'à l'épuisement. Mais elle ne trouva pas la paix pour autant. Elle continuait à tourner et à retourner les faits dans sa tête, en cherchant à imaginer le rôle assumé par Cameron dans cette horrible tragédie.

Au bout d'un moment, elle regagna la plage et se rhabilla. Puis elle s'allongea sur le ventre, enfouit son visage entre ses bras croisés et, tout en s'efforçant de se calmer, finit par s'assoupir.

Elle ignorait combien de temps elle avait dormi, mais, soudain, elle se sentit soulevée dans des bras puissants.

— Mon Dieu, Celia, tu m'as fait une peur bleue, s'exclama Cameron.

Il était de retour !

— On aurait dit que tu étais à demi morte, remarqua-t-il sur un ton angoissé.

Décelant l'anxiété qui perçait dans la voix de son époux, Celia enroula spontanément les bras autour de son cou. Au même moment, ses soupçons revinrent l'assaillir et elle le repoussa.

— Lâche-moi, dit-elle. J'ai à te parler.

Il la reposa sur le sol, mais ne relâcha pas son étreinte autour d'elle. Au lieu de cela, il enfouit son visage dans son cou et y déposa une série de baisers tout en murmurant :

— Tu veux parler ? Maintenant ? Mm… Depuis ce matin, je n'ai pas cessé de penser à toi — et à la nuit dernière.

— Non, arrête, exigea Celia en s'écartant vivement de lui et en commençant à remonter en direction de la maison.

Cameron la suivit.

— Qu'est-ce qui ne va pas ? Et de quoi veux-tu que nous parlions ? demanda-t-il.

Elle se retourna et contempla l'homme qu'elle aimait plus que sa vie, en se demandant si ce corps et cette tête magnifiques pouvaient abriter le cœur et l'esprit d'un monstre.

— De Clarissa, répondit-elle d'une voix blanche.

Elle n'eut pas besoin d'ajouter quoi que ce soit. Elle vit Cameron pâlir. Puis il se laissa tomber lourdement sur le sable, comme si ses jambes n'arrivaient plus à le porter.

— Comment as-tu appris… ? demanda-t-il.

— Par les coupures de journaux qui se trouvent dans le tiroir de ton bureau.

— Tu t'es permis de fouiller dans mon bureau ?

Une lueur de colère traversa le regard de son époux.

— C'était mal de ma part, reconnut Celia. Mais tu as fait pire en me cachant la vérité, lança-t-elle avec violence.

Elle tomba à genoux devant lui.

— Est-ce toi qui as tué Clarissa et Randolph, Cameron ? Dis-moi la vérité !

Dans l'attente d'une explication, elle observa attentivement ses traits.

— La vérité ? gémit-il, avec un cri d'animal blessé. J'aimerais la connaître moi-même.

— Comment peux-tu ne pas la connaître ? Alors que tu étais présent.

Il se prit la tête dans les mains et déclara d'un ton lugubre :

— J'étais ivre, cette nuit-là. Ivre mort.

Cet aveu bouleversa la jeune femme. Si Cameron ignorait lui-même ce qui s'était passé, qui allait pouvoir le lui expliquer ? Qui allait la libérer du doute qui l'étreignait ? se demanda-t-elle. Refusant toutefois de s'avouer vaincue, elle insista :

— Mais tu te souviens forcément de *quelque chose* !

Il leva alors vers elle un regard si sombre qu'elle en fut terrifiée.

— Je n'ai aucune image de ce qui est survenu cette nuit-là, affirma-t-il. Un seul souvenir me hante, que je n'ai jamais confié à personne. Mais je ne te le cacherai pas plus longtemps. Même si le fait de l'entendre doit tuer l'amour que tu me portes.

Le cœur serré, Celia retint sa respiration. Cameron riva un regard embué de larmes dans le sien avant de dire :

— Ce n'est pas un souvenir précis. C'est plutôt une sensation.

— Une sensation ? Quel genre de sensation ?

— Celle d'os s'écrasant sous mes poings, avoua-t-il d'une voix sinistre. C'est tout ce dont je me souviens.

Horrifiée, Celia retomba assise sur les talons. Elle fixa son époux, partagée entre le désir de le prendre dans ses bras et celui de s'enfuir à toutes jambes.

— Tu te souviens d'avoir frappé Clarissa ?

— Je me rappelle avoir frappé quelqu'un, mais j'ignore s'il s'agissait de Clarissa, répondit Cameron.

Il la saisit par les épaules et l'attira à lui.

— Pense à la souffrance que tu as endurée aujourd'hui, pendant que tu te demandais si j'étais coupable ou innocent de ce crime. Et imagine celle qui me ronge chaque jour depuis huit ans, en ignorant moi-même ce que j'ai fait.

S'efforçant de repousser la compassion qui l'envahissait, Celia répliqua :

— Mais, si tu es coupable…

— Dans ce cas, je mérite chaque instant de ce tourment… et plus encore. Mais si je suis innocent ?

— Comment pourras-tu jamais le savoir ?

— Mon seul espoir de le savoir est que le souvenir de ce qui s'est passé resurgisse un jour subitement de ma mémoire.

— Cela fait plus de huit ans, maintenant, remarqua la jeune femme. Au lieu de continuer à te cacher sur cette île, ne devrais-tu pas plutôt retourner à Londres et tenter de prouver ton innocence ?

Cameron secoua lentement la tête, le regard hanté par la souffrance.

— S'il y avait eu ne serait-ce qu'un témoin de ce drame — en dehors de l'assassin, bien sûr —, celui-ci se serait manifesté, depuis le temps. Mais la police, qui est pourtant entraînée à résoudre ce genre d'affaires, n'a rien trouvé et a même fini par refermer le dossier. Alors que veux-tu que je parvienne à démontrer, à moi seul et au bout de huit ans ?

Glacée par la lueur sinistre qui s'alluma dans le regard de son époux, Celia frissonna.

— A Londres, beaucoup de gens pensent que c'est moi qui les ai tués, expliqua-t-il. Je ne veux pas qu'ils m'en persuadent à mon tour. Et quelqu'un, là-bas, en est tellement convaincu que cette personne a tenté de faire justice elle-même à deux reprises. Avant mon arrivée ici, on a attenté deux fois à mes jours. Voilà pourquoi je me cache sur cette île.

Celia s'arracha à l'étreinte de Cameron et marcha le long de la plage en tentant de rassembler ses esprits. Elle aimait profondément cet homme, mais elle ne connaissait de lui que la facette qu'il avait bien voulu lui dévoiler. Se pouvait-il qu'un autre personnage se dissimule sous cette apparence ?

— Cameron, commença-t-elle, tout en lui tournant le dos, tu devrais être en mesure de savoir si tu es capable de tuer quelqu'un, non ?

— C'est l'une des énigmes que je me suis efforcé de résoudre depuis mon arrivée ici. Hélas, divers facteurs entrent en jeu dans cette histoire, m'empêchant de parvenir à une conclusion.

— Lesquels ?

— Tout d'abord, j'avais beaucoup bu ce soir-là, et chacun sait qu'un homme peut perdre la raison sous l'influence de l'alcool.

— L'alcool libère les inhibitions derrière lesquelles se dissimule la nature profonde des gens. Mais je doute qu'il ait pu faire de toi un meurtrier si rien ne t'inclinait à l'être.

Cameron passa les mains dans ses cheveux ras.

— Justement, dit-il. C'est là le second facteur sur lequel je me suis interrogé. J'ai passé des nuits entières à étudier toutes sortes d'ouvrages et à m'interroger, pour tenter de savoir si une pensée pouvait suffire à déclencher un acte.

— Je ne comprends pas, dit Celia.

Il releva la tête et, tout en soutenant son regard, il affirma :

— Il m'est arrivé de souhaiter la mort de Clarissa.

La jeune femme reçut cet aveu comme un coup de poing à l'estomac. Mme Givens lui avait en effet confié que Cameron n'avait pas été loin de haïr Clarissa. Mais elle s'était alors dit que les gens emploient souvent des termes très forts pour désigner des sentiments plus mitigés.

— Mais la haïssais-tu… au point de la tuer ? demanda-t-elle.

— C'est une longue histoire, que j'aurais dû t'exposer avant de te demander en mariage.

— Et pourquoi ne l'as-tu pas fait ? s'enquit la jeune femme.

Elle avait posé cette question sur un ton acerbe, mais la supplique bouleversante qui brilla à cet instant dans les yeux de Cameron apaisa presque instantanément sa colère.

— Parce que tu me rendais tellement heureux que je ne voulais pas gâcher ce bonheur en parlant de Clarissa, avoua-t-il. Mais, à présent, je vais tout te dire. Si tu veux encore l'entendre.

Celia s'assit sur un morceau de bois à demi enterré dans le sable et Cameron s'installa en face d'elle, les bras resserrés autour de ses genoux. La jeune femme considéra le paysage d'un œil absent, en remarquant à quel point la beauté qui les entourait contrastait ironiquement avec la souffrance qui l'étreignait.

— Le père de Clarissa était mon associé, commença Cameron. Cet homme était atteint d'une grave maladie cardiaque qui pouvait l'emporter à tout moment. Clarissa était son unique enfant, mais, après la mort de mon propre père, il m'a toujours traité comme un fils. Rien ne m'a paru plus naturel, alors, que d'épouser Clarissa et d'unir nos deux familles, ainsi que nos fortunes personnelles. Je n'avais que vingt et un ans et, jusque-là, j'avais été très protégé. Mon travail me laissait peu de temps pour me socialiser. Ma mère était morte lorsque j'étais enfant et je connaissais très peu les femmes.

— Tu avais Mme Givens.

— Bien sûr, et celle-ci m'a soutenu dans chacune de mes épreuves. Je ne l'en remercierai jamais assez.

Il fixa l'horizon, derrière lequel le soleil se couchait dans une explosion de tons roses et rouges, transpercés de traînées d'or. De manière ironique, Celia se souvint alors de la lumière verte qu'ils avaient vue le soir de leur mariage et qu'elle avait alors interprétée comme un heureux présage.

— Les premiers temps, Clarissa et moi avons été à peu près heureux, reprit Cameron. Elle se plaignait du fait que je passe trop de temps à mon bureau, mais mon travail lui fournissait en même temps les vêtements coûteux dont elle raffolait. Ainsi que les moyens d'organiser des réceptions fastueuses et de participer aux multiples activités mondaines qu'elle plaçait au centre de son existence. De mon côté, je me croyais heureux.

— Mais tu ne l'étais pas ?

— Je n'ai jamais su ce qu'était le véritable bonheur jusqu'à ton arrivée sur cette île, affirma Cameron. Clarissa et moi avancions dans la vie sur des rails parallèles. Nous ne partagions ni les mêmes intérêts ni les mêmes amis, et nos chemins ne se croisaient qu'à l'occasion des repas.

— Mais il y avait Randolph, intervint Celia.

Or elle doutait que celui-ci ait été conçu au cours d'un repas.

— Oui. Et c'est à cause de lui que je me suis mis à détester Clarissa, expliqua Cameron.

Il se cacha le visage dans les mains, incapable de la regarder ou ne souhaitant pas le faire.

La jeune femme se rappela les effets du petit garçon, dissimulés comme d'authentiques trésors dans la penderie de son époux.

— Es-tu en train de me dire que tu ne voulais pas de cet enfant ? demanda-t-elle avec perplexité.

Il releva la tête et une flamme étincela dans son regard.

— Randolph était la joie de mon existence, au contraire, objecta-t-il amèrement.

— Mais alors…

— C'est Clarissa qui ne désirait pas cet enfant. Du jour où elle a appris qu'elle était enceinte, elle n'a cessé de se plaindre du fait qu'il déformait sa silhouette et qu'il la rendait malade. Puis, après sa naissance, elle l'a entièrement laissé à la garde de Mme Givens. Sauf lorsqu'elle se sentait obligée de jouer les mères aimantes devant ses amies. Ces jours-là, elle l'habillait comme un prince et le faisait parader devant elles. Mais le pauvre enfant n'était pas habitué à elle et il la craignait. Sa timidité naturelle la mettait en rage, si bien qu'elle lui criait dessus, tout en l'affublant de noms horribles.

— Mais il était si petit ! s'indigna Celia.

Elle pensa au sourire adorable du petit garçon représenté sur le tableau du salon.

— Je ne me suis rendu compte que trop tard qu'elle le maltraitait, expliqua Cameron. Je suis alors intervenu violemment et j'ai cru avoir mis fin à ces abus. Mme Givens protégeait Randolph autant qu'elle le pouvait, mais, lorsque je n'étais pas à la maison, j'ai fini par apprendre que Clarissa continuait de passer sa colère sur lui. J'imagine que le fait de le voir grandir lui rappelait son propre vieillissement et que cela l'effrayait en même temps que cela la mettait en rage. Il lui arrivait souvent de le battre. Un jour, je l'ai même surprise sur le point de le frapper avec une cravache.

Révoltée par ces images, Celia vit son propre dégoût se refléter dans le regard de Cameron.

— C'est à cause de cela que je me suis mis à détester Clarissa, ajouta-t-il. Mais, honnêtement, j'ignore si je la haïssais au point de la tuer.

— Même si cela avait été le cas, aurais-tu pu assassiner ton propre fils ?

Cameron laissa échapper un cri de bête blessée.

— Jamais ! Jamais je n'aurais pu faire une chose pareille ! s'exclama-t-il. J'aimais cet enfant plus que ma vie.

Un sanglot déchirant franchit ses lèvres, mais il serra les dents et refoula ses larmes. Lorsqu'il se tourna vers Celia, ses yeux étaient secs, et son expression indéchiffrable.

— Je te supplie de me pardonner de ne t'avoir rien dit, Celia. Lorsque j'ai compris à quel point je t'aimais, j'ai tenté de te faire partir d'ici afin de t'épargner toutes ces horreurs.

— C'est moi qui ai voulu rester. Tu n'es pas le seul responsable, observa la jeune femme.

Il se leva, l'aida à se redresser et lui souleva le menton jusqu'à ce que leurs regards se croisent.

— Pourras-tu encore m'aimer, en sachant tout cela ?

Une part d'elle avait envie de se jeter à son cou et de l'embrasser. De lui jurer qu'elle l'aimerait jusqu'à la fin de ses jours, ainsi qu'elle en avait fait la promesse lors de leur mariage. Toutefois, une autre, plus prudente, la retint de le faire.

— Je le souhaite plus que tout, mais je suis trop bouleversée pour pouvoir te répondre, dit-elle. Tu dois me laisser le temps de réfléchir, de faire le point.

Son époux eut un grognement de frustration et se pencha vers elle pour l'embrasser, mais elle le repoussa.

— Et j'ai également besoin d'espace pour réfléchir, ajouta-t-elle.

Cameron pâlit. Puis, sans qu'elle ait le temps de comprendre si c'était de la colère ou du chagrin, un masque imperturbable vint recouvrir ses émotions.

— Je te laisserai le temps et l'espace nécessaires, décréta-t-il. Et, si je te perds, ce sera ma faute.

Sur ces mots, il pivota sur ses talons et se dirigea avec raideur vers la maison.

« Dans quel pétrin t'es-tu encore mise, Celia Stevens ? » se demanda alors la jeune femme avec désespoir. Au même moment, étouffant un sanglot, elle se rappela que son nom n'était plus Stevens, mais Alexander.

A mesure que le mois de novembre avançait et que les jours raccourcissaient, Celia sentait le trouble grandir en elle. Plus elle s'efforçait de savoir si Cameron était capable de meurtre et moins elle parvenait à répondre à cette question. Lorsqu'elle fermait les yeux, elle voyait les corps ensanglantés décrits si précisément par les journaux et se demandait si les douces mains de son époux avaient pu leur infliger ces blessures. Après l'avoir vue tressaillir à son contact et se détourner de lui à plusieurs reprises, il s'était peu à peu refermé sur lui-même. Il avait cessé de lui prendre la main à tout moment, de caresser ses cheveux ou sa joue comme pour s'assurer qu'elle n'était pas un produit de son imagination — ainsi qu'il l'avait fait le premier mois qui avait suivi leur mariage.

Il avait fini par reprendre son œuvre de classification de plantes et d'animaux. Sauf qu'à présent, il travaillait seul. De son côté, Celia assistait un peu Mme Givens dans ses tâches. Mais elle passait le plus clair de son temps à errer le long de la plage, en tentant de se convaincre que Cameron n'avait pas tué sa femme et son fils.

Lorsqu'elle avait ouvert sa librairie à Clearwater Beach, elle avait dévoré toute la section des romans policiers — des auteurs classiques aux plus contemporains. Elle avait alors beaucoup appris concernant les mobiles et les circonstances des crimes et elle s'efforçait d'appliquer ces connaissances au problème qui se posait à elle.

Or la question du mobile dans les meurtres de Clarissa et de Randolph représentait un obstacle majeur à sa réflexion. Ce n'était pas le vol, apparemment — à moins que des cambrioleurs n'aient été surpris en pleine action et qu'ils aient alors pris la fuite les mains vides. La seule personne à pouvoir profiter financièrement de la mort de Clarissa était donc Cameron. Et s'il s'agissait d'un crime guidé par une quelconque folie meurtrière, encore une fois, le suspect numéro un était son époux. Celui-ci n'avait-il pas lui-même avoué avoir haï sa première femme pour sa cruauté envers leur fils ? Et avoir souhaité sa mort à plusieurs occasions ?

Cependant, et dans ces deux cas de figure, un élément ne s'assemblait pas aux autres pièces du puzzle : le meurtre de Randolph. Aucun des mobiles précédents n'exigeait sa mort — à moins qu'il n'ait été le témoin de l'assassinat de sa mère et que le tueur l'ait alors éliminé à son tour afin de se protéger.

De plus, les circonstances de ces crimes incitaient également à en accuser Cameron, puisqu'en l'absence de Mme Givens et des autres domestiques, celui-ci se trouvait seul ce soir-là dans le manoir, en compagnie de sa femme et de son fils. Mais, bien sûr, cette situation se serait également révélée propice à l'intrusion dans la demeure de n'importe quel assassin extérieur à la famille.

Et que penser des blessures qu'avait lui-même reçues Cameron ? se demandait Celia. Etait-il censé mourir ce jour-là en même temps que les siens ? Ou bien était-ce Clarissa qui les lui avait infligées en tentant de se défendre ? Les journalistes avaient mis en cause l'incompétence des enquêteurs, lesquels auraient contaminé la scène du crime par négligence, rendant presque inutilisables les rares indices trouvés sur les lieux — parmi lesquels certaines traces de sang et certaines empreintes.

Les jours passant, Celia se trouvait confrontée à trois hypothèses. La première étant que, sous l'influence de l'alcool, Cameron avait assassiné sa famille dans une crise de rage meurtrière, sans se souvenir par la suite de son acte. Deuxième hypothèse : des cambrioleurs s'étaient introduits dans la maison et avaient été surpris par les membres de la famille, auxquels ils s'étaient alors attaqués, avant de s'enfuir sans rien emporter. Mais un troisième cas de figure effrayait la jeune femme plus encore que les deux précédents. L'éventualité selon laquelle Cameron serait un acteur hors pair et un monstre dénué d'émotions. Dans pareille hypothèse, il aurait assassiné sa femme et son fils de sang-froid. Cela dans le but d'hériter de la fortune de Clarissa et de prendre une retraite anticipée sur une île paradisiaque, libéré de toute responsabilité professionnelle aussi bien que familiale.

A part la deuxième, Celia rejetait spontanément chacune de ces possibilités. Cependant, la raison lui conseillait la prudence. Car seul le temps lui permettrait de découvrir la véritable personnalité de l'homme dont elle était tombée si éperdument amoureuse, se disait-elle.

Deux semaines s'étaient écoulées depuis le jour où elle avait interrogé Cameron à ce sujet, mais elle ne détenait toujours aucune réponse à ses sombres interrogations. Elle n'en trouverait aucune sans indices supplémentaires, comprit-elle. Lesquels se trouvaient en Angleterre ou, encore, enfouis dans le subconscient de Cameron.

A moins que son époux ne lui dissimule volontairement ces renseignements.

Contrainte de reconnaître que la résolution de ce crime la dépassait, elle se trouva finalement confrontée à une unique alternative. Rester auprès de Cameron sur l'île de la Solitude jusqu'à ce qu'elle ait recouvré suffisamment de confiance en lui pour l'absoudre totalement. Ou bien rentrer chez elle et se détourner pour toujours de lui, comme elle l'avait fait avec Darren.

Or elle ne parvenait pas à se résoudre à cette seconde solution. Elle savait à présent qu'elle n'avait pas réellement aimé Darren, lequel lui avait simplement offert une issue à la solitude qu'elle avait éprouvée suite à la disparition de ses parents. Mais, entre Cameron et elle, un amour véritable s'était tissé, semblable à nul autre. Allait-elle donner une chance à cet amour de faire ses preuves ? Ou, au contraire, allait-elle s'enfuir de cette île afin de sauver sa peau ?

Celia répugnait à faire un choix. Mais le destin allait bientôt lui ôter les cartes des mains.

12

— Prenez un peu de gâteau, ma chère. Vous dépérissez à vue d'œil, remarqua Mme Givens sur un ton navré.

Elle approcha une assiette de Celia, qui refusa son offre d'un hochement de tête. Cela faisait à présent deux semaines que la jeune femme avait perdu l'appétit. A force de manger si peu et d'arpenter inlassablement la plage, elle avait perdu du poids et flottait dans ses vêtements.

Son existence sur l'île de la Solitude avait repris la forme de celle qu'elle y menait à son arrivée : Cameron partait souvent dès l'aube pour ne revenir qu'à la nuit tombée, si bien qu'elle prenait ses repas dans la cuisine, en compagnie de Mme Givens.

La vieille gouvernante s'affairait autour d'elle, l'entourant sans cesse de ses soins bienveillants. Elle l'encourageait à se nourrir et s'efforçait de lui occuper l'esprit, mais rien de tout cela ne pouvait guérir Celia du mal qui la rongeait.

Elle avait demandé à Cameron de lui laisser du temps et de l'espace pour réfléchir. Mais, depuis lors, un fossé qu'elle craignait désormais infranchissable s'était creusé chaque jour davantage entre son époux et elle.

— N'y a-t-il vraiment rien que je puisse faire pour arranger les choses entre M. Alexander et vous ? se lamenta Mme Givens. Je vois bien à quel point vous êtes malheureux, tous les deux. Ne pouvez-vous pas faire abstraction du passé et recommencer comme avant ?

— Si seulement c'était aussi simple, soupira Celia.

— Cameron est un homme profondément bon. Croyez-moi, affirma la gouvernante, tout en reprenant l'assiette intouchée de la jeune femme, dont elle jeta le contenu dans le seau destiné au compost.

La vieille dame rappela à Celia les mères de certains tueurs sanguinaires qu'elle avait parfois vues aux nouvelles télévisées et qui prétendaient elles aussi que leurs fils étaient de bons garçons. Un sourire attristé aux lèvres, elle lui demanda :

— Dites-moi comment Cameron traitait Clarissa, madame Givens.

La gouvernante évita son regard.

— Je ne vois pas ce que vous voulez dire, marmonna-t-elle, en se concentrant sur sa vaisselle.

— Lui arrivait-il d'élever la voix, par exemple ? Ou de la frapper ?

— Ce n'est pas ce que vous croyez, affirma la vieille dame.

Elle abandonna son éponge au fond de l'évier et se tourna vers Celia.

— M. Alexander ne faisait que protéger Randolph, dit-elle.

— Le protéger de qui ? De Clarissa ?

— Hélas, oui, de sa propre mère, repartit Mme Givens en pinçant les lèvres. Il faut dire que Clarissa avait un comportement anormal à l'égard de Randolph — d'autant qu'il était si gentil et si adorable. C'était un amour de petit garçon.

— Que faisait Cameron dans ces cas-là ? demanda encore Celia, tout en redoutant d'entendre la réponse à sa question.

Mme Givens repoussa une mèche grise de son front de sa main mouillée.

— Au début, il s'est efforcé de la raisonner, de comprendre pourquoi elle maltraitait cet enfant. Puis, voyant que le comportement de Clarissa ne changeait pas, il lui est arrivé de s'énerver et de crier. Mais ses menaces n'y firent rien non plus.

— Alors, il s'est mis à la frapper ?

Mme Givens tressaillit comme si elle avait elle-même reçu un coup.

— Il ne l'a fait qu'une fois, dit-elle. Le jour où il a surpris Clarissa sur le point de fouetter Randolph avec une cravache. Il lui a arraché la cravache des mains et lui en a assené un coup sur les reins — mais il s'est arrêté aussitôt, horrifié par son geste.

— Il ne lui a donc pas vraiment fait de mal ?

— Non. A travers ses vêtements, Clarissa n'a pas dû sentir grand-chose. C'est surtout son orgueil qui en a été blessé et je crois que cette humiliation a encore alimenté sa haine à l'encontre de leur fils.

Bien qu'elle sente l'écœurement l'envahir, Celia insista :

— Et, après cela, Clarissa a-t-elle continué à battre Randolph en l'absence de son époux ?

— Non, répondit Mme Givens. Elle ne l'a plus jamais touché.

— Vous voulez dire que la réaction de Cameron lui a soudain fait prendre conscience de ses actes ?

— Non…

La gouvernante s'interrompit et se retourna vivement vers l'évier.

— Dans ce cas, qu'est-ce qui a pu transformer son comportement ? demanda Celia.

Il y eut un long silence avant que Mme Givens ne réponde :

— Elle est morte.

Choquée par cette révélation, la jeune femme se leva brusquement et se précipita hors de la cuisine.

Cameron lui avait en effet confié avoir surpris Clarissa sur le point de frapper Randolph avec une cravache. Mais il avait omis de préciser que cela s'était passé juste avant l'assassinat de son épouse. La cruauté de Clarissa avait-elle fini par le mettre hors de lui, au point de le pousser à la tuer ?

Mais, une fois encore, cela n'expliquait pas la mort de Randolph, songea la jeune femme.

Celia courut aussi loin que possible le long de la plage jusqu'à ce que l'effort et la chaleur accablante du soleil la fassent transpirer de manière désagréable. Elle ôta alors ses vêtements qu'elle roula en boule et déposa sur le sable, puis plongea dans l'eau fraîche du golfe.

Le fait de nager l'aidant à se calmer un peu, elle s'aventura assez loin. A un moment, elle s'arrêta et se retourna en direction de la plage. Vers l'île paradisiaque qui s'était transformée en enfer à ses yeux. Son attention fut alors attirée par un voilier qui se dirigeait vers l'île depuis l'ouest. Elle vit l'embarcation s'immobiliser près du rivage, puis son unique occupant baissa la voile, jeta l'ancre, enjamba le bastingage et pataugea jusqu'à la grève. Il se dirigea alors vers la dune où Celia avait laissé ses vêtements, si bien qu'elle se trouvait dans l'impossibilité de les récupérer sans qu'il l'aperçoive.

Qui était cet homme ? se demanda la jeune femme. Un simple plaisancier ? Ou bien l'un des redoutables trafiquants de drogue contre lesquels Mme Givens l'avait vigoureusement mise en garde ?

Dans le doute, Celia nagea parallèlement au rivage en direction de l'est, jusqu'à ce que la silhouette de l'intrus disparaisse de sa vue derrière les dunes. Après quoi elle regagna la grève et, entièrement nue, elle traversa la plage en courant, puis s'engagea à la même allure dans le sentier qui serpentait entre les dunes.

Dès qu'elle eut atteint la maison, elle se rua dans le hall et s'empara de la conque que lui avait donnée Cameron le lendemain de leur mariage. Puis elle ressortit sous la véranda et souffla trois fois dans le coquillage, selon le signal convenu. Alertée par ce puissant son de trompette, Mme Givens accourut aussitôt depuis la cuisine.

La vieille gouvernante considéra brièvement la silhouette dénudée de la jeune femme, ôta son tablier et le lui tendit.

— Avant de m'expliquer ce qui arrive, couvrez-vous, ma chère, suggéra-t-elle.

— Un homme vient d'aborder dans l'île, haleta Celia tout en enfilant le tablier de Mme Givens et en le nouant autour de sa taille.

Par bonheur, l'ample carré de tissu la recouvrait entièrement, devant comme derrière.

A ce moment-là, des pas précipités résonnèrent sur les marches de la véranda et Noah apparut à son tour.

— Je remplaçais la planche pourrie du ponton quand j'ai entendu votre signal, expliqua-t-il tout en essuyant son visage en sueur à l'aide de sa manche. Qu'est-ce qui se passe ?

— Il y a un inconnu sur l'île, répondit Mme Givens. Allez vite chercher le fusil de M. Alexander et…

Soudain, une voix masculine et à l'accent anglais interrompit sèchement la gouvernante :

— Ce ne sera pas nécessaire !

Celia se retourna et découvrit un homme à la haute stature et aux traits anguleux, dressé devant l'entrée de la véranda. Il était armé d'un revolver semi-automatique… et tenait dans son autre main les vêtements roulés en boule de la jeune femme.

Il observa brièvement Mme Givens et Noah, puis ses petits yeux noirs se rivèrent sur Celia et il eut un sourire narquois.

— Cela doit être à vous, dit-il en lui tendant ses vêtements.

Mais, lorsqu'elle s'avança pour les prendre, il recula la main et braqua son arme sur elle.

— Restez où vous êtes — et dans cette tenue. Je vous trouve très... provocante comme ça, ajouta-t-il avec un rire désagréable qui révéla ses dents jaunies.

— Qu'est-ce que vous voulez ? gronda alors Mme Givens, visiblement prête à livrer bataille.

Celia posa aussitôt une main apaisante sur le bras de la gouvernante. Car l'intrus lui donnait l'impression qu'il n'hésiterait pas à tirer.

— Voyons, ne soyez pas si pressée, chère madame, grinça-t-il.

Son accent n'était pas aussi distingué que celui de Cameron, mais son élocution révélait une certaine éducation. Ses vêtements, en revanche, étaient sales, et son allure débraillée.

— Entrez tous là-dedans, ordonna-t-il en agitant son arme en direction de la salle à manger.

Mme Givens voulut se rebiffer, mais Celia la poussa doucement devant elle. Tout en espérant que le fait de coopérer les maintiendrait en vie jusqu'à l'arrivée de Cameron. Mais son époux avait-il seulement entendu son signal ? se demanda la jeune femme avec anxiété. Ou celui-ci s'était-il aventuré trop loin pour venir les secourir — dans le but de bivouaquer sur l'un des îlots de l'archipel, ainsi qu'il l'avait fait si souvent depuis deux semaines ? Elle frémit à la pensée qu'il puisse regagner la maison sans se méfier et que leur « visiteur, » surpris, l'abatte d'un coup de revolver.

Ce dernier leur intima l'ordre de s'asseoir, mais, lorsque Celia voulut prendre une chaise, il rugit :

— Pas vous. Juste les deux autres. Vous, détachez ces embrasses, dit-il en désignant celles qui retenaient les rideaux.

Pendant que Celia s'exécutait, il ordonna à Mme Givens et à Noah de mettre les bras derrière le dos, après quoi il força la jeune femme à les ligoter.

— J'imagine qu'il est inutile de vous bâillonner, dit-il. Vous êtes les uniques habitants de cette île, si je comprends bien ?

— Il y a aussi…, commença Mme Givens.

Celia la coupa et déclara :

— Je suis Mme Celia Alexander. Je suis veuve. Et voici Mme Givens, ma gouvernante, et Noah, mon jardinier. Nous sommes en effet les seules personnes à vivre ici.

Une expression indéfinissable traversa le visage de l'homme, mais il se contenta d'affirmer :

— Parfait. Cela me facilitera la tâche.

— Qui êtes-vous ? demanda Celia, et que voulez-vous ?

— Il vaut mieux que vous ignoriez mon nom…

Il s'interrompit, puis haussa les épaules.

— Oh, et puis après tout, cela n'aura aucune importance. Je m'appelle Jack Utley.

Celia sentit un frisson la parcourir. Car, si cet homme acceptait de décliner son identité, cela signifiait sans doute qu'il avait l'intention de les tuer.

— Si c'est de l'argent ou des provisions que vous voulez, prenez ce dont vous avez besoin et laissez-nous tranquilles, dit-elle.

— Ne vous faites pas de souci, je me servirai en temps utile, répondit l'intrus tout en la dévorant du regard. Mais, d'abord, je veux voir le reste de la maison. Venez avec moi, madame Alexander.

Il désigna l'escalier du hall avec le canon de son revolver, mais Celia doutait que ce soit la maison qui l'intéresse. Plus vraisemblablement, il souhaitait s'assurer que personne ne se cachait dans les autres pièces. Ou, pire, il voulait la violer une fois qu'ils seraient hors de la vue des deux autres. Quoi qu'il en soit, le revolver de l'homme enfoncé au creux de ses reins, elle n'eut pas d'autre choix que de le précéder jusqu'au premier étage.

Une fois là, il la força à ouvrir chacune des chambres, qu'il inspecta une à une à sa suite. Elle sentit les battements de son cœur s'accélérer lorsqu'ils entrèrent dans celle de Cameron et qu'Utley découvrit les vêtements de son époux rangés dans l'armoire.

— Ne prétendiez-vous pas être veuve, madame Alexander ? grinça-t-il d'un ton sardonique.

— Mon mari a succombé à une encéphalite il y a seulement quelques semaines, improvisa la jeune femme. Et, jusqu'à maintenant, je n'ai pas pu me résigner à débarrasser sa chambre de ses affaires.

L'homme eut un petit sourire, puis il ressortit de la pièce. Il entra ensuite dans la chambre de Celia et fixa le grand lit surmonté d'un dessus en lin couleur ivoire. Puis il braqua son regard sur elle et elle regretta de ne rien porter d'autre que le tablier de Mme Givens dont le fin coton devait révéler la totalité de ses formes. D'autant qu'elle se tenait à contre-jour devant la fenêtre, dans l'embrasement du soleil couchant.

Tout en s'efforçant de dissimuler sa nervosité, elle se dirigea vers la penderie, y prit ses chaussures de tennis et les enfila. Utley la regarda faire avec une expression concupiscente.

Décidant alors que la meilleure des défenses était l'attaque et s'interdisant de trembler devant cet homme, elle redressa le menton et demanda :

— Pourquoi vous intéressez-vous à ma maison, monsieur Utley ?

— Pour raison d'affaire, madame. Une affaire dont la conclusion me sera très profitable, ajouta-t-il.

Sur ces mots, il sortit sous la véranda et observa la mer, son précédent appétit apparemment oublié.

Quel genre d'affaire espérez-vous conclure sur une île déserte ? s'enquit la jeune femme.

— J'ai un objet à livrer à votre mari. Une surprise, en quelque sorte.

— Je vous ai dit que mon époux était mort.

Utley gloussa, puis secoua la tête avec un rictus ironique.

— C'est donc un mort qui est parti ce matin à bord du voilier habituellement amarré à votre ponton, remarqua-t-il.

Puis sur un ton soudain cassant, il ajouta :

— A quelle heure attendez-vous son retour ?

Refusant d'admettre qu'elle avait menti, Celia répliqua par une question :

— Quelle sorte de « surprise » désiriez-vous lui faire ?

En guise de réponse, l'homme regarda le revolver qu'il serrait dans son poing d'une façon qui alarma la jeune femme.

Sa demi-nudité intensifiant son sentiment de vulnérabilité, elle voulut prendre le peignoir de bain rangé dans la penderie. Mais Utley la menaça de nouveau à l'aide de son arme.

— A quelle heure attendez-vous Alexander ? répéta-t-il.

— Je ne l'attends pas, repartit-elle en toute franchise.

Car, si Cameron n'avait pas entendu son signal, il pouvait rester absent plusieurs jours d'affilée.

— Peu importe, conclut l'homme. Cela fait six ans que je le cherche. Je peux bien patienter quelques heures ou même quelques jours de plus. Du moment…

Il pointa son revolver devant lui et fit semblant d'appuyer sur la détente avant d'achever sa phrase :

— … que je parviens à régler cette affaire.

A présent étreinte par la terreur, Celia comprit qu'Utley était venu dans le but de tuer Cameron. Ainsi que le reste d'entre eux. Il fallait qu'elle trouve un moyen d'empêcher cet homme de les assassiner, elle, Mme Givens et Noah, jusqu'à ce que Cameron vienne les secourir. Ou jusqu'à ce qu'elle échafaude un plan pour neutraliser l'intrus, songea la jeune femme. C'est alors qu'une idée lui vint à l'esprit, qu'elle s'empressa d'exploiter :

— Mais où ai-je la tête ? Je me suis montrée une hôtesse négligente, affirma-t-elle sur un ton contrit. Vous devez être affamé, après avoir passé de si nombreuses heures en mer. Et peut-être avez-vous soif. Si vous voulez bien me suivre jusqu'à la cuisine, je vais vous préparer quelque chose.

Tout en parlant, elle releva légèrement l'ourlet de son tablier afin de laisser Utley entrapercevoir ses cuisses.

— Et, après le dîner, je m'assurerai que vos autres… besoins soient satisfaits, ajouta-t-elle, tout en s'efforçant d'apporter de l'enthousiasme à sa voix.

Après quoi, sans attendre la réponse de son interlocuteur et avec un mouvement de hanches provocant, elle passa devant lui et sortit de la chambre.

Elle retint sa respiration, en craignant de recevoir une balle dans le dos. Mais, au lieu de cela, Utley lui emboîta le pas et descendit lourdement l'escalier à sa suite en direction du salon.

Celia choisit alors le plus grand des verres à cognac posés sur le buffet. Puis elle remplit celui-ci à ras bord et le tendit à l'homme, lequel s'était arrêté sur le seuil de la porte, visiblement stupéfait de son comportement.

— Voulez-vous vous détendre un peu pendant que je prépare votre dîner ou bien préférez-vous m'accompagner jusqu'à la cuisine ? demanda-t-elle, avec un sourire qu'elle espéra engageant.

Avant de lui répondre, l'homme vida la moitié de son verre de cognac d'un trait. Tandis qu'il s'essuyait la bouche à l'aide de sa manche, elle tenta de passer devant lui, mais il lui emprisonna fermement le poignet.

— Vous êtes trop intelligente pour que je vous fasse confiance et que je vous laisse seule, madame Alexander, dit-il avec un regard menaçant.

Durant un moment, elle eut peur qu'il l'abatte sur-le-champ, mais, au lieu de cela, il regarda son verre à moitié vide, attrapa la carafe de cognac et agita son arme en direction du hall :

— Allez ! ordonna-t-il. Je suis affamé.

Comme ils passaient devant la porte ouverte de la salle à manger, Celia évita de regarder Mme Givens et Noah. Car, ignorant qu'elle avait imaginé un stratagème pour neutraliser Utley, ces derniers devaient penser qu'elle avait perdu la raison.

Une fois dans la cuisine, s'efforçant d'oublier le revolver qu'Utley braquait sur sa tempe, elle suggéra :

— Je vous en prie, asseyez-vous. Je vais vous servir.

Un potage aux palourdes préparé par Mme Givens mijotait sur le feu. Mais il y manquait un ingrédient essentiel, songea la jeune femme. Elle se dirigea vers l'étagère où la gouvernante rangeait ses décoctions à base d'herbes. Elle y prit la bouteille contenant le sédatif que la vieille dame lui avait un jour administré. Puis, après avoir rempli un bol de potage, elle y versa une dose généreuse du remède, tout en espérant que les oignons et les piments qui aromatisaient la soupe en couvriraient le goût amer.

— Qu'est-ce que vous rajoutez dans ce bol ? s'enquit Utley avec suspicion, sa voix révélant déjà l'action de l'alcool dans son organisme.

Celia posa le bol devant lui. Ensuite, tout en réprimant un frisson de dégoût, elle frotta sa poitrine contre le bras de l'homme.

— C'est... de l'extrait d'huîtres, improvisa-t-elle. Un puissant aphrodisiaque. J'ai pensé que vous en apprécieriez l'effet, tout à l'heure.

Elle ponctua ses paroles en battant des cils de manière suggestive, puis se retourna pour couper du pain. Tout en saisissant un grand couteau, elle se demanda si elle aurait la force et le cran de le planter dans le cœur d'Utley. Au même moment, ce dernier pointa de nouveau son arme en direction de sa tempe.

La jeune femme se contenta donc de couper une épaisse tranche de pain, qu'elle déposa sur une assiette devant son « invité ». Après quoi elle s'assit en face de lui et, à mesure qu'il mangeait, elle remplit son verre de cognac à plusieurs reprises. Lorsqu'il eut terminé son bol de soupe, il en réclama un second. Sa voix était considérablement épaissie par l'alcool, et son débit de plus en plus lent. Malgré cela, il ne semblait toujours pas près de perdre conscience.

Lorsque Utley eut presque achevé son repas, ses regards et ses allusions se firent plus insistants. Celia redouta alors de voir le piège qu'elle cherchait à lui tendre se refermer sur elle.

— Désirez-vous un dessert ? Mme Givens nous a fait une fabuleuse tarte au citron, proposa-t-elle en espérant que l'homme accepterait cette suggestion.

Mais, au lieu de cela, il écarta brusquement sa chaise. Puis il se leva en titubant à peine et répliqua, avec un regard lubrique qui lui répugna :

— Vous savez très bien ce que j'attends en guise de dessert.

Sur ces mots, avec une dextérité impressionnante pour un homme supposé être à la fois drogué et ivre, il la saisit par le bras. Puis il l'empoigna par les cheveux et la força à le regarder, tout en braquant son arme sur sa poitrine.

— Nous avons une très longue nuit devant nous, ma jolie, dit-il avec un rire hideux.

Il plaqua alors sa bouche sur celle de Celia. Tout en sentant un violent frisson de répulsion la parcourir, la jeune femme perçut en même temps un bruit sous la véranda de la cuisine, juste derrière Utley. Un instant plus tard, quelqu'un se jeta sur son assaillant, la délivrant de son étreinte, et un coup partit du revolver d'Utley.

Au même instant, Celia sentit une douleur fulgurante lui déchirer la poitrine. Puis tout devint noir et elle s'évanouit.

13

Celia parvint à ouvrir les yeux, mais elle était incapable de bouger. Elle entendit des pas s'approcher et vit les pieds de Mme Givens s'immobiliser près de sa tête. Soit Noah et la gouvernante avaient réussi à se détacher, soit quelqu'un les avait libérés, songea-t-elle, malgré le brouillard qui l'entourait.

— Dieu du ciel ! s'écria la gouvernante.

Au même moment, Celia sentit des bras puissants la relever. Elle reconnut aussitôt le parfum familier de Cameron. Oubliant alors l'odieux doute qui l'avait rongée le concernant, elle enfouit son visage dans son cou et s'abandonna à la chaleur rassurante de son étreinte.

Jusqu'à ce que Mme Givens pousse une nouvelle exclamation, tout en la fixant avec horreur.

La jeune femme s'écarta alors légèrement de Cameron et baissa le regard sur le devant de son tablier. Au spectacle du sang qui maculait sa poitrine, elle sentit ses genoux flancher, mais Cameron la retint fermement contre lui. Après quoi il la guida vers le fauteuil placé près de la cuisinière et l'observa avec inquiétude, tandis que Mme Givens écartait vivement le haut du tablier de la jeune femme.

— J'ai reçu une balle ? s'enquit Celia en sentant une vive douleur lui brûler la poitrine.

— Oui, mais celle-ci n'a fait qu'effleurer la peau, assura Mme Givens après un bref examen.

— Je me suis dépêché de revenir dès que j'ai entendu ton signal, mais j'avais le vent contre moi, expliqua Cameron.

Tandis qu'il tenait la main de Celia, Mme Givens nettoya le

sang qui souillait sa poitrine à l'eau claire. Puis elle appliqua un baume odorant sur sa plaie, qu'elle pansa à l'aide d'une bande.

La jeune femme suivit alors le regard furieux de Cameron en direction de la silhouette de Jack Utley, étendue sur le sol de la cuisine.

— Il est mort ? demanda-t-elle.

Noah s'approcha du malfaiteur et chercha son pouls.

— Non. Mais il est sonné et il a un beau bleu sur la mâchoire, là où M. Alex l'a frappé.

— Ligotez-le, Noah, ordonna Cameron avec froideur.

Le jardinier disparut pour revenir aussitôt, muni des embrasses des rideaux, à l'aide desquelles il entrava les chevilles et les poignets d'Utley.

— Il n'est pas près de s'enfuir, affirma-t-il quand il eut fini.

Mme Givens sortit à son tour, puis elle réapparut avec le peignoir de bain de Celia qu'elle tint devant la jeune femme tandis que celle-ci enlevait son tablier ensanglanté. Elle l'aida ensuite à enfiler le peignoir et à en nouer la ceinture. Après quoi Celia se rassit faiblement dans le fauteuil.

— Qui est cet homme ? demanda Cameron sur le même ton glacé.

— Il nous a dit s'appeler Jack Utley et être venu pour conclure une affaire avec toi, répondit Celia. Mais je crois qu'il avait l'intention de te tuer.

Mme Givens fixa le bol sale dans lequel Utley avait mangé, puis elle aperçut la bouteille de sédatif vide.

— Vous lui avez fait boire tout le reste de la bouteille ? s'exclama-t-elle.

Celia hocha la tête.

— Oui, mais cela a semblé avoir peu d'effet sur lui.

— Peu d'effet, vraiment ? s'indigna la gouvernante. Vous pouvez aussi bien enterrer cet homme tout de suite, Noah. Il ne se réveillera jamais.

A cet instant et comme pour contredire la vieille dame, Utley grogna et bougea les paupières.

— Vous voulez que je l'assomme une nouvelle fois ? demanda Noah à Cameron.

Les traits contractés par la rage, ce dernier rétorqua sur un ton sinistre :

— Non. Je vais m'occuper de lui personnellement.

— Que veux-tu dire ? demanda aussitôt Celia avec inquiétude.

Il sembla percevoir son anxiété, car son expression se radoucit légèrement tandis qu'il s'adressait à Noah :

— Emmenez-le dans l'étable, dit-il.

Puis il s'assit sur le bras du fauteuil de Celia, passa un bras autour de ses épaules et demanda avec douceur :

— Raconte-moi ce qui s'est passé.

Elle lui relata l'arrivée inopinée d'Utley sur l'île et la façon dont ce dernier les avait surpris avant qu'ils n'aient le temps d'aller chercher une arme. Après quoi elle lui expliqua comment, après avoir saisi les intentions meurtrières de l'intrus, elle avait berné ce dernier en l'invitant à dîner, puis en versant du sédatif dans son bol.

Cameron ne dit rien lorsqu'elle lui décrivit les avances d'Utley. Mais il serra les mâchoires d'un air si menaçant que Celia en fut alarmée.

— Que vas-tu faire de lui ? demanda-t-elle alors. Tu ne peux pas le laisser attaché dans l'étable indéfiniment.

— Il ferait tourner le lait de notre vache, intervint Mme Givens avec un reniflement de dégoût, et Celia comprit que la gouvernante ne plaisantait pas.

— Nous ne pouvons pas laisser ce type repartir, déclara Cameron. Il risquerait de revenir à notre insu pendant la nuit et de tous nous assassiner.

— Dans ce cas, tu vas être obligé de le tuer, suggéra insidieusement Celia.

Elle avait dit cela presque à son insu et à seule fin de voir la réaction de Cameron. Il la dévisagea un moment, les yeux étrécis, avant de répliquer :

— Peut-être bien.

Sur ces mots, il se leva brusquement, ramassa son fusil resté sur le sol de la cuisine et sortit.

Celia le regarda partir, le cœur brisé.

— Vous n'allez tout de même pas le laisser tuer cet homme ! s'exclama Mme Givens. Il faut l'en empêcher.

— Cameron fera ce que lui dicte sa conscience, rétorqua la jeune femme.

En lui suggérant de tuer Utley, elle avait voulu mettre son époux à l'épreuve. Mais à présent, tout en attendant le bruit d'une détonation, figée dans son fauteuil, elle se demanda quel genre de monstre elle était devenue. Plusieurs minutes s'écoulèrent. Transpercée par le regard accusateur de Mme Givens, Celia sentit sa détermination s'ébranler et le dégoût l'envahir. Non, se dit-elle, taraudée par sa conscience. Elle ne pouvait pas mettre ainsi en péril la vie d'un homme, à seule fin de savoir si Cameron était capable ou non de meurtre.

Soudain, elle se leva d'un bond et se précipita hors de la cuisine. Elle courait en direction de l'étable lorsqu'elle se heurta à Cameron, qui en revenait.

— Utley… ? balbutia-t-elle.

— Il dort à poings fermés et ronfle comme un sonneur, affirma Cameron avec un sourire ironique.

Celia sentit le soulagement la submerger, mais la culpabilité d'avoir provoqué son époux de manière aussi sournoise ne la quitta pas.

— Cameron…

— Il faut que je te parle, Celia, dit-il en lui prenant la main et en la guidant vers la maison.

Il l'entraîna jusqu'au salon.

— Assieds-toi, lui intima-t-il.

Puis, après avoir rangé son fusil sur le râtelier fixé au mur, il se dirigea vers la cheminée et décrocha le tableau qui la surmontait. Perplexe, Celia le vit sortir de sa ceinture le couteau avec lequel il vidait habituellement les poissons et le planter dans la toile.

— Non, ne fais pas ça ! s'écria-t-elle, horrifiée.

Cameron interrompit son geste. Mais, pour finir, il enfonça de nouveau la lame et lacéra la toile du tableau en plusieurs endroits, avant de la déchirer entièrement dans le sens de la hauteur. Lorsqu'il s'arrêta, une moitié du portrait était en lambeaux. L'autre — celle qui représentait Randolph — était demeurée intacte.

Après quoi il remplit l'âtre de bois sec, alluma un feu et y jeta les fragments déchiquetés de la toile, à l'exception du portrait de son fils qu'il mit prudemment de côté. Il réduisit également le cadre doré en morceaux en le cassant contre son genou, puis les lança à leur tour dans les flammes.

Lorsque le tout s'embrasa, il vint s'asseoir près de Celia et lui prit les mains.

— Il faut que nous oubliions le passé, Celia. Mais t'en sens-tu capable ?

Elle ôta vivement ses mains des siennes.

— Tu m'en demandes trop.

— Vraiment ? Crois-tu que nous puissions vivre le restant de notre existence ainsi que nous l'avons fait ces dernières semaines ? En nous évitant ? En regrettant l'amour que nous avons autrefois partagé ? En écoutant le soir nos mouvements respectifs derrière le mur qui sépare nos chambres, tout en nous sentant incapables de briser celui qui sépare nos cœurs ?

Le chagrin qui assombrissait son regard bouleversa la jeune femme. Au cours des deux semaines écoulées, il avait beaucoup maigri, lui aussi, et leur éloignement semblait lui peser encore plus qu'à elle.

— Tu ne parviendras jamais à résoudre le mystère qui entoure la mort de ma femme et de mon fils, affirma-t-il. Ni aujourd'hui, ni demain, ni même dans six mois. Dieu m'est témoin que je m'y suis moi-même efforcé durant huit longues années, sans le moindre succès.

Incapable de supporter plus longtemps le spectacle du tourment de son époux, Celia se cacha le visage dans les mains.

— Je ne sais pas…, murmura-t-elle.

— Tu dois prendre une décision, décréta Cameron. Demain, toi, moi et Utley partirons ensemble pour Key West, annonça-t-il.

— Mais tu as toujours refusé de quitter l'île de la Solitude, s'étonna la jeune femme.

— Nous ne pouvons pas libérer Utley. Ce type avait l'intention de nous assassiner. Il représente une trop grande menace pour nous. Et, en dépit de ce que tu imagines, je suis incapable de le tuer. Si bien que je me trouve contraint de le livrer aux autorités et de les laisser décider de son sort.

Celia mourait d'envie d'accorder de nouveau sa confiance à Cameron, de l'aimer de manière aussi inconditionnelle que le jour où elle l'avait épousé. Mais le mystérieux assassinat de Clarissa et de Randolph avait semé de trop nombreux doutes dans son esprit.

— Pourquoi faut-il que je vous accompagne ? demanda-t-elle avec méfiance.

Une flamme étincela dans le regard de Cameron.

— Parce que lorsque nous atteindrons Key West, tu auras un choix à faire.

— Lequel ?

— Soit tu décideras d'entériner notre mariage devant un représentant officiel…

Il s'interrompit.

— Et la seconde solution ? le pressa la jeune femme, tout en lui rendant son regard.

Cameron détourna les yeux avant de répondre :

— Soit je détruirai le contrat que nous avons signé, suite à quoi j'organiserai ton retour à Clearwater Beach. Notre mariage sera alors annulé, comme s'il ne s'était jamais rien passé entre nous.

— Je doute d'être capable de choisir l'une ou l'autre de ces solutions, avoua Celia.

Il l'empoigna par les épaules et elle crut qu'il allait la secouer avec violence. Au lieu de cela, il desserra son étreinte, caressa doucement son visage, puis la lâcha.

— Je te laisse le temps du trajet jusqu'à Key West pour réfléchir. Quoi que tu décides, ce sera toujours mieux que l'enfer que nous subissons depuis deux semaines. Nous partirons à l'aube.

Celia l'entendit sortir de la pièce et monter l'escalier. Mais, taraudée par le dilemme qui s'imposait à elle, elle fut incapable de bouger. Elle demeura figée sur le canapé et regarda les lambeaux du portrait de Clarissa finir de se désintégrer dans les flammes.

Mme Givens réveilla Celia avant même que l'aube ne pointe et la jeune femme eut du mal à ouvrir les yeux. Elle était restée étendue dans son lit durant des heures avant de parvenir à s'endormir. Tout en entendant Cameron se tourner et se retourner dans son propre lit dans la chambre attenante, elle s'était efforcée de décider de ce qu'elle ferait une fois arrivée à Key West. Sans y parvenir.

— M. Alexander m'a demandé d'emballer toutes vos affaires, annonça la gouvernante avec un regard interrogateur.

Elle désigna une petite valise en cuir fin.

— J'ai déniché ça dans le grenier, ajouta-t-elle.

Pendant que Celia se lavait et s'habillait en hâte, Mme Givens sortit ses vêtements de la penderie et les rangea dans la valise.

— Voilà, tout y est, dit-elle quand elle eut fini. A part votre collection de coquillages.

Celia regarda le panier dans lequel elle conservait ses trouvailles, posé sur une table près de son lit. Si elle décidait de quitter l'île de la Solitude pour toujours, elle aurait au moins cela en guise de souvenir.

— Je les emporterai dans ce panier, dit-elle.

Mme Givens attendit un moment, comme si elle espérait qu'elle lui fournisse une explication. Cependant, n'ayant pas encore réussi à prendre une décision, la jeune femme préféra se taire. Semblant comprendre qu'il était inutile d'insister, la vieille gouvernante sortit de la chambre tout en marmonnant dans sa barbe.

Celia avait enfilé ses chaussures de tennis et en serrait le dernier nœud lorsque Mme Givens réapparut, un plateau entre les mains. Elle le déposa sur la table de la chambre. Il était garni de fruits frais, de biscuits tout juste sortis du four et d'une tasse de café fumant.

La jeune femme but le liquide stimulant, tout en espérant qu'il lui éclaircirait les idées. Mais, après avoir mordu dans un biscuit, elle se rendit compte qu'elle ne pouvait rien avaler d'autre.

Mme Givens resta debout à la regarder, tout en tordant son tablier entre ses mains, jusqu'à ce que Celia repousse sa tasse vide. La vieille dame se décida alors à parler :

— Vous devez convaincre M. Alexander de ne pas aller à Key West, la supplia-t-elle, avec une pointe d'hystérie dans la voix.

— De quoi avez-vous peur, madame Givens ? demanda Celia. De ce qui arrivera lorsque la police découvrira qui il est ?

Elle savait que Scotland Yard avait libéré Cameron, faute de preuves de sa culpabilité. Mais elle savait également que son époux craignait en permanence que la police ne découvre tout à coup de nouveaux indices susceptibles de l'incriminer.

— J'ai eu une nouvelle prémonition, expliqua Mme Givens, les yeux soudain emplis de larmes et le visage aussi pâle qu'un linge.

— Ni vos prémonitions ni mes suppliques ne feront changer Cameron d'avis concernant ce voyage, affirma Celia.

— Mais il ne s'agit pas d'une impression vague comme celles que j'ai pu éprouver par le passé, insista la gouvernante. Cette fois, j'ai vu votre avenir aussi clairement que je vous vois en ce moment. Je *sais* ce qui va arriver.

Celia fronça les sourcils avec sévérité.

— Comment pourriez-vous connaître mon avenir, alors que j'ignore moi-même ce que je vais décider ?

— Tout ce que je sais, mon petit, c'est que, si vous quittez cette île aujourd'hui, vous partirez très loin d'ici et que je ne vous reverrai sans doute jamais, se lamenta la vieille dame.

Sur ces mots, elle se cacha le visage dans son tablier et se mit à sangloter.

— Et je vous aime comme ma propre fille, balbutia-t-elle.

— Je vous en prie, madame Givens, ne pleurez pas, l'implora Celia tout en étreignant la gouvernante et en refoulant ses propres larmes.

Elle s'était elle-même prise d'une profonde affection pour Mme Givens et la pensée de ne plus jamais la revoir la peinait douloureusement.

En un geste spontané, elle ôta les petites boucles d'oreilles en diamant qu'elle portait depuis le jour où elle avait failli épouser Darren, et les déposa dans la main de la gouvernante.

— Elles sont pour vous, dit-elle.

— Mais ce sont vos diamants ! Je ne peux pas accepter.

— Je veux que vous les gardiez en souvenir de moi, au cas où je ne reviendrais pas. Afin que vous vous rappeliez à quel point vous m'êtes chère, madame Givens.

Cette dernière se sécha les yeux et soupira. Puis elle dit :

— Je vous en prie, prenez soin de Cameron.

Celia trouva cette dernière recommandation étrange. Cependant, comme son époux l'appelait depuis l'extérieur de la maison, elle embrassa la joue ridée de la gouvernante, prit la petite valise et descendit l'escalier en hâte.

Elle trouva Cameron sur le ponton, en compagnie de Noah. Ils avaient déjà transporté Jack Utley sur le pont arrière du bateau. Toujours attaché, celui-ci somnolait, prostré sur un siège. Cameron monta sur le voilier, prit le sac de la jeune femme, puis il l'aida à enjamber la glissière.

— Au revoir, madame Celia, dit Noah. Vous allez me manquer.

Le jardinier et Mme Givens se comportaient tous deux comme si elle n'allait jamais revenir sur l'île. Si bien que la jeune femme se demanda si c'était ce que Cameron leur avait dit. Tandis que le bateau s'éloignait du ponton, elle regarda Noah, qui agitait la main dans la faible lueur de l'aube, jusqu'à ce qu'ils contournent la pointe sud de l'île et que le brave homme disparaisse de sa vue.

Cameron se dirigea alors vers la pleine mer en mettant le cap sur l'ouest. Après quoi il prit la direction du sud. A ce moment-là, la jeune femme se retourna vers l'île de la Solitude. Le ciel strié de bleu et d'or projetait une lumière nacrée sur la maison et sur les bougainvilliers qui grimpaient le long de ses murs de bois. Et le soleil levant teintait de rose le sable de la plage et les eaux du golfe. Malgré la brume matinale, elle distingua la silhouette minuscule de Mme Givens, laquelle les regardait s'éloigner depuis la véranda du premier étage.

Sentant alors son cœur se gonfler d'amour pour cette île, pour cette maison et pour ses habitants, Celia fut incapable d'imaginer ne jamais y revenir.

Elle regarda Cameron, assis à côté d'elle à la barre et dont le profil éclairé par les premiers rayons du soleil était tendu vers la mer. Elle vit alors en lui l'homme si doux et si fascinant qu'elle avait épousé, et non le personnage torturé et hagard qu'il était devenu ces dernières semaines. En se rendant à Key West, il prenait le risque de révéler sa présence sur cette île, après avoir volontairement tenue celle-ci secrète six années durant. Cela à seule fin de livrer un vulgaire criminel à la justice. Etait-ce là l'attitude d'un assassin ? s'interrogea la jeune femme.

Cameron se tourna vers elle et, surprenant l'insistance de son regard, il demanda :

— As-tu fait ton choix, Celia ?

— Pas encore, répondit-elle.

— Nous atteindrons Key West avant la nuit. Tu n'as plus beaucoup de temps, l'avertit-il.

Ils naviguèrent ensuite plusieurs heures en silence, durant lesquelles Utley somnola à l'arrière du bateau, toujours à demi inconscient. Aux prises avec le dilemme qui l'occupait, Celia en retourna inlassablement les différents aspects dans son esprit. Pour finir, elle se dit que Cameron avait eu raison, la nuit précédente, en affirmant qu'elle ne résoudrait jamais l'énigme de la mort de Clarissa et de Randolph. Mais tout en regardant son époux piloter son voilier, les cheveux au vent et le visage tourné vers le soleil, elle comprit également autre chose.

— Cameron, appela-t-elle alors par-dessus le bruit du vent.

Il tourna un regard anxieux vers elle.

— Tu as pris ta décision ?

Elle secoua la tête.

— Non. Mais je voulais juste te dire que, quelle qu'elle soit, je ne cesserai jamais de t'aimer.

Sans lâcher le gouvernail, il l'attira à lui de sa main libre et pressa ses lèvres sur les siennes. Celia cessa alors de penser à l'avenir et goûta le sentiment de justesse qu'elle éprouvait dans ses bras. C'est là qu'elle comprit qu'elle ne pourrait jamais quitter Cameron. Que l'homme qu'elle aimait n'était pas un assassin et que leur amour signifiait plus à ses yeux que la résolution du meurtre de Clarissa. Elle s'apprêtait à le lui dire, lorsque la voix rauque d'Utley l'en empêcha :

— De l'eau, supplia ce dernier. S'il vous plaît, donnez-moi de l'eau.

Se souvenant de l'impression désagréable laissée dans sa bouche par le remède de Mme Givens, la jeune femme eut pitié de lui. Elle rampa jusqu'à l'arrière du bateau et lui tendit une bouteille d'eau, à laquelle il but avidement.

— Pas trop à la fois. Vous allez être malade, sinon, l'avertit-elle.

— Ce qui me rend malade, c'est que nos projets de la nuit dernière aient été interrompus par la résurrection de votre *défunt* époux, répliqua Utley sur un ton grinçant.

Puis il fixa Cameron avec un sourire sardonique. Celia se demanda alors ce qui pouvait pousser un homme en aussi mauvaise posture, dont les chevilles et les poignets étaient ligotés, à en provoquer un autre de la sorte.

— Vous devez sacrément prendre votre plaisir, entre ces longues jambes bien galbées, insista Utley à l'adresse de Cameron. Vous êtes un sacré veinard. Vous ne voudriez pas partager votre chance avec moi, par hasard ? demanda-t-il avec un regard concupiscent à l'adresse de Celia.

Etrangement, Cameron l'ignora. Il garda les yeux rivés sur la mer et sur les voiles du bateau, bien que la navigation par un temps aussi calme ait exigé peu d'attention. Le vent était si constant, en effet, que le voilier aurait presque pu se diriger seul.

Mais, de son côté, Utley ne semblait pas prêt à abandonner la partie. Une heure plus tard, il recommença :

— Ecoutez, dit-il à l'adresse de Cameron. Il est inutile de mêler les autorités à cette affaire. Pourquoi ne pas régler notre problème ici et tout de suite, d'homme à homme ? Le vainqueur de la bagarre aurait la femme et l'île.

— Je ne vois pas pourquoi je vous disputerais ce qui me revient déjà de plein droit, répliqua froidement Cameron. D'autant que vous n'êtes pas en position de me le prendre.

A présent, Celia comprenait clairement la motivation d'Utley. Les pieds et les poings liés comme il l'était, ce dernier n'avait aucune chance de s'échapper. En revanche, s'il parvenait à provoquer la colère de Cameron jusqu'à ce que celui-ci le détache pour l'affronter, peut-être pouvait-il remporter la bataille.

— Je vous fais remarquer que vous êtes ligoté, s'empressa de dire la jeune femme. Et que vous feriez mieux de cesser de provoquer mon mari. Parce que, s'il se met en colère, il risque de vous briser les os ou de vous abattre d'un coup de fusil, sans que vous puissiez lever le petit doigt.

— Il ne ferait jamais ça ! affirma Utley. Je sais reconnaître un gentleman quand j'en croise un, ajouta-t-il sur un ton sarcastique. Leur esprit est trop élevé et leur code d'honneur trop enraciné pour oser frapper un homme sans défense.

Utley avait raison, songea Celia. Ce criminel avait compris au premier coup d'œil ce qu'elle n'avait pas su voir en plusieurs semaines : que la bonté naturelle de Cameron le rendait incapable de la moindre bassesse. Et a fortiori de meurtre. Elle s'apprêtait à supplier son époux de lui pardonner d'avoir douté de lui. A lui dire qu'elle souhaitait demeurer sa femme, régulariser leur mariage et rester pour le restant de ses jours auprès de lui, lorsqu'un coup d'œil devant elle lui fit oublier cette impulsion.

— Cameron, regarde ! hurla-t-elle.

Au même instant, une violente rafale heurta les voiles, manquant faire chavirer le bateau. Sentant les battements de son cœur s'accélérer de manière inquiétante, Celia se força à respirer profondément afin de repousser la panique qu'elle sentait monter en elle.

De son côté, Utley se mit à hurler :

— Détachez-moi ! Si le bateau se retourne, je mourrai noyé.

Le vent s'intensifia encore, secouant le voilier comme une minuscule coquille de noix sur la mer soudain déchaînée.

Cameron prit plusieurs ris dans les voiles, et le bateau retomba dans le creux d'une vague monstrueuse.

— Détachez-moi, insista Utley. Je pourrai me rendre utile.

Sans attendre l'assentiment de Cameron, Celia arracha le couteau à la gaine qui était accrochée à la ceinture de son époux. Puis elle rampa jusqu'à l'arrière du bateau et entreprit de couper les liens du malfaiteur.

— Dépêchez-vous ! s'écria ce dernier par-dessus le hurlement du vent.

Elle parvint enfin à libérer Utley, qui se précipita aussitôt en direction des voiles afin de les rétrécir davantage. De son côté, Celia se recroquevilla sur elle-même à l'arrière du bateau et s'y agrippa de toutes ses forces pour éviter de passer par-dessus bord.

Cameron se retourna et riva dans le sien un regard angoissé où elle vit briller tout son amour pour elle. Après quoi il reporta vivement son attention sur le contrôle du bateau.

— Baissez complètement la voile, hurla-t-il à l'adresse d'Utley. C'est notre seule chance de nous en sortir.

A ce moment-là, une puissante rafale propulsa le voilier dans les airs. Celui-ci resta un long instant en suspension, porté par le vent. Puis il retomba sur l'eau dans un fracas effrayant.

14

Le voilier s'écrasa sur la mer avec une telle violence que Celia serait passée par-dessus bord si Cameron ne l'avait pas rattrapée de justesse en l'enserrant par la taille.

Moins chanceux qu'elle, Utley fut projeté hors du bateau par une vague gigantesque.

Voyant cela, Cameron passa aussitôt le gouvernail à Celia et plongea sans hésiter dans les vagues afin de repêcher leur prisonnier.

— Cameron, reviens ! hurla la jeune femme. Ce type ne vaut pas la peine que tu risques ta vie pour lui.

Elle écarquilla les yeux à travers les rideaux de pluie qui brouillaient sa vision, dans l'espoir d'apercevoir son époux parmi les flots déchaînés. Comment avait-elle pu douter de lui, alors qu'il mettait son existence en péril pour sauver un homme qui n'avait qu'une idée en tête : les tuer tous les deux ? Et à présent, s'il se noyait, il ne saurait jamais qu'elle avait décidé de rester auprès de lui et de lui vouer un amour inconditionnel, se lamenta-t-elle.

Tout en retenant la barre de toutes ses forces, elle suppliait désespérément le ciel pour qu'il vive, lorsque la tempête s'éloigna brusquement vers le large. Le ciel s'éclaircit un peu et la violence de la houle s'apaisa. Cependant, elle ne parvenait toujours pas à apercevoir le moindre signe de Cameron ou d'Utley.

Soudain, elle entendit un bruit derrière elle, se tourna et vit Cameron qui s'accrochait d'une main au rebord du bateau.

— Dieu merci, tu es sain et sauf ! s'exclama-t-elle. Et Utley ?

— Je l'ai trouvé. Aide-moi à le remonter.

Joignant leurs efforts, ils hissèrent péniblement le corps inanimé de leur prisonnier jusqu'au rebord du bateau, puis sur le pont.

— Il est mort ? demanda Celia.

Cameron pressa ses doigts sur le cou d'Utley.

— Non, dit-il. Son cœur bat encore.

Il désigna une marque sur la tempe de l'homme.

— Il a dû se cogner la tête au moment où il est tombé à l'eau et perdre conscience. Enlève-lui ses vêtements et enroule-le dans des couvertures, ordonna-t-il à Celia. Même si je prendrais plaisir à le voir dévoré par les requins, je tiens à ce que ce misérable salaud arrive vivant à Key West.

La violence avec laquelle il avait prononcé ces paroles, ainsi que la rage qui brillait dans son regard, fit frissonner Celia. Parviendrait-elle jamais à s'habituer aux constantes contradictions de l'homme qu'elle aimait plus que tout au monde ? se demanda-t-elle. Alors qu'un instant plus tôt, il risquait sa vie pour sauver un criminel, il semblait à présent souhaiter le voir mourir, dévoré par les requins.

Les traits soudain fermés, Cameron reprit le gouvernail tandis qu'elle se hâtait de dénicher des couvertures sèches à l'intérieur de la cabine. Elle mourait d'envie d'annoncer à son mari sa décision de faire abstraction du passé et celle de rester auprès de lui sur l'île de la Solitude. Toutefois, la colère glacée qui étincelait dans le regard de celui-ci l'en empêcha.

Au lieu de cela, elle veilla silencieusement le répugnant personnage étendu sur le pont arrière.

Plusieurs heures plus tard, alors qu'ils entraient dans la marina de Key West, Utley n'avait toujours pas repris conscience.

Cameron amarra solidement le bateau au quai avant de sauter à terre.

— Je vais demander au capitaine du port de prévenir la police, dit-il sèchement.

Celia le regarda s'éloigner d'un pas furieux en direction de la capitainerie. Il semblait si distant et si exaspéré qu'elle commença à se demander s'il voudrait qu'elle retourne avec lui sur l'île de la Solitude lorsqu'elle lui annoncerait son désir de demeurer sa femme.

Cameron hâta le pas en s'approchant du petit hôtel pittoresque où un agent de police avait conduit Celia la veille au soir. L'architecture du bâtiment lui rappela sa maison sur l'île de la

Solitude. Il ne ressentit toutefois aucun pincement de nostalgie à cette pensée. Un seul désir l'animait : celui d'étreindre Celia dans ses bras.

Il prit sa clé à la réception et escalada les marches quatre à quatre jusqu'à leur chambre, laquelle donnait sur un jardin tropical aménagé à l'arrière de l'hôtel. Soucieux de ne pas réveiller Celia, il ouvrit doucement la porte. Il sentit son cœur se gonfler en l'apercevant, étendue sur le lit, les draps rejetés sur le côté révélant ses longues jambes hâlées.

La dernière fois qu'il l'avait vue, c'était au commissariat de police. Il se souvint du regard paniqué qu'elle lui avait lancé au moment où l'un des agents l'avait emmené, après un bref interrogatoire. Il avait alors eu envie de la rassurer, de lui dire que tout se passerait bien. Mais les inspecteurs qui le questionnaient l'avaient fait entrer dans la salle d'interrogatoire avant qu'il n'ait le temps de lui parler.

Il se pencha au-dessus du lit et repoussa une mèche du front de la jeune femme, qui ouvrit aussitôt les yeux et se redressa dans un sursaut.

— Où étais-tu ? demanda-t-elle d'une voix enrouée par le sommeil, mais où perçait l'anxiété. J'ai cru que la police t'avait arrêté.

Cameron secoua la tête.

— Non, mais l'interrogatoire a été très long, expliqua-t-il.

Bien qu'il en meure d'envie, il se retint de lui raconter toute l'histoire. Car, avant cela, il souhaitait connaître sa décision. Il voulait savoir si elle avait choisi de lui faire confiance et de demeurer son épouse. Il n'avait jamais connu le bonheur avant que Celia n'apparaisse dans sa vie. Il n'avait même pas imaginé pouvoir aimer quiconque aussi totalement ni sans aucune réserve. Mais, s'ils désiraient construire une existence ensemble, il avait besoin de croire qu'elle éprouvait les mêmes sentiments à son égard.

Terrifié à l'idée d'entendre sa réponse, mais poussé par le désir de savoir, il la prit doucement par les épaules, riva son regard dans le sien et demanda :

— As-tu pris ta décision, Celia ?

Elle enroula les bras autour de son cou et lui sourit d'une manière qui le bouleversa.

— J'avais fait mon choix bien avant que nous n'atteignions Key West. Mais tu avais l'air si furieux que je n'ai pas osé t'en faire part.

A ces mots, Cameron sentit son cœur sombrer dans sa poitrine.

— Parce que tu craignais que ta décision ne vienne alimenter ma colère ? supposa-t-il.

— Non, répondit Celia. Parce que j'avais peur que tu ne veuilles plus de moi, alors que j'avais choisi de rester à ton côté.

Il eut un gémissement de protestation et la serra avec force dans ses bras.

— Comment aurais-je pu ne pas vouloir de toi, Celia ? J'aurais préféré mourir plutôt que de te perdre.

Elle se blottit contre lui, enfouit le visage dans son cou et murmura :

— Cela signifie-t-il que tu vas me ramener avec toi sur l'île de la Solitude ?

Il lui emprisonna le visage dans les mains.

— Où que j'aille, tu m'accompagneras, promit-il.

Avec un soupir d'aise, elle approcha ses lèvres des siennes.

— Je t'aime, Cameron. Je t'aime sans condition. J'ai entière confiance en toi et je veux rester ta femme.

Il prit sa bouche, les yeux embués de larmes. Elle l'aimait et elle lui accordait sa confiance, sans même connaître la vérité, songea-t-il avec gratitude.

Il était largement temps de la lui révéler et de tout lui expliquer :

— J'avais de bonnes raisons d'être en colère, hier, déclara-t-il. Car, dès qu'Utley a commencé à me provoquer sur le bateau, le souvenir de la nuit où Clarissa et Randolph ont été assassinés a soudain resurgi de ma mémoire. J'ai alors su que j'avais déjà vu Jack Utley par le passé.

Mise en haleine par le récit de son époux, Celia se figea.

— Je t'écoute, dit-elle.

— C'est Utley qui a assassiné ma femme et mon fils… et qui a également failli me tuer. Et c'est lui que j'ai frappé cette nuit-là, sauf que j'étais trop ivre pour pouvoir me mesurer à lui.

— As-tu expliqué tout cela à la police ? demanda la jeune femme.

Il enroula les bras autour d'elle et s'adossa à la tête de lit avant de répondre :

— C'est la raison pour laquelle je suis resté si longtemps au commissariat. Les inspecteurs ont passé la nuit à téléphoner à ceux de Scotland Yard et à échanger des télécopies avec eux.

Le beau visage de Celia irradiait de bonheur.

— Tu es donc lavé de tout soupçon ! s'exclama-t-elle.

— Oui. Les empreintes retrouvées sur la scène du crime viennent enfin d'être identifiées comme étant celles d'Utley. Mais, mieux encore, j'ai enfin la conscience tranquille.

— Dans ce cas, tu peux rentrer chez toi, en Angleterre. Tu peux retourner à Londres ? Et dans le Devon ?

— *Nous* pouvons rentrer chez nous, rectifia Cameron. Ensemble. Toi et moi.

Il scruta le visage de son épouse, craignant d'y déceler une hésitation.

— Nous irons où tu le souhaiteras, mon amour, répondit Celia. Chez moi, c'est là où tu te trouves.

La voyant soudain froncer les sourcils, Cameron sentit son cœur se serrer à l'idée qu'elle se ravise. Au lieu de cela, elle demanda :

— Quel était le mobile d'Utley ?

Il se détendit et la serra un peu plus fort dans ses bras.

— Il a avoué avoir été engagé pour nous tuer, moi et ma famille. Par mon cher cousin Christopher, lequel convoitait ma fortune et espérait ainsi en hériter. Seulement Utley a bâclé le travail. Il m'a laissé pour mort, mais j'ai survécu. Ignorant que je n'avais aucun souvenir de cette nuit-là, il n'a cessé de me rechercher depuis que je me suis exilé sur l'île de la Solitude. Et c'est lui qui avait attenté deux fois à mes jours avant que je ne quitte l'Angleterre, dans le but d'achever son œuvre et d'éliminer le seul témoin vivant de son crime.

— Dieu merci, il a échoué, murmura Celia avec un soulagement qui réchauffa le cœur de Cameron.

— Les inspecteurs de Scotland Yard ont arrêté mon cousin ce matin à l'aube, ajouta-t-il. Au lieu de s'approprier mon héritage, il va maintenant passer le reste de ses jours en prison.

— Nous n'avons donc plus rien à faire ici ? demanda la jeune femme.

— Oh, si. Nous avons une tâche très urgente à accomplir, objecta Cameron.

Entendant cela, Celia voulut se lever.

— Dans ce cas, je vais vite m'habiller.

— Cela ne me paraît pas indispensable pour ce que nous avons à faire, affirma-t-il.

Elle leva un sourcil interrogateur.

— Que veux-tu dire ?

— Etant donné que tu as déjà testé les qualités reposantes de ce lit, je suggère que nous lui fassions passer un autre genre d'examen, proposa Cameron.

Sur ces mots, il posa ses lèvres sur celles de Celia. Elle s'abandonna avec délice à son étreinte. Et, de son côté, il se dit que si un homme pouvait mourir de plaisir et de bonheur, il ne survivrait pas à cette matinée.

Six mois plus tard, par un après-midi de mai chaud et ensoleillé, Celia regardait la mer depuis la plage. La fureur des vagues de l'océan Atlantique ne ressemblait pas aux eaux paisibles du golfe du Mexique. Pas plus que la terre rouge des collines du Devon, au sable blanc de l'île de la Solitude. Cependant, ce paysage ne manquait pas de la ravir. Depuis leur mariage, célébré le jour de Noël dans la cathédrale d'Exeter, Cameron et elle s'étaient installés dans la propriété rurale de son époux. Cameron avait embauché un directeur pour s'occuper des exploitations minières et il passait à présent ses journées à écrire son livre sur la faune et la flore de l'archipel des Keys, avec l'aide de Celia.

Lorsque Tracey était venue en Angleterre au mois de décembre, pour assister à leur mariage, elle avait apporté avec elle la vidéo d'un journal télévisé parlant de Gregory Conroy, alias Darren Walker, alias David Weller, ainsi qu'une demi-douzaine d'autres patronymes. Ce dernier venait d'être inculpé pour meurtre par le procureur du Massachusetts. Non pas, de manière ironique, pour l'assassinat de la fille de Mme Seffner, mais pour celui d'une autre femme — l'une de ses nombreuses épouses, toutes décédées de façon mystérieuse. Le frère de cette victime se trouvait être un inspecteur de la police de Boston qui n'avait eu de cesse de traquer Conroy et de prouver sa culpabilité.

En sachant que Celia avait frôlé la mort de si près en s'apprêtant une première fois à épouser Darren, son amie Tracey avait d'abord émis certaines réserves concernant Cameron. Mais la profonde gentillesse et l'accueil chaleureux de ce dernier n'avaient pas tardé à lui gagner la confiance de la jeune femme. Celia avait récompensé l'approbation de son amie en bannissant cette fois-ci la couleur rose des robes de ses demoiselles d'honneur. Celle-ci avait été remplacée par un velours vert profond, lequel s'harmonisait avec la saison hivernale.

Des centaines de personnes — les nombreux amis et les divers associés de Cameron, et même certains aristocrates de lignée royale — avaient assisté à la cérémonie. Celle-ci s'était tenue dans la cathédrale d'Exeter, décorée pour l'occasion de feuilles de houx, de gui et de nœuds de satin rouge. Avant l'assassinat tragique de sa première épouse et de son fils, Cameron était apprécié par un vaste entourage. Et, maintenant que son nom était lavé de tout soupçon, on l'avait de nouveau accueilli en Angleterre avec enthousiasme. Tout comme Celia.

La jeune femme sourit à ce souvenir. Depuis son mariage officiel avec Cameron, elle avait été plus heureuse qu'elle ne l'avait jamais été. A tel point que même Les Châteaux de Sable, sa librairie de Clearwater Beach — qu'elle avait fini par vendre à Tracey —, ne lui manquaient pas.

Pressée d'aller retrouver son époux et de prendre le thé en sa compagnie, elle regagna le manoir.

Mme Givens avait déjà déposé le plateau sur la terrasse où flottait le parfum capiteux des roses du parc, rehaussé par la chaleur du soleil. Toutefois, Celia préféra attendre Cameron, qui avait dû prendre un appel téléphonique international dans son bureau.

Il ne tarda pas à apparaître dans l'encadrement de la porte-fenêtre de la terrasse, un sourire radieux éclairant son beau visage. En le voyant, la jeune femme sentit son cœur bondir dans sa poitrine, comme chaque fois qu'elle le retrouvait après une courte séparation, transportée par l'amour qu'il lui inspirait.

— Je viens de recevoir une excellente nouvelle, lui annonça-t-il.

Celia s'installa à la table et, tout en servant une tasse de thé à son époux, elle supposa :

— Les extractions minières sont florissantes ?

Cameron lui prit la tasse des mains, rapprocha une chaise de la sienne et s'y assit.

— Elles le sont. Mais ce que je viens d'apprendre est bien plus extraordinaire que cela. Il s'agit de Noah.

— De Noah ? Mais nous avons déjà reçu une lettre de lui la semaine passée. Et le capitaine Biggins ne devait plus retourner chercher le courrier sur l'île de la Solitude avant trois mois.

Cameron prit une gorgée de thé, puis il posa sa tasse et se frotta les mains d'un air réjoui.

— Ce n'est pas Noah qui m'a contacté. Tu te souviens que le malheureux se cachait des autorités parce qu'il avait été accusé à tort de meurtre ? Tout comme moi, de manière ironique.

Celia hocha la tête.

— Oui, et j'ai souvent pensé à lui ces derniers mois, vivant tout seul sur cette île déserte.

— Eh bien, je viens d'envoyer le capitaine Biggins annoncer à notre cher Noah qu'il va pouvoir regagner le continent dès qu'il le souhaitera, déclara Cameron.

— Sans risque de se faire arrêter ? Comment est-ce possible ? demanda Celia.

— L'un des hommes qui l'avaient accusé à l'époque vient d'être inculpé pour un autre crime. Afin de réduire la gravité des charges retenues contre lui, ce type a dénoncé le véritable responsable du meurtre dont on accusait Noah, qui a été arrêté à son tour. Noah est libre.

— C'est une nouvelle formidable ! Penses-tu qu'il viendra vivre ici avec nous ?

— Je le lui ai proposé. Mais il a suffisamment d'économies pour aller où bon lui semblera.

Celia sourit, aussi heureuse pour son vieil ami Noah qu'à cause du secret qu'elle s'apprêtait à partager avec Cameron.

— Décidément, cette journée semble bénie des dieux, remarqua-t-elle. Car j'ai moi aussi une heureuse nouvelle à t'annoncer.

Cameron enroula un bras autour des épaules de la jeune femme et déposa un baiser sur ses lèvres.

— Les nouveaux rosiers que tu avais plantés ont enfin éclos ?

Elle secoua la tête.

— Non, mais tu brûles. Il faut que j'aménage une nouvelle chambre dans la maison. Une chambre d'enfant.

A ces mots, un bonheur si intense étincela dans les yeux de Cameron que Celia sentit les larmes embuer les siens.

— Tu attends un bébé ?

— Non.

Le voyant se rétracter sous l'effet de la déception, elle eut pitié de lui :

— Je n'attends pas un bébé, mais deux, précisa-t-elle. Nous allons avoir des jumeaux.

Cameron hurla de joie. Puis il se leva avec un tel élan que sa chaise se renversa, et prit la jeune femme dans ses bras.

— Celia, tu es merveilleuse !

Elle eut un rire ravi.

— Je n'ai pas été seule à concevoir ces enfants, rappela-t-elle. N'oublie pas que tu as aussi droit à ta part d'éloges.

— Tu fais de moi le plus heureux des hommes, répliqua t il.

Sur ces mots, il la fit tournoyer dans ses bras jusqu'à ce qu'elle voie l'océan et les collines du Devon former un kaléidoscope vert et bleu devant ses yeux. Un kaléidoscope interrompu à chaque tour par la silhouette brune et massive de Mme Givens qui, debout dans l'embrasure de la porte-fenêtre, s'essuyait les yeux avec le coin de son tablier.

Le 1er avril

Black Rose n°248

Prisonnière de l'oubli - Joanna Wayne

Les héritiers d'Oak Grove 3/3

Qui est-elle ? Quand elle se réveille à l'hôpital, Meghan – comme la désigne la pancarte placée au pied de son lit – est terrassée par la panique. Et puis, qui est cet homme séduisant, à son chevet ? Impossible de savoir si elle le connaît. Pourtant, elle n'a d'autre choix que de le croire quand il lui apprend qu'elle est détective privé et qu'elle a été agressée au cours d'une enquête. En revanche, lorsqu'il lui propose de la protéger, elle hésite à accepter. Comme si sa mémoire lui soufflait qu'il l'avait autrefois blessée...

L'identité d'une autre - Mallory Kane

Rosemary Delancey... Voilà douze ans que l'inspecteur Dixon Lloyd cherche à comprendre ce qu'est devenue la jeune fille, le soir où elle a tragiquement disparu. Car si des traces de sang ont été découvertes dans sa chambre, son corps, lui, n'a jamais été retrouvé... Aussi, quand il l'aperçoit au détour d'une ruelle, il est sous le choc. Est-ce bien elle ? La jeune femme, qui affirme s'appeler Rose Boheme, prétend qu'il fait erreur. Mais Dixon est persuadé, lui, qu'il se tient devant la bonne personne...

Black Rose n°249

Une précieuse mission - Rita Herron

Lorsqu'un homme vient lui ouvrir la porte, Alanna se sent soulagée. Enfin, elle a trouvé Eric Cadwell, l'homme qu'elle a payé pour assurer sa protection ! Enfin, après une folle cavale, elle va pouvoir se reposer. Simon, le bébé qu'elle a recueilli, sera en sécurité ici, à l'abri des criminels qui cherchent à l'enlever. Pourtant, quand son interlocuteur lui révèle s'appeler Cain Cadwell, elle panique. Son frère Eric vient d'être assassiné par ceux-là même qui sont à sa poursuite, lui explique-t-il. Et il doit désormais choisir entre les renvoyer d'où ils viennent, Simon et elle, et les faire entrer, au risque de se mettre lui-même en danger...

Une troublante rencontre - Jean Brashear

JD ne décolère pas. Comment a-t-il pu se montrer assez stupide pour tomber amoureux de Violet James ? En se faisant passer pour le nouveau garde du corps de la célèbre actrice, il devait se contenter d'approcher le meilleur ami de celle-ci, soupçonné d'être à la tête d'un trafic de drogue. Et pas s'enticher d'elle ! Seulement voilà... En côtoyant Violet, il a découvert une jeune femme fragile, bien loin de la star méprisante dont il avait l'image. Au point que désormais, il redoute sa réaction : elle vient de lui avouer qu'elle l'aime... mais elle ignore encore qu'il l'a manipulée.

Mon séduisant ennemi - Kara Lennox

Elle devra se faire passer pour la secrétaire de Conner Blake ? L'agent Jillian Bexter est bouleversée. Car cette mission – intégrer l'entreprise de Conner, soupçonné d'être coupable de meurtre –, est la plus difficile de sa carrière. Conner n'est-il pas en effet son pire ennemi ? Mais peu importe : elle saura rester professionnelle. Pourtant, quand Conner se met en tête de la reconquérir, Jillian se sent bientôt prise au piège. Car répondre à ses avances n'est-il pas, hélas, le meilleur moyen d'enquêter en toute discrétion ?

Un pari risqué - B.J. Daniels

Elle n'est pas folle. Dede s'est juré de le prouver et un seul homme peut l'y aider : Lantry Corbett. Pour être sûre que le séduisant avocat accepte de l'écouter, elle n'a pas le choix : elle le menace d'une arme et le contraint à la suivre. Dans le chalet perdu où elle s'enferme avec Lantry, elle va enfin pourvoir plaider sa cause et lui expliquer que c'est son ex-mari qui s'échine à la faire passer pour une malade parce qu'elle détient des informations compromettantes sur lui...

Black Rose Hors Série

Troublante imposture - Amanda Stevens

Emma est bouleversée. En apprenant qu'Ashton, son fiancé, n'est pas mort comme elle le croyait depuis douze ans, elle éprouve une joie indicible. Cependant, au moment où elle le retrouve pour de bon, un étrange sentiment de malaise l'envahit. Ashton est froid, distant, implacable –, tellement différent de celui qu'elle a connu autrefois... S'agit-il bien de lui ?

Une protection très rapprochée - Carla Cassidy

Quand elle décide d'engager Joshua West comme garde du corps, Savannah n'est pas seulement rassurée. Elle est troublée. Car le désir qu'elle éprouve pour lui est plus fort encore que la peur qui l'a gagnée depuis qu'elle a reçu des menaces de mort. Mais Joshua ne tombera jamais amoureux d'une simple journaliste comme elle, elle le sait.

De la part d'un inconnu... - Jenna Ryan

Une rose blanche, accompagnée d'un message d'amour. La cinquième que Meliana reçoit en un mois. Si, au début, l'idée d'avoir un admirateur secret l'amusait, à présent, elle a peur. De plus en plus inquiète, Meliana n'a d'autre choix que faire appel au seul homme en qui elle ait confiance : Johnny, son ex-mari...

A paraître le 1er mars

Best-Sellers n°551 • suspense

La demeure maudite - Heather Graham

Comme chaque année, Ashley se réjouit d'accueillir dans sa superbe et majestueuse demeure de Louisiane — la plantation Donegal, au cœur du bayou — un festival historique qui rend hommage au passé de sa famille. Mais cette fois, rien ne se passe comme prévu : la fête tourne au cauchemar lorsqu'un cadavre est découvert, suspendu à l'ange de pierre qui surplombe le mausolée familial. Profondément choquée, et inquiète face à l'inaction de la police locale, Ashley décide de faire appel à une équipe d'enquêteurs du FBI, des spécialistes réputés pour avoir résolu les affaires les plus étranges. Une unité à laquelle appartient Jake Mallory, son premier amour, un homme atypique et pourvu d'un talent troublant pour communiquer avec l'au-delà. Mais aussi celui qui lui donnera le courage de dévoiler des secrets de famille que même la mort n'a pu ensevelir…

Best-Sellers n°552 • suspense

Ciel de feu - Karen Harper

Quand elle découvre que l'une des granges de la communauté Amish où elle vit vient de brûler, Sarah Kauffman est bouleversée. Non seulement elle est profondément touchée par la détresse des propriétaires, dont elle est proche, mais elle avait récemment obtenu d'eux l'autorisation de peindre une fresque sur le mur de la maison : tout le travail qu'elle a réalisé avec passion a été consumé dans les flammes. Mais lorsqu'un second, puis un troisième incendie se déclarent dans d'autres bâtiments également ornés de ses peintures, Sarah, stupéfaite, comprend qu'il s'agit bel et bien d'incendies criminels. Et que ces incendies ont un lien avec son propre travail. Décidée à découvrir la vérité, elle accepte alors sans hésiter de collaborer avec le troublant et charismatique Nate MacKenzie, l'inspecteur chargé de l'enquête. Très vite, les langues se délient, les secrets de familles se dévoilent, tandis que ses propres convictions commencent à vaciller. Se pourrait-il qu'elle soit la cible, la seule et unique cible, d'un criminel dépourvu de tous scrupules ?

Best-Sellers n°553 • suspense

Epiée - Leslie Tentler

« Je n'ai pas l'intention de vous tuer. A moins, bien sûr, que vous ne m'y forciez… »
Psychologue et animatrice d'une émission de radio, Rain Sommers a l'habitude des déséquilibrés qui l'appellent depuis les quartiers sombres de La Nouvelle-Orléans, pour donner libre cours à leurs fantasmes. Mais lorsqu'un auditeur commence à témoigner d'une obsession terrifiante pour elle et pour sa mère — une chanteuse emblématique assassinée trente ans plus tôt —, Rain prend peur. Qui peut bien être cet homme à la fois cynique et malsain qui semble très bien la connaître ? Près de basculer dans la panique, Rain n'a d'autre choix que d'accorder sa confiance à Trevor Rivette, un agent du FBI apparemment convaincu que l'auteur des coups de fil et le tueur en série sur lequel il enquête en ce moment ne sont qu'une seule et même personne. Mais en se plongeant dans l'enquête aux côtés de Trevor, Rain ignore encore qu'elle va se retrouver entraînée dans une spirale infernale où les secrets du passé et les événements récents sont inextricablement liés…

Best-Sellers n°554 • thriller
La signature écarlate - Andrea Ellison
A Nashville, personne n'a oublié la série de crimes qui ont terrifié la ville : dix jeunes femmes victimes d'un meurtrier sadique. Dix jeunes femmes au teint d'albâtre et aux cheveux de jais, aux lèvres outrageusement maquillées de rouge.
Vingt ans plus tard, la ville est de nouveau plongée dans la peur tandis que quatre nouvelles victimes sont découvertes, tuées exactement selon le même rituel. Pour les enquêteurs, il n'y a aucun doute : ces crimes portent la signature sanglante du même tueur. Mais pour Taylor Jackson, le lieutenant chargé de l'enquête, l'affaire va prendre une tournure plus personnelle : un détail dans le profil de l'assassin a en effet réveillé des souvenirs enfouis au plus profond d'elle-même. Des souvenirs qui lui font croire qu'elle a fréquenté de près le tueur. Pire encore : le portrait du suspect correspond point pour point à celui d'un notable de Nashville. Un homme qu'elle connaît bien…

Best-Sellers n°555 • suspense
N'oublie pas que je t'attends - Amanda Stevens
« Maman, je reviens bientôt. » Quand ce message est découvert sur le pare-brise d'une voiture garée devant chez elle, Tess Campbell reprend espoir. Car l'enfant qui a écrit ces mots ne peut être que sa petite Emily, kidnappée trois semaines plus tôt, et qui, elle en a la certitude, est toujours vivante. Mais à Eden, petite ville tranquille du Mississippi, Tess n'est pas seule à vivre dans l'angoisse de ne plus jamais revoir son enfant. Tout près d'elle, une autre mère, Naomi, endure ce calvaire depuis dix ans déjà. Depuis que sa fille Sadie a été enlevée dix ans plus tôt, dans la même école qu'Emily, et dans des circonstances étrangement similaires. Y a-t-il un lien entre ces deux enlèvements ? Et si oui, quels sont les mobiles des ravisseurs, qui n'ont fait aucune demande de rançon ?
Devant l'inertie de la police, Tess et Naomi décident d'unir leurs forces et de continuer à se battre. C'est alors qu'un nouveau drame se produit, qui vient relancer l'enquête : dans la petite école d'Emilie et de Sadie, une troisième fillette, Sara Beth, manque à l'appel…

Best-Sellers n°556 • roman
La fille du New Hampshire - Shannon Stacey
Quand sa rédactrice en chef découvre qu'elle a autrefois été la petite amie de Joe Kowalski, un auteur de bestsellers jaloux de son intimité, Keri Daniels se retrouve confrontée à un ultimatum : obtenir une interview exclusive avec Joe ou trouver un nouvel emploi. Furieuse mais désireuse de promouvoir sa carrière de journaliste qu'elle adore, Keri accepte de tenter sa chance auprès de Joe, quelle n'a pas revu depuis dix ans. Mais elle n'est pas au bout de ses surprises, car Joe lui propose bientôt un marché aussi surprenant qu'audacieux : si elle vient camper avec lui dans le New Hampshire, elle aura le droit de lui poser chaque jour une question pour son interview. Si c'est le prix à payer pour rédiger l'article de sa vie, qu'à cela ne tienne ! En revanche, pas question de céder à nouveau au charme ravageur de son ancien amant. Même si Keri a bien remarqué l'étincelle de désir qui illumine le regard de Joe quand il pose ses yeux d'azur sur elle…

Best-Sellers n°557 • historique
L'héritage scandaleux - Nicola Cornick
Londres, 1811
Après la disparition de son cruel époux, lady Joanna Ware est bouleversée par l'ultime humiliation que lui réserve le testament de celui-ci. En effet, non content de la déposséder de tous ses biens, son mari a fait d'elle la tutrice d'une petite Nina, fruit de l'une de ses innombrables liaisons. Pis encore : il a abandonné la fillette dans un monastère à l'autre bout du monde et exige que Joanna la récupère en personne. Malgré sa colère, Joanna est déterminée à sauver l'enfant, même s'il lui faut pour cela partir à l'autre bout du monde. Mais sa détermination vacille lorsqu'elle découvre qu'elle devra partager la garde de Nina avec le meilleur ami de son époux, Alex Grant. Car entre l'arrogant Alex et elle, la haine est palpable… tout autant que le désir.

Best-Sellers n°558 • historique
La fausse mariée - Margaret Moore
Midlands, 1204.
Pour remercier l'ombrageux inconnu qui lui a sauvé la vie alors qu'elle était attaquée par une bande de brigands, lady Elizabeth d'Averette est prête à tout… ou presque. Car lorsque le prétendu sir Oliver lui demande son aide pour infiltrer le château de Wimarc, l'une des forteresses les mieux gardées de la région, Elizabeth hésite. Certes, Oliver défend une noble cause : il veut libérer son frère retenu prisonnier injustement par le cruel Wimarc, mais son plan est aussi risqué qu'indécent. Comment pourraient-ils se faire passer pour mari et femme alors qu'ils se connaissent à peine ? D'autant qu'un tel mensonge les obligerait à une intimité intolérable pour une lady de son rang…

Composé et édité par les

éditions HARLEQUIN

Achevé d'imprimer en France (Malesherbes)
par Maury-Imprimeur
en février 2013

Dépôt légal en mars 2013
N° d'imprimeur : 179059